Editorial

Liebe Leserinnen,
liebe Leser,
das Thema Sekundärtransporte wird mit der Ausdünnung der Krankenhauslandschaft sowie mit der ständig zunehmenden Spezialisierung verschiedener Zentren in den nächsten Jahren massiv an Relevanz gewinnen. Mit den Artikeln zu den Themen „Bodengebundener Intensivtransport“ von Dr. Johanna Nold sowie „Intensivtransport mittels Hubschrauber“ von Dr. Dominik Höchter bieten wir einen guten Einblick in die Besonderheiten der Sekundärverlegungen unserer kränksten Patient:innen, bei welchen nicht immer die Zeit, sondern oftmals eben eine besondere medizinische Ausstattung und fachliche Expertise gefordert ist und im Vordergrund steht.

Prof. Dr. Helmut Trimmel und Prof. Dr. Wolfgang Voelckel stellen den luftgebundenen Intensivtransport bei unseren Nachbarn in Österreich am Standort Wiener Neustadt vor.

Es soll jedoch auch nicht unerwähnt bleiben, dass ein Sekundärtransport nicht nur aus dem arztbegleiteten Intensivtransport besteht. Eine weitaus größere Patientengruppe in diesem Bereich kann und wird durchaus mittels Krankentransport- und Rettungswagen und dem dort entsprechenden Rettungsfachpersonal verlegt. Auch hier ist fachliche Expertise gefragt und das Bewusstsein dafür, dass mit Übernahme in der abgebenden Klinik die Verantwortung für den/die Patient:in an das Rettungsfachpersonal übergeht.

Wir hoffen, auch mit den weiteren im Heft befindlichen Artikeln Ihren Nerv getroffen zu haben und Sie fachlich wie auch informativ beim Lesen zu fesseln. CME-Punkte können Sie in dieser Ausgabe im Bereich Neurologie sammeln.

In diesem Sinne: Viel Spaß beim Schmökern und einen angenehmen und goldenen Herbst wünschen Ihnen

Claudia Schwarz
Herausgeberin

Jürgen Gollwitzer
Herausgeber

Ihr Feedback ist uns wichtig!

Sie möchten uns Lob oder Kritik mitteilen? Sie möchten Ihre Meinung zu Artikeln mitteilen oder sind einfach einer anderen Meinung? Oder haben Sie Fragen an das Herausgeberteam oder an das Team hinter ELSEVIER Emergency? Für all diese Themen gibt es eine Feedback-Seite auf https://forms.office.com/r/raZZ1rc1x7 bzw. über den nebenstehenden QR-Code.

Natürlich sind wir aber auch weiterhin unter unserer E-Mail-Adresse rettungsdienst@elsevier.com erreichbar.
Wir freuen uns auf Ihre Nachricht! Ihr ELSEVIER Emergency-Team

In diesem Heft

LEITTHEMA | SEKUNDÄRTRANSPORTE

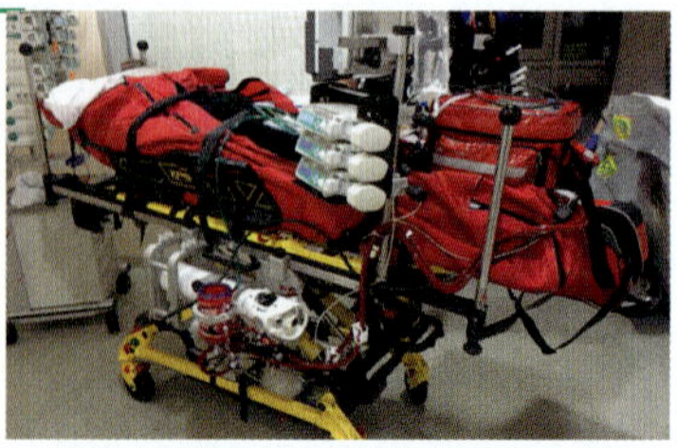

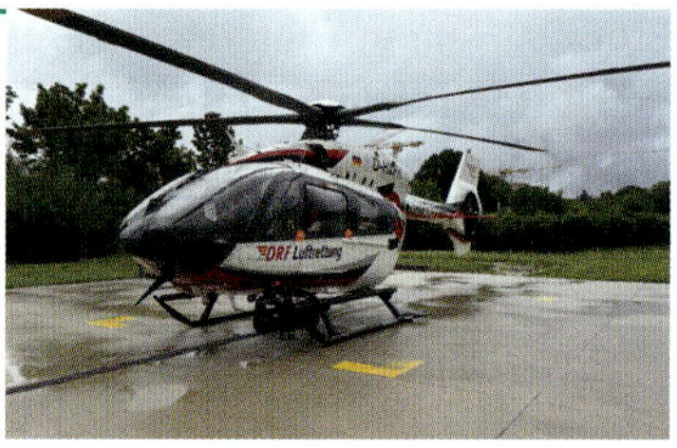

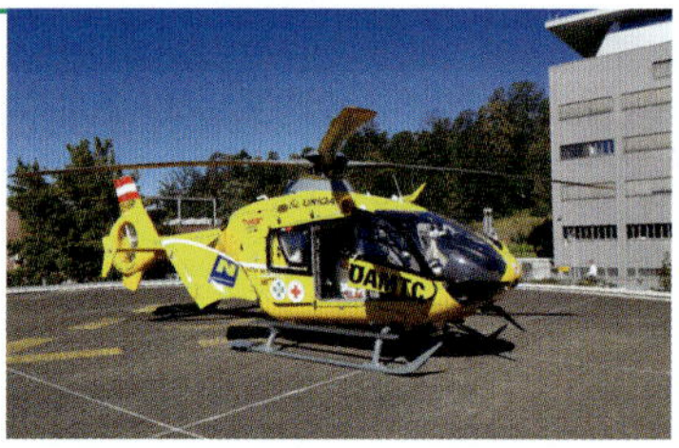

In diesem Heft

FOAM | News | Termine

In dieser Rubrik gehen wir in jeder Ausgabe in aller Kürze auf aktuelle Themen ein und stellen etwas aus der FOAM-Szene vor. Außerdem finden Sie hier Termine von Kongressen oder sonstigen interessanten Veranstaltungen.
Gerne können Sie uns Termine, die Sie hier gelistet haben wollen, unter der E-Mail-Adresse rettungsdienst@elsevier.com mitteilen. An die gleiche Adresse können Sie uns auch Leserbriefe schicken.

FOAM-Plattform

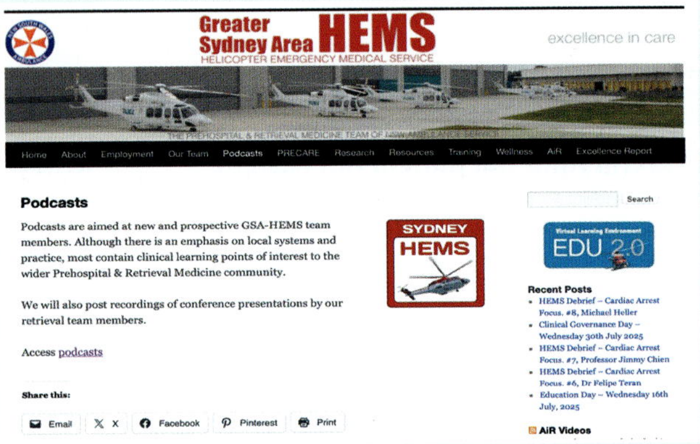

Im Bereich FOAM heute mal einen Blick ans andere Ende der Welt, nämlich nach Australien. Sydney HEMS, der für die dortige Gegend zuständige Luftrettungsdienst, welcher äußerst professionell aufgestellt ist und agiert, stellt auf seiner Website auch Podcasts zu verschiedensten Themen zur Verfügung (auch über die gängigen Podcast Anbieter zu erreichen). Aber auch zahlreiche andere nützliche Informationen, wie zum Beispiel Actioncards, Checklisten oder Studienpapers, sind über diese Website abrufbar. Auch Informationen über das Einarbeitungstraining sowie das „Daily Business" sind hier erhältlich.

① https://sydneyhems.com

QR-Code ①

FOAM-Artikel

ACS bedarf immer eines Notarztes ...?

Dies war zwar nicht die Fragestellung einer retrospektiven Beobachtungsstudie, welche im August 2025 veröffentlicht wurde; allerdings sollte man die Frage in den Raum stellen, wenn man sich die Ergebnisse der Studie „Notärztliche Maßnahmen bei der Versorgung von Patient:innen mit akutem Koronarsyndrom" zu Gemüte geführt hat.

② https://link.springer.com/article/10.1007/s00063-025-01306-4

QR-Code ②

Kalzium bei Traumapatienten

Der Spiegel des ionisierten Kalziums hat einen wesentlichen Einfluss auf die Blutgerinnung; zu wenig Ca^{+} beeinflusst die Gerinnung negativ.

QR-Code ③

Die Verabreichung von Blutprodukten drückt den Kalziumspiegel; jedoch auch die Blutung alleine kann eine Absenkung des Kalziumspiegels bewirken.

Zum Thema Blutprodukte und Kalziumspiegel erschien im *Skandinavian Journal of Trauma, Resuscitation and Emergency Medicine* folgende Arbeit: „Pre-hospital blood product transfusion and calcium management in the United Kingdom: a multicentre service evaluation".

Die Möglichkeit der Kalzium Bestimmung am PoC z. B. in Form einer BGA auch im präklinischen Bereich könnte nicht schaden.

③ https://sjtrem.biomedcentral.com/articles/10.1186/s13049-025-01446-8

USTEP Out

Ein aktueller Artikel in der *Notfall- & Rettungsmedizin* befasst sich mit der aktuellen britischen Leitlinie zur Rettung von Patient:innen nach Verkehrsunfällen. Kurz zusammengefasst: Keine ABCDE-Auffälligkeiten, keine aufwendige technische Rettung, sondern einfach aussteigen lassen. Auch der Nutzen sowie die Anwendung von starren Zervikalstützen wird nochmals thematisiert und kritisch beleuchtet.

QR-Code ④

④ https://link.springer.com/article/10.1007/s10049-025-01560-1

Notarzt – aber wann ...?

Als erstes haben wir dieses Mal einen Artikel vorgestellt, welcher die Frage in den Raum stellt, ob wirklich jede:r ACS-Patient:in eines Notarzteinsatzes bedarf. Der nun hier erwähnte Artikel aus den *Anästhesie Nachrichten* befasst sich mit der zielgerichteten Alarmierung von Notarztsystemen und geht auch auf die Notwendigkeit der Ressourcenschonung ein.

QR-Code ⑤

Grundsätzlich sollte bei einem Notarzteinsatz der/die Patient:in durch die Maßnahmen einen Vorteil erfahren. Die bloße forensische Anwesenheit ausschließlich zum „Händchen halten" und Abrechnen stellt eigentlich keine Indikation dar und verwehren eventuell anderen Patient:innen, welche dringend die notärztliche Expertise bedürfen, die Verfügbarkeit.

⑤ https://link.springer.com/article/10.1007/s44179-025-00297-z

Schmerz ...

Ein interessanter und wichtiger Blogbeitrag von Thomas Hofmann zum Thema Schmerz mit der nachdrücklichen Empfehlung, sich diesen zu Gemüte zu führen! Auf dass der Ausspruch „Morbus Bosporus" aus dem medizinischen Diagnosevokabular endlich gänzlich verschwindet!

QR-Code ⑥

⑥ https://rettungswissenschaftler.com/patientinnen versorgung/schmerz-ist-nicht-gleich-schmerz-warum-der-rettungsdienst-kulturell-sensibler-werden-muss/

Sepsisleitlinie ...

Eine 2025 neu überarbeitete und veröffentlichte S3-Leitlinie zum Thema Sepsis. Wer sich nur mit den Änderungen und Neuerungen befassen möchte, erhält einen guten Überblick über folgenden Link:

QR-Code ⑦

⑦ https://register.awmf.org/assets/guidelines/079_D_Sepsis-Ges/079-001a1_S3_Sepsis-Praevention-Diagnose-Therapie-Nachsorge_2025-07.pdf

Die vollständige Langfassung der aktuellen Leitlinie kann hier abgerufen werden:

⑧ https://register.awmf.org/assets/guidelines/079-001l_S3_Sepsis-Praevention-Diagnose-Therapie-Nachsorge_2025-07.pdf

QR-Code ⑧

Termine

Veranstaltungen D/A/CH

VERANSTALTUNG	DATUM	ORT	WEBSITE
AGBN-Tagung	09.–12.10.2025	Berchtesgaden	https://agbn.de/kongress-uebersicht/
Rettungsdiensttag Potsdam	25.10.2025	Potsdam	www.hs-doepfer.de/events/rettungsdiensttag-potsdam
Online Rettungsdienstkongress	06.–12.11.2025	*Online*	www.rettungsdienstkongress.de
22. DRK-Rettungsdienstsymposium	13.–14.11.2025	Kassel	www.drk-rettungsdienstsymposium.de/
Wilderness Medizin Symposium	22.11.2025	Marburg	www.wilderness-medizin.de/events/symposium-2025
Notfallgäu	21.–22.11.2025	Memmingen	www.notfallgäu.de
DIVI Kongress	03.–05.12.2025	Hamburg	www.divi25.de

Veranstaltungen international

VERANSTALTUNG	DATUM	ORT	WEBSITE
EMS World Expo	20.–24.10.2025	Indianapolis IN (USA)	https://emswordexpo.com
ERC Kongress Resucitation	23.–25.10.2025	Rotterdam	www.resuscitation.eu

Alle Terminangaben ohne Gewähr.

Möchten Sie ebenfalls einen Termin veröffentlichen? Dann wenden Sie sich bitte an rettungsdienst@elsevier.de.

Jürgen Gollwitzer, Welden

Der bodengebundene Intensivtransport

Schlüsselwörter:
Intensivtransport
Sekundärtransport
Risikoabwägung
Patientenübernahme

Zusammenfassung: *Das Spektrum des Intensivtransports ist breit und liegt zwischen planbaren Verlegungen von einem Akutkrankenhaus in eine Rehabilitationseinrichtung auf der einen Seite und dringlichen Verlegungen von kritisch kranken Patienten in ein spezialisiertes Zentrum auf der anderen Seite. Insbesondere die dringlichen Einsätze stellen häufig aufgrund des kritischen Patientenzustandes eine besondere Herausforderung dar. In jedem Fall ist eine optimale Planung des Transports im Vorfeld von besonderer Bedeutung. Der vorliegende Beitrag beschreibt Organisation, Ablauf und Risiken eines Intensivtransportes und gibt Empfehlungen zur praktischen Durchführung.*

Grundlagen

Die Aufgabe des Intensivtransports liegt in der Verlegung kritisch kranker Patienten zwischen verschiedenen Kliniken. Dabei lassen sich zwei Transportrichtungen unterscheiden: Entweder müssen Intensivpatienten nach abgeschlossener operativer Versorgung im Akutkrankenhaus in eine Rehabilitationseinrichtung oder in ein spezialisiertes Weaningzentrum verlegt werden. Diese Transporte sind in der Regel planbar und werden als *sekundär elektiv* oder *sekundär disponibel* klassifiziert. Demgegenüber stehen die *sekundär dringlichen* Verlegungseinsätze, die dazu dienen, akut erkrankte Patienten einer bestimmten Intervention oder Therapie in einem Zentrum zuzuführen.

Während die sekundär elektiven Einsätze als Routineeinsätze betrachtet werden können, stellen die sekundär dringlichen Einsätze gelegentlich aufgrund des kritischen Patientenzustandes eine besondere Herausforderung dar. Für Intensivtransporte stehen spezielle Rettungsmittel wie der Intensivtransportwagen oder der Intensivtransporthubschrauber zur Verfügung, die neben einer auf die Versorgung intensivpflichtiger Patienten ausgerichteten apparativen Ausrüstung auch über feste Teams verfügen, die eine besondere Erfahrung in der Intensivmedizin vorweisen können. Eine optimale Planung des Transports im Vorfeld ist von besonderer Bedeutung zur Schaffung sicherer Transportbedingungen.

Fallbeispiel

In der Notaufnahme eines Grund- und Regelversorgers stellt sich am Samstagnachmittag ein 62 Jahre alter männlicher Patient selbstständig vor. Er klagt über Abgeschlagenheit seit wenigen Tagen, Fieber mit Schüttelfrost und nun auch zunehmende Luftnot. Es werden eine Temperatur von 38,9 °C und eine periphere Sauerstoffsättigung von 78 % bei Raumluftatmung erhoben. Die CT-Diagnostik des Thorax zeigt bipulmonale Infiltrate. Unter dem Verdacht auf eine ambulant erworbene Pneumonie werden eine kalkulierte Antibiotikatherapie sowie eine Sauerstofftherapie begonnen. Im Verlauf des Abends muss eine nicht-invasive Beatmungstherapie begonnen werden, weswegen der Patient auf die Intensivstation aufgenommen wird. Am Sonntagmorgen kommt es zur Entwicklung einer Hyperkapnie, sodass eine endotracheale Intubation durchgeführt werden muss. Zur Aufrechterhaltung einer ausreichenden Oxygenierung ist nunmehr eine Sauerstoffzumischung von 80 % bei einem PEEP von 14 mbar erforderlich, der Inspirationsdruck liegt bei 32 mbar. Aufgrund der eskalierten Beatmungssituation wird Kontakt mit dem 20 Kilometer entfernten ARDS-Zentrum (ARDS = Acute Respiratory Distress Syndrome) aufgenommen.

Definitionen und Vorgaben zur Ausstattung

Unter Bezugnahme auf die Definition der DIN 13050 handelt es sich bei einem Intensivtransport zunächst um einen *Sekundäreinsatz*. Dieser ist ein „Einsatz zur Beförderung von Patienten von einer Gesundheitseinrichtung (...) unter sachgerechter Betreuung, auch unter der Erhaltung und Überwachung der lebenswichtigen Körperfunktionen zu weiterführenden medizinischen Versorgungseinrichtungen oder zurück“ [1]. Der *Intensivtransport* wird von der DIN definiert als „Sekundärtransport zur Beförderung eines intensivüberwachungs- und -behandlungspflichtigen Patienten, bei dem Notarzt und Rettungsassistent mit besonderer intensivmedizinischer Qualifikation sowie ein geeignetes Rettungsdienstfahrzeug erforderlich sind“ [1]. Für den Intensivtransport werden Spezialfahrzeuge eingesetzt, die unter anderem über Intensivrespiratoren mit Transportzulassung, mehrere Spritzenpumpen und Blutgasanalysegeräte verfügen. Vorgaben zur Stromversorgung, zum Sauerstoffvorrat, zu weiteren medizinischen Geräten und zu baulichen Voraussetzungen finden sich in der DIN 75076.

Exemplarisch zeigt ➤ Abb. 1 die Patientenkabine des ITW SAMA München Großhadern 70/20.

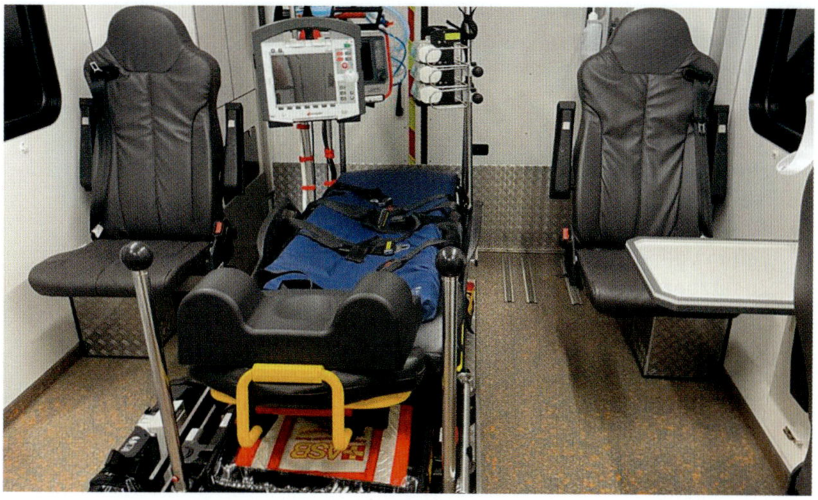

Jürgen Gollwitzer, Welden

Abb. 1 Patientenkabine des ITW SAMA München Großhadern 70/20

Bezüglich der Qualifikation des Personals existieren Empfehlungen der DIVI (Deutsche Interdisziplinäre Vereinigung für Intensiv- und Notfallmedizin) aus dem Jahr 2021 [3], die der untenstehenden Übersicht zu entnehmen ist (➤ Tab. 1). Eine wichtige Voraussetzung sowohl für das ärztliche als auch für das nichtärztliche Personal ist die Erfahrung im Umgang mit Intensivpatienten, die ärztlich durch mindestens 6 Monate Intensivmedizin und auf Seiten der Notfallsanitäter durch einen Praxiseinsatz auf einer Intensivstation erworben werden muss.

Einsatzspektrum, Transportrichtungen und Dringlichkeit

Im Intensivtransport lassen sich verschiedene Transportrichtungen und Dringlichkeiten unterscheiden. Sekundär disponible Einsätze beinhalten meist eine

Tab. 1 Empfehlungen der DIVI zur personellen Qualifikation im außerklinischen Intensivtransport [3]

Ärztliches Personal	Rettungsdienstpersonal
• 3 Jahre klinische Weiterbildung in einem Fachgebiet mit intensivmedizinischen Versorgungsaufgaben • 6 Monate nachweisbare Vollzeittätigkeit in Vollzeit auf einer Intensivstation • Zusatzbezeichnung Notfallmedizin • Aktiver Notarzt mit mindestens einjähriger Einsatzerfahrung und regelmäßigem Einsatz im Notarztdienst • 20-stündiger Kurs Intensivtransport gemäß dem DIVI-Curriculum „Intensivtransport-Kurs“	• Berufsbezeichnung Notfallsanitäter • Mindestens 2-jährige Tätigkeit im Rettungsdienst in Vollzeitform • Mindestens 14-tägige Hospitation auf einer Intensivstation • 20-stündiger Kurs Intensivtransport gemäß dem DIVI-Curriculum „Intensivtransport-Kurs“

Verlegung von Patienten aus der akutmedizinischen Versorgung eines schweren Krankheitsbildes wie beispielsweise einer Subarachnoidalblutung in eine Fachklinik zur Beatmungsentwöhnung oder Neurorehabilitation. Häufig sind die Patienten spontanatmend am Tracheostoma und es bestehen stabile Kreislaufverhältnisse oder ein geringer Katecholaminbedarf.

Intensivtransporte in die andere Richtung, also von einer niedrigeren in eine höhere medizinische Versorgungsstufe, gehen häufig mit einer höheren Dringlichkeit einher, wenn sie Patienten betreffen, die zu einer Spezialtherapie oder einer operativen Intervention in ein Haus der Schwerpunkt- oder Maximalversorgung transportiert werden müssen. Oft handelt es sich hier um kritisch kranke Patienten, die eine invasive Beatmungstherapie oder eine differenzierte Katecholamintherapie benötigen.

Intensivtransportmittel

Der Intensivtransport kann bodengebunden mit einem Intensivtransportwagen (ITW) oder luftgebunden mit einem Intensivtransporthubschrauber (ITH) durchgeführt werden. Für die Disposition sind neben patientenbezogenen Faktoren auch einsatztaktische Überlegungen, die Transportstrecke und das Wetter entscheidend. Für eine luftgebundene Verlegung spricht der Zeitvorteil, der sich bei längeren Transportstrecken bemerkbar macht. Ein klarer Vorteil der bodengebundenen Intensivverlegung ist allerdings das in der Regel größere Platzangebot in der Patientenkabine eines ITW, das ein einfacheres Zwischenfallmanagement erlaubt. Es ist jederzeit möglich, an den Patienten heranzutreten und diagnostische oder therapeutische Maßnahmen mit ausreichend Übersicht durchzuführen. Im Falle einer unerwarteten Komplikation während einer Verlegung mit dem ITH muss hingegen möglicherweise eine Zwischenlandung erfolgen. Zudem ist der bodengebundene Intensivtransport weniger abhängig vom Wetter und daher jederzeit einsatzfähig.

Risikobewertung

Generell besteht ein Unterschied bezüglich der Risikobewertung und der Herangehensweise im Intensivtransport in Abgrenzung zur Primärrettung.

Die Aufgabe eines Notarztes bei einem Primäreinsatz liegt darin, bei einem medizinischen Notfall einen ersten medizinischen Kontakt herzustellen und eine Notfallbehandlung durchzuführen. Dahingegen findet ein Intensivtransportteam einen intensivpflichtigen Patienten vor, der sich bereits in einer medizinischen Versorgungseinrichtung befindet. Es muss diesen möglicherweise in einem kritischen Zustand mit im Vergleich zur Klinik eingeschränkten Ressourcen über eine gewisse Strecke transportieren und dabei den intensivmedizinischen Versorgungsstandard aufrechterhalten. Gleichzeitig ist bekannt, dass Intensivtransporte ein gewisses Risiko bergen. Für innerklinische Intensivtransporte konnte gezeigt werden, dass Patienten mit mehreren Perfusoren, mit einer Katecholamintherapie oder einer Beatmung mit PEEP (*positive endexpiratory pressure* = positiver endexspiratorischer Druck) sowie Notfallpatienten besonders gefährdet sind für Zwischenfälle während des Transports. Auch die Dauer eines Transports erhöht das Risiko [4].

In einer Stellungnahme aus dem Jahr 2004 geht die DIVI auf das erhöhte Risiko von Intensivtransporten ein und empfiehlt zur Risikoreduktion eine optimale Planung im Vorfeld sowie eine Risiko-Nutzen-Abwägung [5].

Zur optimalen Planung im Vorfeld dient ein Arzt-Arzt-Gespräch, das vor Beginn eines Intensivtransports stattfinden soll und das weiter unten näher ausgeführt wird.

Jürgen Gollwitzer, Welden

Abb. 2 Intensivtransporte können bodengebunden mit dem ITW oder luftgebunden mit dem ITH durchgeführt werden.

Um eine Risiko-Nutzen-Abwägung durchführen zu können, muss der Verlegungsgrund bekannt sein. Das Transportrisiko ist dabei gegen den Nutzen der Verlegung abzuwägen. Dabei ist zu bedenken, dass die Indikation eines Transportes häufig die Verlegung zu einer lebensrettenden Intervention ist. Die Beantwortung der Frage nach der Transportfähigkeit eines Patienten muss also zwingend im Zusammenhang mit der Transportindikation beantwortet werden. Liegt ein sinnvoller Transportgrund vor, also soll der Patient einer potenziell lebensrettenden Intervention zugeführt werden, so soll dies ermöglicht werden, wann immer es machbar und medizinisch sinnvoll erscheint. Den „nicht transportfähigen" Patienten wird es also nur im Ausnahmefall geben. Eine Optimierung des Patientenzustandes kann aber vor Transportbeginn helfen, die Transportbedingungen sicherer zu machen.
Somit kommt einer sorgfältigen Planung eine herausragende Rolle zu.

Einsatzablauf

Der Ablauf eines Intensivtransports gliedert sich in verschiedene Phasen:

- Alarmierung
- Arzt-Arzt-Gespräch
- Anfahrt
- Patientenübernahme
- Transport
- Patientenübergabe
- Einsatzbezogene Hygienemaßnahmen
- Nachbesprechung

Im Folgenden werden das Arzt-Arzt-Gespräch und die Patientenübernahme detaillierter beschrieben.

Arzt-Arzt-Gespräch

Im Sinne der optimalen Vorbereitung eines Intensivtransports soll stets vor Beginn des Transports ein telefonisches Arzt-Arzt-Gespräch zwischen dem ITW-Arzt und dem behandelnden Arzt der Quellklinik stattfinden. Ziel dieses Gesprächs ist es, neben den Eckdaten des bisherigen Krankheitsverlaufs Informationen über den aktuellen Patientenzustand zu erhalten, um die medizinische Strategie für den Transport zu planen.
Der Schwerpunkt des Gesprächs sollte in der Abfrage des aktuellen Patientenzustandes liegen. Wie in der Intensivmedizin üblich, empfiehlt sich eine Strukturierung nach Organsystemen. Fokussiert auf den Intensivtransport sollten also mindestens Atemweg, Lunge/Gasaustausch, Herz-Kreislauf-System und Neurologie/zentrales Nervensystem (ZNS) thematisiert werden. Der transportführende Arzt sollte sich für jedes kritische Organsystem den aktuellen Zustand anhand objektiver Parameter schildern lassen, um sich einen Eindruck zu verschaffen, ob dieses Organsystem für den Transport als kritisch einzuschätzen ist und potenziell zu Problemen führen kann. Sollte er für die sichere Durchführung des Transports eine Therapieerweiterung wie die Hinzunahme einer weiteren Medikation, eine Intubation oder die Anlage eines zentralen Venenkatheters (ZVK) für erforderlich halten, sollte dies idealerweise

bereits während des Telefonats an die abgebende Klinik kommuniziert werden, damit die Anfahrtszeit des Intensivtransportmittels für die Durchführung genutzt werden kann.
Gelegentlich muss nach dem Arzt-Arzt-Gespräch von der Erstdisposition der Leitstelle abgewichen und ein besser geeignetes Intensivtransportmittel ausgewählt werden. Dies kann beispielsweise der Fall sein, wenn das Arzt-Arzt-Gespräch eine höhere Dringlichkeit der Verlegung ergibt, für die ein bodengebundener Transport zu lange dauern würde, sodass ein schnelleres Rettungsmittel beauftragt werden muss.

Inhalte des Arzt-Arzt-Gesprächs

- Patientendaten
- Verlegungsgrund und Dringlichkeit
- Patientenzustand nach ABCDE anhand objektiver Parameter
- Wichtige bildgebende oder laborchemische Befunde
- Spezielle Geräte erforderlich? (z. B. externer Schrittmacher, EVD, Thoraxdrainage, ECMO, ...)
- Körpergröße und -gewicht
- Isolationspflichtige Keime?
- Ansprechpartner und Rückrufnummer
- Zeitliche Koordination

Nach Abschluss des Arzt-Arzt-Gesprächs sollte das gesamte Intensivtransportteam über die Ergebnisse des Telefonats in Kenntnis gesetzt werden.

Fallbeispiel – Ergebnisse des Arzt-Arzt-Gesprächs

„Es handelt sich um einen 62 Jahre alten männlichen Patienten mit einem ARDS bei schwerer ambulant erworbener Pneumonie. Er ist seit dem Vormittag intubiert, invasiv beatmet mit einem PEEP von 14 mbar und einer FiO_2 von 0,8, braucht aktuell 0,6 mg/h Norepinephrin und soll dringlich ins ARDS-Zentrum verlegt werden. Er ist analgosediert mit Sufentanil und Propofol, sodass wir aktuell drei Perfusoren brauchen. Was denkt ihr, wie lange wir heute für die Strecke brauchen?“

An dieser Stelle sollten logistische Fragen zur Transportstrecke und dem zeitlichen Ansatz, Sauerstoffvorräten und im Spezialfall zur Aufnahme externer Teams (z. B. Pädiatrie, Neonatologie, ECMO-Teams) geklärt werden. Auf Seiten der Quellklinik sollte die Anfahrtszeit des Intensivtransportmittels genutzt werden, um noch für den Transport notwendige Vorbereitungen umzusetzen, wenn beispielsweise noch die Anlage eines ZVK erforderlich ist. Wichtig ist in der Phase die zeitliche Koordination und Absprache zwischen Quellklinik und Intensivtransportmittel.

Patientenübernahme in der Quellklinik

Ist das Team in der Quellklinik angekommen, beginnt die Patientenübernahme. Hier sollte eine ausführliche Übergabe des abgebenden Teams an das Intensivtransportteam am Patientenbett stattfinden. Wenn bislang offen gebliebene Fragen geklärt sind, sollte eine fokussierte körperliche Untersuchung durch den ITW-Arzt erfolgen, die die für den Transport relevanten Punkte umfasst.
Ein besonderes Augenmerk sollte auf der Atemwegssicherung und den intravasalen Zugängen liegen, deren Lage und sichere Fixierung vor Transportbeginn gewährleistet sein muss.
Spätestens nach der körperlichen Untersuchung sollte die medizinische Strategie für den Transport endgültig festgelegt werden. In der Regel umfasst dies die Entscheidung darüber, welche der laufenden Therapien während des Transports fortgeführt werden sollen oder welche pausiert werden sollen. Aus Gründen der Praktikabilität und Übersichtlichkeit sollten nur Medikationen weitergeführt werden, die zwingend notwendig sind. Dazu gehören kreislaufwirksame Pharmaka wie Katecholamine, Antihypertensiva oder Antiarrhythmika. Eine bestehende Analgosedierung wird ebenfalls fortgeführt. Eine Elektrolytsubstitution, Ernährungstherapien, Diuretika, Insulin sowie eine Thromboembolieprophylaxe werden für die Transportdauer üblicherweise pausiert.
Falls der Patientenzustand es erfordert, sollen Maßnahmen zur Stabilisierung vor Transportbeginn durchgeführt werden. Hierzu zählen beispielsweise die Optimierung des intravasalen Füllungszustandes, eine Atemwegssicherung, Anpassung einer Analgosedierung, Relaxierung, Einleitung oder Ergänzung einer Katecholamintherapie oder

die Therapie von Herzrhythmusstörungen. Eine vorherige Stabilisierung schafft sichere Transportbedingungen. Bei besonders zeitkritischen Verlegungen muss jedoch der Zusatznutzen einzelner Maßnahmen gegen den Zeitverlust, der dadurch entsteht, abgewogen werden.

Am Standort der Autorin hat sich folgender Ablauf bewährt: Zuerst wird der Patient an das Monitoring des ITW angeschlossen, dann werden die Medikamente übernommen und zum Schluss die Beatmung.

Medikamente Während die meisten kontinuierlich applizierten Medikamente wie beispielsweise Sedativa einfach bei geschlossenem Dreiwegehahn aus der alten Spritzenpumpe entnommen und in die neue eingespannt werden können, muss bei Katecholaminen ein „Umschleichen“ angewendet werden. Damit ist ein schrittweises Erhöhen der Laufrate des neuen Perfusors bei gleichzeitiger Reduktion der Laufrate des alten Perfusors gemeint, um stets den geforderten arteriellen Mitteldruck aufrechtzuerhalten. Der Prozess erfordert ein lückenloses Monitoring und gegebenenfalls eine Katecholamin-Bolusgabe zum Abfangen kurzzeitiger Hypotonien.

Beatmung Anhand einer aktuellen arteriellen Blutgasanalyse sollte der Gasaustausch bewertet werden. Die Parameter des Intensivrespirators der Klinik werden auf dem Intensivtransportbeatmungsgerät übernommen oder nach Ermessen des transportführenden Arztes angepasst.

Patienten, die unter einer vermehrten Sekretproduktion leiden, sollten vor Transportbeginn endotracheal abgesaugt werden. Um eine Sekretverlegung insbesondere des HME-Filters (HME = Heat and Moisture Exchange) vorzubeugen, kann dieser während der Konnektion des Patienten an den Transportrespirator ausgetauscht werden.

Bei Patienten mit schweren Oxygenierungsstörungen, die eine Beatmung mit erhöhtem PEEP benötigen, sollten Diskonnektionen, die mit einem PEEP-Verlust einhergehen, vermieden werden. Der Wechsel auf den Transportrespirator sollte daher bei abgeklemmtem Tubus erfolgen. Eine genaue Absprache über das Manöver zwischen den beiden Behandlungsteams sorgt für einen reibungslosen Ablauf.

Während der ersten Beatmungshübe am neuen Respirator sollte klinisch auf Thoraxexkursionen geachtet werden. Am Respirator muss überprüft werden, dass das notwendige Minutenvolumen aufgebaut wird. Gegebenenfalls müssen die Beatmungsparameter optimiert und das Ergebnis mittels BGA überprüft werden.

An die Übernahme des Monitorings, der Spritzenpumpen und der Beatmung schließt sich die Umlagerung des Patienten auf die Transportliege an. Der Patient wird für den Transport gesichert und es wird genau darauf geachtet, dass die Beatmungsschläuche und alle Zuleitungen gegen unbeabsichtigte Diskonnektionen und Abknicken gesichert sind. Es sollte ein Notfallzugang definiert werden, über den im Bedarfsfall Notfallmedikamente appliziert werden können.

Transportphase

Während der eigentlichen Transportphase, also der Fahrt von der Quellklinik zur Zielklinik, soll der intensivmedizinische Standard, angepasst an die Transportbedingungen, weitergeführt werden. Das Monitoring soll lückenlos fortgeführt werden. Sofern auf der Intensivstation nicht ohnehin bereits vorhanden, sollte bei beatmeten Patienten eine Kapnografie ergänzt werden.

Neben Komplikationen, die durch den Spontanverlauf der Erkrankung auftreten können, sind auch Probleme zu bedenken, die durch Diskonnektionen und Abknicken von Beatmungsschläuchen und Zuleitungen entstehen. Bewegungsartefakte durch das Transportmittel können das Monitoring überlagern.

Im Falle einer längeren Transportzeit beatmeter Patienten oder bei speziellen Fragestellungen kann unterwegs eine Blutgasanalyse notwendig werden. Aus organisatorischen Überlegungen sollte die Zielklinik bei Abfahrt von der Quellklinik oder spätestens unterwegs über die geplante Ankunftszeit und den aktuellen Patientenzustand informiert werden.

Patientenübergabe in der Zielklinik

Analog zu den Vorgängen bei der Patientenübernahme in der Quellklinik soll in der Zielklinik zuerst die gemeinsame Übergabe des Transportteams an das Behandlungsteam der aufnehmenden Klinik stehen, bevor die Übernahme des Patienten an Beatmung, Monitoring und Spritzenpumpen der aufnehmenden Klinik stattfindet. Außerhalb von Notfallsituationen sollten während der Übergabe keine Maßnahmen am Patienten durchgeführt werden, um den Informationsfluss an das gesamte Team zu sicherzustellen.

Risikominimierung

Intensivtransporte gehören zu den kritischen Phasen einer Intensivtherapie, und Zwischenfälle werden in bis zu 34 % der Fälle beschrieben [6]. Die Angaben über die Häufigkeit schwanken, da in der Literatur variable Definitionen eines Zwischenfalls existieren. In den meisten Untersuchungen wird jedoch übereinstimmend ein hoher Anteil der Zwischenfälle als vermeidbar eingestuft.

Eine Analyse von Zwischenfällen im Interhospitaltransfer kam zu dem Ergebnis, dass nur ein geringer Anteil medizinisch bedingt war (15 %), während 42 % auf Probleme bei der Kommunikation und personelle Faktoren entfielen. Als Lösungsstrategie empfahlen die Autoren unter anderem die Verwendung von Checklisten zur Risikoreduktion [7].

Am Standort der Autorin wurde für besonders kritische Transporte eine Checkliste etabliert, die nach der Umlagerung des Patienten auf die Transportliege mit allen Teammitgliedern durchgegangen wird. Nach dem ABCDE-Schema wird hiermit der aktuelle Patientenzustand kommuniziert, Lösungsstrategien für absehbare Probleme werden festgelegt und typische Fehlerquellen überprüft (z. B. Dreiwegehähne offen? Sauerstoffflasche offen? Notfallmedikamente vorbereitet? Notfallzugang definiert?).

Beispiele für Fehlerquellen

- Tubus fixiert?
- Zugänge fixiert?
- Dreiwegehähne offen?
- Ausreichend Laufzeit der Perfusoren?
- Notfallzugang definiert?
- Notfallmedikamente vorhanden?
- Sauerstoffflaschen offen?
- Ausreichend Sauerstoff vorhanden?
- Alarmgrenzen eingestellt?
- Alle notwendigen Dokumente vorhanden?
- Patient gesichert? Besonderheiten bei der Lagerung?

Fallbeispiel – Checkliste vor Transportbeginn

„A: Der Tubus liegt bei 22 cm Zahnreihe, damit sind beide Lungen auskultatorisch belüftet.

B: Es besteht eine schwere Oxygenierungsstörung, der PEEP liegt aktuell bei 18 mbar. Wenn die peripher gemessene Sauerstoffsättigung unter 88 % fällt, würden wir die FiO_2 von 0,9 auf 1,0 erhöhen. Der Patient benötigt ein Atemminutenvolumen von 11 Litern pro Minute, für das wir aktuell einen P_{insp} von 32 mbar und eine Atemfrequenz von 24/min brauchen. Die untere Alarmgrenze ist auf 9 L/min eingestellt.

C: Es liegt ein tachykarder Sinusrhythmus vor. Für einen arteriellen Mitteldruck von 65 mmHg braucht er aktuell Norepinephrin 1,0 mg/h. Das läuft über den distalen ZVK-Schenkel, die Dreiwegehähne sind offen.

D: Der Patient ist ausreichend tief analgosediert mit 30 µg/h Sufentanil und 200 mg/h Propofol. Wir haben 100 mg Rocuronium für den Bedarfsfall dabei. Wir fahren auf die Intensivstation 2, die Kollegen wurden darüber informiert, dass wir jetzt losfahren. Wir werden etwa 40 Minuten brauchen. Alle Unterlagen sind vollständig."

Fazit

Intensivtransporte dienen der Verlegung intensivpflichtiger Patienten zwischen verschiedenen medizinischen Einrichtungen. Zur Durchführung werden speziell dafür ausgestattete Intensivtransportmitteln genutzt. Das ärztliche und auch nicht-ärztliche Personal muss bestimmte Qualifikationen und eine große Erfahrung im Umgang mit intensivpflichtigen Patienten vorweisen. Der Intensivtransport umfasst ein breites Einsatzspektrum an Diagnosen, Patientenzuständen und Problemstellungen. Um das Risiko für Zwischenfälle zu minimieren, soll ein Transport im Vorhinein sorgfältig geplant werden. Vor diesem Hintergrund kommt dem Arzt-Arzt-Gespräch eine herausragende Bedeutung zu. Der Einsatz spezialisierter Teams, die sich durch geschulte und strukturierte Arbeitsabläufe auszeichnen, trägt ebenfalls zur Sicherheit im Intensivtransport bei.

Quellen:

[1] DIN 13050, zitiert nach [8]
[2] DIN 75076
[3] Empfehlungen zur personellen Qualifikation im außerklinischen Intensivtransport. https://www.divi.de/publikationen/alle-publikationen/2021-empfehlungen-zur-personellen-qualifikation-pdf/viewdocument/143. (letzter Abruf: 24.06.2025)
[4] Fanara B et al. Recommendations for the intra-hospital transport of critically ill patients. In: Critical Care, 2010; 14: R87
[5] Empfehlung der DIVI zum innerklinischen Transport kritisch kranker, erwachsener Patienten 2004. https://www.divi.de/publikationen/alle-publikationen/04-intensivtransport-empfehlung-innerklinischer-transport-pdf/viewdocument/141. (letzter Abruf: 24.06.2025)
[6] Ligtenberg J et al. Quality of interhospital transport of critically ill patients: a prospective audit. Critical Care, 2005; R446–451
[7] Eiding H et al. Potentially severe incidents during interhospital transport of critically ill patients, frequently occurring but rarely reported: a prospective study. Journal of Patient Safety, 2022; 18: e315–e319
[8] Reifferscheid F et al. Interhospitaltransfer. Planung und Vorbereitung von Intensivtransporten/-verlegungen. Anästhesiologie Intensivmedizin Notfallmedizin Schmerztherapie, 2013; 48: 352–356

Die Autorin

Johanna Nold, Fachärztin für Anästhesie, Zusatzbezeichnung Notfallmedizin und Spezielle Intensivmedizin. Derzeit tätig auf der anästhesiologischen Intensivstation des LMU-Klinikums am Standort München-Großhadern sowie seit 2017 auf dem Intensivtransportwagen ITW Großhadern.

Interessenskonflikt: Die Autorin gibt an, dass kein Interessenskonflikt vorliegt.

Jürgen Gollwitzer, Welden

Intensivtransport mittels Hubschrauber: Übersicht und Perspektiven

Schlüsselwörter:
Intensivtransport
Luftrettung
Helicopter Emergency Services
HEMS
Sekundärtransport

Zusammenfassung: *Der luftgestützte Intensivtransport gewinnt angesichts zunehmender Zentralisierung und knapper Intensivkapazitäten an Bedeutung. Er ermöglicht zeitkritische Verlegungen über große Distanzen und bietet Vorteile in Geschwindigkeit und medizinischer Ausstattung. Operative und medizinische Einschränkungen wie Wetterbedingungen, Patientengewicht oder Kabinenplatz müssen jedoch berücksichtigt werden. Auch komplexe Transporte – etwa bei infektiösen Erkrankungen oder mit Organunterstützung – sind dank spezialisierter Ausrüstung und Teams heute sicher möglich.*

Der Interhospitaltransfer spielt eine entscheidende Rolle in der deutschen Notfall- und Intensivmedizin. Durch die zunehmende Zentralisierung im Rahmen der Krankenhausstrukturreform, die zunehmende Bildung von Krankenhausverbänden und den gleichzeitigen Abbau stationärer Intensivkapazitäten ist zu erwarten, dass die Bedeutung schneller und effizienter Verlegungssysteme weiter zunimmt [1]. Dieser Übersichtsartikel beleuchtet die spezifischen Anforderungen und Besonderheiten des luftgestützten Intensivtransports mittels Hubschrauber und stellt aktuelle Entwicklungen dar.

In Zielsetzung und Ablauf unterscheidet sich der luftgestützte Transport dabei grundsätzlich nicht vom bodengebundenen. Im Intensivtransport werden Patienten mit Überwachungs- und Behandlungsbedarf auf intensivmedizinischem Niveau zwischen medizinischen Einrichtungen verlegt – unter kontinuierlicher Betreuung durch ein speziell qualifiziertes Team und mit entsprechender Ausstattung. Indikation für die Verlegung schwerkranker oder akutverletzter Patienten stellt dabei in der Regel die weiterführende Diagnostik und Behandlung mittels Intensivtherapie, Intervention oder Behandlung an einem spezialisierten Zentrum dar; neben solchen medizinischen Indikationen können Behandlungs- und Intensivversorgungskapazitäten sekundäre Transporte notwendig machen [2]. Die Einordnung eines Transports lässt sich dabei entlang zweier Achsen differenzieren: Zum einen nach der zeitlichen Dringlichkeit – von geplanten disponiblen Verlegungen über dringliche Verlegungen bis hin zu akut zeitkritischen Notfällen –, zum anderen nach der medizinischen Versorgungskomplexität, also dem Ausmaß der während des Transports erforderlichen medizinischen Überwachung und Interventionen. Beide Dimensionen beeinflussen maßgeblich die Wahl des Transportmittels, die Zusammensetzung des Teams sowie den zeitlichen und logistischen Aufwand. Inwieweit der Hubschraubertransport einen Benefit für die Patienten darstellt und ob dieser Effekt alleine auf einen schnelleren Transport oder auch auf eine bessere medizinische Versorgung zurückzuführen ist, wurde zwar bei verschiedenen Krankheitsbildern untersucht, konnte jedoch noch nicht abschließend geklärt werden [3,4]. Dies liegt mit Sicherheit auch an der unterschiedlichen Ausgestaltung der Luft- und Bodenrettung in den verschiedenen Ländern.

Lufttransportmittel werden üblicherweise bei größeren Distanzen und zeitkritischen Diagnosen eingesetzt. Dies spiegelt sich auch in der Liste der häufigsten Hauptdiagnosen von 84.349 Sekundärverlegungen der DRF Luftrettung gGmbH im Zeitraum 2012–2020 wider: 17 % der Patienten wurden mit akutem Koronarsyndrom, 15 % mit Hirnblutungen und 8 % bei Schlaganfall, 6 % bei schwerer Herzinsuffizienz (häufig wohl zur Anlage eines Assistenzverfahrens) und 5 % bei Aortendissektionen verlegt (> Tab. 1) [8].

Der Vorteil einer kürzeren Transportzeit ist dabei zum einen auf die Möglichkeit zurückzuführen, die Entfernung in direkter Luftlinie und unabhängig vom Straßenverlauf und -verhältnissen zurückzulegen. Zudem liegt die Reisefluggeschwindigkeit für die Hubschraubermodelle H135 und H145, die üblicherweise in der Luftrettung in Deutschland eingesetzt werden, mit 230–260 km/h weit über den Höchstgeschwindigkeiten von Rettungswägen oder gar Intensivtransportwägen [5,6,7].

Tab. 1 Auflistung der häufigsten Diagnosen im luftgestützten Interhospitaltransfer. Die Daten beruhen auf einer Auswertung von 84.349 Sekundärtransporten der DRF Luftrettung [8]

Diagnosen	**n = 84.349**	
Akutes Koronarsyndrom	14.285	16,9 %
ICB	13.005	15,4 %
Schlaganfall	7.054	8,4 %
Herzinsuffizienz	4.783	5,7 %
Aortendissektion	3.874	4,6 %
ARDS	3.828	4,5 %
Sepsis	2.078	2,5 %
Thermische Schäden	1.726	2,0 %

Dennoch ist der Hubschraubertransport nicht immer die schnellste Alternative: Die notwendigen Vorbereitungen wie Flugplanung und Wettercheck sowie die im Vergleich zu den nahezu flächendeckend verfügbaren Rettungswagen mit oder ohne Notarztbegleitung längeren Anflugzeiten zum abgebenden Krankenhaus (insbesondere nachts, da in Deutschland mit 17 verfügbaren Hubschraubern deutlich weniger operativ im Einsatz sind als tagsüber mit 84) können die Zeit bis zum Eintreffen am Patienten verlängern und die später gewonnene Zeit schmälern oder gar aufheben. Auch wenn kein signifikanter Zeitunterschied durch einen Zwischentransport mittels Rettungswagen bei von der Klinik abgesetztem Landeplatz gefunden werden konnte, so kann dies jedoch im Einzelfall die Transportzeit nochmals verlängern [8]. Während manche Systeme daher Hubschraubertransporte erst ab einer Mindestentfernung von 80 Kilometern zwischen den Krankenhäusern einsetzen, haben Sethi et al. geschlussfolgert, dass unter einer bodengebundenen Transportzeit von 45 Minuten ein luftgestützter Transport nicht schneller ist [9,10]. Eine einheitliche Festlegung von Mindestentfernungen oder -zeiten erscheint aufgrund der Vielzahl an Einflussfaktoren nicht sinnvoll. Bei Dispositionsentscheidungen sollte neben dem Eintreffen des Rettungsmittels beim Patienten oder der reinen Patiententransportdauer auch die voraussichtliche Ankunftszeit des Patienten im Zielkrankenhaus abgeschätzt und in

Jürgen Gollwitzer, Welden

Abb. 1 Hecköffnung zur Beladung der H 145

die Entscheidungsfindung eingeschlossen werden. Obgleich davon ausgegangen wird, dass mancherorts bereits Einsatzleitsysteme in Verwendung sind, die hier unterstützen, konnte bislang keine veröffentlichte Evidenz für ihre Implementierung gefunden werden.

Die Einsatzbereitschaft von Hubschraubern unterliegt bestimmten operativen Einschränkungen. So können ungünstige Wetterbedingungen – etwa eine niedrige Wolkenuntergrenze, Nebel oder Vereisungsbedingungen – einen Hubschraubereinsatz verhindern. Zusätzlich begrenzen gesetzlich definierte Flugdienstzeiten die Verfügbarkeit der Besatzungen. Zukünftig könnten sogenannte „Point-in-Space"-Anflugverfahren, bei denen Hubschrauber satellitengestützt auf definierte Koordinaten anfliegen und so schwierige Sichtflugbedingungen umgehen, die Einsatzmöglichkeiten deutlich erweitern und die wetterbedingte Ausfallquote reduzieren.

Neben diesen zeitlichen und flugdienstlichen Themen sollen an dieser Stelle vor allem Aspekte und Überlegungen der medizinischen Versorgung im Mittelpunkt stehen, die für den Erfolg und die Sicherheit des Transports bedeutsam sind. Neben einem Gewichtslimit des Patienten, welches beim Hubschraubertransport in der Regel auch durch die maximale Zuladung der Patiententrage auf 200 kg begrenzt ist, können auch die Körpermaße des Patienten limitierend werden: In üblicher Konfiguration einer H145 ist der Tragentisch in Flugrichtung auf der rechten Seite der Kabine montiert, sodass der Patient mit seiner linken Schulter und dem linken Arm an der rechten Kabineninnenwand zu liegen kommt. Bei lateral ausladenden Patienten kann der Tragentisch zumindest noch in eine „heavy position" von der Kabinenwand weggesetzt werden, dann wird der Seitenabstand der Trage zur Wand von 10 auf 20 cm erhöht. Zudem ist beim Einladen des Patienten durch die Clamshell-Öffnung am Heck des Hubschraubers der dorsal-ventrale Durchmesser auf 45 cm begrenzt (➤ Abb. 1).

Die räumlich beengten Verhältnisse in der Kabine lassen nur eingeschränkt medizinische Interventionen zu (➤ Abb. 2). Durch die Lage des Patienten mit der linken Körperhälfte an der Kabinenwand sind linksseitige Interventionen wie zum Beispiel die Anlage einer Thoraxdrainage oder auch nur die Entlastungspunktion in Bülauposition nicht möglich. Auch ist der kaudale Körperteil des Patienten, welcher heckseitig zu liegen kommt, nicht bzw. nur erschwert zugänglich. Die Patientenversorgung und -beurteilung sollte daher unter einer antizipativen Sichtweise erfolgen, und erforderliche Therapiemaßnahmen sollten vor Transportbeginn etabliert werden [11]. Vor diesem Hintergrund hat das Arzt-Arzt-Gespräch bei Einsatzübernahme besondere Bedeutung, da viele Maßnahmen bereits von der abgebenden Klinik durchgeführt werden können, noch während der Hubschrauber im Anflug ist. So kann bei zeitkritischen Krankheitsbildern wertvolle Zeit eingespart werden.

Aufgrund der hohen Lärmbelastung von bis zu 70–90 dB(A) durch die Hubschrauberturbinen müssen alle Patienten – insbesondere neonatologische und pädiatrische – einen Gehörschutz angelegt bekommen [12]. Auch die Crew trägt Helm mit Gehörschutz. Eine verbale Kommunikation mit dem Patienten ist nicht bzw. nur sehr eingeschränkt möglich. Akustische Alarme werden durch die medizinische Crew nur eingeschränkt wahrgenommen; sie muss sich vielmehr an visuellen Alarmen orientieren. Da die Auskultation als Diagnostikum entfällt, gewinnt der (Lungen-)Ultraschall an Bedeutung.

Der Transport im Hubschrauber wird oft – zurecht – als schonende Transportoption beschrieben. Starke Beschleunigungsbelastungen können in der Regel vermieden werden, Turbulenzen und Ausweichmanöver vor Vogelschlag sind allerdings nicht ausgeschlossen. Zudem sind im Flug anhaltend Vibrationen zwischen 26,4 und 53,5 Hz messbar, welche zu Kopfschmerzen, muskulären Schmerzen sowie Übelkeit und Erbrechen führen können [13,14]. Während diese bei Patienten mit Beckentrauma zu einem erhöhten Blutungsrisiko führten, wird bei Patienten mit Schlaganfall diskutiert, ob diese feinen Vibrationen eine mechanische Thrombolyse bewirken und die Wirkung einer medikamentösen Thrombolyse noch verbessern können und so zu einem besseren neurologischen Outcome und Überleben beitragen [4,13,15].

Zwar können Luftdruckveränderungen aufgrund des abnehmenden Umgebungsluftdrucks bei zunehmender Flughöhe grundsätzlich gasgefüllte Körperhöhlen (z. B. Pneumothorax) oder Medizinprodukte (z. B. IABP, Cuff des Endotrachealtubus oder Luftkammerschienen) betreffen. Im Regelfall nehmen Rettungs- und Intensivtransporthubschrauber eine Flughöhe zwischen 150 und 650 m über dem Grund ein, sodass die Veränderungen des Luftdrucks in Abhängigkeit von der Flughöhe und die daraus resultierenden Volumenänderungen mit ‹ 5 % vernachlässigbar gering sind [16].

Auch der luftgebundene Transport von Patienten mit aerogen übertragbaren Erkrankungen – etwa offener Tuberkulose, Influenza oder SARS-CoV-2 bei offenem Atemweg – ist mittlerweile unter Einhaltung spezieller Hygienemaßnahmen und mit entsprechender Ausrüstung wie beispielsweise einem EpiShuttle® möglich (➤ Abb. 3).

Darüber hinaus können inzwischen auch Transporte von Patienten mit komplexen Organunterstützungsverfahren, z. B. extrakorporale Membranoxygenierung (ECMO), intraaortale Ballonpumpe (IABP) oder intensivpflichtige Neugeborenen im Inkubator, sicher durchgeführt werden [17,18]. Voraussetzung hierfür ist eine luftfahrttechnische Zulassung der eingesetzten Geräte sowie eine präzise logistische und medizinische Einsatzplanung. In diesen Fällen können ein bis zwei Spezialisten, etwa aus der Neonatologie, Herzchirurgie oder Intensivmedizin, zusätzlich zur Besatzung aufgenommen werden. Dies hat sich als Vorteil für den Behandlungserfolg erwiesen [19].

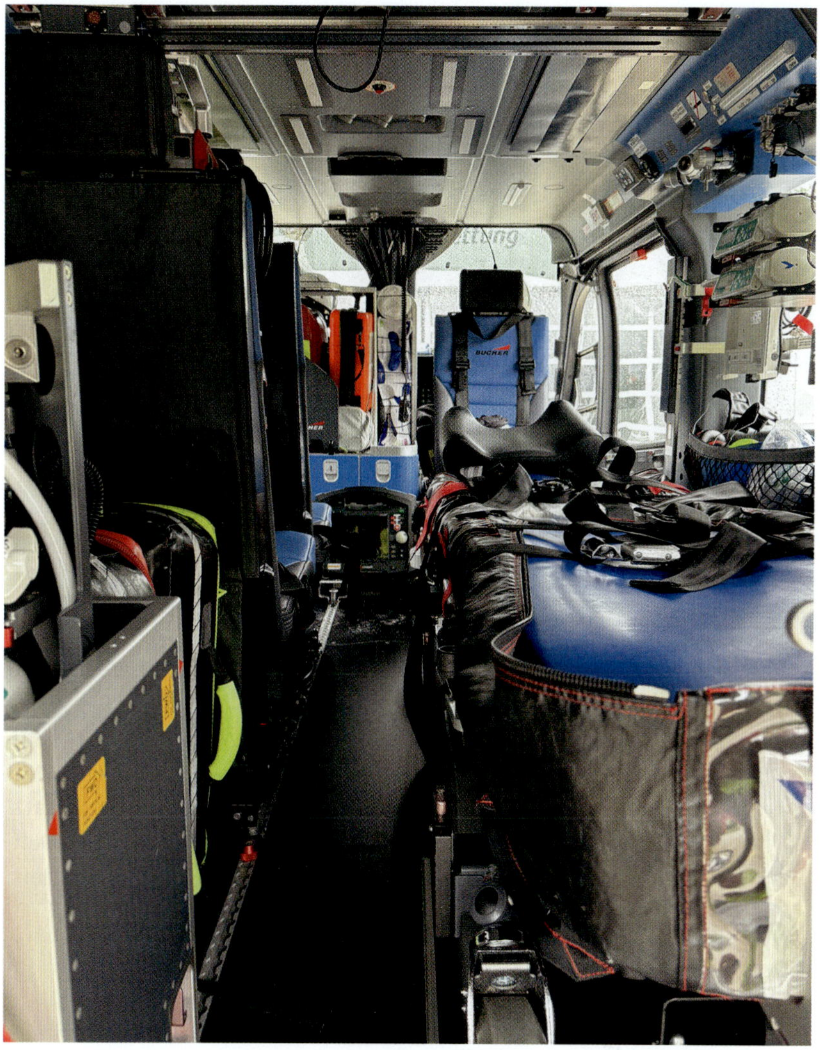

Jürgen Gollwitzer, Welden

Abb. 2 Ein Blick nach innen zeigt die beengten Raumverhältnisse in einem ITH.

Fazit

Der Hubschraubertransport stellt eine unverzichtbare Ergänzung im Intensivtransport dar, um kritisch kranke Patienten schnell und sicher an spezialisierte Klinikzentren zu bringen. Transporte von infektiösen Patienten und von Patien-

Jürgen Gollwitzer, Welden

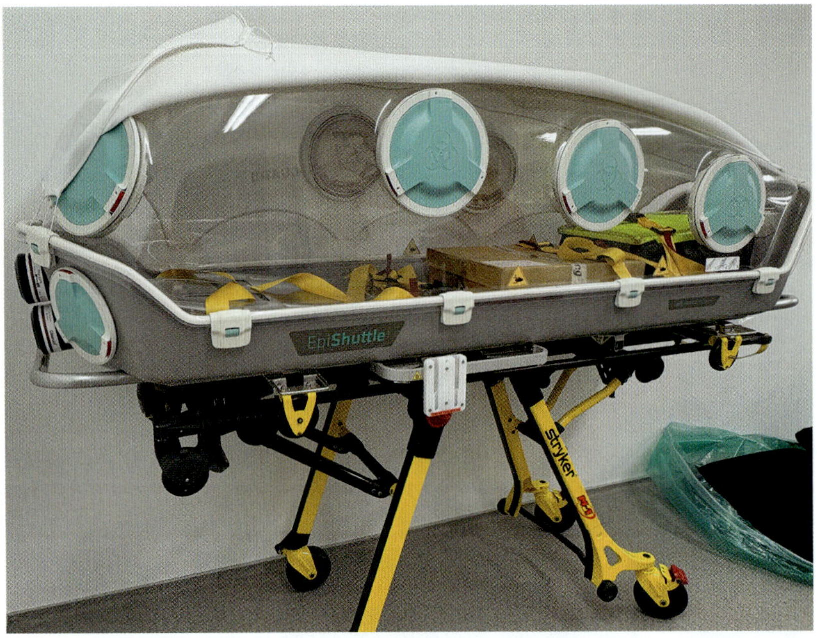

Abb. 3 EpiShuttle® zum Lufttransport aerogen infektiöser Patienten

ten an Organunterstützungsverfahren wie ECMO sind möglich.

Besonderheiten in der Patientenauswahl, Organisation und Durchführung sind zu beachten. Nur durch ein differenziertes Verständnis der Einsatzmöglichkeiten und Limitationen lässt sich der luftgestützte Intensivtransport patientenzentriert, sicher und ressourcenschonend einsetzen.

Quellen:

[1] Hossfeld, B., Lampl, L., Helm, M. Bedeutung des Sekundärtransports in der Luftrettung. Notf. Rett. Med. 11, 252–257 (2008).

[2] Fan, E. et al. Outcomes of interfacility critical care adult patient transport: a systematic review. Crit. Care 10, R6 (2006).

[3] Olson, M. D., Rabinstein, A. A. Does helicopter emergency medical service transfer offer benefit to patients with stroke? Stroke 43, 878–880 (2012).

[4] Almallouhi, E. et al. Outcomes of interfacility helicopter transportation in acute stroke care. Neurol. Clin. Pract. 10, 422–427 (2020).

[5] H145 technical information. Airbus (2024). https://www.airbus.com/en/products-services/helicopters/civil-helicopters/h145/h145-technical-information (letzter Zugriff: 29.07.2025).

[6] H135 technical information. Airbus (2024). https://www.airbus.com/en/products-services/helicopters/civil-helicopters/h135/h135-technical-information (letzter Zugriff: 29.07.2025).

[7] Rega, S. A.-R. Rescue helicopter H145. https://www.rega.ch/en/our-missions/fleet-and-equipment/rescue-helicopter-h145.

[8] Hoechter, D. J., Schmalbach, B., Schmidt, M., Prueckner, S., Bayer, A. Impact of a ground intermediate transport from the helicopter landing site at a hospital on transport duration and patient safety. Scand. J. Trauma Resusc. Emerg. Med. 31, 58 (2023).

[9] Sethi, D., Subramanian, S. When place and time matter: How to conduct safe inter-hospital transfer of patients. Saudi J. Anaesth. 8, 104–113 (2014).

[10] Watts, J. C. Secondary transfer of intensive care patients by helicopter: Correspondence. Anaesthesia 56, 589–591 (2001).

[11] Gäßler, M., Gloger, P., Stolpe, E., Ruppert, M. Zusammenarbeit von Boden- und Luftrettung. Notarzt 29, 69–82 (2013).

[12] Küpper, T., Jansing, P., Schöffl, V., van Der Giet, S. Does modern helicopter construction reduce noise exposure in helicopter rescue operations? Ann. Occup. Hyg. 57, 34–42 (2013).

[13] Carchietti, E., Cecchi, A., Valent, F., Rammer, R. Flight vibrations and bleeding in helicoptered patients with pelvic fracture. Air Med. J. 32, 80–83 (2013).

[14] Schneider, C., Gomez, M., Lee, R. Evaluation of ground ambulance, rotor-wing, and fixed-wing aircraft services. Crit. Care Clin. 8, 533–564 (1992).

[15] Leira, E. C., Stilley, J. D., Schnell, T., Audebert, H. J., Adams, H. P., Jr. Helicopter transportation in the era of thrombectomy: The next frontier for acute stroke treatment and research. Eur. Stroke J. 1, 171–179 (2016).

[16] Schellhaaß, A., Popp, E. Aktueller Stellenwert und praktische Aspekte [Air rescue: current significance and practical issues]. Anaesthesist 63, 971–80; quiz 981–2 (2014).

[17] Guenther, S. P. W. et al. Remote ECLS-implantation and transport for retrieval of cardiogenic shock patients. Air Med. J. 36, 320–326 (2017).

[18] Farto e Abreu, P., Thomas, B., Loureiro, J., Roquette, J., Ferreira, R. Inter-hospital transfer of critically-ill patients for urgent cardiac surgery after placement of an intra-aortic balloon pump. Rev. Port. Cardiol. 21, 1115–1123 (2002).

[19] Patel, S. C., Murphy, S., Penfil, S., Romeo, D., Hertzog, J. H. Impact of interfacility transport method and specialty teams on outcomes of pediatric trauma patients. Pediatr. Emerg. Care 34, 467–472 (2018).

Der Autor

Dominik Höchter, Facharzt für Anästhesiologie, Intensiv- und Notfallmedizin, Leitender Notarzt, derzeit tätig in der Klinik für Anaesthesiologie des LMU Klinikums München sowie an der DRF Luftrettung Station München

Interessenskonflikt: Der Autor gibt an, dass kein Interessenskonflikt vorliegt.

ÖAMTC

ITH Wiener Neustadt – seit 25 Jahren ein Erfolgsmodell

Schlüsselwörter:

Intensivtransporthubschrauber

Verlegungstransporte

Hubschraubereinsatz

Christophorus Flugrettung

Zusammenfassung: *Arztbegleitete Verlegungstransporte sind eine wichtige Aufgabe im Spektrum der Luftrettung in Österreich. Mit der im Juli 1999 erfolgten Stationierung eines ITH beschritt der ÖAMTC einen neuen Weg – eine eigens für Verlegungstransporte abgestellte Maschine, besetzt mit intensivmedizinisch qualifiziertem Personal. Seit einem Vierteljahrhundert werden Sekundär- und Intensivtransporte erfolgreich durchgeführt, und zudem die Rettungshubschrauber der Ostregion Österreichs für ihren eigentlichen Versorgungsauftrag freigespielt. Der vorliegende Bericht beschreibt die technischen und medizinischen Grundlagen dieses in Österreich einzigartigen Rettungsmittels wie auch das betreute Patientengut.*

Hintergrund

Der Bedarf nach arztbegleiteten Verlegungstransporten zwischen Krankenhäusern unterschiedlicher Versorgungsstufen nimmt mit zunehmender Spezialisierung der Kliniken in Österreich seit Jahren stetig zu. Die Qualität der medizinischen Versorgung sollte während der kritischen intra- und interhospitalen Transportphase [1,2,3] keinesfalls schlechter sein als unter den stationären Bedingungen. Darauf wies auch ganz rezent die Österreichische Gesellschaft für Anästhesiologie, Reanimation und Intensivmedizin hin [4]. Verlegungsflüge – sog. Sekundärtransporte – waren von Beginn an immer auch Teil des Tätigkeitsspektrums in der Luftrettung. Neben einem schnellen und schonenden Transport bietet der Hubschrauber den großen Vorteil notfallmedizinisch erfahrener Begleitärzt:innen, in vielen Fällen sogar Intensivmediziner:innen. Schon in den 1990er-Jahren waren etwa 12 % der jährlich rund 13.000 Hubschraubereinsätze in Österreich Sekundärtransporte. Heute absolviert die Luftrettung mehr als doppelt so viele Einsätze, der Anteil an Sekundärverlegungen ist zwar mit rund 10 % etwa gleichgeblieben, die absolute Zahl aber um 66 % (!) gestiegen. Dies betrifft alle Standorte, wie dies am Beispiel des Christophorus Flugrettungsvereins (CFV) des ÖAMTC illustriert werden kann (➤ Abb. 1). Die Notarzthubschrauber des CFV übernehmen von jeher den größten Teil der Verlegungsflüge, die in Österreich ein „Ost-West-Gefälle" aufweisen. So erfolgten 1999 47 % der Verlegungsflüge in Ostösterreich (W/N/B), rund 27 % im Zentralraum (ST/K/OÖ/S) und 26 % im Westen (T/V). Diese Relationen haben sich auch 25 Jahre später kaum geändert (➤ Abb. 2). Dies mag seine Ursachen in der Struktur der Primärversorgung, der höheren Krankenhausdichte sowie in der Verfügbarkeit entsprechender Transportmittel im Osten haben.

Im Juli 1999 stationierte der CFV im Rahmen eines vom Autor initiierten Pilotprojekts am Standort Wiener Neustadt eine eigene Maschine als Intensivtransporthubschrauber (ITH). Basis war die langjährige enge Kooperation zwischen dem ÖAMTC, der Stadt und dem Krankenhaus Wiener Neustadt: Christophorus 3 war seit 1984 hier stationiert und die ärztliche Besetzung dieses Hubschraubers überwiegend durch Ärzt:innen der Abteilung für Anästhesie, Notfall- und Allg. Intensivmedizin sichergestellt. Als Hubschrauber wurde zunächst eine der vom BMI übernommen AS 355 (➤ Abb. 3) eingesetzt. Die Ausrüstung entsprach in der Projektphase der eines Notarzthubschraubers, lediglich die medikamentöse Ausstattung und die Verfügbarkeit von bis zu vier Perfusoren war unterschiedlich. Da sich rasch herausstellte, dass die Vorhaltung dieses zusätzlichen Hubschraubers medizinische und ökonomische Vorteile brachte, wurde statt der AS 355 eine EC 135 in Dienst gestellt (➤ Abb. 4). Die Wahl dieses Maschinentyps als ITH folgte auch ökonomischen Überlegungen: Die Vergütung der Sekundärflüge seitens der Sozialversicherungsträger liegt deutlich unter jeder Kostendeckung. Die Verrechnung von Sekundärflügen erfolgt in geringerem Ausmaß mit anfordernden Krankenhäusern und nur in Ausnahmefällen (Wunschverlegungen) mit dem Patienten selbst. Eine genaue Kostenschätzung auf Basis der Flugbetriebszeit sowie anderer Kostenanteile wird dem Anforderer bei Bedarf vorab übermittelt. Dadurch wird eine einigermaßen ausgeglichene Bilanzie-

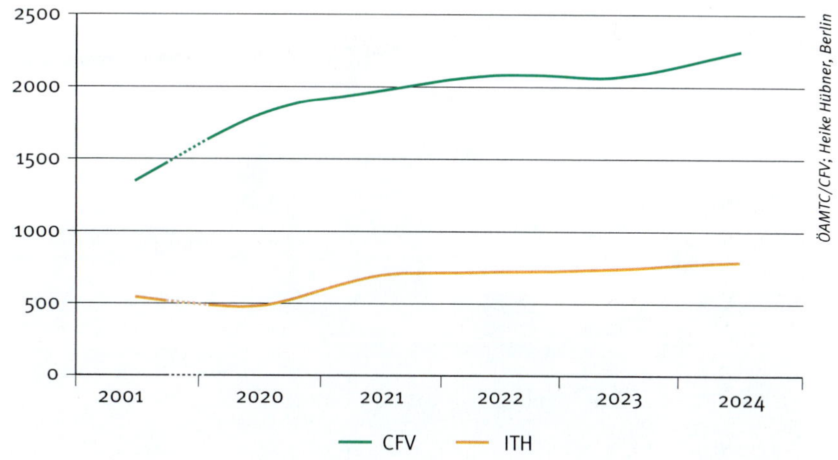

Abb. 1 Entwicklung der Sekundärverlegungen der Christophorus Flugrettung

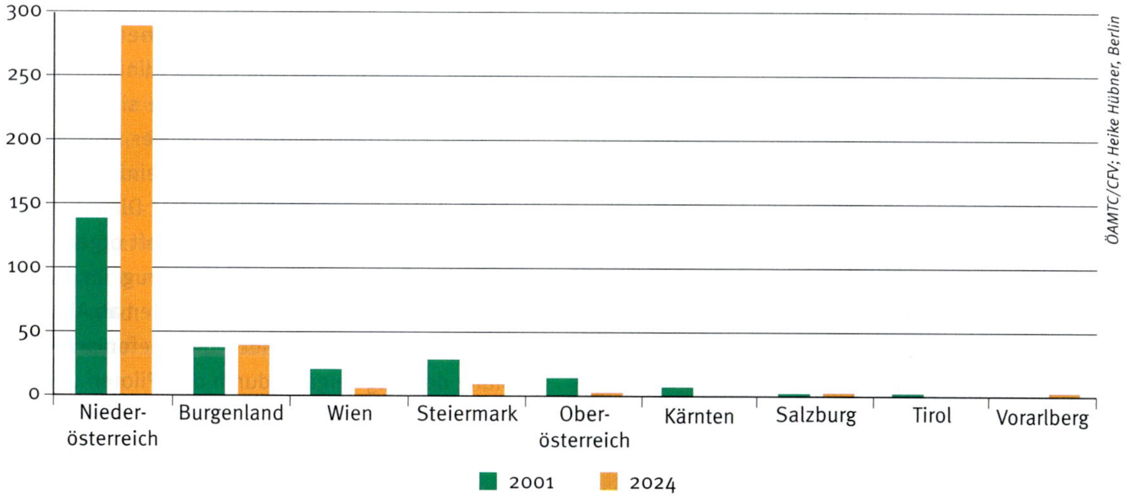

Abb. 2 Einsatzzahlen ITH im Bundeslandvergleich über zwei Jahrzehnte: 2001 vs. 2024

Tab. 1 Einsatzindikation – Notfallart

Internistischer Notfall	36,72
Neurologischer Notfall	21,08
Chirurgischer Notfall	10,23
Pädiatrischer Notfall	8,26
Unfall Verkehr	5,96
Unfall Sport/Freizeit	3,82
Unfall Haushalt	3,42
Unbekannt	3,27
Unfall Arbeit	1,57
Sonstiger Notfall	1,52
Geburtshilflicher Notfall	1,18
Keine Zuordnung	1,04
Vergiftung	0,50
Suizid/Suizidversuch	0,45
Gynäkologischer Notfall	0,36
Unfall Freizeit/Sport/Touristik alpin	0,33
Suizid	0,26
Psychiatrischer Notfall	0,02
Gesamt	**100,00**

samteinsatzdauer. Die telefonische Abklärung der medizinischen Details und der Bettensituation vor dem Start benötigt im Mittel 12 Minuten, die bettseitige Übernahme des Patienten im abgebenden Krankenhaus erfordert rund 40, die Übergabe im Zielkrankenhaus 24 Minuten. Dies kann jedoch im Einzelfall auch deutlich länger dauern – bei komplexen Transportsituationen (wie etwa in Bauchlage oder unter persönlicher Schutzausrüstung bei Infektionstransporten) (➤ Abb. 6) kann besonders die Übernahme mehr als eine Stunde Zeit beanspruchen.

Abb. 6 COVID-19-Transport

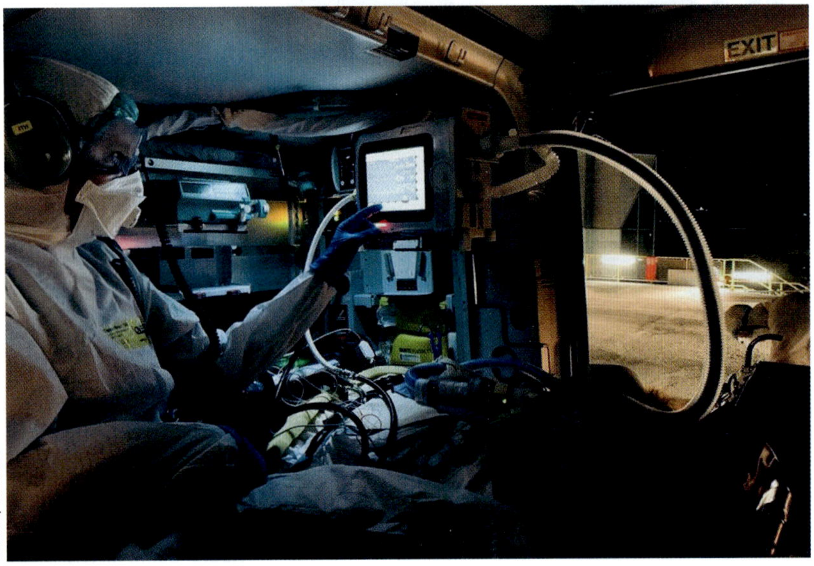

ÖAMTC/Trimmel

Analysiert man die Sekundärflüge nach den zugrunde liegenden **medizinischen Indikationen**, ergibt sich folgende Verteilung: 21,8 % neurologische/neurochirurgische Notfälle, 36,7 % internistische Notfälle sowie rund 14,8 % traumatologische Notfälle und 10,2 % chirurgische Notfälle (Details ➤ Tab. 1). Am Stützpunkt in Wiener Neustadt wird auch ein vollausgestatteter Transportinkubator vorgehalten (➤ Abb. 7). Eine Besonderheit ist hier auch die Verfügbarkeit pädiatrischer Intensivmediziner in Form einer Rufbereitschaft. Am ITH können somit Patienten aller Altersstufen intensivmedizinisch betreut werden – gerade die jüngsten sowie ältere Patienten stellen das Hauptklientel dar (➤ Abb. 8).

Der **Zustand der Patienten**, die mit dem ITH transportiert werden, rechtfertigt ein fachlich qualifiziertes Team und ein gut ausgestattetes Transportmittel. Dies kommt auch im (an sich hier eher wenig geeigneten) NACA-Index zum Ausdruck: 84 % der Patient:innen weisen demnach manifeste oder zumindest mögliche Lebensbedrohung auf (➤ Abb. 9). Als Intensivpatienten mit beträchtlichem therapeutischem Aufwand (TISS › 38) sind 22,4 % zu klassifizieren. Mehr als ein Drittel (36,4 %) aller Patient:innen sind beatmet, mehr als die Hälfte davon benötigt differenzierte Beatmungsmuster. Die Transportsituation wirkt sich deutlich auf physiologische Parameter aus – Blutdruck, Herzfrequenz, Atemparameter, CO_2 und bei neurologischen/neurochirurgischen Patienten sogar ICP und neuronale Metabolite. Primäres Ziel jedes Transportes muss sein, durch geeignete Maßnahmen (Lagerung, Überwachung, Therapie) das Transporttrauma zu minimieren. Bei Patient:innen unter Beatmung, Sedierung, Katecholaminen, nach Schädel-Hirn Trauma oder Ruptur eines Aneurysmas ist besondere Vorsicht geboten [5,6,7]. Auch unvermeidbare Belastungen, denen der Patient während eines Transports ausgesetzt ist, dürfen keine weitere Verschlechterung des meist ohnehin bereits kritischen Zustands provozieren. Besondere Beachtung verdient das hämodynamische Monitoring, da Beschleunigungs- und Vibrationsbelastungen Auswirkungen auf den Kreislauf haben [8]. Zur Sicherstellung einer adäquaten Hämodynamik während der gesamten Transportphase ist in der Regel, auf jeden Fall bei Einsatz von Katecholaminen, eine invasive Druckmessung vor Transportbeginn zu etablieren. Flüssigkeitsersatz spielt während der Transportphase eine geringere Rolle, die Gabe von hyperosmolaren/hypertonen Lösungen oder Erythrozytenkonzentraten stellt die Ausnahme dar. Erkennbare Volumendefizite werden, wenn irgend möglich, vor Beginn des Transports ausgeglichen.

Das **Einsatzaufkommen** bestätigt, dass mit dem ITH eine Lücke geschlossen werden konnte. Parallel zu dessen Stationierung stieg die Einsatzfrequenz der NAH-Stützpunkte in Ostösterreich, da sie für Primäreinsätze „freigespielt" wurden. Die Hypothese, dass ein von Intensivmedizinern qualifiziert durchgeführter Sekundärtransport Ressourcen für die Notarztversorgung freispielt, konnte insbesondere für den ostösterreichischen Raum klar bestätigt werden. Seit Ende der COVID-19-Krise, in der der ITH eine wesentliche Stütze der Intensivmedizin war, werden jährlich wieder über 700 Einsätze geflogen.

Heute ist der ITH (Funkrufname: „Christophorus 33") eine nicht mehr wegzudenkende Ressource im österreichischen Gesundheitswesen. Er stellt rasche, schonende und qualitativ hochwertige Transferierung kritisch kranker Patient:innen sicher, vom Frühgeborenen bis zum Hochbetagten, in Österreich und dem angrenzenden Ausland. Aktuell wird eine Standortverlegung in die Nähe von St. Pölten (Flugplatz Völtendorf) vorbereitet. Dies hat einerseits einsatztaktische Gründe, andererseits werden sich auch ökonomische Vorteile ergeben, da das Universitätsklinikum St. Pölten häufig Zielkrankenhaus des ITH ist. Damit soll die Verlegung nach St. Pölten die Effizienz noch steigern und die Reaktionszeiten in der Ostregion Österreichs weiter verbessern. Die Entscheidung für den Standort Völtendorf wurde getroffen, da sich dieser für Ab- und Anflüge über nicht besiedeltem Gebiet eignet und die Lärmbelästigung für die Bevölkerung minimiert. Die erforderlichen Genehmigungen für den Neubau dieses wichtigen Stützpunkts wurden bereits eingeholt.

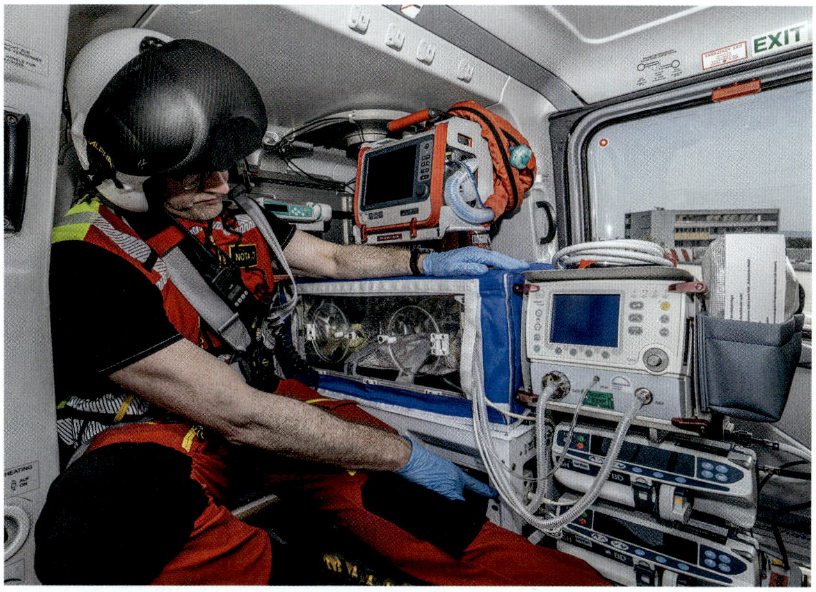

ÖAMTC/Postl

Abb. 7 Transportinkubator

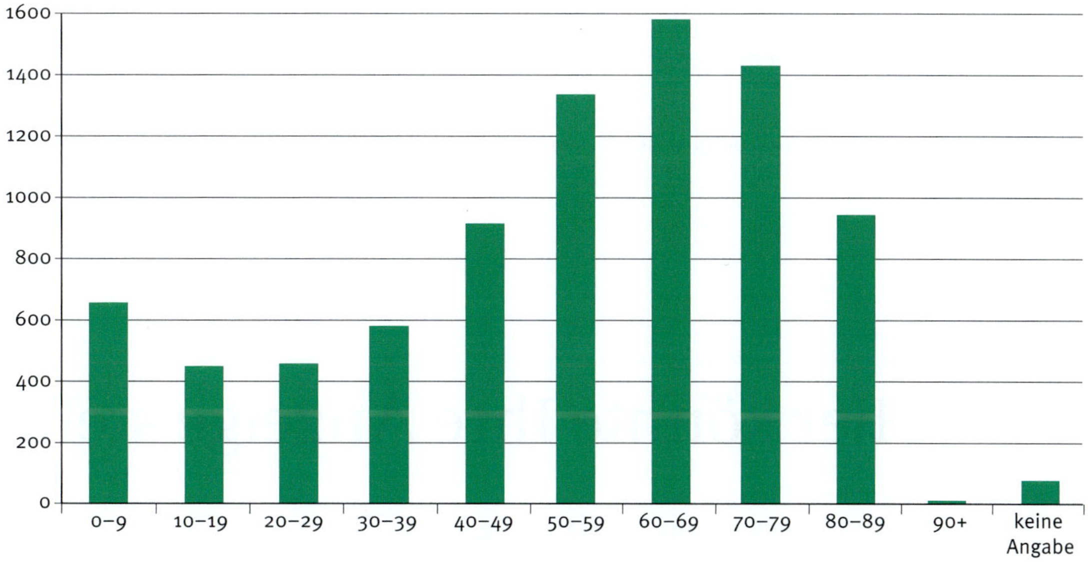

ÖAMTC/CFV; Heike Hübner, Berlin

Abb. 8 Altersverteilung der Patienten im Zeitraum 2001–2024

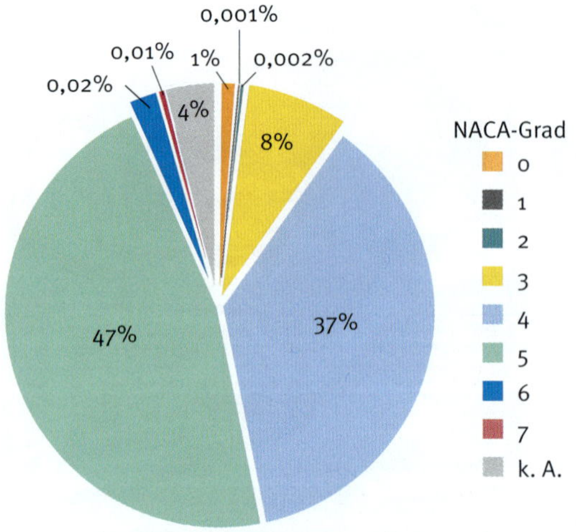

Abb. 9 Zustand der Patienten nach NACA-Graden (Angaben gerundet)

ÖAMTC/CFV; Heike Hübner, Berlin

Fazit

Mit der Stationierung des ITH in Wiener Neustadt wurde eine Lücke im österreichischen Gesundheitswesen geschlossen. Ein topmodernes Fluggerät mit 4-Achsen Autopilot und fachlich hochqualifiziertes Personal ermöglichen Intensivtransporte unter optimalen Bedingungen.

Quellen:

[1] Droogh JM, Smit M, Hut J, Vos R de, Ligtenberg JJM, Zijlstra JG. Inter-hospital transport of critically ill patients; expect surprises. Crit Care. 2012; 16: R26–R26.

[2] Jeyaraju M, Andhavarapu S, Palmer J, Bzhilyanskaya V, Friedman E, Lurie T, et al. Safety Matters: A Meta-analysis of Interhospital Transport Adverse Events in Critically Ill Patients. Air Me d J. 2021 ;40: 350–8.

[3] Murata M, Nakagawa N, Kawasaki T, Yasuo S, Yoshida T, Ando K, et al. Adverse events during intrahospital transport of critically ill patients: A systematic review and meta-analysis. Am J Emerg Med. 2022; 52: 13–9.

[4] Hasibeder W, Fries D, Trimmel H. Personalqualifikation im außerklinischen Intensivtransport. Anästhesie Nachrichten. 2025; 1–2.

[5] Hurst JM, Davis K, Johnson DJ, Branson RD, Campbell RS, Branson PS. Cost and Complication During In-hosital transport of Critically Ill Patients: A Prospective Cohort Study. J Trauma: Inj, Infect, Crit Care. 1992; 33: 582–5.

[6] Veiga VC, Postalli NF, Alvarisa TK, Travassos PP, Vale RT da S, Oliveira CZ de, et al. Adverse events during intrahospital transport of critically ill patients in a large hospital. Rev Bras Ter Intensiv. 2019; 31: 15–20.

[7] Eiding H, Kongsgaard UE, Braarud A-C. Interhospital transport of critically ill patients: experiences and challenges, a qualitative study. Scand J Trauma, Resusc Emerg Med. 2019; 27: 27.

[8] Ligtenberg JJ, Arnold LG, Stienstra Y, Werf TS van der, Meertens JH, Tulleken JE, et al. Quality of interhospital transport of critically ill patients: a prospective audit. Crit Care. 2005; 9: R446–51.

Die Autoren

Prim. Univ.-Prof. Dr. Helmut Trimmel MSc, Vorstand der Klinischen Abteilung für Anästhesie, Notfall- und Allg. Intensivmedizin am Universitätsklinikum Wiener Neustadt, von 1995 bis 2025 Leitender Notarzt am Flugrettungszentrum Wiener Neustadt und stv. Ärztlicher Leiter der Christophorus Flugrettung des ÖAMTC
Kontakt: helmut.trimmel@wienerneustadt.lknoe.at

Prim. Univ.-Prof. Dr. Wolfgang Voelckel, Abteilung für Anästhesiologie und Intensivmedizin, AUVA Unfallkrankenhaus Salzburg. Ärztlicher Leiter Christophorus Flugrettung, ÖAMTC
Kontakt: wolfgang.voelckel@auva.at

Interessenskonflikt: Die Autoren geben an, dass kein Interessenskonflikt vorliegt.

Verapamil

ALLGEMEINE ANGABEN

Handelsname

Verapamil, Isoptin®

Wirkstoff

Verapamilhydrochlorid

Arzneimittelgruppe

Antiarrhythmikum der Klasse IV nach Vaughan Williams, Ca2+–Antagonist vom Verapamiltyp

Dosis/Einheit

5 mg/2 ml Brechampulle

PHARMAKODYNAMIK

Indikation

- paroxysmale supraventrikuläre Tachykardien
- Vorhofflimmern/Vorhofflattern mit schneller Überleitung
- Initialbehandlung bei instabiler Angina pectoris, wenn Nitrate und/oder β-Rezeptorenblocker nicht angezeigt sind

Wirkung

- hemmende Wirkung auf den Calciumeinstrom an Muskelzellmembranen
- Verlängerung der AV-Überleitungszeit
- negativ-inotrope Wirkung
- periphere Vasodilatation
- Blutdrucksenkung

Nebenwirkung

- Bradykardie
- höhergradige AV-Blockierungen
- Blutdruckabfall

Maßnahmen bei Nebenwirkung/zur Vermeidung

Symptomatische Therapie

Kontraindikationen

- parallele Therapie mit β-Rezeptorenblockern
- Schwangerschaft im 1. und 2. Trimenon
- im 3. Trimenon nur unter sehr strenger Indikationsstellung
- Vorhofflimmer-/Vorhofflatterarrhythmien bei bestehender akzessorischer Leitungsbahn
- kardiogener Schock
- schwere Herzinsuffizienz, außer wenn die Rhythmusstörung ursächlich ist

Interaktion

- Wirkverstärkung mit anderen Antiarrhythmika
- Wirkverstärkung mit einigen Antihypertonika
- inkompatibel mit alkalischen Lösungen, beispielsweise Natriumhydrogencarbonat

Dosierung

5 mg langsam i. v., ggf. Wiederholung nach 5–10 Minuten

PHARMAKOKINETIK

Applikationsweg

i. v.

Applikationsgeschwindigkeit

Langsam

Wirkeintritt

Wenige Minuten

Wirkdauer

Stunden

Halbwertzeit

3–7 Stunden

Eliminationsweg

Renale und biliäre Elimination

Lagerungshinweise

Nicht über 30 °C lagern

Vorsicht

Keine Kombination mit β-Blockern!

Besonderheiten/Hinweise

–

Der (Hoch-)Infektionstransport: übertriebener Aufwand oder notwendige Vorsicht?

Schlüsselwörter:
Hochinfektionstransport
Dekontamination
Einsatzphasen bei Infektionslagen
Infektionsschutz
Notfallmanagement

Zusammenfassung: *Der Transport hochinfektiöser Patienten stellt Einsatzorganisationen vor komplexe Herausforderungen. Neben hohen organisatorischen und materiellen Anforderungen sind auch personelle Ressourcen stark gefordert. In der Praxis stellt sich dabei häufig die Frage, ob der damit verbundene Aufwand tatsächlich notwendig oder mitunter überzogen ist. Dieser Text beleuchtet die verschiedenen Einsatzphasen – von der Alarmierung bis zur Nachbereitung – und analysiert sie anhand von Erfahrungen, bestehenden Theorien und bewährten Abläufen. Ziel ist es, ein ausgewogenes Verständnis für sinnvolle Maßnahmen zu schaffen und praxisnahe Empfehlungen für einen sicheren und effizienten Umgang mit solchen Extremsituationen zu geben.*

Vom Seuchenausbruch zur standardisierten Patientenversorgung

Ansteckende Erkrankungen und parasitären Befall gibt es, seit es Leben auf dem Planeten gibt. Mit wachsendem Wissen und zunehmender Bevölkerungsdichte stieg naturgemäß die Erkenntnis, dass es unter ungünstigen Bedingungen fatale Auswirkungen haben kann, wenn diesen nicht entgegengewirkt wird. So kam es mit Ende des 19. Jahrhunderts dazu, dass die dann verfügbaren technischen Möglichkeiten eine nähere Erforschung dieser Problematik zuließ. Cholera-Epidemien, die Spanische Grippe, der Einsatz chemischer Kampfstoffe und die hygienischen Missstände in und nach dem Ersten Weltkrieg, inklusive der bis damals unvorstellbaren Anzahl an gleichzeitig Verwundeten und Erkrankten, führten zu weiterer Erforschung und Festlegung erster Handlungsanweisungen und Regeln. Diese bilden bis heute die Basis unseres Handelns.

In der Folge soll ein „Normeinsatz" für den Transport eines Patienten durchgedacht werden, wobei auch jegliche nötige medizinische Versorgung vor, während und nach dem Transport Thema sein soll. Es sollen einige Gedanken durchgespielt werden, wobei niemals auch nur annähernd der Anspruch auf irgendeine Vollständigkeit erhoben wird.

Standardisierte Einsatzphasen bei hochinfektiösen Erkrankungen

Eine ärztliche Erstanamnese bzw. ein begründeter Verdacht einer geschulten Person benennt die Möglichkeit einer hochinfektiösen Erkrankung. Abgesehen von allen behördlichen Meldungen nach dem Epidemie-Gesetz, ergeben sich augenblicklich folgende Problematiken und Fragestellungen:

1. Beurteilung der allgemeinen Situation/ Rahmenbedingungen
   a) Angenommene Erkrankung
   b) Daraus abgeleitete erforderliche Desinfektions-, Hygiene- und Schutzmaßnahmen
   c) Wetter, Entfernungen, Verkehrsbedingungen
   d) Mögliche Räume für Dekontaminationsmaßnahmen
   e) Die mögliche Ausbreitung begünstigende oder verhindernde Bedingungen
2. Lagebeurteilung in personeller Hinsicht
   a) Wer hatte alles Kontakt zur Verdachtsperson?
   b) Von wie vielen betroffenen Personen kann ausgegangen werden?
   c) Verfügbarkeit von Kräften?
3. Materielle Lagebeurteilung
   a) Welche Schutzmaßnahmen hatte das medizinische Personal dieser ersten Intervention und waren diese ausreichend?
   b) Sind Mittel zur Errichtung eines behelfsmäßigen Dekontaminationsplatzes, sowie geeignete Desinfektionsmittel und Geräte vor Ort verfügbar?
   c) Verfügbarkeit von Einsatzmaterial? Daraus abgeleitet ergibt sich die logistische Beurteilung der materiellen Versorgung
4. Organisatorische Lagebeurteilung
   a) Wer ist für die Herstellung der Sicherheit am Einsatzort zuständig?
   b) Welche Einsatzorganisation ist für Desinfektion und Dekontamination zuständig?
   c) Welche medizinische Einrichtung ist zuständig (Transportweg)?
   d) Daraus abgeleiteter Bedarf an Dekontaminations-, Versorgungs- und Transportkapazitäten

Ein „Norm"-Einsatz ließe sich daraus in der Folge in sechs Phasen gliedern:

Phase I Alarmierung, Aufstellung und Heranführung der Einsatzkräfte. Initiale Lagebeurteilung.

Phase II Herstellen der Raumordnung und Sicherheit am Einsatzort. Durchführung aller Maßnahmen, um eine sichere Übernahme der Patienten zu ermöglichen. Dies betrifft vor allem die begleitenden Dekontaminationsmaßnahmen, alle Maßnahmen rund um den Einsatz der persönlichen Schutzausrüstung (PSA) sowie alle erforderlichen medizinischen Maßnahmen.

Phase III Sicherer Transport von Patienten zur vorgesehenen medizinischen Einrichtung. Gleichzeitig Rückbau und Herstellen der Sicherheit am Übernahmeort und Aufbau der Strukturen für eine sichere Übergabe an die Definitivversorgung.

Phase IV Sichere Übergabe von Patienten an die Definitivversorgung.

Phase V Herstellung der Sicherheit des Transportmittels, des Übergabeortes sowie der eingesetzten Technik und der Einsatzkräfte.

Phase VI Wiederherstellung der Einsatzbereitschaft durch Nachbereitung, Einsatzevaluierung und ggf. psychologische Nachbetreuung der Einsatzkräfte.

Wenn man die Phasen detaillierter betrachtet, wird man feststellen, dass man zumeist rasch an die Grenzen der verfügbaren Mittel stößt bzw. der Aufwand für die Einsatzorganisationen ein Niveau erreicht, welches nicht mehr sinnvoll erscheint. Die dann auftauchenden Fragen sind eher dem Bereich der Ethik zuzuordnen als von einsatztaktischer Relevanz.

Es ist zu empfehlen, das Einsatzteam vor Beginn des Einsatzes über die geplante Einsatzführung zu unterrichten. Wesentlicher Bestandteil dieses Briefings bildet das Verhalten bei Notfällen bzw. Ausfall von Technik etc. Für alle einsatzkritischen Bereiche sollten entsprechende Notfallverfahren auch Bestandteil regelmäßiger Trainings sein.

Gedanken zu Phase I

Zu diesem Zeitpunkt existiert zumeist nur eine nicht bestätigte Verdachtsdiagnose. Eine Laborbestätigung dauert oft zu lange, um für weitere Überlegungen bzw. Einsatzmaßnahmen relevant zu sein. Schnelltests sind oft nicht verfügbar und nicht immer sicher. Es muss daher allen bewusst sein, dass die Verantwortlichen ab diesem Zeitpunkt alle weiteren Maßnahmen auf einen Verdacht aufbauen, und dies beinhaltet daher auch alle Überlegungen zu Ansteckungswegen, Inkubationszeit, Kontagiosität, geeigneten Desinfektionsmitteln und Verfahren, erforderliche Schutzausrüstung und vieles mehr.

In manchen Fällen werden wir auch feststellen, dass das erste vor Ort befindliche Einsatzpersonal nicht die erforderliche Schutzausrüstung hatte. Somit sind alle ersteintreffenden Personen am Berufungsort als kontaminiert zu betrachten.

Abb. 1 Einteilung des Einsatzbereichs in unterschiedliche Sicherheitszonen

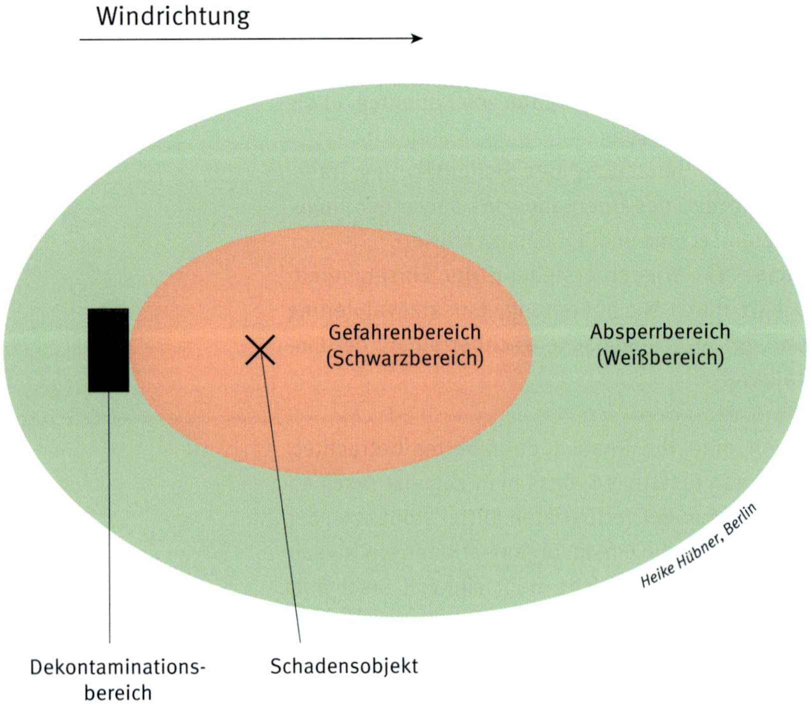

Umso mehr ist das zielgerichtete und rasche Heranführen der benötigten Kräfte direkt mit der Qualität der verfügbaren Informationen verknüpft. Diese Qualität ist einerseits eine Frage der strukturierten Herangehensweise, welche durch moderne digitale Hilfsmittel (wie z. B. Leitstellen-Software) unterstützt werden kann. Andererseits ist die Qualität eng mit dem Ausbildungsgrad der Disponenten und ersteintreffenden Kräfte verknüpft. Dabei ist zu bedenken, dass jede Verzögerung in der Alarmierung, lange Wartezeiten generieren kann, da Spezialkräfte (wie z. B. CBRN-Einheiten) in der Regel längere Anmarschzeiten haben. Zusätzlich sind Aufbau- und Ausrüstungszeiten für Dekontaminationseinrichtungen und die persönliche Schutzausrüstung mit einzukalkulieren.

Wenn der Einsatz es verlangt bzw. ermöglicht, kann daher auch ein Vorkommando die Lage vor Ort erkunden, wesentliche Informationen sammeln und somit die Gesamtzeit zur Herstellung der Betriebsbereitschaft vor Ort teils erheblich verkürzen.

Jedenfalls sind durch die führenden Verantwortlichen alle wesentlichen Informationen zur Lage am Einsatzort zu erfragen und alle nötigen Maßnahmen schon in Phase I zu veranlassen.

Für Phase I können daher drei Empfehlungen an Organisationen abgeleitet werden:

1. Wiederkehrende Schulungen zur Sensibilisierung für Führungskräfte und betroffenes Personal sind unabdingbar, um die Qualität zu steigern und die benötigte Reaktionszeit sicherzustellen.
2. Alarmierungspläne und Ausrücke-Ordnungen sind auf ihre Tauglichkeit im Rahmen dieses Spezialthemas zu evaluieren, mit dem Ziel, vernünftige Handlungsanweisungen zu generieren.
3. Je genauer die initiale Lagebeurteilung ist, desto reibungsfreier wird sich die Chaosphase des Einsatzes entwickeln.

Das bedeutet vereinfacht, nicht automatisch jeden Schnupfen zu einem Ebola-Outbreak zu machen, aber andererseits Anzeichen für ein bedenkliches Infektionsgeschehen nicht zu übersehen, um die Spezialkräfte rechtzeitig in den Einsatz zu bringen.

Gedanken zu Phase II

Der Raumordnung am Einsatzort kommt eine besondere Bedeutung zu. Eine sauber gestaltete Raumordnung mit einer gut sichtbaren Grenze zwischen „Hot-Zone" und sauberem Bereich ist ein wesentlicher Garant für Sicherheit am Einsatzort. Eine gut gewählte Raumordnung behindert den Einsatz nicht! Sie unterstützt durch intelligente Lösungen das eingesetzte Personal und ermöglicht so ein reibungsfreies, rasches und sicheres Arbeiten.

Je nach Bedarf bzw. Art und zu erwartender Größe des Einsatzes sowie den in der jeweiligen Organisation geltenden Normen und Regeln ist der direkte Einsatzbereich in eine „Gefahrenzone", einem diese Zone umgebenden Sicherheitsbereich und eine sichere Zone zu unterteilen (➤ Abb. 1). Unter Berücksichtigung der örtlichen Gegebenheiten sowie der vorherrschenden Umweltbedingungen wird dann der Standort eines Dekontaminationsplatzes gewählt. Dieser kann sich (bestenfalls) auch an vorhandene Infrastruktur anlehnen und diese zeit- und platzsparend nutzen. Des Weiteren sind Räume für das sichere An- und Ablegen der persönlichen Schutzausrüstung, Raum für Abfall und gegebenenfalls Abwasser und Wagenhalteplätze zu definieren. Auch leistungsfähige An- und Abfahrtswege und das Leichenmanagement dürfen nicht vergessen werden.

Das für den direkten Einsatz in der „Gefahrenzone" vorgesehene Personal samt der gesamten benötigten Ausrüstung rüstet sich an der Grenze zum Sicherheitsbereich aus und wird hierbei durch weitere Kräfte unterstützt. Strukturierte Abläufe und Checklisten erleichtern das Vorgehen und schaffen Sicherheit und Vertrauen. Vor Betreten der Gefahrenzone wird im Partner-Verfahren der Sicherheitscheck der Ausrüstung vorgenommen. Es kann nicht oft genug darauf hingewiesen werden, dass alles, was in die Gefahrenzone einschleust, diese nur nach einer geeigneten Dekontamination wieder verlassen kann. Auch das Zurücklassen/Vergessen benötigter Ausrüstung ist hier als Problem anzusprechen, da man eben nicht kurz noch einmal etwas holen gehen kann. Der Aufbau von benötigter Technik wie z.B. mobilen Inkubatoren, und das Anbringen jeglicher Medizintechnik sollte hier jedenfalls von Personal ohne Schutzausrüstung vorgenommen werden.

Wesentlich ist auch, dass mit Beginn der Interventionen in der Gefahrenzone die vorgesehene Dekontaminationsmöglichkeit betriebsbereit stehen muss. Das Dekontaminationspersonal hat zumindest soweit bereit zu stehen, dass es im Ernstfall in wenigen Augenblicken zur Verfügung steht, d.h. beispielweise: Schutzanzüge bis Hüfthöhe angelegt und Atemschutz betriebsbereit.

Auch müssen zu diesem Zeitpunkt geeignete Verfahren zur Übernahme, Dekontamination, Verpackung, Transport und Nachbereitung jeglichen Materials, welches die „Hot-Zone" verlässt, geregelt sein. Das betrifft medizinischen Abfall, Abwasser aus der Dekontamination und sonstigen Abfall ebenso wie alle medizinischen Geräte, wenn sie nicht mit dem Patienten auf den Transport mitgenommen werden. Es ist sinnvoll, sich hier vorab zu überlegen, wie Monitore, Defibrillatoren, Beatmung und sonstige Medizintechnik desinfiziert werden können, ohne sie zu beschädigen (➤ Abb. 2). Eventuell können hier (behelfsmäßige) Einmalhüllen helfen.

Die im Zuge der initialen Lagebeurteilung erkannten Umweltbedingungen haben einen wesentlichen Einfluss auf die Durchhaltefähigkeit der eingesetzten Kräfte. Hitze, Kälte oder Niederschlag beeinträchtigen die geplante Einsatzführung und müssen daher berücksichtigt werden.

Abb. 2 „Bio-Bag" für die Dekontamination. Ungeschützte medizinische Ausrüstung kann bei der Desinfektion Schaden nehmen.

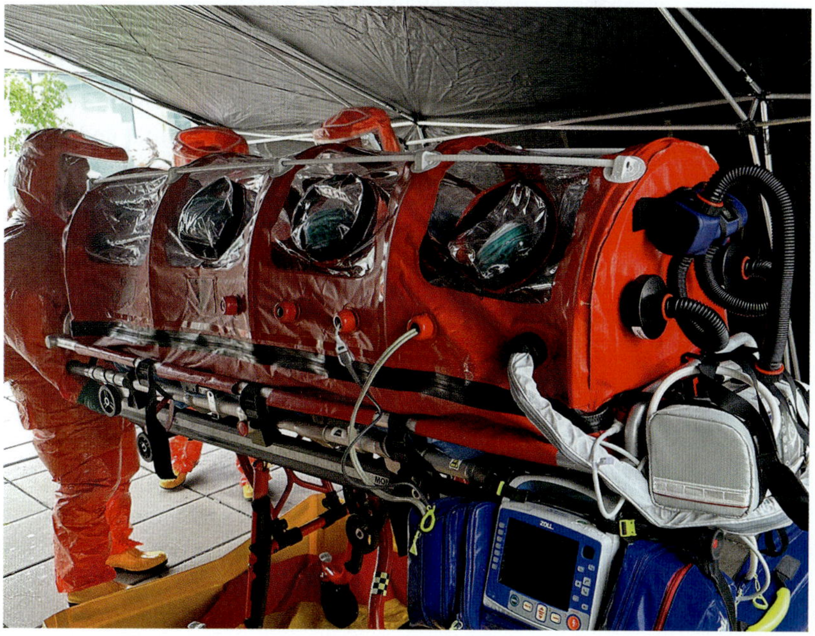

Nikolaus Salzer, Wien

Nikolaus Salzer, Wien

Abb. 3 Ein Zelt für die Dekontamination schützt vor Witterung und unerwünschten Blicken.

Für Phase II können daher fünf Empfehlungen an Organisationen abgeleitet werden:

1. Da die gewählte Raumordnung im laufenden Einsatz nicht mehr verändert werden kann, ist es sinnvoll, sich hier die eine oder andere Minute mehr Zeit zu nehmen. Eine ungünstige Wahl kostet später wesentlich mehr Zeit und Mühe.
2. Strukturierte und trainierte Abläufe, welche durch Checklisten unterstützt werden, schaffen Sicherheit, steigern die Qualität und vermindern die Belastung des Einsatzpersonals.
3. Die meisten aus der initialen Lagebeurteilung getroffenen Entscheidungen sowie Entscheidungen aufgrund erkannter, den Einsatz begünstigender oder behindernder Faktoren stellen in dieser Phase die Weichen für den gesamten restlichen Einsatz.
4. Der Schutz des Einsatzpersonals vor ungünstigen (Witterungs-)Verhältnissen sowie eine gute Versorgung mit Getränken und Essen sind von unschätzbarem Wert für Motivation und körperliche Durchhaltefähigkeit.
5. Farbliche Codierung des Einsatzmaterials schafft Klarheit und erhöht die Sicherheit.

Gedanken zu Phase III

Jener Teil des Teams, welcher den Patienten für den Transport vorbereitet hat, übergibt nun an ein Transportteam. Im Fall von akuter Personalknappheit ist es auch denkbar, dass nur ein Team den gesamten Vorgang begleitet. Davon ist jedoch aus mehreren Gründen abzuraten. Erstens würde das dann die Dekontamination durchlaufende Team noch entsprechende Reste eines Desinfektionsmittels auf der Schutzausrüstung haben und im schlechtesten Fall auch noch nass sein. Zweitens kann seit dem Einschleusen bereits eine längere Zeit verstrichen sein. Dadurch wird höchstwahrscheinlich die psychische und physische Beanspruchung durch Umlagern, medizinische Versorgung etc. einen gewissen Wert erreicht haben, welche einen baldigen Teamwechsel notwendig machen könnten. Und drittens könnte (je nach gegebener Belastung) das erste kontaminierte Team noch die ersten Sicherheitsdekontaminationsmaßnahmen durchführen, bevor es durch die Dekontamination ausschleust. Je nach Verfügbarkeit geschulter Kräfte ist es auch denkbar, dass dieses erste Team vor der Übergabe die (behelfsmäßige) Sofortdekontamination durchführt.

Diese Entscheidungen werden maßgeblich von der zu erwartenden Transportdauer, dem Zustand der zu betreuenden Person und der Situation am geplanten Transportziel abhängen.

Zum Thema Dekontamination/Desinfektion ist anzumerken, dass Desinfektionsverfahren und Technik stets auf die angenommene Kontamination abgestimmt sein müssen. Auf Temperaturstabilität und damit verbundene Änderungen in der Einwirkzeit ist ebenso Rücksicht zu nehmen, wie auf Materialverträglichkeit und mögliche Gefährdungen ungeschützter Personen und der Umwelt. Sollten die Umgebungs- oder Umweltbedingungen eine sichere Desinfektion nicht ermöglichen, sind die geforderten Bedingungen, z. B. durch Errichten eines geheizten Zeltes, herzustellen (> Abb. 3).

Bei Vorhandensein eines Inkubators könnte man im Transportmittel, unter Einhaltung der vorgegebenen Standards und Richtlinien, davon ausgehen, dass ausreichende Sicherheit besteht. Grundsätzlich könnte das Transportteam seine Tätigkeiten daher ohne Schutzausrüstung durchführen. Einige Gründe sprechen dennoch dagegen. Zum einen könnte der Inkubator, unabhängig von Schwere und Art eines Notfalls, nicht geöffnet werden, ohne eine Infektion des Einsatzteams zu riskieren. Zum anderen verringert man den Spielraum, welchen man sich durch eine angelegte Schutzausrüstung erkauft. Man denke z. B. an eine erforderliche Mithilfe am Bestimmungsort.

Für Phase III können daher fünf Empfehlungen an Organisationen abgeleitet werden:

1. Ein kurzes Briefing des Teams über den geplanten Einsatzablauf, die vorgesehenen Notfallverfahren und das Verhalten am Bestimmungsort schafft Klarheit und Sicherheit.
2. Jegliche Schutzausrüstung und Technik sollte im Rahmen von Übungen auf die in Frage kommenden Transportmittel angepasst und auf ihre Tauglichkeit überprüft werden. Das erspart unliebsame Überraschungen im Einsatz (➤ Abb. 4).
3. Standardisierte Notfallverfahren sollten fixer Bestandteil von Ausbildung und Übungen sein (z. B. Versagen von Technik oder medizinische Notfälle).
4. Bei kritischer Technik sollte eine redundante Ausführung angedacht werden.
5. Für allfällige Notfälle ist es anzuraten, den Transport durch ein Dekontaminationsteam begleiten zu lassen

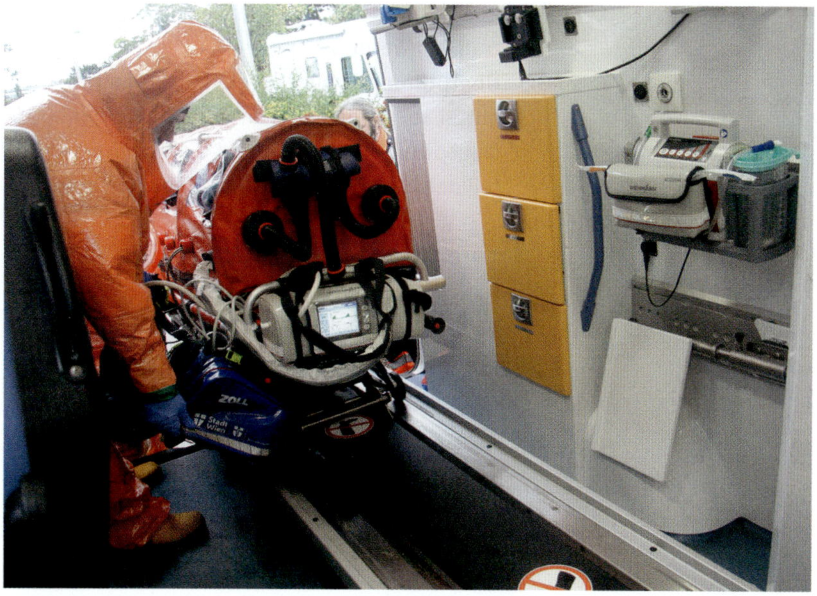

Nikolaus Salzer, Wien

Abb. 4 Übergabe an Transportmittel. Der Platzbedarf und das Zusammenspiel der Technik ist vorab zu testen.

Gedanken zu Phase IV

Es kann davon ausgegangen werden, dass der Ort für die finale Übergabe bereits zu Beginn des Einsatzes feststeht. Daher können alle erforderlichen Maßnahmen zeitgleich mit dem Einsatz am Übernahmeort eingeleitet werden. Der sich möglicherweise ergebende Gleichzeitigkeitsbedarf bzw. Zeitdruck ergibt sich aus den Entfernungen, Verkehr und Art des Transportmittels (z. B. Helikopter vs. Kraftfahrzeug in der Rushhour).

Im besten Fall ist der Ort der Definitivversorgung auf solche Fälle vorbereitet und hat die entsprechenden Prozesse eingesetzt. Wichtig ist dennoch, dass die geforderte Dekontamination von Einsatzkräften, Material und Fahrzeugen vorbereitet wird und bereit steht, um unnötige Verzögerungen zu vermeiden. Eine aufrechte Kommunikation zwischen den Teams z. B. über Funk ist hierbei sehr hilfreich (➤ Abb. 5).

Die grundsätzlichen Regeln zur Vermeidung einer Kontaminationsverschleppung gelten hier analog zu den Phasen II und III.

Für Phase IV können daher drei Empfehlungen an Organisationen abgeleitet werden:

1. Regelmäßige Trainings mit den standardmäßig vorgesehenen Einrichtungen der Definitivversorgung schaffen Sicherheit, durch Orts- und Personenkenntnis.
2. Mögliche im Zuge des Transportes auftretende Gefahren und Herausforderungen sollten

Abb. 5 Übergabe an ICU

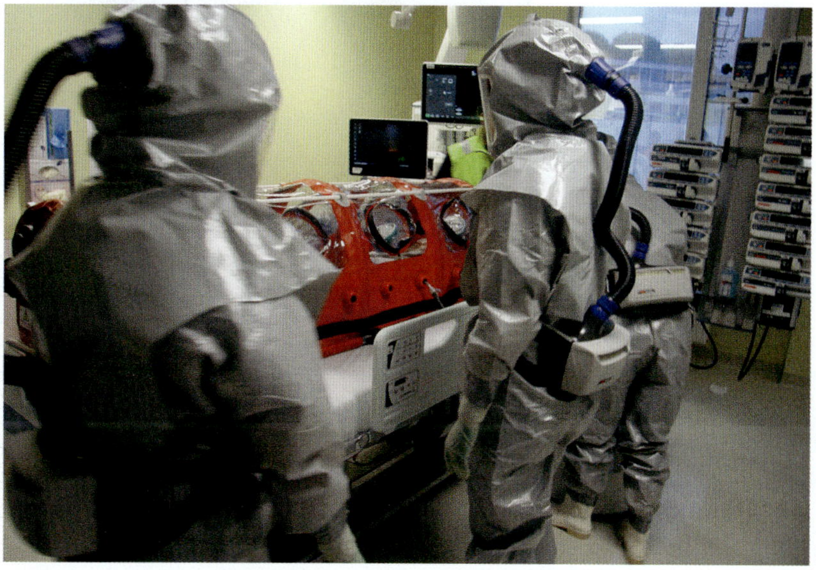

Nikolaus Salzer, Wien

ebenfalls im Zuge regelmäßiger Schulungen trainiert werden.

3. Überprüfungen aller möglichen Transportmittel auf deren Tauglichkeit für einen Sondertransport dieser Art sollten ein fixer Bestandteil der Planungen für solche Einsätze sein.

Gedanken zu Phase V

Wie in den Gedanken zu Phase I angesprochen, werden die eingesetzten Kräfte im Zuge der gesamten Intervention keine gesicherten Informationen über die Art der Infektion bzw. Erkrankung (oder auch Intoxikation) haben. Um die geforderte Sicherheit herstellen zu können, muss daher auch hier ein „Worst-Case-Szenario“ als Grundlage für die finalen Arbeiten an allen Einsatzorten herangezogen werden.

Die Entsorgung von potenziell infektiösem Material, wie z.B. gebrauchte Schutzausrüstung oder Desinfektionsmaterial, wurde bereits ab der initialen Phase mit beurteilt und sollte somit geklärt sein. Anfallende Abwässer sind nach Art und Menge der möglichen Kontamination zu beurteilen und deren Entsorgung mit der zuständigen Behörde zu klären. Hier ist auch Menge und Konzentration der verwendeten Dekontaminationschemie anzusprechen (> Abb. 6).

In der Gefahrenzone verwendetes Material, welches grundsätzlich einer Wiederverwendung zugeführt werden könnte, ist soweit aufzubereiten, dass eine Freigabe zur Wiederverwendung erfolgen kann. Es hat sich hierbei bewährt, passende sichere Transportbehälter bereit zu halten, um diese Geräte zu einer Stelle, welche diese Aufbereitung leisten kann, transportieren zu können. Hier können diese z.B. bis zum Eintreffen einer Laborbestätigung bzw. bis zur Klärung der möglichen Weiterverwendung verbleiben. Es muss hier klar angesprochen werden, dass die Vernichtung der Geräte aus Sicherheitsgründen eine Option ist, welche in alle Überlegungen einfließen muss. Das zielt vor allem darauf ab, die Wiedererlangung der Einsatzbereitschaft nach einer möglichen Entsorgung von Einsatzmaterial nicht zu verzögern.

Einsatzkräften ist, wie im gesamten Einsatz, die nötige Fürsorge zukommen zu lassen. Eine Möglichkeit zur Körperpflege nach dem Ablegen der Schutzausrüstung bzw. der Einsatzbekleidung dient hier nicht nur der Hygiene, sondern schafft auch aus psychologischer Sicht ein besseres Gefühl. Ausreichend Verpflegung mit warmem Essen und Getränken ist hier auch anzusprechen, sollte jedoch gemäß den Standards zur Einsatzhygiene ausschließlich in einem sicheren Bereich nach den Dekontaminations- und Hygienemaßnahmen erfolgen.

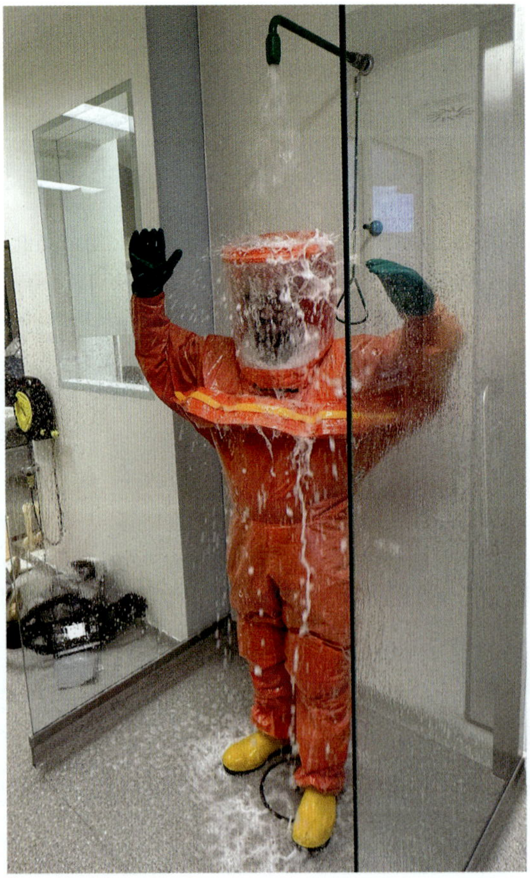

Nikolaus Salzer, Wien

Abb. 6 Sicherheitsdekontamination nach Übergabe. Stationäre Sicherheitsdekontaminationseinrichtung in der Desinfektionsschleuse einer Hochinfektionsstation.

Für Phase V können daher drei Empfehlungen an Organisationen abgeleitet werden:

1. Die Möglichkeiten der Nachbereitung und der einsatzhygienischen Maßnahmen sind während der gesamten Einsatzdauer stets mit zu beurteilen. Dies beschleunigt die Vorgänge und trägt wesentlich zur Erhöhung der Sicherheit bei.
2. Hauptaugenmerk liegt auch hier auf einer 100 %igen Vermeidung von Kontaminationsverschleppungen.
3. Geeignete Transportbehältnisse für kontaminierten Abfall und Ausrüstung sollten fixer Bestandteil der Standardausrüstung sein.

Gedanken zu Phase VI

Wenn die eigentliche Intervention abgearbeitet ist, gilt getreu dem Motto „Nach dem Einsatz, ist vor dem Einsatz", dass Überlegungen zur korrekten Versorgung des eingesetzten Materials sowie das Wiederherstellen der Sicherheit zu jenen Dingen zählen, welche bereits bei der Erstellung von Konzepten erfolgen müssen.

Jeder Organisation muss bewusst sein, dass die eingesetzten Kräfte zu einem hohen Prozentsatz nicht unmittelbar nach dem erfolgten Einsatzende für neuerliche Interventionen zur Verfügung stehen werden. Dies betrifft sowohl Personal als auch Technik. Es muss daher das Ziel sein, durch eine entsprechende Reservenbildung für die rasche Wiederherstellung der Einsatzbereitschaft zu sorgen.

Für jegliche materielle Wiederbeschaffung gilt, dass in Krisenzeiten mit wesentlich verlängerten Lieferzeiten zu rechnen ist. Personell sind hochspezialisierte Fachkräfte, wie jene im CBRN-Bereich, nur nach jahrelanger Ausbildung zu 100 % einsatzbereit. Hier sind alle Organisationen gut beraten, rechtzeitig mit dieser zu beginnen und zu jeder Zeit ein Augenmerk auf die Gewinnung von Nachwuchs zu haben.

Für Phase VI können daher zwei Empfehlungen an Organisationen abgeleitet werden:

- Das Bereithalten ausreichender Reserven ist ein Grundsatz, welcher niemals durch wirtschaftliche Argumente außer Kraft gesetzt werden kann und darf.
- Ausbildung und Übung sind das Fundament für einen sicheren und erfolgreichen Einsatz. Freiwilligkeit und Ehrenamt dürfen hier nicht als Argument für schlankere Ausbildungsprogramme oder herabgesetzte Anforderungen an Einsatzkräfte dienen.

Fazit

In unserer vermeintlich sicheren, modernen, zivilisierten Welt verlassen wir uns auf rasche und professionelle Hilfe in fast allen Bereichen unseres Alltags. Das trifft besonders in Notsituationen zu, wo erwartet wird, dass die Feuerwehr, der Notarzt, die Polizei oder jegliche Art von Notdiensten in wenigen Minuten vor Ort sind und das vermeintliche oder tatsächliche Problem ohne anfallende Kosten rasch und unbürokratisch lösen. Alle diese Dienste bestehen aus hochqualifizierten Teams. Diese Spezialisten, welche nicht zwingend rund um die Uhr, in schier unendlicher Anzahl, zur Verfügung stehen, sind ein sensibles Gut, welches es zu schützen und zu pflegen gilt.

CBRN-Einsätze sind langwierig, materialaufwendig und nicht medienwirksam. Oft läuft alles langsam und unspektakulär, und Verantwortlichen sind die hohen Kosten für vergleichsweise wenige Einsätze ein Dorn im Auge. Für diese Art von Einsätzen gilt jedoch der Grundsatz: „Es gibt keine zweite Chance."

Alle mit diesem Themenkreis befassten Organisationen und ihre Verantwortlichen sind daher gut beraten, auf die Fachleute zu hören, um stets für das vermeintlich Undenkbare gerüstet zu sein.

Der Autor

Ing. Nikolaus Salzer, Leiter des Hygienezentrums des Gesundheitsdienstes der Stadt Wien, Experte im EU-Katastrophenschutzmechanismus, Experte für Humanitäre Katastrophenhilfe bei UN INSARAG, Milizoffizier am ABCAbwZ des Österreichischen Bundesheers

Interessenskonflikt: Der Autor gibt an, dass kein Interessenskonflikt vorliegt.

Abb. 1 Schön, aber giftig: die Engelstrompete

colourbox.com

wach und kontaktfähig. Er gibt selbst keine Beschwerden an und entschuldigt sich für die Umstände. In der Untersuchung ergeben sich bis auf eine Anisokorie rechts›links keinerlei Auffälligkeiten; die Vitalparameter sind bis auf einen leicht erhöhten arteriellen Blutdruck normwertig. Insbesondere können keine weiteren neurologischen Defizite festgestellt werden. Schmerzen verneint der Patient. Die Anisokorie ist dem Patienten aufgefallen, nachdem er seine Kontaktlinse nach Gartenarbeit wieder eingesetzt hat. Er führt das Rettungsfachpersonal durch seinen Garten. Dort wächst unter anderem auch eine Engelstrompete (➤ Abb. 1). Er berichtet, heute die Engelstrompete beschnitten zu haben. Er ist Rechtshänder und hatte erst die rechte Kontaktlinse eingesetzt. Der Notfallsanitäter vermutet eine lokale Vergiftungserscheinung durch die Engelstrompete (rechte Hand auf rechtes Auge), mit Mydriasis rechts durch die anticholinerge Wirkung.

Die Engelstrompete ist bei Gärtnern aufgrund ihrer Farben- und Blütenpracht beliebt [6]. Sie wird zu Rauschzwecken geraucht oder als Teezubereitung getrunken. Eine Intoxikation äußert sich mit einem anticholinergen Delir, teilweise mit sehr lebhaften Halluzinationen. Herzrhythmusstörungen, Vigilanzminderung und respiratorische Insuffizienz können auch auftreten. In unserem Fall war der Kontakt zu der Pflanze und somit die Wirkung nur lokal.

Anisokore, wache neurologisch unauffällige Patient:innen benötigen keine weitere Diagnostik. Eine Anisokorie mit neurologischer Symptomatik kann u. a. durch eine Karotisdissektion verursacht werden und bedarf weiterer Abklärung.

> **Merke:** Eine Anisokorie ohne Vigilanzminderung ist kein Ausdruck eines erhöhten intrakraniellen Drucks!

Fall 5: Medikamentös-induzierte extrapyramidale Störung

Der Rettungsdienst wird zu einer 52-jährigen Patientin mit „V. a. Schlaganfall, Sprachstörung" alarmiert. Die Partnerin der Patientin berichtet, dass diese ihren Kiefer nicht bewegen kann und ihr dadurch das Sprechen schwerfällt. Die Beschwerden haben vor ungefähr zwei Stunden angefangen. Die Patientin wirkt stark verunsichert, eine Kommunikation ist durch Mimik und Gestik aber gut möglich. Bis auf einen steifen Kiefer, der nur minimal bewegt werden kann, bestehen keine Auffälligkeiten in der Untersuchung. Die Vitalparameter sind normwertig. Als Vorerkrankung besteht nur eine Hyperlipidämie. Ähnliche Symptome sind in der Vergangenheit nicht aufgetreten. Die Patientin war vor 2 Tagen beim niedergelassenen Hals-Nasen-Ohren-Arzt aufgrund von Schwindel mit Übelkeit vorstellig. Er hat eine Neuritis vestibularis diagnostiziert und u. a. Metoclopramid verschrieben, was sie seitdem regelmäßig eingenommen hat. Die Patientin wird mit Verdacht auf eine durch das MCP verursachte extrapyramidale Störung (Frühdyskinesie) in die Notaufnahme transportiert.

Dopamin-Antagonisten wie Metoclopramid oder Neuroleptika können als Nebenwirkung eine extrapyramidale Störung verursachen. Man unterscheidet sie in Frühdyskinesien, welche innerhalb der ersten Wochen ab Therapiebeginn vorkommen, und Spätdyskinesien, die erst nach einigen Monaten auftreten. Typischerweise präsentieren sich die Patient:innen mit orofazialen Dyskinesien, die besonders quälend sein können. Die Symptome bessern sich rasch durch die intravenöse Gabe von Biperiden (Akineton®), welche aufgrund des Risikos für kardiovaskuläre Nebenwirkungen unter Monitor-Überwachung erfolgen soll. Bei leichter Symptomatik reicht die orale Verabreichung.

Fall 6: Transiente globale Amnesie (TGA)

Der Rettungsdienst wird zu einer 67-jährigen Frau mit „V. a. Schlaganfall, Sprachstörung" alarmiert. Die besorgte Tochter hat angerufen, weil ihre Mutter alles vergisst und verwirrt ist. Die Beschwerden haben angefangen, als sie von einer Trauerfeier zurück nach Hause kamen. In der apparativen Diagnostik fällt ein erhöhter Blutdruck auf. In der neurologischen Untersuchung ist die Patientin nur zur Person und Ort orientiert und wiederholt im-

mer wieder die gleiche Frage: „Wie bin ich hierhergekommen?“ Sie wirkt ratlos und unkonzentriert, verhält sich aber freundlich. Weitere Symptome oder Red Flags bestehen nicht. Die Patientin wird mit Verdacht auf transiente globale Amnesie in eine neurologische Klinik transportiert.

Bei der TGA handelt es sich um eine akut einsetzende ausgeprägte Störung des Kurzzeitgedächtnisses bei erhaltenem Zugriff auf das Langzeitgedächtnis, infolgedessen mit betroffen ist die Konzentrationsfähigkeit [7]. Die Symptome sind innerhalb von 24 Stunden spontan komplett rückläufig. Eine mnestische Lücke für die Dauer der Episode bleibt allerdings. Eine TGA kann durch diverse körperliche, aber auch seelische Belastungen ausgelöst werden. Ein Alter von weniger als 40 Jahren ist mit der Diagnose nicht vereinbar. Die Patient:innen sind nie zur eigenen Person desorientiert und stellen meist sich wiederholende Fragen. Wichtig ist die Betreuung sowohl der betroffenen Person als auch der Zugehörigen, die häufig sehr aufgebracht sind.

Diagnostische Kriterien einer TGA [7]:

- Akut aufgetretene und ausgeprägte Neugedächtnisstörung (anterograde Amnesie)
- Dauer mindestens 1 h, Rückbildung innerhalb von 24 h
- Keine fokal-neurologischen oder zusätzlichen kognitiven Defizite
- Keine Bewusstseinsstörung oder Desorientierung zur Person
- Kein vorangehendes Schädelhirntrauma oder epileptischer Anfall

Fall 7: Trigeminus-Neuralgie

Der Rettungsdienst wird zu einem 75-jährigen Mann mit „Luftnot“ alarmiert. Der Sohn hat angerufen, weil der Patient starke Kopfschmerzen angab und dabei schwer geatmet hat. In der genauen Anamnese kristallisiert sich heraus, dass der Patient rezidivierende elektrisierende Schmerzen am Oberkiefer rechts verspürt. Sie treten eher beim Sprechen oder Kauen auf und sind dann wieder rückläufig, allerdings nicht komplett. Während der Schmerzattacken hyperventiliert er; so ist es zur Meldung „Luftnot“ gekommen. Aktuell ist der Patient schmerzarm. Weitere Symptome oder neurologische Defizite bestehen nicht. Der Patient wird mit Verdacht auf Trigeminus-Neuralgie in eine neurologische Klinik transportiert.

Eine Trigeminusneuralgie stellt eigentlich keinen Kopf-, sondern einen Gesichtsschmerz dar. Die Schmerzen

- sind einschießend,
- elektrisierend oder brennend,
- meistens im V2- oder V3-Versorgungsgebiet des N. trigeminus lokalisiert,
- dauern lediglich kurze Zeit an (Sekunden bis Minuten),
- sind vollständig rückläufig,
- treten mehrfach am Tag auf,
- werden häufig durch Stimulation wie Kauen, Berührung oder Sprechen provoziert.

Autonome Begleitsymptome wie Lakrimation (Augentränen) oder Rhinorrhoe kommen selten vor. Manchmal kann die Kompression des Nervs von einem Gefäß im Bereich des Hirnstamms mit daraus resultierender Myelinschädigung ursächlich sein. Die adäquate Schmerztherapie gelingt häufig, insbesondere in der ersten Phase, schwer. Präklinisch sollte der Fokus vorerst auf der Vermeidung von auslösenden Faktoren liegen. Falls dies nicht zur adäquaten Schmerzlinderung ausreichen sollte, ist eine intranasale Ganglion-sphenopalatinum-Blockade mit Lidocain (Spray oder per MAD, z.B. 1–2 ml Lidocain 4 %) eine gute akuttherapeutische Option. In der Klinik erhalten die Patient:innen Carbamazepin oder Oxcarbamazepin.

Fall 8: Cluster-Kopfschmerz

Der Rettungsdienst wird zu einem 55-jährigen Mann mit „starken Kopfschmerzen“ alarmiert. Der Patient hat selbst angerufen und gibt an, unter Cluster-Kopfschmerzen zu leiden. Nun hat er seit ungefähr 2 Stunden eine erneute Attacke. Das eingenommene Metamizol hat keinerlei Linderung erbracht. Der unruhige, rastlose Patient beschreibt stechende Schmerzen rechts periorbital (➤ Abb. 2). Die Augen tränen und sind gerötet. Sonst bestehen keine Symptome oder Defizite. Durch Verabreichung von Sauerstoff über eine Maske mit einer Flussrate von 12 L/m für 15 Minuten kommt es zu einer raschen Besserung der Schmerzen. Der Patient wünscht keinen Transport in die Klinik, er würde sich lieber bei seinem niedergelassenen Neurologen vorstellen. Nach lokalem Protokoll wird die Telenotärztin konsultiert und der Patient verbleibt ambulant.

Abb. 2 Kopfschmerzen können viele Ursachen haben.

colourbox.com

Abb. 3 Reflexanfälle bei Kindern können z. B. durch heißes Badewasser ausgelöst werden.

Der Cluster-Kopfschmerz stellt die häufigste Form der trigeminoautonomen Kopfschmerzen dar. Die Schmerzen

- sind stark,
- stechend, bohrend oder brennend,
- einseitig (meist periorbital),
- kommen mehrfach am Tag vor,
- dauern 15–180 Minuten und
- werden von autonomen Symptomen (Lakrimation, Rhinorrhoe oder nasale Kongestion) sowie psychomotorischer Unruhe begleitet.

Typisch ist, dass die Patient:innen (im Gegensatz zur Migräne) unruhig herumlaufen. Die Attacken treten oft nachts zur gleichen Zeit und eher im Frühling oder Herbst auf (zirkadiane und zirkannuale Rhythmik). Die Akuttherapie besteht in der Verabreichung von Sauerstoff mit hoher Flussrate (8–15 L/m) für 15 Minuten. Wichtig ist dabei, dass der Patient nach vorne gebeugt sitzt. Diese Therapie ist erfreulicherweise sehr gut wirksam. Alternativ kann Sumatriptan 6 mg subkutan (seltener Zolmitriptan 5–10 mg intranasal) verabreicht werden, falls der Patient es als Bedarfsmedikation vorrätig hat beziehungsweise in der Notaufnahme zur Verfügung steht. Bei therapierefraktären Fällen und fehlender Verfügbarkeit der o. g. Triptane kann die Gabe von (Es-)Ketamin erwogen werden. Bei dieser Indikation ist eine langsame Verabreichung wichtig (z. B. Ketamin 0.5 mg/kg über 2 h) [8]. Eine intranasale Ganglion-sphenopalatinum-Blockade kann versucht werden, ist allerdings nur bei jedem 4. bis 5. Patienten wirksam.

Fall 9: Belly Dancer Dyskinesia

Der Rettungsdienst wird zu einer 50-jährigen Patientin mit „V. a. Krampfanfall" alarmiert. Beim Eintreffen ist die Patientin wach, orientiert, neurologisch unauffällig bis auf unwillkürliche Bauchkontraktionen. Sie berichtet, dass diese seit Tagen immer wieder auftreten. Es handelt sich um ein erstmaliges Ereignis. Laut dem Ehemann sistieren sie nachts. Die Vitalparameter sind normwertig, die Patientin sonst gesund. Trauma oder neurologische Erkrankungen werden glaubhaft verneint. Das Rettungsfachpersonal transportiert die Patientin in ein Krankenhaus mit Neurologie. Durch einen Anruf einige Tage später erfährt die medizinisch verantwortliche Einsatzkraft von der behandelnden Neurologin, dass nach bildgebender, laborchemischer und elektrophysiologischer Diagnostik eine sogenannte Belly Dancer Dyskinesia, wahrscheinlich funktioneller Genese, diagnostiziert wurde.

Die Belly Dancer Dyskinesia (BDD) ist eine seltene Bewegungsstörung mit unwillkürlichen, langsamen, rhythmischen, repetitiven, wellenförmigen oder kreisförmigen Bauchkontraktionen [9,10]. Zugrunde liegen können Läsionen des Rückenmarks oder der Basalganglien, lokale Verletzungen durch Bauchoperationen, Einnahme von Medikamenten (Antipsychotika, Levodopa), ein Vitamin-B12-Mangel, eine Schwangerschaft oder eine funktionelle Störung. Bei Erkrankungen des Rückenmarks setzen sich die Bewegungen im Allgemeinen auch während des Schlafs fort. Die elektrophysiologische Diagnostik dient zur differenzialdiagnostischen Einordnung. Die Therapie hängt von der genauen Ursache ab.

Fall 10: Reflexanfälle

Der Rettungsdienst wird zu einem 9-jährigen Jungen mit „V. a. Krampfanfall" alarmiert. Die Mutter des türkischstämmigen Patienten hat angerufen, weil er während des Badens in der Badewanne komisch geatmet hat, abwesend und schwach gewirkt hat und Schmatzbewegungen mit dem Mund gemacht hat (➤ Abb. 3). Die Lippen waren sogar kurzzeitig blau. Die Mutter hat ihn aus dem Bad herausgeholt, weil sie Angst hatte, dass er ertrinkt. Ähnliche Episoden sind in den vergangenen Wochen beim Baden aufgetreten, sie haben sich aber noch nicht beim Arzt vorstellt. Der Patient sitzt aktuell auf dem Boden des Badezimmers, ist wach, verlangsamt und desorientiert, er kann keine adäquaten Angaben machen. Die Vitalparameter und die körperliche Untersuchung sind sonst unauffällig. Der Patient wird mit Verdacht auf Reflexanfälle in die nächste Kinderklinik transportiert.

Reflexanfälle sind selten und werden durch spezifische Trigger ausgelöst [11]. Sie entstehen in Gehirnregionen mit kortikaler Hyperexzitabilität, die sich in der Nähe von Arealen befinden, welche durch kognitive, motorische oder sensorische Stimuli aktiviert werden. Die Patient:innen haben häufig, aber nicht immer, eine bekannte Epilepsie. Diverse Auslöser von Reflexanfällen wurden in der Fachliteratur beschrieben. Heißes Baden ist ein seltener Trigger und häufiger bei männlichen Patienten türkischer oder indischer Herkunft zu beobachten. Die Anfälle können fokal oder generali-

Video Reflexanfall beim Baden [11]:
https://www.neurology.org/doi/10.1212/WNL.0000000000012298?url_ver=Z39.88-2003&rfr_id=ori:rid:crossref.org&rfr_dat=cr_pub%20%200pubmed

Video Reflexanfall beim Fahrradfahren [12]:
https://www.neurology.org/doi/10.1212/WNL.0000000000013216?url_ver=Z39.88-2003&rfr_id=ori:rid:crossref.org&rfr_dat=cr_pub%20%20pubmed

siert sein, von variabler Semiologie und Ausprägung. Die Diagnose wird in Zusammenschau der klinischen, elektroenzephalografischen und radiologischen Befunde gestellt. Reflexanfälle sind meistens mit einer antikonvulsiven Therapie und ggf. Vermeidung des Auslösers gut behandelbar.
Auslöser von Reflexanfällen (Auswahl):

- heißes Baden
- kaltes Baden
- Schachspielen
- Matheaufgaben lösen
- Miktion
- Essen
- Bewegung (z. B. Shadowboxing oder Fahrradfahren)
- starke Emotionen
- Orgasmus
- taktile Reize (Berührung von Körperregionen)
- olfaktorische Reize (z.B. Henna-Geruch)
- akustische Reize (Musik)
- visuelle Reize (blinkendes/flackerndes Licht)

Fazit

In dem Artikel wird deutlich, dass die Arbeit im Rettungsdienst nicht nur schnelles Handeln, sondern auch eine Art Detektivarbeit erfordert, um die manchmal doch komplexen und „atypischen" Symptome zu entschlüsseln. Ein fundiertes Wissen über seltenere Erkrankungen ermöglicht es Rettungskräften, potenzielle Ursachen zu erkennen. Dies dient der adäquaten, professionellen sowie sensiblen Versorgung und trägt letztendlich zum Patientenwohl bei.

Quellen:

[1] Mattle H. et al. Kurzlehrbuch Neurologie. 5. A. Stuttgart: Thieme 2021

[2] Hufschmidt A. et al. Neurologie compact. 9. A. Stuttgart: Thieme 2022

[3] Topka H. et al. Neurologische Notfälle. 2. A. Stuttgart: Thieme 2023

[4] Diener H. et al. Therapie und Verlauf neurologischer Erkrankungen. 8. A. Stuttgart: Kohlhammer; 2023

[5] Deutsche Gesellschaft für Neurologie. S1-Leitlinie Tetanus, Version 5.0, 02.03.2024. https://register.awmf.org/de/leitlinien/detail/030-104 (letzter Zugriff 22.06.2025)

[6] Scherbaum N. Das Drogentaschenbuch. 7. A. Stuttgart: Thieme; 2024.

[7] Deutsche Gesellschaft für Neurologie. S1-Leitlinie Transiente Globale Amnesie, Version 6.0, 31.10.2022. https://register.awmf.org/de/leitlinien/detail/030-083 (letzter Zugriff 22.06.2025)

[8] Neumann J. et al. Ketamine as Treatment for Cluster Headache: A Systematic Review of Literature and a Case Series. In: Pain Ther, 2024; 13: 651–662

[9] Cho H.J. et al. A Case of Functional Belly Dancer's Dyskinesia. In: Mov Disord Clin Pract, 2016; 3: 306–308

[10] Rissardo et al. Unraveling belly dancer's dyskinesia and other puzzling diagnostic contortions: A narrative literature review. In: Brain Circulation, 2016; 10(2): 106–118

[11] Accogli et al. Clinical and Genetic Features in Patients with Reflex Bathing Epilepsy. In: Neurology, 2021; 97: e577–e586. https://www.neurology.org/doi/10.1212/WNL.0000000000012298?url_ver=Z39.88-2003&rfr_id=ori:rid:crossref.org&rfr_dat=cr_pub%20%20pubmed (letzter Zugriff 22.06.2025)

[12] McLaren J.R. et al. Teaching Video NeuroImage: Reflex Epilepsy. Seizures Induced by Vigorous Exercise. In: Neurology, 2022; 98: e875. https://www.neurology.org/doi/10.1212/WNL.0000000000013216?url_ver=Z39.88-2003&rfr_id=ori:rid:crossref.org&rfr_dat=cr_pub%20%20pubmed (letzter Zugriff 22.06.2025)

Die Autorin

Zoi Netou-Kandylidou, Fachärztin für Neurologie, Notfall- und Intensivmedizinerin. Sie verfügt über große innerklinische sowie präklinische Erfahrung in der Akutneurologie. Außerdem ist sie in der notfallmedizinischen Szene mit Beiträgen über neurologische Notfälle aktiv und engagiert sich bei der AG Frauen der DGINA. Gründungsmitglied und Autorin bei www. akutneurologie.de. Mitglied bei DIVI, DGINA und DGNI.
Kontakt: znetou@akutneurologie.de; @zoinetou.bsky.social

Artikel-Review durch: Henrike Schönborn, Fachärztin für Neurologie, Zusatzbezeichnung Notfallmedizin, Vivantes-Klinikum Neukölln

Interessenskonflikt: Die Autorin gibt an, dass kein Interessenskonflikt vorliegt.

Erfolgsfaktoren in der Notfallsanitäter:innen-Ausbildung

Schlüsselwörter:
Ausbildungserfolg
Erfolgsfaktoren
Arbeitsumfeld
Adult-Learner-Konzepte
Strukturelle Ausbildungsdefizite
Reformbedarf Ausbildung

Zusammenfassung: *Die Analyse der Prüfungsergebnisse der Notfallsanitäter:innen-Ausbildung einer Organisation in Niederösterreich zeigte, dass nur die Hälfte der Teilnehmer:innen die Abschlussprüfung beim ersten Antritt besteht. Es wurde eine quantitative Evaluationsstudie mittels Fragebogen durchgeführt, um die Eigenschaften von Teilnehmer:innen und Arbeitsumfeld zu identifizieren, die mit dem erfolgreichen Abschluss zusammenhängen, um daraus förderliche Maßnahmen ableiten zu können.*

Die Rahmenbedingungen der Rettungsdienst-Ausbildung in Österreich

Die Ausbildung der Rettungssanitäter:innen (RS; Versorgungsstufe BLS) und Notfallsanitäter:innen (NFS; Versorgungsstufe ALS) in Österreich findet direkt durch die Rettungsdienstbetreiber statt. Sie unterliegen dabei bundesgesetzlichen Ausbildungsvorgaben, die allerdings bereits 23 Jahre alt sind und seit dem Jahr 2002 nicht an die Veränderungen in der Notfallmedizin angepasst wurden. Nahezu alle Kurse finden berufsbegleitend statt und der Anteil Ehrenamtlicher lag in Niederösterreich zuletzt bei mehr als 80 %. Im Gegensatz zu Deutschland müssen alle Teilnehmer:innen bereits über Tätigkeitserfahrung als Rettungssanitäter:in verfügen, um überhaupt zur Notfallsanitäter:innen-Ausbildung zugelassen zu werden. Zudem ist eine Aufnahmeprüfung gesetzlich vorgeschrieben.

Der operative Rettungsdienst in Österreich stellt sich ähnlich divers dar wie in Deutschland. Mit welcher Qualifikation Rettungswagen besetzt werden, liegt in der Gesetzgebungskompetenz der Länder. In der Bundeshauptstadt Wien gibt es seit Jahrzehnten vollausgestattete RTW mit Notfallsanitäter:innen, im Bundesland Niederösterreich erst seit

2017. Andere Bundesländer arbeiten auch in der Notfallrettung nahezu ausschließlich mit RS-besetzten Krankentransportwagen, entsenden allerdings zu so gut wie allen Notfällen zusätzlich Notarztmittel.
Das führt dazu, dass der Berufsalltag von NFS sehr unterschiedlich ist: Während sie in Bundesländern mit ALS-Rettungswagen selbstständig Patient:innen behandeln, sind sie in anderen Bundesländern als Assistent:innen des notärztlichen Personals tätig.
Welche Maßnahmen die Sanitäter:innen auf den RTWs dann tatsächlich umsetzen, haben – ähnlich wie in Deutschland – wiederum die einzelnen Rettungsorganisationen bzw. deren ärztliche Leiter:innen in der Hand. In Niederösterreich sorgte eine Anpassung der Ausrückordnung dafür, dass etliche bisher von Notarztmitteln bediente Einsätze nun eigenverantwortlich von NFS am RTW-C abgearbeitet werden. Den NFS im Roten Kreuz Niederösterreich stehen aktuell 23 Arzneimittel zur Verfügung, darunter Methoxyfluran, Metamizol und Esketamin zur Schmerztherapie.

Niedrige Erfolgsquote beim Erstantritt der NFS-Prüfung

Im Untersuchungszeitraum März 2023 bis Jänner 2024 absolvierte etwa die Hälfte der Teilnehmer:innen die Abschlussprüfung beim Erstantritt positiv (➤ Abb. 1). Um die Teilnehmer:innen besser fördern zu können und so die Erfolgsquote zu steigern, musste herausgefunden werden, welche Faktoren tatsächlich Einfluss auf den Erfolg haben.
Theoretische Grundlage der Studie ist das *Model of the Transfer Process* von Baldwin und Ford [1]. Das Modell organisiert Einflussfaktoren in drei Gruppen: Trainee Characteristics, Training Design und Work Environment (also Eigenschaften der Teilnehmer:innen, Aufbau der Ausbildung, Arbeitsumfeld) und gibt so einen einfachen Rahmen für einen komplexen Sachverhalt (➤ Abb. 2).
Das Modell listet allerdings keine expliziten Erfolgsfaktoren auf. Daher wurde die Literatur nach Studien durchsucht, die bereits Erfolgsfaktoren identifizieren konnten. Es ging vor allem darum, zwei wenig interagierende Wissenschaftsbereiche, Medizinbildung und Berufsbildung, zusammenzuführen.

istockphoto.com/FG Trade Latin

Abb. 1 Ausgangspunkt der Untersuchung war die niedrige Erfolgsquote bei der NFS-Prüfung.

Hier lieferte eine Vielzahl von Studien einzelne Faktoren, die einen Einfluss auf den Erfolg bei einer bestimmten Ausbildung hatten. Besonders hervorzuheben, weil eine Vielzahl der in dieser Studie untersuchten Faktoren auf sie zurückgeht, sind hier das *German Learning Transfer System Inventory* (GLTSI) [5] und die Dissertation von Michael E. Williams, der Erfolgsfaktoren in Gesundheitsberufsausbildungen in Mississippi (USA) untersuchte [12]. Eine Fokusgruppenstudie, bei der Leiter:innen von Paramedic-Ausbildungsstätten in den USA zu Erfolgsfaktoren befragt wurden, brachte zahlreiche Faktoren zur praktischen Ausbildung [8].
Die Faktoren wurden dann anhand des Modells von Baldwin und Ford den Einflussbereichen „Eigenschaften der Teilnehmer:innen" (Trainee Characteristics, ➤ Tab. 1) und „Eigenschaften des Arbeitsumfelds" (Work Environment, ➤ Tab. 2) zugeordnet. Abschließend wurde daraus der Fragebogen entwickelt. Er umfasste 43 Items zu 8 persönlichen Eigenschaften und 4 Faktoren des Arbeitsumfelds.

Ergebnisse

Es wurden 200 Personen, die die Prüfung absolviert hatten, zur Teilnahme eingeladen: 100 Personen, die die Prüfung im ersten Anlauf bestanden haben und 100 weitere, die beim Erstantritt negativ beurteilt wurden. Der Rücklauf lag bei 76 % in der Erfolgsgruppe und bei 56 % in der Misserfolgsgruppe. Somit standen 118 Antworten zur Verfügung. Die Ergebnisse wurden für die Erfolgs- und die Misserfolgsgruppe getrennt ausgewertet.

Eigenschaften der Teilnehmer:innen

Alter Bisherige Studien aus der Erwachsenenbildungsforschung kamen üblicherweise zum Schluss,

Tab. 2 Eigenschaften des Arbeitsumfelds

Faktor	Item	Quelle(n)
Qualität der praktischen Ausbildung	• Möglichst hohe Anzahl an Einsätzen mit ALS-Maßnahmen • Tätigkeit als Teamleader:in unter Supervision • Teilnahme an Einsatznachbesprechungen als Teilnehmer:in • Einsatznachbesprechungen selbst geleitet • Dienst hat mit einem gemeinsamen Fahrzeugcheck begonnen • Subjektive Einschätzung, ob meistens Ausbildungsdienste mit „erfahrenen Praxisanleiter:innen/Kolleg:innen" stattgefunden haben • Anzahl der ausführlichen Feedbackgespräche	Margolis et al. 2009 [8] Widmer 2012 [11] Williams 2020 [12]
Offenheit für Änderungen in der Arbeitsumgebung	• Dienststelle ist offen für Veränderungen • Änderungen werden gerne umgesetzt, auch wenn sie anstrengend sind	GLTSI (Kauffeld et al. 2008 [5])
Unterstützung durch Personen im Arbeitsumfeld	• Erhebung nach Personengruppen: Vorgesetzte, Ausbildungsleitung, Kolleg:innen ... – nahmen Fortschritte wahr – lobten für Fortschritte – ermutigten mich zur Anwendung der Kursinhalte – förderten die Reflexion des Lernfortschrittes	GLTSI (Kauffeld et al. 2008 [5]) Margolis et al. 2009 [8] Mezirow 1991 [9]
Möglichkeit der Wissensanwendung	• Gelegenheit, das Gelernte in Einsätzen selbst anzuwenden • Möglichkeit, während der Ausbildung die Kursinhalte zu trainieren (Material und Personal ist auf der Dienststelle vorhanden)	GLTSI (Kauffeld et al. 2008 [5])

nicht nachgewiesen werden. Wäre bei den Personen mit Betreuungspflichten die Gruppe „Positiv" um eine Person größer oder die Gruppe „Negativ" um eine Person kleiner, wäre das Ergebnis signifikant. Auch die Reduktion des Konfidenzniveaus auf 90 % hätte zu einem signifikanten Ergebnis geführt (p-Wert 0,0514). Ein Grund für das knappe Nicht-Erreichen der Signifikanz könnte sein, dass neben der in der Misserfolgsgruppe generell niedrigeren Rücklaufquote Menschen mit Betreuungspflichten weniger Zeit für den Fragebogen hatten und so in den Antworten doppelt unterrepräsentiert sind.

Finanzielle Engpässe zählen zu den häufigsten Gründen, warum Erwachsene nicht an Weiterbildungen teilnehmen – nach familiären Verpflichtungen, die vor allem Frauen betreffen [10]. Choy [3] beschreibt das Spannungsfeld von Erwerbsarbeit und Bildungszeit als typisches Problem für Non-Traditional Learners.

Identifikation mit Merkmalen der Adult Learners Malcolm Knowles [6] definiert in seinem Grundlagenwerk „The Adult Learner: A Neglected Species" die Zugehörigkeit zur Gruppe der Adult Learners über die Bedürfnisse erwachsener Lernender und nicht über das Alter alleine. Um einzuschätzen, ob sich die Teilnehmer:innen selbst als Adult Learners sehen, wurde die Zustimmung oder Ablehnung zu sechs Kerneigenschaften von Adult Learners erhoben.

Die Ergebnisse zeigen, dass sich die Teilnehmer:innen eindeutig als Adult Learners identifizieren (> Tab. 3). Das bestätigt die Entscheidung der Kursleitung, sich an Prinzipien guter Erwachsenenbildung zu orientieren. Besonders relevant für das untersuchte Kursformat ist, dass die Teilnehmer:innen vor allem Anschlusswissen erwerben möchten und Inhalte mit klarer Anwendungsrelevanz bevorzugen. Das ist ein Auftrag an die Lehrenden, Teilnehmer:innen bei ihren Erfahrungen und ihrem Vorwissen abzuholen und stets die Anwendungsrelevanz – also die zu erreichende Handlungskompetenz – in den Mittelpunkt ihres Unterrichts zu stellen.

Selbstwirksamkeitsüberzeugung Das German Learning Transfer System Inventory (GLTSI) beschreibt den Faktor „Selbstwirksamkeitsüberzeugung" als erfolgsbegünstigend [5]. Der Begriff steht für die Überzeugung, in der Lage zu sein, die persönliche Leistung ändern zu können, wenn man es möchte. („Ich traue mir zu, neu gelernte Fähigkeiten anzuwenden.") Personen mit höherer Selbstwirksamkeitsüberzeugung sind erfolgreicher in der NFS-Ausbildung.

Eigenschaften des Arbeitsumfelds

Qualität der praktischen Ausbildung im Rettungsdienst In der Literatur werden verschiedene Elemente genannt, die den Trainingserfolg in Rettungsdienstausbildungen begünstigen:

- Patient:innenkontakte, bei denen ALS-Maßnahmen durchgeführt wurden [8]
- Tätigkeit als Teamleader:in unter Supervision [8]
- Einsatznachbesprechung – Teilnahme als Teilnehmer:in [11]
- Einsatznachbesprechung – selber geleitet [11]
- Feedback zur Entwicklung [8]
- Erfahrung der Praxisanleiter:innen/Kolleg:innen, mit denen die Ausbildung absolviert wird [8,12]

Die Studie konnte lediglich die beiden Faktoren „Einsätze mit ALS-Maßnahmen“ und „Teilnahme an Einsatznachbesprechungen“ als sichere Prädiktoren für den Trainingserfolg identifizieren.
In den Rohdaten zeigt sich allerdings für alle Faktoren ein positiver Einfluss auf den Trainingserfolg (➤ Abb. 3). Es liegt also der Verdacht nahe, dass die Zahl der Antworten zu gering war, insbesondere in der unterrepräsentierten Misserfolgsgruppe. Die Studie ist also „underpowered“, eine Forschung mit einer größeren Kohorte könnte einen Zusammenhang nachweisen.

Offenheit für Änderungen in der Arbeitsumgebung Personen, die ihre Dienststelle stärker als offen für Veränderungen einschätzen, schließen die Ausbildung eher erfolgreich ab.

Unterstützung durch Personengruppen im Arbeitsumfeld Die Unterstützung durch Kolleg:innen aus dem Arbeitsumfeld wird an vielen Stellen als Erfolgsfaktor in der Berufsbildung beschrieben [5,8,9]. Das GLTSI führt zusätzlich „Unterstützung durch Vorgesetzte“ als Erfolgsfaktor an. Die Studie erhob, wie sehr sich die Teilnehmer:innen unterstützt gefühlt haben. Hier gab es nur ein signifikantes Ergebnis: Kolleg:innen, die Fortschritte der Auszubildenden wahrnehmen und zur Anwendung der Kursinhalte ermuntern, erhöhen den Trainingserfolg.

Möglichkeit der Wissensanwendung Das GLTSI identifiziert den Faktor „Möglichkeit der Wissensanwendung“ – also die Möglichkeit, das Gelernte auch im Arbeitsalltag einsetzen zu können – als förderlich für den Trainingserfolg. Personen, die selbst einschätzten, Gelegenheit gehabt zu haben, das Gelernte in Einsätzen anzuwenden, und die mit qualifiziertem Personal üben konnten, sind eher erfolgreich.

Tab. 3 Selbstidentifikation als Adult Learner (Ablehnung und Zustimmung)

n=118	Ablehnung (1, 2)	Neutral (3)	Zustimmung (4, 5)
Ich finde, ich habe schon einiges an Lebenserfahrung gesammelt.	10 (8,47 %)	9 (7,63 %)	99 (83,90 %)
Ich möchte vom Lehrpersonal als eigenständiges Individuum behandelt werden.	10 (8,47 %)	2 (1,69 %)	106 (89,83 %)
Ich lerne, um bereits vorhandenes Wissen und Erfahrungen zu erweitern.	9 (7,63 %)	2 (1,69 %)	107 (90,68 %)
Ich lerne, was für mich persönlich relevant und direkt anwendbar ist.	11 (9,32 %)	12 (10,17 %)	95 (80,51 %)
Ich möchte selbst über meine Lernaktivitäten bestimmen.	15 (12,71 %)	20 (16,95 %)	83 (70,34 %)
Ich entscheide selbst, was ich lerne und was nicht.	23 (19,49 %)	22 (18,64 %)	73 (61,86 %)

Likert-Skala 1–5 (1 und 2: Ablehnung, 3 neutral, 4 und 5: Zustimmung)

Bisherige Studien aus der Erwachsenenbildungsforschung kamen üblicherweise zum Schluss, dass ältere Lernende mit längerer Berufserfahrung erfolgreicher sind [z.B. 12].

Die sozialpolitische Dimension: Reiche Eltern für alle!

Am erfolgreichsten sind junge Studierende ohne finanzielle Sorgen, die freiwillig und aus Eigeninteresse Notfallsanitäter:in werden wollen und deren Familien sich auch leisten können, dass sich ihre Kinder dieser Ausbildung (und der ehrenamtlichen Tätigkeit im Rettungsdienst) widmen, anstatt einer

Abb. 3 Das Arbeitsumfeld und die Qualität der praktischen Ausbildung machen höchstwahrscheinlich einen Unterschied beim späteren Prüfungserfolg.

istockphoto.com/Guzel Kolobova

Österreichisches Rotes Kreuz, Landesverband Tirol/Andreas Amplatz

Psychosozialer Kompetenzerwerb zur Unterstützung bei häuslicher Gewalt

Schlüsselwörter:
Häusliche Gewalt
Unterstützungsmöglichkeiten
Rechtssicherheit
Psychosoziale Kompetenzen
Versorgungssicherheit

Zusammenfassung: *Reicht das Abarbeiten von notfallmedizinischen Algorithmen in einer Gesellschaft, in der häusliche Gewalt ein tägliches Problem darstellt, aus? Der Rettungsdienst Tirol bietet seinen Mitarbeitenden mit der Schulung „Umgang mit Betroffenen häuslicher Gewalt im Rettungsdienst" ein Werkzeug, um Betroffene fachgerecht unterstützen zu können.*

Hintergrund

Seit März 2024 betreiben die Tirol Kliniken ein Kompetenzzentrum Gewaltschutz inkl. einer eigenen Gewaltschutzambulanz – eine der ersten in ganz Österreich. Seither nahmen über 200 Betroffene diese Unterstützungsmöglichkeit in Anspruch (Stand Anfang 2025) und suchten innerhalb des Gesundheitswesens Hilfe. Dazu stehen auf dem Klinikgelände ausgebildete Fachkräfte zur Verfügung, die professionell reagieren und unterstützen können [1]. Doch die Hemmschwelle, sich direkt in einem Krankenhaus Hilfe zu holen, ist groß und Betroffene werden selten konkret auf häusliche Gewalt angesprochen. Im Schnitt haben 85 % der Betroffenen fünfmal im Jahr Kontakt zum Gesundheitssystem, aber nur 10 % wurden dabei nach Gewalterfahrungen gefragt [2]. Durch § 8e des österreichischen Kranken- und Kuranstaltengesetzes (KAKuG) sind Krankenhäuser verpflichtet, eine Opferschutzgruppe zu etablieren. Sie müssen dafür Sorge tragen, dass qualifiziertes Personal verfüg-

AdobeStock/bertys30, Robert Kneschke

Abb. 1 Häusliche Gewalt kann sich in physischer wie auch in psychischer Form ausdrücken.

bar ist, um sich um die Opfer zu kümmern und alle Mitarbeitende für die Häufigkeit von häuslicher Gewalt zu sensibilisieren.

Denn die Prävalenz von häuslicher Gewalt wird auch von medizinischem Fachpersonal häufig unterschätzt [3], obwohl die Berichterstattung in den Medien dazu in den letzten Jahren stark zugenommen hat. Österreichweit wird davon ausgegangen, dass jede dritte Frau in ihrem Leben häusliche oder sexualisierte Gewalt erlebt [4]. Die Dunkelziffer ist sowohl bei Frauen als auch Männern sehr hoch, da die Hemmschwelle, Gewalt zuzugeben, für Opfer immer noch sehr hoch ist. Betroffene haben etwa Angst davor, dass ihnen nicht geglaubt wird, ihnen die Kinder weggenommen werden oder die Gewalt eskaliert, wenn sie sich zur Trennung entscheiden. Diese Gefahr ist durchaus berechtigt, wenn man die Zahl der Femizide in Österreich und Deutschland in Betracht zieht [5,6]. Häufig ist in diesen Fällen ein Trennungswunsch der Tötung vorangegangen [7]. Die Beratungsleistungen in Gewaltschutzeinrichtungen haben in den letzten Jahren stark zugenommen, wohl auch weil die Aufklärung und Präventionskampagnen forciert wurden [8].

Wann spricht man von häuslicher Gewalt?

Von häuslicher Gewalt ist immer dann die Rede, wenn Gewalt innerhalb einer Lebensgemeinschaft stattfindet. Dies kann in unterschiedlichen Konstellationen der Fall sein:

- **Lebenspartner:innen:** Partnerschaftsgewalt (auch *intimate partner violence* – IPV) geschieht zwischen zwei eigentlich gleichgestellten Lebenspartner:innen. Dabei wird durch Zwang, psychische, physische und/oder ökonomische Gewalt versucht, den Partner, die Partnerin zu kontrollieren und Macht auszuüben. Die Gewalt kann hier in heterosexuellen Beziehungen genauso auftreten wie in homosexuellen Partnerschaften. Auch kann die Gewalt von beiden Geschlechtern ausgeübt werden.
- **Gewalt gegen Kinder:** Hier wird die Gewalt von Eltern gegen die Kinder ausgeübt. Häufig wird auch der Begriff Kindesmissbrauch verwendet. Dieser kann durch psychische und physische Gewalt erfolgen, durch Vernachlässigung oder durch sexuellen Missbrauch.
- **Gewalt gegen Eltern:** Gerade bei heranwachsenden Kindern kann die Gewalt auch von Kindern gegen die Eltern erfolgen.
- **Gewalt zwischen Kindern:** Auch Kinder können untereinander gewalttätig werden. Ist im schulischen Kontext häufig von Mobbing die Rede, so kann sich gewalttätiges Verhalten auch auf den Umgang mit Geschwistern beziehen. Auch hier sind psychische, physische und sexualisierte Gewalt die häufigsten Formen der Gewalt.
- **Gewalt gegen Pflegebedürftige:** Gewalt kann auch von Angehörigen gegen Pflegebedürftige

AdobeStock/Alex

Abb. 2 Kinder sind der Gewalt durch Familienangehörige oft hilflos ausgesetzt.

AdobeStock/millaf

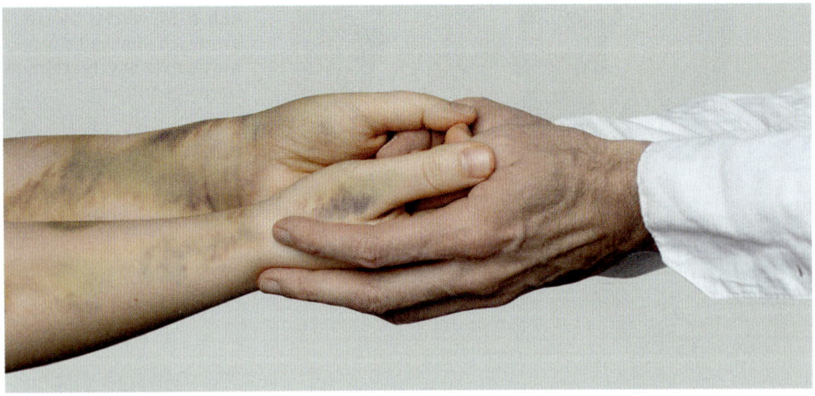

Abb. 3 Rettungskräfte sehen viel – im Rettungsdienst Tirol lernen die Sanitäter:innen, damit umzugehen.

ausgeübt werden. Hier ist neben psychischer und physischer Gewalt auch die Vernachlässigung zu nennen. Oft sind Überforderung und Hilflosigkeit der pflegenden Angehörigen Gründe für Gewalthandlungen [9].

Formen von Gewalt [10]

Physische Gewalt: Dies ist die sichtbarste Form der Gewalt. Beinhaltet vor allem Schlagen, Treten, Kratzen, Beißen, Würgen, Gegenstände werfen.

Psychische Gewalt: Hier wird über einen längeren Zeitraum Gewalt ausgeübt, indem Betroffene beleidigt, gedemütigt, manipuliert oder zu Handlungen gezwungen werden, die sie nicht ausführen wollten.

Sexualisierte Gewalt: Übergriffe auf die sexuelle Unversehrtheit von Betroffenen, etwa durch Zwang zu sexuellen Handlungen, Einführen von Gegenständen oder Körperteilen in den Körper von Betroffenen ohne deren Einwilligung, versuchte Vergewaltigung und Vergewaltigung.

Ökonomische Gewalt: Kontrollausübung durch Entzug der eigenen finanziellen Mittel, Gewährung von zu niedrigen Haushaltsgeldern, Kontrolle von Konten und Ausgaben.

Der vergessene Teil des Gesundheitswesens?

Neben erhöhten Beratungsleistungen haben Regierungen auch versucht, Betroffene zu stärken, indem Fachkräfte im Gesundheitswesen verstärkt zu Themen rund um häusliche Gewalt und den Umgang mit Betroffenen geschult wurden. Für hausärztliches, pflegerisches, psycho- und physiotherapeutisches und ambulantes Fachpersonal gibt es mittlerweile Angebote zur Fortbildung in Bezug auf den Umgang mit Betroffenen häuslicher Gewalt [11]. Man könnte also meinen, dass alle Mitarbeitenden des Gesundheitswesens, die mit der Thematik vertraut sind, wissen, wie sie mit Betroffenen umgehen sollen und welche Unterstützungsangebote sie vermitteln können. Doch eine Berufsgruppe des Gesundheitswesens wurde sowohl in der Literatur als auch in der Praxis aus diesem Schulungsangebot herausgenommen. Für die präklinische Notfallversorgung waren mit Stand 2023 keine Konzepte und Fortbildungen zu dem Thema auffindbar und das, obwohl der Rettungsdienst neben der Exekutive und der mobilen Pflege jene Einsatzorganisation ist, die am häufigsten Einblick in das private Umfeld von Patient:innen bekommt. Auch seitens der Expert:innen aus Opferschutzgruppen und Beratungseinrichtungen wurde die Relevanz des Rettungsdienstes für die Versorgung bestätigt, zeitweise begleitet von Ungläubigkeit, dass bislang keine Schulung für Einsatzkräfte im Rettungsdienst existiere.

Rettungsdienst Tirol schult Einsatzkräfte

Sanitäter:innen und Notärzt:innen nehmen in der präklinischen Versorgung vieles vor Ort wahr und geben diese Informationen an nachfolgende Behandlungseinrichtungen weiter. Durch ihr Handeln können sie das Vertrauen in das Gesundheitswesen stärken und Einfluss auf die Weiterbehandlung haben.

Diese Überlegungen führten im Rettungsdienst Tirol dazu, im Schulungsjahr 2023/2024 eine zwei- bis dreistündige Pflichtfortbildung zum „Umgang mit Betroffenen von häuslicher Gewalt im Rettungsdienst" zu implementieren. Diese Pflichtfortbildung sollte den Sanitäter:innen einen ersten Einblick darüber geben, mit welchen Problemen Betroffene von häuslicher Gewalt konfrontiert sind, welche Folgen Gewalterfahrungen haben können und warum vielen Gewaltbetroffenen die Entscheidung zur Trennung schwerfällt. Zugleich sollte ein Verständnis für das „System häusliche Gewalt" geschaffen werden, in welchem sich die Opfer befinden. Des Weiteren, mit welchen Ängsten sie in der Beziehung und in der Gesellschaft konfrontiert sind und wie sich Gewalterfahrungen auswirken können.

> **Inhalt der Schulung**
> **1. Teil:** Allgemeine Informationen zu häuslicher Gewalt, Formen, Prävalenzen, physische, psychische und soziale Folgen von Gewalt, Hinderungsgründe für Trennungen, gesellschaftlicher Umgang mit Gewalt
> **2. Teil:** Was bedeutet das für den Rettungsdienst, Gesprächseinstiege, Ansprache, Codewörter, rechtliche Grundlagen, Hilfsangebote, Eigenschutz

Österreichisches Rotes Kreuz, Landesverband Tirol/Andreas Amplatz

Abb. 4 Bei Verdacht auf häusliche Gewalt ist Ruhe und Behutsamkeit gefragt.

Im Anschluss wurde den Schulungsteilnehmenden gezeigt, warum all diese Informationen auch für den Rettungsdienst relevant sind, wie sich das Verhalten von Einsatzkräften auf Betroffene und den weiteren Behandlungsverlauf auswirken kann und weshalb ihre Art und Weise, mit Patient:innen umzugehen, besonders wichtig ist. Wenn Einsatzkräfte von häuslicher Gewalt erfahren oder diese erkennen, sind sie häufig die ersten, mit denen Betroffene je über das Erfahrene sprechen. Daher ist es von besonderer Relevanz, ihnen Glauben zu schenken und das Gesagte nicht infrage zu stellen oder zu relativieren.
Außerdem liegen in den RTWs kleine Infokärtchen, die die Sanitäter:innen Betroffenen bei Verdacht (auch unauffällig) geben können (➤ Abb. 5).
Als Hilfestellung wurden im Rahmen der Fortbildung Gesprächseinstiege und „No-go-Sätze“ erarbeitet, um den Sanitäter:innen ein Werkzeug mitzugeben, was sie zu Betroffenen sagen können und was vermieden werden soll.

> **No-go-Sätze** sind alle Aussagen, die die Verantwortung von Täter:innen zu Betroffenen verschieben, z. B. „Was hattest du an?“ „Was hast du gemacht, bevor du geschlagen wurdest?“

Eindeutige Codewörter

Um das Ansprechen von Gewalt für Betroffene zu erleichtern, haben sich im deutschsprachigen Raum Codewörter etabliert – in der Tiroler Gastro- und Nachtszene etwas die Frage „Ist Luisa da?“ oder „Angel-Shot“ in der Festivalszene. Die Tirol Kliniken haben während der Covid-Pandemie das Codewort „Dr. Viola“ oder die Frage „Ist Dr. Viola da?“ eingeführt, um es Patient:innen mit Gewalterfahrung zu ermöglichen, möglichst rasch und ohne viele Erklärungen in die Ambulanz gelassen zu werden. Mittlerweile dient die Phrase auch als Gesprächseinstieg bei Behandlungen. Da das Codewort „Dr. Viola“ mittlerweile nicht nur in den Häusern der Tirol Kliniken, sondern auch in vielen Bezirkskrankenhäusern genutzt wird, wurde dieses auch im Rettungsdienst besonders hervorgehoben. Nach Abschluss der Pflichtschulung und der Einführung der Schulung in die Rettungssanitäter:innenausbildung wird nun die Tiroler Bevölkerung informiert, dass das Codewort auch im Rettungsdienst genannt werden kann und dass das Personal des Rettungsdienstes Tirol für häusliche Gewalt sensibilisiert wurde. So soll auch für die Bevölkerung ersichtlich werden, dass der Rettungsdienst als Unterstützungsmöglichkeit im Notfall zur Verfügung steht. Damit ist eine Lücke in der Versorgung von Betroffenen häuslicher Gewalt im Gesundheitswesen geschlossen.

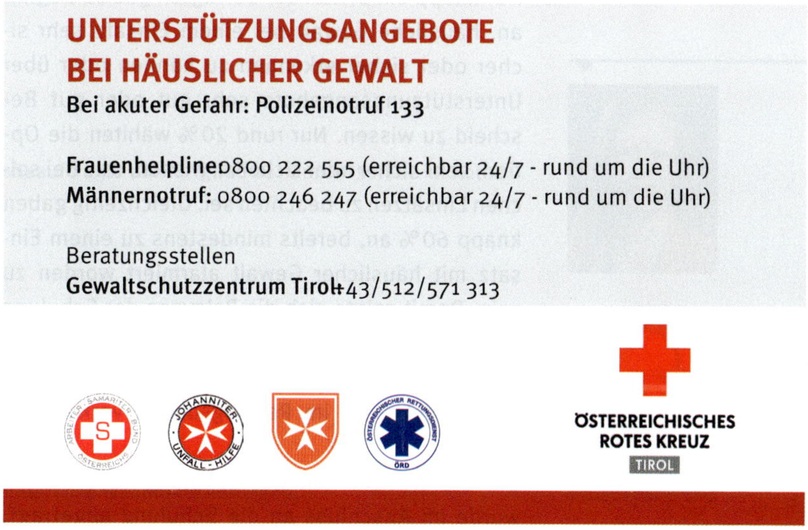

Österreichisches Rotes Kreuz, Landesverband Tirol/Isabella Mitter, Christine Widmann

Abb. 5 Infokärtchen im RTW

istockphoto.com/MonthiraYodtiwong

Das Notvertretungsrecht – Die Redundanz zur Patientenverfügung

Schlüsselwörter:
Notvertretungsrecht
Patientenverfügung
Vollmacht
Einwilligungsfähigkeit
Ehegatten

Zusammenfassung: *Um die bisher bestehende Versorgungslücke von nicht einwilligungsfähigen Patienten ohne Patientenverfügung zu schließen, hat der Gesetzgeber das neue Ehegattennotvertretungsrecht etabliert. Somit bedarf es im Ernstfall keiner vorausgehenden Bevollmächtigung ad personam durch den Patienten, jedoch wurden auch Vorkehrungen gegen Missbrauch getroffen. So ist eine zeitliche Befristung und eine Nachrangigkeit gegenüber anderen Vertretungsverhältnissen vorgesehen, was die neue Vertretungsbefugnis für Ehegatten eher zu einer überbrückenden Maßnahme macht.*

Jede:r Rettungsmitarbeiter:in kennt die unangenehme Frage an Angehörige, ob der oder die Patient:in eine Patientenverfügung hat. Laut einer repräsentativen Umfrage haben 50,1 % der Frauen und 39,2 % der Männer ab 50 Jahren eine Patientenverfügung [1]. Wenn aber keine Verfügung vorliegt oder nicht auffindbar ist und eine Entscheidung über invasive, lebensverlängernde Maßnahme ansteht, konnte man bisher nur vom mutmaßlichen Überlebenswillen des Patienten ausgehen und sämtliche Maßnahmen einleiten.

Für diese Situationen hat der Gesetzgeber eine Rückfallebene geschaffen und das so genannte Notvertretungsrecht (§ 1358 vom 01.01.2013) etabliert. Der nachfolgende Artikel setzt sich mit dieser Gesetzgebung auseinander.

Zur besseren Veranschaulichung stellen wir uns ein Ehepaar vor, welches seit 40 Jahren verheiratet ist und zusammen in einem Haushalt lebt. Nach einem Unfall, bei dem der Mann eine Gehirnquetschung erlitt, liegt er auf einer Intensivtherapiestation. Die Prognose ist schlecht. Der behandelnde Arzt möchte nun mit der Ehefrau besprechen, welche lebenserhaltenden Maßnahmen durchgeführt werden sollen (Beatmung, künstliche Ernährung etc.). Das Ehepaar hat zwar sehr oft über die jeweiligen Wünsche in solchen Fällen gesprochen, jedoch liegt weder eine Betreuungsverfügung noch eine Vorsorgevollmacht oder Patientenverfügung vor (siehe Kasten). Wie bereits beschrieben, war es dem Arzt bisher nur möglich, nach dem mutmaßlichen Patientenwillen (vgl. §677 BGB, Geschäftsführung ohne Auftrag) zu handeln und alle verfügbaren Mittel einzusetzen, um das Leben zu erhalten.

Das Notvertretungsrecht bietet nunmehr eine weitere Option für einen solchen Fall. Damit hat der Gesetzgeber zugleich mehrere Ziele erreichen können. Zum einen bestand in der Bevölkerung schon seit längerem die Annahme, der bzw. die jeweilige Ehepartner:in bräuchte keine Normierung einer Bevollmächtigung, um gegenseitige Vertretungsentscheidungen treffen zu können.

Des Weiteren konnte so die Brücke zwischen einem Akutereignis und einer Notlösung geschlagen werden, die den bzw. Angehörige:n nicht verpflichtet bzw. eine Belastung durch ein gerichtliches Verfahren zur Betreuungsbestellung erspart [2].

Die Voraussetzungen zur Wahrnehmung des Notvertretungsrechtes sind im oben beschriebenen Fall gegeben. Erstens besteht eine Vertretungsbedürftigkeit aufgrund der medizinischen Situation. Ferner sind die beiden Partner verheiratet und sie leben auch zusammen. Und darüber hinaus besteht keine anderweitige Vollmacht oder Verfügung.

Patientenverfügung, Vorsorgevollmacht und Betreuungsverfügung

Eine **Patientenverfügung** regelt in der letzten Lebensphase, ob und wie der Patient bzw. die Patientin im Falle einer schweren oder aussichtslosen Erkrankung behandelt werden möchte, wenn er oder sie diese Wünsche aufgrund einer Geschäftsunfähigkeit nicht mehr selbst vorbringen kann. Hierbei sollte möglichst detailliert festgelegt werden, welche Maßnahmen in welchen Situationen nicht gewünscht sind. Dabei wird auch eine bevollmächtigte Person eingesetzt, welche diese Wünsche im Zweifelsfall durchsetzt. Eine Patientenverfügung muss persönlich im Original unterschrieben und stets aktuell sein (z. B. jährlich neu unterschrieben).

In einer **Vorsorgevollmacht** werden auch im Falle einer Geschäftsunfähigkeit keine medizinischen, sondern Alltagsbelange geregelt:

- Gesundheitssorge und Pflegebedürftigkeit
- Vermögenssorge
- Wohnungs- und Mietangelegenheiten
- Aufenthalt und Unterbringung
- Post- und Fernmeldeverkehr
- Behörden- und Ämtervertretung
- Beauftragung von Rechtsanwälten und Vertretung vor Gerichten

Eine Vollmacht kann einzelne Belange kombinieren oder, in Form einer Generalvollmacht formuliert, sämtliche Interessen des bzw. der Vollmachtgebenden beinhalten. Sie wird einer Vertrauensperson übertragen und gilt über den Tod hinaus.

Der Unterschied zu einer **Betreuungsverfügung** besteht darin, dass die Ausführung der Vollmacht gerichtlich überwacht wird. Der bzw. die Vollmachtgebende formuliert auch hier die eigenen Wünsche bezüglich zu regelnder Angelegenheiten im Fall einer Geschäftsunfähigkeit. Auch benennt er bzw. sie vorher den bzw. die gewünschte:n Bevollmächtigte:n. Diesem Wunsch kann das Gericht folgen oder stattdessen einen gerichtlich bestellten Bevollmächtigten einsetzen.

Telenotarzt – Fluch oder Segen?

Schlüsselwörter:
Telenotarzt
Ärztemangel
Notfallsanitäter

Zusammenfassung: *Das Projekt „Telenotarzt“ ist aktueller denn je und gewinnt zunehmend an Bedeutung. Umso essenzieller ist es, sich intensiv mit dem System auseinanderzusetzen und kritische Fragen zu stellen. Der Einsatz eines Telenotarztes im Rettungsdienst wird vielfach als innovativer Fortschritt und moderne Ergänzung zur Notfallversorgung betrachtet. Doch stellt diese Entwicklung tatsächlich eine zukunftsweisende Verbesserung dar, oder birgt sie vielmehr das Risiko eines Rückschritts? Meiner Auffassung nach führt die Implementierung dieses Systems langfristig zu einer Rückentwicklung des Rettungsdienstes. Insbesondere die Rolle des Notfallsanitäters sowie die Qualität der präklinischen Notfallmedizin könnten dadurch nicht gestärkt, sondern vielmehr geschwächt werden.*

Hintergrund

Bevor wir die möglichen Entwicklungen des Telenotarzt-Systems näher betrachten, ist es wichtig, zunächst zentrale Eckpunkte zu beleuchten. „Mit dem Telenotarzt als ergänzendes regelhaftes und hochqualifiziertes arztbesetztes Rettungsmittel soll folgenden Herausforderungen entgegengewirkt werden.“ [1] Dazu zählt der allgemeine Ärztemangel, der auch im Notarztdienst zunehmend zu Besetzungsproblemen führt, die langen Bindungszeiten des Notarztes durch Transportbegleitungen in die Kliniken, das Fehlen einer rasch zugänglichen, einfachen und niederschwelligen Unterstützungsfunktion für nichtärztliches Rettungsdienstpersonal in Zweifelsfällen und das Fehlen einer zusätzlichen Entscheidungs-, Unterstützungs- und Kompetenzebene für den Notarzt vor Ort in besonders komplexen Fällen [1]. So kann er beispielsweise dazu beitragen, dass notwendige Behandlungen früher beginnen und so kritische Zeitfenster bis zur klinischen Intervention, beispielsweise bei einem Schlaganfall oder Herzinfarkt, reduziert werden [2]. Diese Darstellung ist nicht nur höchst fragwürdig formuliert, sondern stellt auch eine Herabsetzung der Kompetenzen des Notfallsanitäters dar.

- Diese Kompetenzen müssen auch in Notarztindikationskatalogen und bei der Implementierung von Telenotärzt:innen berücksichtigt werden
- Der Pyramidenprozess muss als Mindeststandard der Versorgung gelten.
- Eine eigenverantwortliche Behandlung gemäß §2a NotSanG ist unerlässlich.
- Medizinisches Qualitätsmanagement muss im Team, gemeinsam mit ärztlichen Kolleg:innen, erfolgen.

Persönliches Fazit von Martin Großmann: Bei Leistungserbringern, Interessenverbänden und der Politik gibt es in zahlreichen Punkten Deckungsgleichheit, wie der Rettungsdienst zukunftsfähig aufgestellt und das Berufsbild attraktiv gestaltet werden kann. Jetzt gilt es, gemeinsam vom Wollen ins Machen zu kommen.

Kurstermine

Alle Kurse können auch als Inhousekurse gebucht werden. Sprechen Sie uns einfach an. Gerne unterbreiten wir Ihnen ein Angebot.

AMLS Provider-Kurs (offen/2 Tage)

Hamburg	11.–12.10.2025
Dresden	18.–19.10.2025
Würzburg	25.–26.10.2025
Magdeburg	15.–16.11.2025
Bremen	22.–23.11.2025
Hannover	13.–14.12.2025
Hamburg-Pinneberg	21.–22.02.2026
Bremen	14.–15.03.2026
Aachen	21.–22.03.2026
Wolfratshausen	18.–19.04.2026
Mannheim	16.–17.05.2026
Windischeschenbach	23.–24.05.2026
Bonn	13.–14.06.2026
Magdeburg	27.–28.06.2026
Bremen	04.–05.07.2026
Lübeck	18.–19.07.2026
Berlin	15.–16.08.2026
Wiesbaden	15.–16.08.2026
Aachen	12.–13.09.2026
Wetzlar	19.–20.09.2026
Burbach	26.–27.09.2026
Dresden	17.–18.10.2026
Schwerin	19.–20.10.2026
Hamburg-Pinneberg	07.–08.11.2026
Hannover	12.–13.12.2026

AMLS Refresher-Kurs (offen/1 Tag)

Berlin	14.08.2026

Weitere Informationen und Anmeldung unter www.amls.de

EPC Provider-Kurs (offen/2 Tage)

Bonn	11.–12.10.2025
Wetzlar	18.–19.10.2025
Burbach	08.–09.11.2025
Aachen	13.–14.12.2025
Garmisch-Partenkirchen	20.–21.12.2025
Bonn	06.–07.01.2026
Bonn	08.–09.01.2026
Lübeck	07.–08.02.2026
Würzburg	28.–29.03.2026
Wiesbaden	18.–19.04.2026
Windischeschenbach	02.–03.05.2026
Magdeburg	16.–17.05.2026
Aachen	13.–14.06.2026
Mannheim	18.–19.07.2026
Dresden	15.–16.08.2026
Wetzlar	26.–27.09.2026
Bonn	17.–18.10.2026
Aachen	28.–29.11.2026
Garmisch-Partenkirchen	19.–20.12.2026

Weitere Informationen und Anmeldung unter www.epc-germany.de

GEMS Provider-Kurs (offen/2 Tage)

Windischeschenbach	11.–12.10.2025
Dresden	22.–23.11.2025
Würzburg	20.–21.12.2025
Würzburg	14.–15.02.2026
Aachen	23.–24.05.2026
Kassel	25.–26.04.2026
Mannheim	08.–09.08.2026
Dresden	21.–22.11.2026
Würzburg	12.–13.12.2026

Weitere Informationen und Anmeldung unter www.gems-deutschland.de

PHTLS Provider-Kurs (offen/2 Tage)

Freiburg	11.–12.10.2025
Düsseldorf	18.–19.10.2025
Windischeschenbach	22.–23.10.2025
Berlin (UKB)	25.–26.10.2025
Bonn	25.–26.10.2025

Dresden	02.–03.11.2025
Burbach	08.–09.11.2025
Mannheim	22.–23.11.2025
Lübeck	29.–30.11.2025
Aachen	20.–21.12.2025
Stuttgart	24.–25.01.2026
Aachen	07.–08.02.2026
Berlin (UKB)	21.–22.02.2026
Burbach	21.–22.02.2026
Offenbach	28.–29.02.2026
Bonn	11.–12.04.2026
Wolfratshausen	11.–12.04.2026
Mannheim	25.–26.04.2026
Dresden	25.–26.04.2026
Lübeck	23.–24.05.2026
Burbach	23.–24.05.2026
Windischeschenbach	20.–21.06.2026
Berlin (UKB)	27.–28.06.2026
Bad Wiessee	27.–28.06.2026
Schwerin	23.–24.07.2026
Aachen	25.–26.07.2026
Plauen	25.–26.07.2026
Berlin (UKB)	22.–23.08.2026
Würzburg	05.–06.09.2026
Bremen	12.–13.09.2026
Stuttgart	26.–27.09.2026
Wolfratshausen	03.–04.10.2026
Freiburg	09.–10.10.2026
Mannheim	17.–18.10.2026
Windischeschenbach	24.–25.10.2026
Bonn	30.–31.10.2026
Burbach	07.–08.11.2026
Dresden	07.–08.11.2026
Lübeck	21.–22.11.2026
Berlin (UKB)	19.–20.12.2026
Aachen	19.–20.12.2026

PHTLS Refresher-Kurs (offen/1 Tag)

Freiburg	10.10.2025
Berlin (UKB)	24.10.2025
Burbach	02.11.2025
Berlin (UKB)	20.02.2026
Bonn	10.04.2026
Berlin (UKB)	26.06.2026
Aachen	24.07.2026
Berlin (UKB)	21.08.2026
Freiburg	08.10.2026
Bonn	29.10.2026
Berlin (UKB)	18.12.2026

Weitere Informationen und Anmeldung unter www.phtls.de

PHTLS for First Responders (offen/1 Tag)

Burbach	1.11.2025

Weitere Informationen und Anmeldung unter www.phtls.de

TECC Provider-Kurs (offen/2 Tage)

Burbach	11.–12.10.2025
Oberpfaffenhofen	15.–16.11.2025
Windischeschenbach	22.–23.11.2025
Frankfurt	13.–14.12.2025
Burbach	31.01.–01.02.2026
Windischeschenbach	07.–08.02.2026
Burbach	14.–15.03.2026
Windischeschenbach	25.–25.04.2026
Burbach	16.–17.05.2026
Oberpfaffenhofen	06.–07.06.2026
Lübeck	04.–05.07.2026
Burbach	22.–23.08.2026
Oberpfaffenhofen	05.–06.09.2026
Burbach	24.–25.10.2026
Magdeburg	07.–08.11.2026

TECC Refresher-Kurs (offen/1 Tag)

Windischeschenbach	10.10.2026

TECC Szenario-Training (offen/1 Tag)

Windischeschenbach	11.10.2026

TCCC-CMC Provider-Kurs (offen für Militär etc./8 Tage)

Burbach	01.–08.11.2025
Burbach	26.09.–03.10.2026

Weitere Informationen und Anmeldung unter
www.tccc-deutschland.de/tecc-kurse.html

12-Leads Provider-Kurs (offen/2 Tage)

Lübeck	22.–23.11.2025
Lübeck	24.–25.01.2026
Lübeck	21.–22.02.2026
Lübeck	18.–19.04.2026
Frankfurt	30.–31.05.2026
Frankfurt	20.–21.06.2026
Lübeck	08.–09.08.2026
Lübeck	17.–18.09.2026
Lübeck	05.–06.12.2026

Weitere Informationen und Anmeldung unter www.12-Leads.de

AHA ACLS-Kurs (offen/2Tage)

Lübeck	08.–09.11.2025

Weitere Informationen und Anmeldung unter www.reanimation.de

Emergency Medical Fire & Rescue Training (2 Tage)

Burbach	25.–26.04.2026
Burbach	27.–28.06.2026
Burbach	29.–30.08.2026

AMLS, EPC, GEMS, PHTLS und TECC Instruktorenkurs (nur mit Instruktorenpotential)

Seeheim	29.–30.11.2025
Seeheim	14.–15.03.2026
Seeheim	14.–15.11.2026

Mitgliederinfos BVRD.at

Liebe Kolleginnen und Kollegen!
Mit neuen politisch Verantwortlichen im Gesundheitsbereich suchen wir wieder politische Vernetzung, intensiven Austausch und stellen unsere Daten, Zahlen, Fakten, Perspektiven und Lösungsvorschläge zur Diskussion. Das braucht es, um einen sachlichen Diskurs zu führen und den Blick auf das Wesentliche zu richten: Wohin entwickelt sich der Rettungsdienst? Wie steht es um die Novellierung des Sanitätergesetzes und die Einführung einer dreijährigen Ausbildungsschiene?
Die Themen sind vielfältig – und sie gehören diskutiert. Wir setzen uns dafür ein, große Linien zu zeichnen und Ziele klar zu benennen. Herausforderungen werden wir nicht kleinreden, sondern ihnen aktiv begegnen und mit Lösungsvorschlägen aufwarten. Denn nur so gelingt ein Miteinander, das unsere Gesellschaft stärkt, anstatt sie zu spalten.
Dieses Prinzip – gemeinsam füreinander einstehen – lebt auch der Sanitäterfonds. Als Charity-Aktion zugunsten des Fonds laden wir euch zu einem Kabarettabend am 19. Dezember 2025 mit Seppi Neubauer in den Posthof Linz ein. Wir freuen uns auf euer Kommen!
Ein Blick zurück erinnert uns an den Ursprung von BVRD.at: international anerkannte Kursformate nach Österreich holen, fachlichen Austausch über Organisationsgrenzen hinweg fördern, sich an evidenzbasierten internationalen Standards orientieren und stets den Patienten in den Mittelpunkt stellen. Wir sehen die Emanzipation der Bildung als zentralen Motor für die Weiterentwicklung unseres Berufs- und Tätigkeitsbildes. Darum setzen wir uns für eine Modernisierung der Ausbildung ein, für unabhängige Schulungsangebote auf internationalem Niveau und für die Vernetzung aller Sanitäter:innen als Berufsgruppe.
Die begehrten Kursplätze für PHTLS, AMLS, EPC, TECC und GEMS – und als neue Ausbildungsschiene auch Kurse zur Gesundheit der Helfer:innen wie Spine Care – können in Kürze auf den Websites gebucht werden.
Unser Anspruch ist klar: nicht spalten, sondern verbinden. Nicht verwalten, sondern gestalten. Nicht auf Probleme zeigen, sondern gemeinsam Lösungen entwickeln. In diesem Sinne: Bleibt engagiert, bleibt sicher und setzt euch für die Veränderung ein, die ihr im Rettungswesen sehen wollt!
Euer Vorstand

Austausch mit Staatssekretärin Ulrike Königsberger-Ludwig

Im Austausch mit Ulrike Königsberger-Ludwig stand die Frage im Zentrum, wie der Rettungsdienst den wachsenden Herausforderungen begegnen kann: steigende und komplexere Einsatzzahlen, demografische Veränderungen, fehlende Versorgungsoptionen im niedergelassenen Bereich, Überlastung der Spitäler und steigende Kosten.
Besonders alarmierend: Jährlich verlassen rund 8.000 Menschen – viele mit hoher Affinität zum Gesundheitswesen – den Rettungsdienst, weil Perspektiven und Durchlässigkeiten fehlen. Mit der Einführung einer neuen Ausbildungsstufe Notfallsanitäter:in auf Fachhochschulniveau, mit dreijähriger Ausbildung, erweiterten Kompetenzen und klarer Versorgungswirksamkeit könnten Versorgungslücken geschlossen, unnötige Transporte vermieden und Patient:innen vor Ort optimal betreut werden.

Wertschätzender und positiver Austausch mit der neuen Staatssekretärin Ulrike Königsberger-Ludwig. v.l.n.r.: Clemens Kaltenberger (BVRD.at), Ulrike Königsberger-Ludwig (Staatssekretärin für Gesundheit), Katharina Scheinast (AK Wien), Claudia Schwarz und Florian Zahorka (BVRD.at)

Das Modell schafft nicht nur attraktive Karrierewege und Anbindung an andere Gesundheitsberufe, sondern entlastet auch Spitalsambulanzen und senkt langfristig Kosten. International ist eine solche Ausbildung bereits Standard – ohne Anpassung droht Österreich die Deprofessionalisierung des Rettungsdienstes. Für Ehrenamtliche bleibt die Mitarbeit weiterhin möglich, mit klar definierten Einsatzfeldern und der Option auf Weiterqualifizierung.
Mit einer gezielten Reform des Sanitätergesetzes kann der Rettungsdienst vom reinen Transportdienst zum modernen, hochqualifizierten Gesundheitsdienstleister werden – und so Versorgung, Lebensqualität und Wirtschaftlichkeit zugleich verbessern.
Dass eine solche Entwicklung nicht uneingeschränkt auf offene Ohren stößt und eine Akademisierung vielerorts – oft auch aus Mangel an Wissen, wie unkompliziert sich ein Zugang gestaltet – kritisch gesehen wird, war dabei ebenso Thema wie die Frage, warum sich ein Entscheidungsfindung trotz Verankerung im Regierungsprogramm als so schwierig gestaltet.

Kabarettabend zugunsten des Sanitäterfonds des BVRD.at

Am 19. Dezember 2025 gastiert auf Einladung des BVRD.at der Kabarettist Seppi Neubauer mit seinem Gesundheitskabarett „Lass die Sonde in dein Herz“ im Posthof Linz. Das Programm bietet humorvolle, treffsichere und zugleich kenntnisreiche Beobachtungen rund um Gesundheit, Medizin und Medizintechnik.
Der gesamte Erlös der Veranstaltung kommt dem Sanitäterfonds des BVRD.at zugute. Dieser Fonds unterstützt Sanitäterinnen und Sanitäter in Österreich, die durch Krankheit, Unfall, Problemstellungen oder Schicksalsschläge Hilfe und Unterstützung benötigen – rasch und unbürokratisch.
Mit einem Besuch dieser Benefizveranstaltung lässt sich Humor mit einer guten Tat verbinden – ein unterhaltsamer Abend für ein wichtiges Anliegen. Wer noch ein passendes Weihnachtsgeschenk oder eine vorweihnachtliche Überraschung sucht, liegt damit genau richtig.
Tickets unter: www.posthof.at und ÖTicket

Seppi Neubauer kommt am 19. Dezember in den Posthof Linz – auf Einladung des BVRD.at

BVRD.at Podcast

Wir sind überwältigt. Mittlerweile wurde unser Podcast bereits über 10.000-mal gehört oder heruntergeladen. Jeden zweiten Sonntag erscheint eine neue Folge unseres Podcasts. Wir beleuchten den Rettungsdienst in anderen Ländern, diskutieren notwendige Reformen in Ausbildung und Struktur in Österreich und stellen neue Initiativen sowie spannende Projekte vor. Aktuelle Themen und tiefgehende Einblicke in die Herausforderungen und Entwicklungen des Rettungsdienstes stehen dabei im Mittelpunkt.
Habt ihr Anregungen oder Fragen? Schreibt uns auf Social Media oder per E-Mail – wir freuen uns auf eure Nachrichten!

Kurse

Wir haben laufend ein breites Angebot an PHTLS, AMLS, EPC, TECC, GEMS und Spine Care Kursen. Mitglieder bezahlen 50,– Euro weniger. Wir freuen uns, euch bei einem der Kurse begrüßen zu dürfen! Alle Kursformate können auch als Inhouse-Kurse gebucht werden. Kurstermine werden laufend ergänzt und sind online abrufbar.

PHTLS
www.phtls.at | contact@phtls.at

AMLS
www.amls.at | contact@amls.at

EPC
www.epc-austria.at | contact@epc-austria.at

TECC
www.tecc-austria.com | board@tecc-austria.com

GEMS
www.gems-austria.at | contact@gems-austria.at

SPINE CARE
https://www.bvrd.at/spinecare/

Mit neuesten Infos immer up to date bist du, wenn du uns auf Instagram und Facebook folgst – und natürlich als BVRD.at-Mitglied über die monatlichen Mitgliederinfos.

AdobeStock/Andrey Nikitin

Momentaufnahme

Eingereicht von Tim Babucke, Feuerwehr Lünen

Ein Bild sagt mehr als tausend Worte. Deshalb zeigen wir in jeder Ausgabe der *Elsevier Emergency* eine „Momentaufnahme" aus Ihrem Rettungsdienstalltag. Als Leser:in von *Elsevier Emergency* sind Sie herzlich dazu eingeladen, uns Ihren persönlichen Fotomoment aus dem Rettungsdienst zukommen zu lassen. Senden Sie Ihr Foto gemeinsam mit einer Beschreibung oder einer kurzen Entstehungsgeschichte per E-Mail an rettungsdienst@elsevier.com.

Im Rahmen der Notfallsanitäterausbildung bei der Feuerwehr Lünen findet bei uns regelmäßig eine Supervision statt. Durchgeführt wird die Supervision durch erfahrene Praxisanleiter. Begleitet werden die Auszubildenden im 3. Ausbildungsjahr, um einen kontinuierlichen Bewertungsverlauf zu erfahren. Eine potenzielle Veränderung der Lernkurve lässt sich so sehr gut und schnell beurteilen. Aus der Erfahrung lässt sich beschreiben, dass sich auch erfahrene Notfallsanitäter gerne einer Supervision unterziehen und jedes Mal ein Feedback einfordern, um auch persönlich eine Weiterentwicklung mitzunehmen.

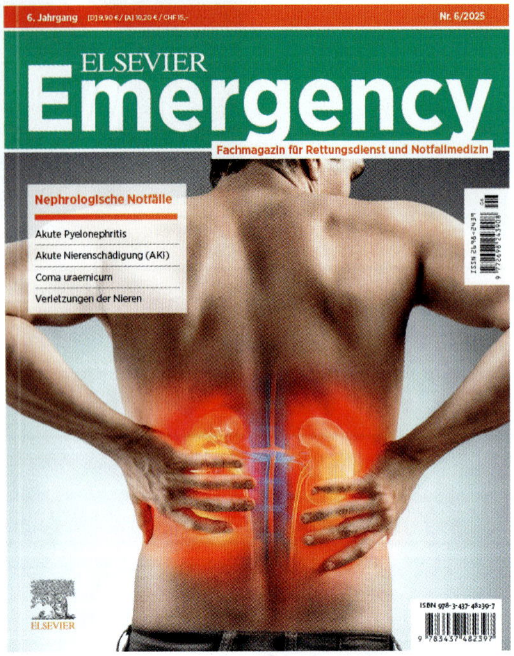

Vorschau

Heft 6/2025 erscheint im Dezember 2025 mit dem
Leitthema „Nephrologische Notfälle"
Voraussichtlich u. a. mit folgenden Beiträgen:

- Akute Pyelonephritis
- Akute Nierenschädigung
- Coma uraemicum

Impressum

Elsevier Emergency – Fachmagazin für Rettungsdienst und Notfallmedizin
6. Jahrgang, Heft 5/2025
Offizielles Verbandsorgan des Deutschen Berufsverbands Rettungsdienst e.V. (DBRD) und des Bundesverbands Rettungsdienst (BVRD.at)

Elsevier GmbH, Bernhard-Wicki-Str. 5, 80636 München, Deutschland
Geschäftsführung: Olaf Lodbrok, Fiona Henderson

Verantwortliche Redakteurin: Hildegard Graf, Hartstr. 148, 82110 Germering, rettungsdienst@elsevier.com
Verantwortlich für Anzeigen: Dirk Struwe Medienvermarktung e. K., Mühlenkamp 21a, 22303 Hamburg, d.struwe@struwe-media.de

Druck und Bindung: Drukarnia Dimograf Sp. z o. o., ul. Legionów 83, 43-300 Bielsko-Biała/Polen

Planung: Katharina Frank, Anna-Marie Salaja
Projektmanagement: Hildegard Graf, Martina Gärtner, Nicole Kopp, Dagmar Wiederhold
Redaktion: Hildegard Graf
Herstellung: Hildegard Graf
Bildredaktion und Rechteklärung: Katja Sieger-Schauer
Satz: abavo GmbH, Buchloe/Deutschland
Umschlaggestaltung: Stefan Hilden Design, München
Umschlagherstellung: SpieszDesign, Neu-Ulm
Titelfotografie: © Jürgen Gollwitzer, Welden

Erscheinungsweise: 6 Ausgaben/Jahr
Bezugspreise Einzelheft: 9,90 EUR [D], 10,20 EUR [A], 15,00 CHF zzgl. Versandkosten
Alle Preise verstehen sich inkl. MwSt. Die Preisangaben sind unverbindliche Preisempfehlungen. Preisänderungen müssen wir uns vorbehalten.
Hauptherausgeber für diese Ausgabe: Matthias Klausmeier
Herausgeber*innen: Jürgen Gollwitzer, Hans-Martin Grusnick, Matthias Klausmeier, Claudia Schwarz

Hinweise für Abonnenten
Mitglieder des DBRD: Bei Rückfragen zum Erhalt der Zeitschrift oder Änderungen Ihrer persönlichen Daten (Adresse, Kontoverbindung) wenden Sie sich bitte an: info@dbrd.de

Mitglieder des BVRD.at: Bei Rückfragen zum Erhalt der Zeitschrift oder Änderungen Ihrer persönlichen Daten (Adresse, Kontoverbindung) wenden Sie sich bitte an: mitgliederservice@bvrd.at

ISSN 2698-2439
ISBN 978-3-437-48238-0
eISBN 978-3-437-05781-6

Bibliografische Information der Deutschen Nationalbibliothek
Die Deutsche Nationalbibliothek verzeichnet diese Publikation in der Deutschen Nationalbibliografie; detaillierte bibliografische Daten sind im Internet über https://www.dnb.de abrufbar.

Um den Textfluss nicht zu stören, wurde bei Patient*innen und Berufsbezeichnungen im Allgemeinen die grammatikalisch maskuline Form gewählt. Selbstverständlich sind in diesen Fällen immer alle Geschlechter gemeint.

Aktuelle Informationen finden Sie im Internet unter www.elsevier.de

Herausgeberschaft

Prof. Dr. rer. medic. Michael Jung, Physiotherapeut, Diplom-Gesundheitswissenschaftler, Schwerpunkt Medizinpädagogik, Gründungsmitglied der Deutschen Gesellschaft für Physiotherapiewissenschaft (DGPTW e.V.)

- Seit 2013 Professur für Pädiatrie an der Hochschule Fresenius in Frankfurt am Main
- Seit 2013 Mitglied von PhysioGermany (ZVK e.V.), Mitglied der Fachkommission Pädiatrie und Delegierter für die International Organization of Physiotherapists in Paediatrics (IOPTP)
- 1991-1999 Physiotherapeut in der Kinderklinik der Goethe-Universität Frankfurt und dem Sozialpädiatrischen Zentrum Frankfurt-Mitte
- 1992-2010 Dozent für Pädiatrie an der Schule für Physiotherapie Friedrichsheim in Frankfurt
- Seit 2020 Studiendekan der Masterstudiengänge „Medizinpädagogik“ in Frankfurt sowie im Studiengang „Interprofessionelle Gesundheitsversorgung in der Pädiatrie“ und an mehreren Standorten „Physiotherapie in der Pädiatrie“ im Studiengang Physiotherapie
- 2016 Beteiligung an der ICF Core Set Consensus Conference der WHO für Autismus-Spektrum-Störungen und ADHS in Stockholm
- 2021 Gewinner des Research-Reward-System (RRS) der Hochschule Fresenius für wissenschaftliches Engagement, Preisträger des 3. Platzes beim Wettbewerb „Professor des Jahres“ in der Kategorie Medizin/Naturwissenschaften der UNICUM Stiftung
- Forschungsschwerpunkte: physiotherapeutische Behandlung des kongenitalen muskulären Tortikollis (Dissertationsthema), krebsbedingte Fatigue in der pädiatrischen Onkologie, Einsatz der VR-Brille bei hemiplegischen Kindern sowie Behandlung von Chemotherapie-induzierter peripherer Neuropathie (CIPN) in der Pädiatrie.
- Publikationen: Verschiedene Fachbücher sowie Beiträge in nationalen und internationalen Fachzeitschriften
- Ad-hoc-Gutachter für „physioscience“ und „pt - Zeitschrift für Physiotherapeuten“

Marlene Hager, Physiotherapeutin BSc

- 2013–2017 Studium der Physiotherapie an der SRH Hochschule in Heidelberg (B.Sc.)
- 2017–2018 Universitätsklinikum Heidelberg, Zentrum für Orthopädie, Unfallchirurgie und Paraplegiologie (Teilzeit)
- Seit 2017 Physiotherapeutin für die Bereiche Pädiatrie, Neurologie und Skoliose-Therapie bei Physiotherapie und Training Endreß, Schriesheim
- 2018–2020 Projektkoordinatorin des Projekts „Gesunde Kids – Fit für´s Leben“, Ladenburg
- Seit 2020 Lehrauftrag an der SRH Hochschule Heidelberg (Fachbereich Pädiatrie)
- 2021–2023 Masterstudium „Interprofessionelle Gesundheitsversorgung in der Pädiatrie (MSc.), Carl Remigius Medical School, Frankfurt am Main
- Fortbildungen: Dreidimensionale Skoliose-Therapie nach Schroth; KG-ZNS-Kinder-Bobath; Gerätegestützte Physiotherapie; Differentialdiagnostik: Red & Yellow Flags in der Physiotherapie; Der Schmerzpatient im interdisziplinären Setting: Untersuchung, Beurteilung, Behandlung und Kommunikation
- Mitgliedschaften: Deutscher Verband für Physiotherapie (ZVK) ab 2015, Mitglied „Student ESB“ des European Network of Physiotherapy in Higher Education (ENPHE) (2016-2017)

Autorinnen und Autoren

Prof. Dr. Schirin Akhbari-Ziegler
Physiotherapeutin MSc Neurorehabilitation
Leiterin Schwerpunkt Pädiatrische Physiotherapie
Leiterin Weiterbildungskurs COPCA
ZHAW Departement Gesundheit, Institut für Physiotherapie
Katharina-Sulzer-Platz 9
CH-8401 Winterthur

Lena Braun
Physiotherapeutin BSc
Pfennigparade Phoenix Schulen München
Oberföhringer Str. 150
81925 München

Anna Fehrenbach
Physiotherapeutin MSc
Klinik Bavaria Kreischa/Zscheckwitz
Kinder- und Jugendklinik, Abt. Physiotherapie
OT Zscheckwitz 1–3
01731 Kreischa

Susanne Gerold
Physiotherapeutin MSc Neurorehabilitation
Leitung Therapiestelle Schaffhauser Sonderschulen
Stimmerstraße 10
CH-8200 Schaffhausen

Prof. Dr. Mijna Hadders-Algra
Institute of Developmental Neurology
Beatrix Children's Hospital
University Medical Center Groningen
Hanzeplein 1
NL-9713 GZ Groningen

Melanie Heep
Physiotherapeutin BSc Angewandte Gesundheits- und Therapiewissenschaften
Bobath- und Vojta-Therapeutin für Kinder
Therapiezentrum des Klinikums Aschaffenburg-Alzenau
Am Hasenkopf 1
63739 Aschaffenburg

Kristine Helmus
Physiotherapeutin mit Schwerpunkt Pädiatrie
Lehrerin für Gesundheitsfachberufe
Leitung maxQ. Schule für Physiotherapie Iserlohn
Gerlingserweg 11
58638 Iserlohn

Daniela Hönninger
Physiotherapeutin
Praxis Körpermitte
Bertoldstr. 31a
79098 Freiburg

Astrid Landmesser
Physiotherapeutin
Physiohof Landmesser
In Genhof 13
41812 Erkelenz

Florence Messerli
Physiotherapeutin MSc, Dozentin Fachbereich Pädiatrie
ZHAW, Departement Gesundheit
Institut für Physiotherapie
Katharina-Sulzer-Platz 9
CH-8401 Winterthur

Nina Nemcová
Physiotherapeutin
Sozialpädiatrisches Zentrum an der DRK-Kinderklinik Siegen
Wellersbergstraße 60
57072 Siegen

Monja Sales Prado
Physiotherapeutin MSc
Spezialisierung Pädiatrische Palliative Care
Therapiezentrum 3bewegt
Weilimdorferstrasse 20
70839 Gerlingen

Silke Scheufele
Physiotherapeutin MSc, Klinische Spezialistin Pädiatrie
ZHAW, Departement Gesundheit
Institut für Physiotherapie
Katharina-Sulzer-Platz 9
CH-8401 Winterthur

Kantonsspital Winterthur
Institut für Therapien und Rehabilitation
Brauerstrasse 15
CH-8401 Winterthur

Katrin Schürholz
Physiotherapeutin
Sozialpädiatrisches Zentrum an der DRK-Kinderklinik Siegen
Wellersbergstraße 60
57072 Siegen

Laura Sedlbauer
Physiotherapeutin BSc
iSPZ im Dr. von Haunerschen Kinderspital
Lindwurmstraße 4
80337 München

Dr. rer. medic. Johanna Seeländer
Physiotherapeutin und Gesundheitswissenschaftlerin
Physiotherapie-Praxen in Köln und Frechen
Düsseldorfer Str. 165
51063 Köln

Lucia Sollik
Physiotherapeutin
Physio Plus
Kulmbacher Str. 127
95445 Bayreuth

Anna Strasser
Physiotherapeutin BSc
Praxis Physiologik
Muchargasse 15
A-9900 Lienz

Nadine Thron
Physiotherapeutin
Therapiezentrum Theraneos
Obere Langgasse 5
67346 Speyer

Sevinc Türker
Physiotherapeutin
Privatpraxis
Unterer Markt 8
90518 Altdorf

Klara Wißmiller
Physiotherapeutin
Privatpraxis
Am Osterholz 101
42327 Wuppertal

Ananda Wittiber
Physiotherapeutin
Praxis Physiotherapie & Training Oliver Endreß
Römerstraße 2
69198 Schriesheim

Jovita Zerlik
Physiotherapeutin, Atmungstherapeutin DGP
Altonaer Kinderkrankenhaus gGmbH
Bleickenallee 38
22763 Hamburg

In diesem Fallbeispiel werden folgende Fragen analysiert und beantwortet:

- Sind häusliche Übungen und damit der Einbezug der Eltern in die Therapie wichtig?
- Welche Therapiemaßnahmen haben wissenschaftliche Evidenz?
- Unterstützen Hilfsmittel den Heilungsverlauf?
- Welche möglichen (orthopädischen) Probleme können bei unzureichender Rehabilitation auftreten?

1.2 Untersuchungsbefunde

1.2.1 Medizinische Befunde

Neugeborene mit Tortikollis werden im Sichtbefund auffällig. Aufgrund der heutzutage meist kurzen Verweildauer auf der Wöchnerinnenstation sind eine diagnostische Klärung und die Verordnung zur Physiotherapie primär Aufgaben der niedergelassenen Kinderärzt*innen, die die Säuglinge in den Vorsorgeuntersuchungen betreuen (➤ Tab. 1.1)

Tab. 1.1 Ärztliche Diagnostik beim jungen Säugling zur Sicherung der Diagnose „Tortikollis"

Konservativ		
Untersuchung	**Beschreibung**	**Beispiele**
Anamnese	Befragung der Mutter zu Schwangerschaft, Geburtsverlauf und -modus, bisherigen Verlauf.	In den letzten 8 Wochen der Schwangerschaft Entlastungshinken aufgrund von Rückenschmerzen; Zangengeburt.
Sichtbefund der Spontan- und Reaktivmotorik	Bei der Betrachtung der Spontanmotorik wird das Neugeborene/der Säugling nicht manipuliert (➤ Abb. 1.1). Zur Beobachtung der Reaktivmotorik wird opto-akustisch stimuliert, um altersentsprechende Antworten zu erhalten.	Niklas liegt in Rücken- und Bauchlage vom Kopf konstant links geneigt und rechts gedreht, bei leichter Reklination. Bei opto-akustischer Stimulation in Rückenlage dreht er den Kopf nur leicht zu dem Stimulus.
Palpation	Im Verlauf des M. sternocleidomastoideus wird nach einer möglichen Verdickung (Hämatom) getastet.	Bei Niklas ist kein Hämatom tastbar.
Testung der primären Reaktionen und der Lagereaktionen nach Vojta	Primäre Reaktionen (früher: frühkindliche oder Primitivreflexe) sind Reaktionen des Nervensystems auf einen Reiz, die beim Tortikollis zu einer Seite eingeschränkt oder nicht möglich sind. Teilweise ist bereits der Auslösevorgang nicht möglich. Die sieben Lagereaktionen laufen unwillkürlich und altersentsprechend ab. Die Kinderärztin achtet beim Tortikollis vor allem auf Asymmetrie und Seitendifferenz (➤ Abb. 1.1).	Geeignete primäre Reaktionen sind: schützende Seitwärtsdrehung oder automatische Reaktion, Halsstellreaktion (HSR), Suchreaktion oder Rooting, Fechterstellung (symmetrisch-tonische Nackenreaktion) u. U. in einer „korrigierten Ausgangsstellung" und dann mit Seitenunterschied.
Prüfung der Gelenkbeweglichkeit	Aktive und passive Beweglichkeitsveränderungen im Range of Motion (ROM) werden anhand der Neutral-Null-Methode erhoben (➤ Tab. 1.2).	Lateralflexion Kopf (45°–5°–0°), Kopfrotation (0°–10°–90°).
Ggfs. manuelle Diagnostik der Halswirbelsäule (HWS)	Beschreibung des Endgefühls bei passiver Testung der HWS-Beweglichkeit	Beim kongenitalen Schiefhals ist ein weich-elastisches Endgefühl zu spüren.

Ärztliche Untersuchung

Während der U2 am 10. Lebenstag beobachtet die Kinderärztin bei Niklas eine Vorzugshaltung: Er hält den Kopf ausschließlich links geneigt und rechts gedreht (➤ Abb. 1.1). Ihre Palpation des M. sternocleidomastoideus ergibt kein Indiz für ein Hämatom. Sie erklärt der Mutter, diese Vorzugshaltung „*wachse sich aus*". In der Baby- und Säuglingsmassage erklärt eine befreundete Mutter Niklas Mutter, einer ihrer Zwillinge habe dies auch gehabt und durch die Physiotherapie hätten sie bis zum vierten Lebensmonat schon eine deutliche Besserung der Symptomatik erreicht.

Zur U3 in der fünften Lebenswoche untersucht die Kinderärztin Niklas diesbezüglich mit dem Ultraschall, entdeckt aber immer noch kein Hämatom. Sie verordnet nun aber Physiotherapie, da sie einen weich-elastischen Widerstand in der passiven Bewegungsprüfung spürt.

KLINISCHER HINTERGRUND

Bildgebende Untersuchungen

Bildgebende Verfahren zur Diagnostik des kongenitalen Tortikollis sind nicht zwingend erforderlich. Bei Verdacht auf eine Gewebeveränderung oder ein Hämatom kann ggf. zuerst ein Ultraschall eingesetzt werden. MRT oder CT werden nur zur weiterführenden Diagnostik angewandt.

Sonografie (Ultraschall, Echografie)

Der diagnostische Ultraschall ist ein schonendes bildgebendes Verfahren in der Radiologie zur Erstellung von Schnittbildern fast jedes Organs. Der Ultraschall funktioniert durch das Aussenden hochfrequenter Schallwellen von der Oberfläche des Körpers aus, die dann von dem zu untersuchenden Gewebe reflektiert werden.

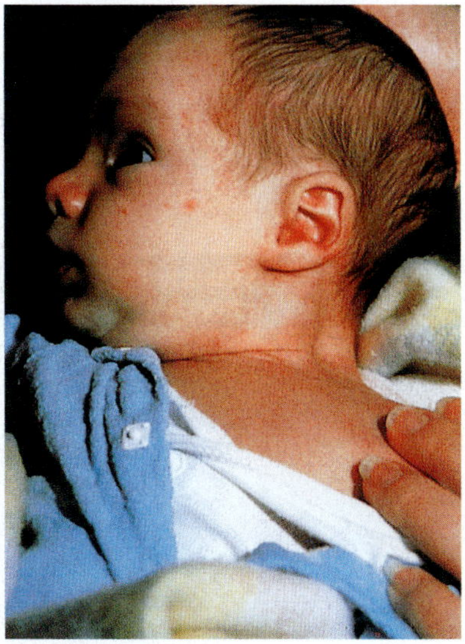

Abb. 1.1 Säugling mit Tortikollis links [G550–003]
Courtesy James Reilly, MD, Nemours/Alfred I. duPont Hospital for Children, Wilmington, DE

Damit die Kinderärztin bei Niklas keine andere Ursache für das Vorliegen einer Schiefhalshaltung übersieht, sollten differenzialdiagnostisch folgende Gründe für eine Asymmetrie abgeklärt werden:

- Intrauterine Zwangslage (z. B. bei Mehrlingen)
- Einseitige Sehstörung (evtl. Blindheit)
- Einseitige Hörstörung (evtl. Taubheit)
- Kombination aus Seh- und Hörstörung
- Einseitige Perzeptionsstörung (evtl. auch bei Neglect einer Hemiparese)
- Raumforderung (Tumor, Lymphknoten)
- Spastik-bedingte Kopfhaltung (z. B. bei Hemi- oder Tetraparese)
- Orthopädische Probleme (z. B. Klippel-Feil-Syndrom; ausgeprägte Skoliose)
- Postinfektiöse Schiefhalshaltung (Grisel-Syndrom)
- Bevorzugte Kopfhaltung nach Implantation eines zentralen Venenkatheters (ZVK) (damit verbundene Schmerzen und fixierendes Pflaster führen evtl. nach mehreren Tagen zur Gewohnheitshaltung)
- Akute, hochzervikale Blockade (KISS-Syndrom)
- Narbenbedingte, rheumatisch oder psychogen verursachte Schiefhalshaltungen (bei Säuglingen seltener)

Diese Befunde fließen in die weitere physiotherapeutische Anamnese und Befundung ein.

PRAKTISCHER TIPP

Um eine Wiederholung in der physiotherapeutischen Befundung zu vermeiden, empfiehlt es sich, die Ergebnisse medizinischer Untersuchungen in das Clinical Reasoning mit aufzunehmen.

WAS WÄRE, WENN ...

... die Kinderärztin bei Niklas ein massives Hämatom und eine schon vor der 8. Lebenswoche sehr deutliche Haltungsabweichung diagnostiziert hätte?

Hier kann mit der physiotherapeutischen Behandlung auch schon früher begonnen werden.

... sich bei schweren Fehlhaltungen keine Besserung zeigen würde?

Auch bei schweren Fehlhaltungen wird zunächst die kinderärztlich verordnete konservative Therapie im Rahmen von physiotherapeutischen Maßnahmen durchgeführt. Ggf. kann durch speziell ausgebildete Pädiater*Innen bei größeren Säuglingen oder Kleinkindern eine geringe Menge Botulinumtoxin in den M. sternocleidomastoideus injiziert werden, um die physiotherapeutischen Maßnahmen zu unterstützen. Sollten alle konservativen Maßnahmen erfolglos bleiben, kann eine operative Herangehensweise (Tenotomie) durch die Kinderchirurgie/-orthopädie diskutiert werden. Operationen werden nicht vor dem ersten Lebensjahr avisiert.

1.2.2 Physiotherapeutische Anamnese

Die Physiotherapeutin stellt im Anamnesegespräch der ersten physiotherapeutischen Sitzung Niklas Mutter ganz ähnliche Fragen wie die Kinderärztin. Aus Erfahrung möchte sie zusätzlich wissen, ob Niklas bereits andere Therapien (z. B. Osteopathie) erhalten habe. Frau Z. gibt an, dass ihre Hebamme und eine Freundin dies empfohlen hätten, ihre Kinderärztin Osteopathie aber nur in Kombination mit Physiotherapie befürworte.

Mögliche Assessments zur Verlaufsdokumentation sind in ➤ Tab. 1.2 zusammengefasst. So fertigt die Physiotherapeutin beim Erstkontakt ein etwa 10-minütiges Video zum Ausgangsbefund von Niklas an. Während der Aufnahme in Bauchlage wird Niklas unruhig und schreit, woraufhin seine Mutter auf Nachfrage erklärt, er läge auch nur sehr ungern auf dem Bauch.

Tab. 1.2 Mögliche Assessments zur Verlaufsdokumentation

Assessment	Wert
Range of Motion (ROM)	Die normale Lateralflexion beim Säugling beträgt etwa 40°–45° zu jeder Seite. Die normale Kopfrotation liegt bei etwa 80°–90° nach rechts und links. (Golden et al. 1999)
Standardisierte Fotodokumentation	In Rücken- und Bauchlage (➤ Abb. 1.1).
Asymmetrie-Skala nach Philippi et al.	Punktwerte von 4 (sehr gut) bis 24 (sehr schlecht) (Philippi et al. 2006a) (➤ Tab. 1.3).
Manuelle Tests der HWS-Beweglichkeit	Normalerweise weich-elastisches Endgefühl
Bauchlage („*tummy time*")	Zeitdauer in Minuten

Tab. 1.3 Asymmetrie-Skala nach Philippi (2006a) [H273–001/L231]

Kopfrotation		Punkte in Rückenlage	Punkte in Bauchlage
	Freie Rotation	1	1
	(Fast) freie Rotation, aber mit Widerstand zu einer Seite	2	2
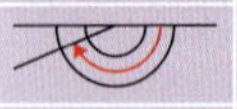	Endgradig eingeschränkte Rotation, Vorzugsrotation da	3	3
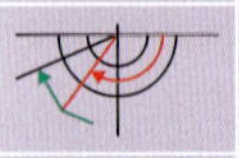	Bis zur grünen Linie eingeschränkte Rotation, mit viel Arbeit Überwindung möglich: Arbeitszone = grüner Pfeil	4	4
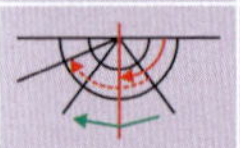	Bis zur roten Linie eingeschränkte Rotation, mit viel Arbeit Überwindung möglich; kurzzeitig ggfs. Drehung bis gepunktete rote Linie möglich; Arbeitszone = grüner Pfeil	5	5
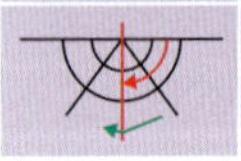	Bis zur roten Linie eingeschränkte Rotation, Überwindung fast unmöglich; Arbeitszone = grüner Pfeil	6	6

Tab. 1.3 Asymmetrie-Skala nach Philippi (2006a) [H273–001/L231] *(Forts.)*

<table>
<tr><th colspan="2">Rumpfkonvexität</th><th>Punkte in Rückenlage</th><th>Punkte in Bauchlage</th></tr>
<tr><td>|| oder)(</td><td>Keine Konvexität oder Konvexität seitengleich</td><td>1</td><td>1</td></tr>
<tr><td>)(</td><td>Diskreter Unterschied der Konvexität im Seitenvergleich</td><td>2</td><td>2</td></tr>
<tr><td>)C</td><td>Deutlicher Unterschied der Konvexität im Seitenvergleich; Auflösung möglich</td><td>3</td><td>3</td></tr>
<tr><td>|(</td><td>Konvexität kann bis zu einer Geraden aufgelöst werden.</td><td>4</td><td>4</td></tr>
<tr><td>((</td><td>Konvexität kann bis zu einem flachen Bogen aufgelöst werden.</td><td>5</td><td>5</td></tr>
<tr><td>(C</td><td>Konvexität kann gar nicht aufgelöst werden.</td><td>6</td><td>6</td></tr>
</table>

Die Auswertung des Videos anhand der Bewertungskriterien nach Philippi et al. (2006a) ergibt einen Asymmetrie-Wert von 19 Punkten für Niklas (➤ Tab. 1.3).

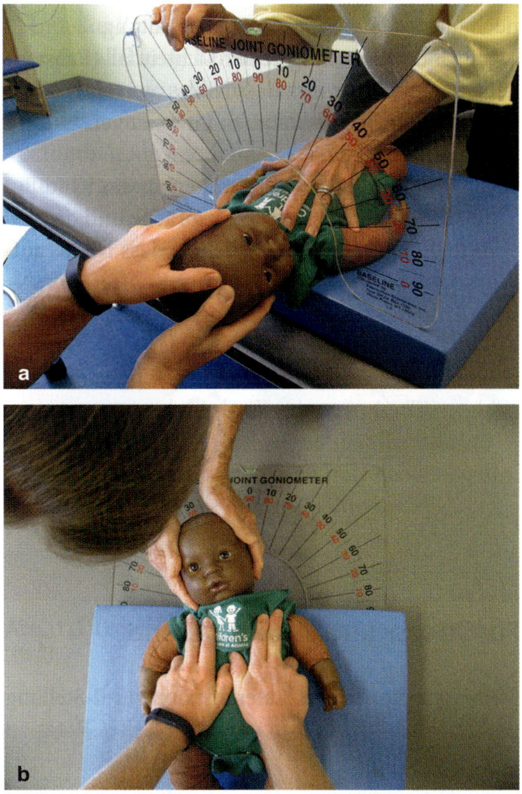

Abb. 1.2 Messung der Kopfrotation und Lateralflexion mit dem Arthrodial Protractor (Large Joint Goniometer) [E1109]

KLINISCHER HINTERGRUND

Range of Motion (ROM)

Die Messung der Gelenkbeweglichkeit mittels Goniometer nach der Neutral-Null-Methode kann an fast allen Gelenken bei Patienten jeglichen Alters stattfinden. Für Säuglinge und Kleinkinder werden oft sehr kleine Goniometer benötigt, und zur Messung der Beweglichkeit des Kopfs bei Säuglingen wurden sogar spezielle Vorrichtungen (Protractor) entwickelt. (Öhmann & Beckung 2008)

Beim Tortikollis wird vorrangig die Kopfrotation und die Lateralflexion gemessen und in Winkelgraden angegeben (➤ Abb. 1.2).

Bei der ROM kann zwischen aktiver und passiver Beweglichkeit differenziert werden.

KLINISCHER HINTERGRUND

Asymmetrie-Skala nach Philippi et al. (2006a)

Um die Bewegungseinschränkung eines Säuglings mit Tortikollis zu dokumentieren, steht uns eine videobasierte Asymmetrie-Skala nach Philippi et al. zur Verfügung.

Hierbei werden in Rücken- und in Bauchlage mit und ohne opto-akustischer Stimulation die Kopfrotation und die Seitauslenkung der Wirbelsäule gefilmt. Mit einem Schulnotensystem (Note 1 bis 6) werden mögliche Einschränkungen in vier Dimensionen bewertet (➤ Tab. 1.3).

Diese Asymmetrie-Skala ist ein valides und einfach durchzuführendes Assessment, welches ab einem Gesamtwert von 12 Punkten eine Therapieempfehlung bedeutet.

Streifen **Kinesio-Tape** am betroffenen M. sternocleidomastoideus an. Diese Maßnahme soll die unter der Therapie erreichte, aktive Korrektur der Kopfbeweglichkeit zwischen den einzelnen Terminen in der Praxis zusätzlich unterstützen (➤ Abb. 1.5).

Während die Maßnahmen aus dem Bobath-Konzept fast spielerisch anmuten und gut in den Tagesablauf integrierbar sind, müssen für die Therapie nach Vojta mehrmals täglich Zeitfenster eingeräumt werden, in welchen die Eltern mit ihrem Kind üben (Orth 2017). Das Kinesio-Tape kann bequem unter der Kleidung getragen werden, und sofern keine Hautreizungen (allergische Reaktion auf Haftmittel) auftreten, ist die Maßnahme unkompliziert.

Die Anschaffung eines **Elektrotherapie**-Gerätes hat sich für die rein pädiatrisch ausgerichtete Praxis der Physiotherapeutin nicht gelohnt.

WAS WÄRE, WENN ...

... der Spontanheilungsverlauf die Schiefhalshaltung von Niklas nicht auflösen oder die physiotherapeutische Behandlung keinen Erfolg bringen würde?

Mögliche Folgeschäden des Schiefhalses sind:
- Skoliose
- Plagiozephalus
- Gesichtsasymmetrie
- Zahn - und kieferorthopädische Probleme (Fehlstellungen)
- Verzögertes Erreichen sensomotorischer Grenzsteine der Entwicklung
- In Extremfällen Gleichgewichtsprobleme

Es wird vermutet, dass unphysiologische asymmetrische Kopfpatterns die Geschmacksdifferenzierung bei Neugeborenen stören und dass über eine Blockade der oberen HWS-Gelenke eine Sprachentwicklungsverzögerung (SEV) auftreten kann.

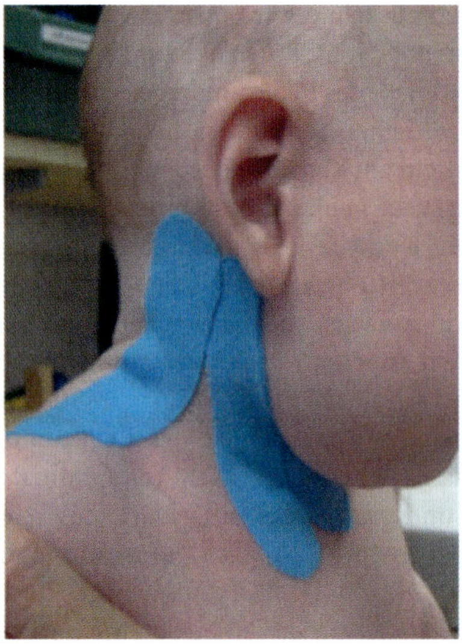

Abb. 1.5 Kinesio-Tape bei Tortikollis [H278–001]

Therapieverlauf und -abschluss

Im vierten Lebensmonat fertigt die Physiotherapeutin erneut ein Video von Niklas an. Im Video-Score von Philippi et al. zeigt er noch 11 Punkte, seine Kopfdrehung in Rückenlage ist jedoch passiv frei beweglich, eine dezente Lateralflexion nach links ist in Bauchlage erkennbar (➤ Tab. 1.4). Mit sechs Monaten ist auch diese Auffälligkeit behoben und die Kinderärztin möchte keine weiteren Rezepte mehr ausschreiben.

Die Physiotherapeutin weist Niklas‘ Mutter in der letzten Behandlung darauf hin, dass bei Wachstumsschüben die Vorzugshaltung wieder auftreten kann, auch wenn Niklas zum jetzigen Zeitpunkt in Bezug auf die aktive und passive Beweglichkeit des Kopfs und der HWS unauffällig ist. Sie rät dazu, nach vollständiger Vertikalisierung die komplette Wirbelsäule kontrollieren zu lassen.

PRAKTISCHER TIPP

Follow-up: Untersuchungen zur Vermeidung einer Skoliose

Gerade nach vollständiger Vertikalisierung und nach Wachstumsschüben sollte die gesamte Wirbelsäule im Rahmen in der Kinderorthopädie kontrolliert werden. Kinder mit einem Tortikollis neigen vermehrt dazu, eine Skoliose zu entwickeln. 57 Kinder in einer retrospektiven Studie (18,9 Jahre Follow-up) und 85 Kinder (13 Jahre Follow-up) mit konnatalem Tortikollis wiesen eine Skoliose-Rate von 12 % bzw. 30 % auf (Canale et al. 1982; Binder et al. 1987), obwohl sie mit verschiedenen physiotherapeutischen (Dehn-) oder chirurgischen Konzepten versorgt wurden. Dem steht eine retrospektive Studie an 624 Kindern (7 Jahre Follow-up) gegenüber, die lediglich eine Skoliose-Rate von 3 % aufwies, wenn bereits in den ersten Lebensmonaten mit Physiotherapie begonnen wurde (Cheng & Au 1994). Regelmäßige Kontrollen sind deshalb unbedingt empfehlenswert. Weiterhin muss die Entwicklung einer Gesichtsasymmetrie oder von Zahnfehlstellungen im Blick behalten werden.

Tab. 1.4 Assessments vor und nach Beendigung des Therapieintervalls

Assessment	T1 (mit 6–8 Wochen)	T2 (mit 16 Wochen)
ROM Lateralflexion Kopf (links/rechts)	45°–5°–0°	45°–0°–40°
ROM Rotation Kopf (links/rechts)	0°–10°–90°	80°–0°–90°
Asymmetrie-Wert nach Philippi et al.	19 von 24	11 von 24

1.6 Evidenzbasierte Zusammenfassung

Es gibt verschiedene Maßnahmen, die weitgehend auf empirischen Erkenntnissen beruhen, doch wird die Therapielandschaft des Tortikollis mehr und mehr durch Studien untermauert. Hierzu gehören Studien zu Dehnung, Osteopathie, Kinesio-Tape, Vojta-Therapie und Elektrotherapie (MENS). Die Studien sind von moderater bis guter Qualität. Studien mit größeren Fallzahlen zu Lagerung, Handling, physikalischer oder manueller Therapie gibt es kaum.

In vielen Ländern wird auch das Bobath-Konzept (*Neurodevelopmental Treatment,* kurz NDT) zur Behandlung der kindlichen Asymmetrie eingesetzt, obwohl auch hierzu wenig hochwertige Evidenz vorliegt. Eine gute evidenzbasierte Empfehlung ist die klinische Praxisrichtlinie der American Pediatric Physical Therapy Association (APTA) von Kaplan, Coulter & Fetters aus dem Jahr 2013.

Evidenz

Zu einigen Maßnahmen liegt bereits moderate bis gute Evidenz vor:
- Kinesio-Tape (Öhmann 2012)
- Passives manuelles Dehnen (Cheng et al. 2001; Öhmann, Nilsson & Beckung 2010)
- Vojta-Therapie (Jung et al. 2017)
- Elektrotherapie (Kim, Kwon & Lee 2009)

LITERATUR

Binder H et al. Congenital muscular torticollis: results of conservative management with long-term follow-up in 85 cases. Arch Phys Med Rehabil. 1987; 68: 222–225.

Bly L. Baby Treatment. Based on NDT Principles. San Diego: Harcourt Health Sciences Company, 1999.

Bullinger HM, Sacher R & Wuttke M. Die manualmedizinische Behandlung von Haltungs- und Bewegungsasymmetrien im Säuglingsalter. Manuelle Medizin. 2012; 5: 401–404.

Canale ST, Griffin DW, Hubbard CN. Congenital muscular torticollis. A long-term follow-up. J Bone Joint Surg Am. 1982; 64: 810–816.

Cheng JC et al. Clinical determinants of the outcome of manual stretching in the treatment of congenital muscular torticollis in infants. A prospective study of eight hundred and twenty-one cases. J Bone Joint Surg Am. 2001; 83-A(5): 679–687.

Cheng JC & Au AW. Infantile torticollis: a review of 624 cases. J Pediatr Orthop. 1994; 14: 802–808.

Gilbert R et al. Infant sleeping position and the sudden infant death syndrome; systematic review of observational studies and historical review of clinicians` recommendations from 1940–2000. Intl J Epidemiol. 2005; 34: 74–87.

Golden KA et al. Sternocleidomastoid imbalance versus congenital muscular torticollis: their relationship to postional plagiocephaly. Cleft Palate Craniofac J. 1999; 36: 256–261.

Jung MW et al. Vojta therapy and neurodevelopmental treatment in children with infantile postural asymmetry: a randomised controlled trial. J Physis Ther Sci. 2017; 29(2): 301–306.

Kaplan SL, Coulter C & Fetters L. Physical therapy management of congenital muscular torticollis: an evidence-based clinical practice guideline: from the Section on Pediatrics of the American Physical Therapy Association. Pediatr Phys Ther. 2013; 25(4): 348–394.

Kim MY, Kwon DR & Lee HI. Therapeutic effect of microcurrent therapy with congenital muscular torticollis. PM&R. 2009; 8: 736–739.

Mau H & Gabe I. Die sog. Säuglingsskoliose und ihre krankengymnastische Behandlung. Stuttgart, New York: Thieme, 1981.

Öhmann AM. The immediate effect of kinesiology taping on muscular imbalance for infants with congenital muscular torticollis. Eur J Phys Rehabil Med. 2012; 4: 504–508.

Öhmann A, Nilsson S & Beckung E. Stretching treatment for infants with congenital muscular torticollis: physiotherapist or parents? A randomized pilot study. PM&R. 2010; 2: 1073–1079.

Öhman AM, Beckung ER. Reference values for range of motion and muscle function of the neck in infants. Pediatr Phys Ther. 2008; 20(1): 53–58.

Orth, H. Das Kind in der Vojta-Therapie. Praxisbegleiter für Eltern und Therapeuten. 3. Aufl. München: Elsevier Urban & Fischer, 2017, S. 66–67.

Philippi H et al. (2006a) Patterns of postural asymmetry in infants: a standardized video-based analysis. Eur J Pediatr. 2006a; 3: 158–164.
Philippi H et al. (2006b) Infantile postural asymmetry and osteopathic treatment: a randomized therapeutic trial. Dev Med Child Neurol. 2006b; 48: 5–9.
Philippi H et al. Idiopathic infantile asymmetry, proposal of a measurement scale. Early Hum Dev. 2004; 80: 79–90.
Van Vlimmeren LA et al. Effect of pediatric physical therapy on deformational plagiocephaly in children with positional preference: a randomized controlled trial. Arch Pediatr Adolesc Med. 2008; 8: 712–718.
Wondrusch C, Frauchinger S. Lagebedingte Schädeldeformitäten und Funktionsstörungen im HWS-Bereich bei Säuglingen. Pädiatrie. 2018; 2: 15–21.

FALL

2 Hüftdysplasie und Hüftluxation

Nina Nemcová, Katrin Schürholz

Leitsymptome: Abspreizhemmung – eingeschränkte Spontanbewegung – Asymmetrie – Beinlängendifferenz – ggf. Instabilität

leicht

Definition

Hüftdysplasie und Hüftluxation

Als **Hüftdysplasie** bezeichnet man eine angeborene oder erworbene Fehlstellung des Hüftgelenks. Dabei ist die Hüftpfanne unzureichend ausgebildet, was zu einer Verknöcherungsstörung und Wachstumsverzögerung des Pfannenerkers führt. Man spricht in diesem Zusammenhang von einer Reifungsstörung. Zusätzlich kann auch der Hüftkopf eine Fehlentwicklung aufweisen. Es handelt sich hierbei mit einer Inzidenz von 1,5–4 % um die häufigste angeborene Skelettfehlbildung Europas. Mädchen sind mit einem Verhältnis von 4:1 gegenüber Jungen häufiger betroffen (Hefti 2015).

Bei einer **Hüftgelenksluxation** hat der Hüftkopf komplett (Luxation) oder schrittweise (Dezentrierung) die Hüftpfanne verlassen. Mit einer Inzidenz von 0,5–1 % tritt sie deutlich seltener auf als die Hüftdysplasie. Eine angeborene Luxation ist selten und oft mit Syndromen verbunden. Hier steht bei der Geburt der Hüftkopf bereits nicht mehr unter der Pfanne, sondern ist nach hinten-oben herausgetreten. Ätiologisch findet man bei 20 % der Kinder eine positive Familienanamnese. Das Risiko der Vererbung ist um das Zehnfache erhöht, wenn bereits bei den Eltern eine Hüftdysplasie vorlag. Ursächlich sind zudem exogene Faktoren wie intrauterine Enge, Beckenendlage, Fruchtwassermangel oder Mehrlingsschwangerschaften. Auch hormonelle Faktoren, die für eine Überdehnbarkeit der weichen Strukturen verantwortlich sind, können eine Rolle spielen (Baumgart & Mellerowicz 2013).

Im Zusammenhang mit verschiedenen Krankheitsbildern wie Zerebralparese (➤ Fälle 8–12), Arthrogryposis multiplex congenita oder angeborenen Fehlbildungen tritt im Verlauf ebenfalls häufig eine Hüftdysplasie oder -luxation auf.

In den meisten Fällen kann die Therapie der Hüftdysplasie und -luxation im ersten Lebensjahr konservativ erfolgen (Dornacher, Cakir & Reichel 2008). Eine Hüftoperation ist indiziert, wenn im Vorschulalter noch ein schwerer Befund vorliegt oder bei neurogenen Dysplasien und Luxationen als Begleiterscheinung verschiedener Krankheitsbilder, z. B. Spina bifida (➤ Fall 6). Hier gilt, die Hüftampel als Verlaufskontrolle zu beachten.

KLINISCHER HINTERGRUND

Hüftampel (Netzwerk Cerebralparese e. V.)

Beim Modell der Hüftampel des deutschen CP-Netzes wird die Hüftsituation anhand des Migrationsindex (MI), des GMFCS-Levels (Gross Motor Function Classification System) und der modifizierten Ashworth-Skala beurteilt (➤ Abb. 2.1). Dadurch sind individuelle Beurteilungen und Therapieempfehlungen möglich.

Der Migrationsindex ist ein Maß für die Überdachung des knöchernen Hüftkopfs bzw. den Grad der Dezentrierung des Hüftkopfs. Die Hüfte lässt sich somit in verschiedene Luxationsgrade einteilen:

- *Grün* = geringes Risiko, konservative Therapieempfehlung, regelmäßige Kontrollen
- *Gelb* = Risiko vorhanden, intensive konservative Therapieempfehlung, Prüfen einer OP-Indikation, regelmäßige

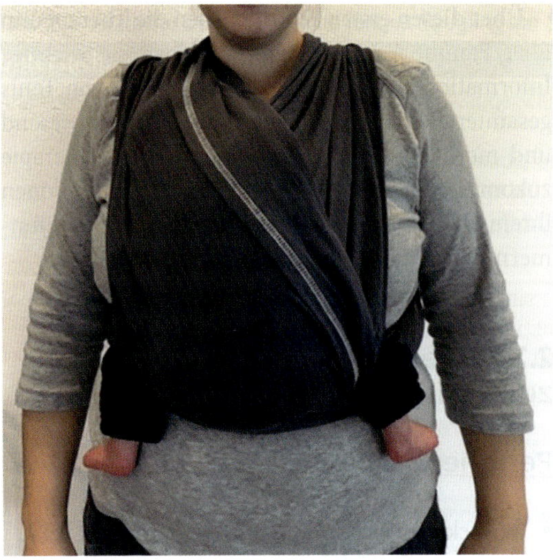

Abb. 2.3 Säugling in Tragehilfe [M1146]

- Das Kinderbett sollte so positioniert werden, dass die Kontaktaufnahme von beiden Seiten gleichermaßen möglich ist.
- Familie B. wohnt in einem Mehrfamilienhaus, das sehr hellhörig ist. Zu den anderen Bewohnern hat sie ein gutes Verhältnis. Trotzdem ist es hilfreich, im Vorfeld die Vojta-Therapie, bei der Toni durch den gewünschten Aktivierungszustand vermehrt weinen könnte, bei der Nachbarschaft anzusprechen, um Missverständnisse zu vermeiden.

Funktions- und Strukturebene

Hier erfasst die Therapeutin zur Beurteilung der Spontanmotorik die **Qualität,** d. h. die motorischen Bewegungsinhalte. Bei Toni ist aufgrund der Hüftdysplasie, bzw. -luxation die ideale motorische Ontogenese blockiert, sodass er auf sogenannte Ersatzmuster angewiesen ist, die sich in einer Reduzierung der Bewegungsinhalte widerspiegeln (Vojta 2018).

In Rückenlage dreht Toni bei Kopfwendung zur linken Seite den gesamten Rumpf deutlich früher mit als bei Kopfwendung zur rechten Seite. Dabei persistiert zu beiden Richtungen eine Inklination der Halswirbelsäule zur linken Seite. Dazu bleibt der Rumpf konstant großbogig rechts konvex. Das Becken ist stark ventral gekippt mit einem ausladenden Bauch, der eine deutliche Rektusdiastase aufweist, verbunden mit einem hervorgetretenen Nabel, von dem das letzte Stück der Nabelschnur am Morgen abgefallen ist. Dazu steht das Becken auf der linken Seite permanent kranialer als rechts. Das gleichseitige Bein liegt vermehrt in Adduktion und lockerer Streckung, das rechte Bein in weniger Adduktion mit mehr Beugung. Im Rahmen der Moro-Reaktion zeigt sich die Beugung der Beine mit deutlicher Innenrotation und Hyperabduktion links ausgeprägter als rechts. Die ventral-medial liegenden Falten an den Oberschenkeln sitzen links tiefer als rechts. Das Ausmaß der Armbewegung zeigt sich rechts umfangreicher als links.

In Bauchlage fällt der Therapeutin zunächst eine leichte rechts okzipitale Abflachung von Tonis Hinterkopf auf. Bei der Kopfwendung, vor allem zur linken Seite, nimmt die Reklination des Kopfs parallel zur Ventralkippung des Beckens deutlich zu. Auf der linken Seite bleibt das Becken kranialer und ventraler. Auch in Bauchlage bleiben die Halswirbelsäule und der Rumpf konstant links inkliniert, unabhängig von der Drehung des Kopfs. Dabei beugt Toni seine Beine an, verbunden mit Hyperabduktion und Innenrotation im Hüftgelenk, links ausgeprägter als rechts. Die gluteofemoralen Falten sitzen auf der linken Seite tiefer als rechts. Seine Arme zieht Toni innenrotiert nach hinten, sodass sie die Unterlage verlassen. Bei Kopfwendung nach rechts gräbt sich die linke Schulter protrahiert in die Unterlage, sodass der Rumpf zur Seite kippt.

Die Therapeutin prüft die passive Rotation des Kopfs. Diese ist zu beiden Seiten frei, was auf eine Haltungsasymmetrie schließen lässt. Die passive Beweglichkeit der Beine überprüft die Therapeutin aufgrund der Gefahr einer Schädigung des Hüftkopfs bzw. des Pfannendachs nicht erneut (➤ Tab. 2.2).

KLINISCHER HINTERGRUND

In den ersten 4–6 Lebenswochen besteht zwar eine physiologische Asymmetrie, allerdings darf diese nicht einseitig konstant sein (Vojta 2018). Ab einem Verhältnis von etwa 70:30 ist eine Asymmetrie zwingend behandlungsbedürftig.

Bei der Hüftdysplasie bzw. -luxation zeigt sich in der Regel die Neigung der Halswirbelsäule zur ipsilateralen Seite mit Rotation zur Gegenseite. Dabei steht das gleichseitige Becken kranialer und ventraler. Sind, wie in diesem Fallbeispiel, beide Seiten betroffen, gilt dies für die stärker betroffene Seite.

Eine Rektusdiastase ist in der idealen motorischen Entwicklung nie zu finden und deutet auf eine Inkoordination der Bauchmuskulatur hin. Im Fall einer Hüftdysplasie/-luxation steht dies in direktem Zusammenhang mit einer Dysbalance der hüftumgebenden Muskulatur. Bei älteren Patienten wird eine Ganganalyse (z.B. nach Perry) erhoben und der Einbeinstand beurteilt. Auch der Vorbeugetest nach Adams (➤ Kap. 5) kann zur Beurteilung des Beckens und weiterlaufend der Wirbelsäule mit herangezogen werden. Um die hüftumgebende Muskulatur in ihrer aufrichtenden Funktion zu überprüfen, können auch ältere Patienten aufgefordert werden, den Krabbelgang zu zeigen.

Aktivitätsebene

Zur Beurteilung der Spontanmotorik bittet die Therapeutin die Eltern, Toni vollständig zu entkleiden. Die Beurteilung erfolgt vor dem Hintergrund der Ontogenese der Aufrichtungsmechanismen, die jedem Kind je nach Reifezustand des zentralen Nervensystems (ZNS) von Geburt an zur Verfügung stehen. Sie dienen der Orientierung und der Kontaktaufnahme bzw. Kommunikation. Kenntnisse der motorischen Ontogenese sind Voraussetzung für das Erkennen von globalen Bewegungsmustern, für die kinesiologische Befundaufnahme und für die Zielsetzung bzw. Beurteilung der Ergebnisse der Therapie (Vojta 2018). Bei der Analyse der Spontanmotorik beurteilt die Therapeutin zunächst die **Quantität,** das heißt die höchste motorische Leistung bezogen auf das am weitesten entwickelte Teilmuster.

In Rückenlage wendet sich Toni zu beiden Seiten der optischen und akustischen Ansprache der Therapeutin zu. Dabei muss er zur linken Seite deutlich mehr motiviert werden und wendet den Kopf schnell wieder zurück zur rechten Seite, nachdem die Mittellinie knapp überquert wurde. Die Bewegungen sind gekleidet in eine Massenbewegung, die allerdings vor allem in Bezug auf die Bewegung der Beine stereotyp wirkt. Sie werden wenig und unrhythmisch bewegt, zumeist im Rahmen einer Moro-Reaktion, die Toni vermehrt zeigt. Mit diesen einschießenden Bewegungen wird er zunehmend unzufrieden.

Auch in Bauchlage wendet sich Toni den optischen und akustischen Reizen zu beiden Seiten zu, allerdings ist die Kopfwendung zur linken Seite über die Mitte nur mit leichter taktiler Unterstützung durch die Therapeutin möglich. Dabei verharren die Beine in einer flektierten Position mit deutlicher Hyperabduktion und die Arme werden nach hinten bewegt. Wie bereits durch die Eltern beschrieben, beginnt Toni schnell zu spucken.

Partizipationsebene (Teilhabe)

Toni macht einen zufriedenen Eindruck, vor allem auf den Armen der Eltern. Die Mutter hat die Zeit des Anamnesegesprächs genutzt, um ihn zu stillen. Er ist wach und orientiert sich zu beiden Seiten. Herr und Frau B. bestätigen, dass Toni auch zu Hause tagsüber bereits viele Wachphasen hat und nachts bis auf drei Stillmahlzeiten gut schläft.

Toni wird viel auf den Armen der Eltern getragen, da er in Rückenlage sehr unzufrieden und unruhig ist. Auf den Bauch wird er selten gelegt, da er dann unmittelbar zu spucken beginnt.

2.3 Zusammenfassung der wichtigsten Befunde

Toni hat eine starke Hüftreifungsverzögerung rechts und ein luxiertes Hüftgelenk links mit sekundärer Haltungsasymmetrie. Diese zeigt sich in einer Inklination der gesamten Wirbelsäule nach links mit Beckenschiefstand links kranialer und ventraler als rechts. Durch die bevorzugte Kopfwendung nach rechts ist der Beginn eines Plagiozephalus rechts okzipital erkennbar.

In diesem Zusammenhang ist die posturale Steuerung vor allem in Bezug zu den Aufrichtungsmechanismen reduziert. In der Phasik dominiert bezogen auf die Arme ein asymmetrisches Muster und bezogen auf die Beine eine verminderte Beweglichkeit.

2.4 Physiotherapeutische Zielsetzung

Gemeinsam mit den Eltern vereinbart die Physiotherapeutin folgende Ziele:

Mittelfristig:
- Zentrierung und Stabilität beider Hüftgelenke mit einem α-Winkel von 63–65° (ein physiologischer α-Winkel von > 60° sollte aufgrund von eventuellen Messfehlern überschritten werden)
- Physiologische Gelenkbeweglichkeit, vor allem in Bezug auf die Abspreizhemmung
- Verbesserung der gesamten Körperhaltungssteuerung im globalen Muster
- Ausgewogene Koordination der hüftumgebenden Muskulatur im Zusammenhang mit einer koordinierten Bauchmuskulatur
- Steuerung des Beckens über den Hüftköpfen im Zusammenhang mit der Stütz- und Greiffunktion der Arme
- → Funktionale Ziele: das koordinierte Drehen vom Rücken auf den Bauch im Alter von etwa 6 Monaten und im weiteren Verlauf das kreuzkoordinierte Krabbeln im Alter von etwa 8–10 Monaten

Langfristig:
- Vermeiden von Rezidiven: Wenn das Kind frei laufen kann (= im Alter von etwa 15–18 Monaten), erfolgt eine radiologische Kontrolle in Form von Beckenübersichtsaufnahmen mit weiteren Kontrollen im Verlauf bis zum Wachstumsabschluss.
- Die Zentrierung und Stabilität der Hüftgelenke soll erhalten bleiben, vor allem während größerer Wachstumsschübe im Einschulungsalter und in der Pubertät.
- → Funktionales Ziel ist ein physiologisches Gangbild mit entsprechender Stand- und Gangsicherheit.

Als **Nebenziel** gibt Familie B. an, Tonis Spucken reduzieren zu wollen. Für sie ist die Situation nicht nur unangenehm, sondern auch beängstigend in Bezug auf ein mögliches Verschlucken.

Evidenz

Durch endogene Faktoren der Hüftdysplasie können auch bei sonografisch ausgereiften Hüften Restdysplasien verbleiben. Die Rate nach konservativer Behandlung liegt bei etwa 20 %. Daher sind Verlaufskontrollen sehr wichtig (Tönnis 1984; Tucci et al. 1991).

WAS WÄRE, WENN ...

... das Ziel ausschließlich auf die Zentrierung und Stabilität der Hüftgelenke (= Struktur) bezogen und die Physiotherapie frühzeitig beendet oder gar nicht parallel zur Schienentherapie durchgeführt würde?

Persistieren einer reduzierten Haltungssteuerung mit Aufrichtungsmangel mit folgendem möglichen Erscheinungsbild bei Toni im Alter von 8–10 Monaten:
- Im Zwischenfersensitz sind die Hüften innenrotiert, dabei Kyphose im thorakolumbalen Übergang, Linksneigung der Halswirbelsäule mit Reklination des Kopfs, protrahierte Scapulae mit innenrotierten Schultergelenken.
- Im Stand zeigen sich zusätzlich eine Schiefstellung und vermehrte Ventralkippung des Beckens mit Hyperlordose der Lendenwirbelsäule, Fußfehlstellungen.
- Das kreuzkoordinierte Krabbeln erscheint verzögert neben den oben bereits genannten Abweichungen mit verkürzter Schrittlänge der Extremitäten und vermehrter Kyphose in der Brustwirbelsäule.

2.5 Physiotherapeutische Maßnahmen/Therapieplan

Durch die komfortable Situation, bereits im Alter von sechs Tagen eine umfangreiche Diagnostik und einen unmittelbaren Therapiebeginn gewährleisten zu können, ist mit einem guten Therapieerfolg ohne stationären Aufenthalt bzw. Operation und mit einer verkürzten Behandlungsdauer zu rechnen (von Kries et al. 2003). Unterstützt wird dies durch die Bereitschaft beider Eltern, die Vojta-Therapie im häuslichen Umfeld durchführen zu wollen.

Während der Befundaufnahme hat die Therapeutin mit Einverständnis von Herrn und Frau B. Fotos und kurze Videos von Toni aufgenommen. Dies wird in Zukunft regelmäßig wiederholt, um eine Verlaufsdokumentation zu erheben.

Vojta-Therapie

Reflexumdrehen

Jedes Neugeborene verfügt über ein reflexbedingtes System, das dem spontanen Drehen im idealen Muster entspricht. Dieser Vorgang wird nach Vaclav

Vojta „Reflexumdrehen" genannt. Es handelt sich um einen Koordinationskomplex mit gesetzmäßigem Ablauf, der Elemente beinhaltet, die in der Spontanmotorik erst Monate später erscheinen. So ergibt sich die Möglichkeit, das Reflexumdrehen als Bahnungssystem für fehlende oder abnorme Muskelspiele bereits beim Neugeborenen anzuwenden.

Die Therapeutin beginnt mit Toni in der Rückenlage und aktiviert die sogenannte erste Phase des Koordinationskomplexes Reflexumdrehen (➤ Abb. 2.4). Dazu wird die Brustzone über einen leichten Druck in dreidimensionaler Richtung ausgelöst. Tonis Kopf hält die Therapeutin zur Seite der Brustzone gedreht. Erwartet wird unter anderem das Beugen beider Beine mit Außenrotation, Flexion um 90° und leichter Abduktion im Hüftgelenk bei dorsal extendiertem Becken. Dies ermöglicht ein physiologisches, zentriertes Gleiten des Hüftkopfs in der Pfanne, was wiederum für eine gute Zentrierung und Stabilisierung des Hüftgelenks ausschlaggebend ist. Für die weitere Hüftreifung und knöcherne Formgebung ist dies entscheidend. Die Kopfdrehung zur anderen Seite mit axial gestreckter Hals- und Brustwirbelsäule wird aktiviert, was jedoch durch den Führungswiderstand der Therapeutin gebremst wird. Dadurch kommt es zur Summation der Reflexantwort. Über die axiale Streckung der Wirbelsäule wird der Inklination zur linken Seite entgegengewirkt. Dabei unterliegt der gesamte Körper einer entsprechenden automatischen Haltungssteuerung mit konzentrisch aktivierter Bauchmuskulatur, was unter anderem die Rektusdiastase mit leichtem Nabelbruch schließt. Auch das Spucken wird über die Bauchmuskelaktivierung positiv beeinflusst. Zudem wirkt die Reflexlokomotion zusätzlich regulierend auf das vegetative Nervensystem, wodurch neben dem Spucken auch die Koliken reduziert werden können.

Danach löst die Therapeutin die Brustzone auf der gegenüberliegenden Seite aus mit entsprechend gegensinniger Kopfdrehung. Erwartet werden die gleichen Reaktionen.

Reflexkriechen

Im Anschluss aktiviert die Therapeutin den anderen Koordinationskomplex des „Reflexkriechens", der Elemente aus der idealen Spontanmotorik bis hin zum freien Laufen beinhaltet.

Die Therapeutin wendet eine Variation des Reflexkriechens an, bei der ein Bein, inklusive Hüftgelenk, über der Tischkante frei hängt. Dadurch wird die Hüfte in der Ausgangsstellung entlastet. Tonis Kopf ist dabei zur Therapeutin gedreht, die die Zone am medialen Epicondylus humeri der gleichen Seite in dreidimensionaler Druckrichtung auslöst, um das Muster des Reflexkriechens zu aktivieren. Erwartet wird unter anderem die maximale Flexion mit Außenrotation und leichter Abduktion im Hüftgelenk des überhängenden Beins bei dorsal extendiertem Becken (➤ Abb.2.5).

Auch hierdurch wird ein physiologisches, zentriertes Gleiten des Hüftkopfs in der Pfanne zur Stabilisierung und Zentrierung des Hüftgelenks ermöglicht. Wiederum wird die Kopfdrehung mit axial gestreckter Hals- und Brustwirbelsäule zur anderen Seite erwartet, die die Therapeutin zugunsten der Summation der Reflexantwort bremst. Allerdings geschieht dies jetzt, allein durch die Ausgangsstellung, vor

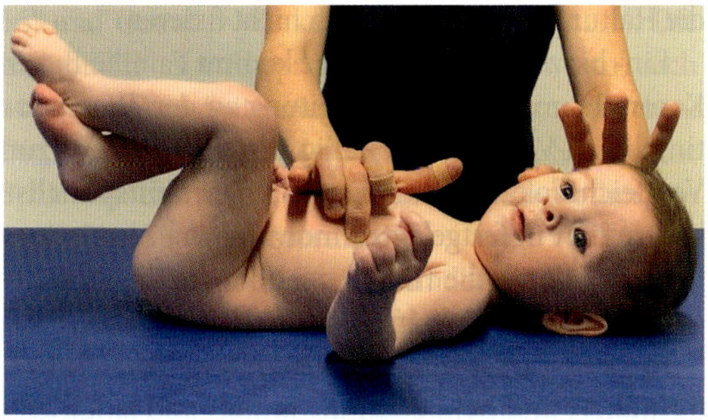

Abb. 2.4 Vojta-Therapie in Rückenlage [M1146]

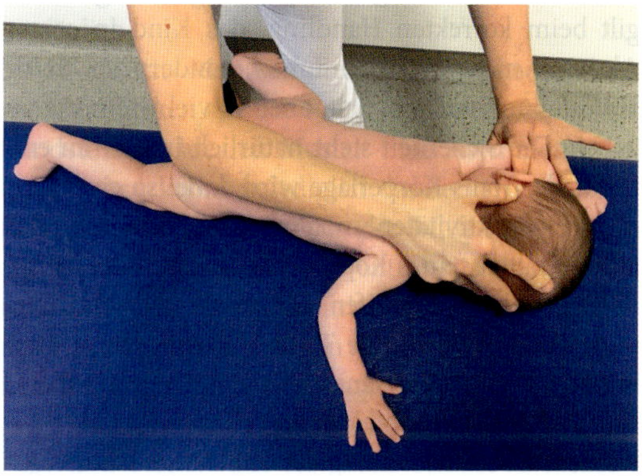

Abb. 2.5 Vojta-Therapie in Bauchlage [M1146]

mit Physiotherapie zu versuchen. Die Mutter erhofft sich eine rasche Verbesserung, damit auch die Schwester von Max wieder „normal zu gehen anfängt".

In diesem Fallbeispiel werden folgende Fragen analysiert und beantwortet:

- Wie wichtig ist die Berücksichtigung des psychosozialen Umfelds auf den Behandlungserfolg?
- Welche Therapiemaßnahmen haben wissenschaftliche Evidenz?
- Unterstützen Hilfsmittel den Behandlungsverlauf?

3.2 Untersuchungsbefunde

3.2.1 Medizinische Befunde

Im Rahmen der U8 fiel dem Arzt der vermehrte Zehenspitzgang auf. Die Untersuchung verlief jedoch allgemein sehr schwierig. Max hat seit den Impfungen große Angst vor dem Arzt, was eine ausführlichere Befundung fast unmöglich macht. Zum Zeitpunkt der U9 teilte der Arzt der Mutter mit, er wolle dem Ganzen noch Zeit geben – „das wird schon werden" *(„wait and see")*. Die Mutter wurde dann proaktiv mit Max nochmals vorstellig und bat um eine Überweisung zur Physiotherapie.

Ärztliche Untersuchung

Die passive Bewegungsüberprüfung des Arztes – soweit durchführbar (Angst und Unruhe seitens Max) – verlief unauffällig (➤ Tab. 3.1).

Ein bildgebendes Verfahren zur Diagnostik des habituellen Spitzfußes ist nicht zwingend erforderlich. Um jedoch eine knöcherne Ursache auszuschließen, kann ein Röntgenbild durchgeführt werden (Hammerschmied & Koch 2018).

KLINISCHER HINTERGRUND

Differenzialdiagnostik

- Es ist unbedingt eine Differenzialdiagnostik hinsichtlich des neurogenen Spitzfußes durchzuführen. Speziell bei Kindern jenseits des Lauflernalters sollte an einen sekundären Spitzfuß gedacht werden (Döderlein, Wenz & Schneider 2004). Die Untersuchung kann eine zentrale Bildgebung im Sinne eines MRT des Kopfs oder der Wirbelsäule umfassen.
- Der Spitzfuß kann als neurogener Spitzfuß sowohl bei der Zerebralparese (u. a. ➤ Fall 8) als auch der Spina bifida (➤ Fall 6) oder einer Muskeldystrophie (➤ Fall 14) auftreten. Er kann sich im Laufe der Zeit unter einer Spastik entwickeln oder als Kontraktur bei einer muskulären Dysbalance auftreten. Die Kontraktur entsteht manchmal bereits intrauterin.
- Auch eine psychische Belastung des Kindes selbst oder in der Familie kann Hintergrund eines Spitzfußes sein. Somit ist es auch Aufgabe des Kinderarztes, eine psychogene Ursache abzuklären zu lassen.

Tab. 3.1 Ärztliche Diagnostik

konservativ		
Untersuchung	**Beschreibung**	**Beispiele**
Anamnese	Befragung der Mutter zu Schwangerschaft, Geburtsverlauf und Geburtsmodus, bisherigem Verlauf	Auffälligkeiten beim Gehbeginn, familiäre Häufung
Palpation	Im Verlauf Tonusprüfung des M. triceps surae und weiterer Plantarflexoren, genauso im Verlauf Tonusprüfung des M. tibialis anterior und der weiteren Dorsalextensoren	Bei Max aufgrund mangelnder Compliance erschwert durchführbar, soweit ersichtlich seitens des Arztes unauffällig
Prüfung der Gelenkbeweglichkeit – Range of Motion (ROM)	Erhebung aktiver und passiver Beweglichkeitsveränderungen anhand der Neutral-Null-Methode, Beschreibung des Endgefühls bei passiver Testung	Gelenkmessung nach Neutral-Null-Methode unauffällig
Ggfs. manuelle Diagnostik angrenzender Gelenke (unteres Sprunggelenk, Knie, Hüfte, Wirbelsäule)	Untersuchung der angrenzenden Gelenke auf Beweglichkeitsveränderungen aktiv wie passiv, Endgefühl und Schmerzen	Aktiv unauffällig, passive Überprüfung erschwert durchführbar aufgrund mangelnder Compliance, keine Schmerzäußerung durch Max

Therapiemöglichkeiten

„Die Wahl der Therapie orientiert sich an der passiven Ausgleichbarkeit der Deformität" (Döderlein, Wenz & Schneider, 2004, S. 171).

Neben der konservativen Physiotherapie gibt es noch weitere Therapiemöglichkeiten, welche teilweise für sich und teilweise in Kombination angewendet werden können und nachfolgend aufgeführt sind (Döderlein, Wenz & Schneider, 2004; Hammerschmidt & Koch, 2018; Claßen & Sommerburg, 2020).

- Injektion von Botulinumtoxin A in den M. triceps surae
- Unterschenkelgehgipsbehandlung
- Unterschenkelnachtlagerungsschienen
- Redressionsgipse
- Operative Verfahren in Kombination mit konservativer Therapie

Es kann in diesem Rahmen nicht ausführlicher auf die einzelnen Maßnahmen eingegangen werden, sie sollen aufgrund ihrer Wichtigkeit jedoch genannt werden. Die Wahl der Therapie orientiert sich immer am individuellen Fall und sollte in enger Konsultation mit Fachpersonal stattfinden.

3.2.2 Physiotherapeutische Anamnese

Die Anamnese umfasst im Erstgespräch ähnliche Komponenten wie die des Arztes. Zudem fragt die Physiotherapeutin zusätzlich, ob Max bereits vorher einmal physiotherapeutisch behandelt wurde, ob er andere Therapien hatte oder momentan noch ergänzende Therapien macht. Wie zuvor berichtet, war Max im Alter von vier Jahren für einige Monate in osteopathischer Behandlung, seitdem wurde aber keine andere Therapie durchgeführt.

Im Rahmen des Aufnahmebefunds wird eine standardisierte videogestützte Ganganalyse durchgeführt. Diese wird nach der Therapie von der Therapeutin genau analysiert und ausgewertet. Durch das Aufnehmen eines Videos ist ein objektiver Wiederbefund möglich. Zudem können in reduzierter Geschwindigkeit die einzelnen Gangphasen genau analysiert und dem Patienten die Problemstellung gut aufgezeigt werden (Götz-Neumann 2016, vgl. ➤ Fall 9). ➤ Tab. 3.2 gibt einen Überblick über mögliche Assessments.

Tab. 3.2 Assessments zur Verlaufsdokumentation

Assessment	Wert
Inspektion: Beinachse von ventral, lateral und dorsal, Fußgewölbe, Belastungsfläche des Fußes	Die Belastungsfläche ist beim Spitzfuß häufig am Vorfuß und den Zehen deutlich an vermehrter Hornhautbildung zu erkennen. Die Ferse hingegen ist weich und weist kaum Belastungshinweise auf (➤ Abb. 3.1, ➤ Abb. 3.2, ➤ Abb. 3.3). So entsteht eine Dreiecksform der Fußsohle mit einer schmalen Ferse (Döderlein, Wenz & Schneider 2004).
Range of Motion (ROM) und Endgefühl	Oberes Sprunggelenk: 20–30°/0°/40–50°, also normwertig (Schünke 2011) Endgefühl oberes Sprunggelenk: fest-elastisch **Hinweis:** Testung des ROM und des Endgefühls der angrenzenden Gelenke unbedingt erforderlich, hierfür werden die Werte nicht extra angeführt!
Standardisierte Fotodokumentation	Im Stand von ventral, dorsal und lateral beidseits (➤ Abb. 3.1, ➤ Abb. 3.2, ➤ Abb. 3.3)
Manuelle Tests: Muskelkrafttest nach Janda	Testung der Muskelkraft in Bezug zur Schwerkraft im Seitenvergleich (➤ Tab. 3.4)
Reflexe	Achillessehnenreflex (ASR), Patellarsehnenreflex (PSR)
Ganganalyse	Gang vorwärts, Gehen mit geschlossenen Augen und rückwärts

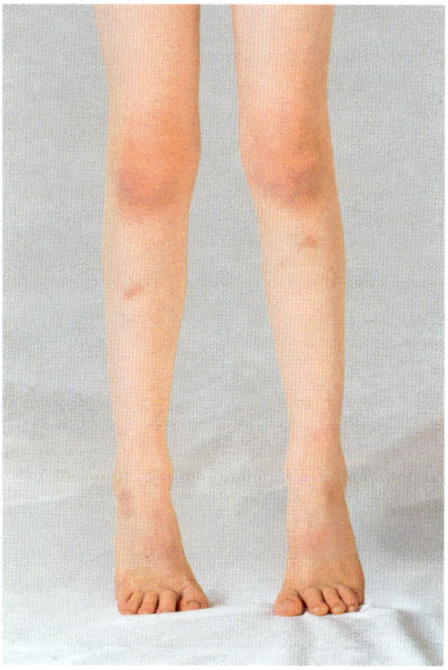

Abb. 3.1 Junge mit idiopathischem Spitzfuß – Ansicht von ventral [M1147]

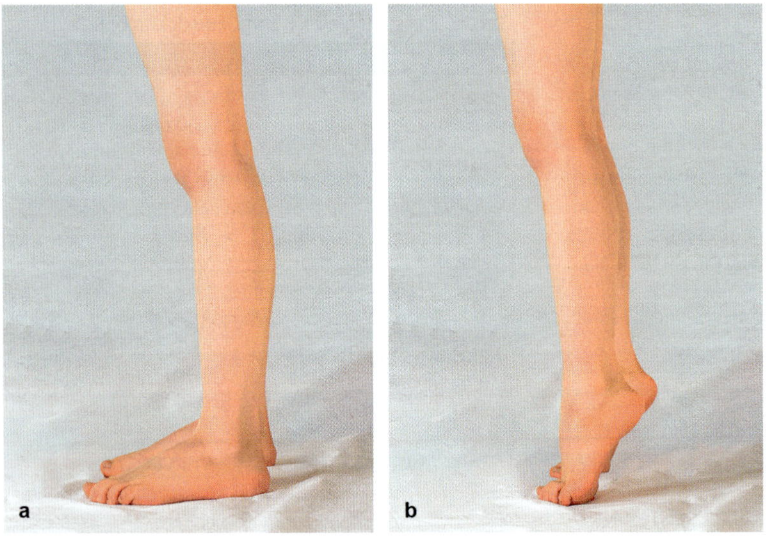

Abb. 3.2 Junge mit idiopathischem Spitzfuß – Ansicht von lateral mit und ohne Fersenkontakt [M1147]

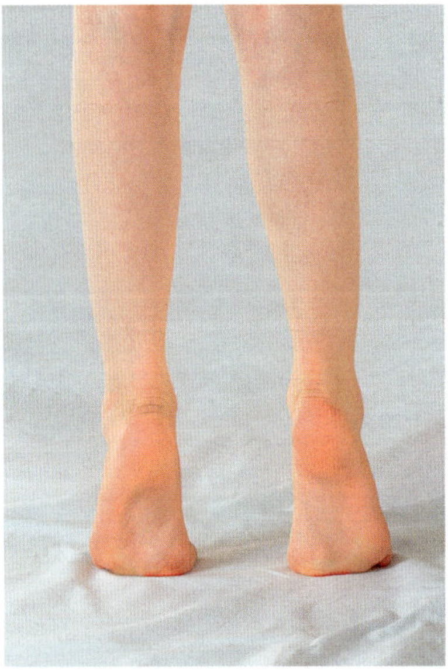

Abb. 3.3 Junge mit idiopathischem Spitzfuß – Ansicht von dorsal [M1147]

⚠ **VORSICHT**

Clinical Pathway

Wenn Kleinkinder bis hin zum dritten Lebensjahr Gehen lernen, ist ein habitueller Zehengang nichts Ungewöhnliches. Dieser bessert sich oft spontan. Kommt es jedoch zu strukturellen Veränderungen und bleibt der Zehenspitzengang weiter bestehen, ist die Indikation zur Therapie zu überprüfen (Döderlein, Wenz & Schneider 2004).

3.2.3 Evaluation des Gesundheitszustands nach ICF

Personenbezogene Faktoren

Max verbringt gerne Zeit mit seinen Freunden und spielt am liebsten mit seinem Traktor und mit Legosteinen. Er kann sich selbst an- und ausziehen, benötigt noch etwas Hilfe beim Zähneputzen und verbale Anleitung beim Duschen. Max ist sehr sensibel und emotional stark schwankend. Er zeigt große Bewegungsfreude und Anstrengungsbereitschaft.

Umweltbezogene Faktoren

Max lebt mit seinen Eltern auf einem Bauernhof, die Großeltern sind beide im Verlauf der letzten drei Jahre verstorben, sodass die Familie keine Unterstützung hat. Der Vater ist durch die Arbeit sehr eingespannt.

Max hat ein familiäres Umfeld mit hohem Spannungsfaktor. Sein Onkel wohnt im Nachbarhaus und ist alkoholabhängig. Wenn er betrunken ist, wird er oft verbal ausfällig. Die Mutter versucht die Kinder davor zu schützen, diese bekommen aber trotzdem viel davon mit. Der Onkel von Max ging als Kind selbst viel im Zehenspitzengang.

Max' Mutter ist selbst stark belastet, hat wenig Geduld für die Kinder, ist aber sehr bemüht.

Max ist an sich seit dem 4. Lebensjahr sauber, wenn aber viel Stress ist oder er unter großer Anspannung ist, kommt es noch hin und wieder zu nächtlichem Einnässen.

Funktions- und Strukturebene

Inspektion

Im Rahmen der Inspektion fällt der bereits ausführlich beschriebene Zehenspitzenstand auf. Zudem sind eine vermehrte ventrale Kippung des Beckens sowie eine leicht verstärkte Lordose in der Lendenwirbelsäule (LWS) ersichtlich. Max weist einen allgemein erhöhten Grundtonus im ganzen Körper auf.

Palpation

Im Muskelfunktionstest erhöhter Tonus im M. triceps surae beidseits; erhöhter Tonus im M. biceps femoris beidseits (➤ Tab. 3.3).

KLINISCHER HINTERGRUND

Muskelfunktionsprüfung nach Janda (MFP)

Die Muskelfunktionsdiagnostik nach Janda (Pfeffer 2007) gehört zu den gängigsten Untersuchungsmethoden in der manuellen Diagnostik. Hierbei wird die Muskelkraft in Bezug zur Schwerkraft getestet. Die Bewertung wird in sechs Gruppen unterteilt (Grad 0–5 ➤ Tab. 3.4). Getestet wird stets im Seitenvergleich, wobei mit der nicht betroffenen Seite begonnen wird.

Vor der Testung der Muskelkraft wird das Bewegungsausmaß (ROM) aktiv wie passiv getestet. Bei Schmerz wird sowohl bei der ROM-Messung als auch bei dem MFT die Testung nicht weiter forciert! Pro Muskel gibt es eine vorgegebene Ausgangsstellung. Diese sollte genauestens eingehalten werden, da sonst das Ergebnis abweichen kann. Der Widerstand wird während der gesamten Bewegung gleichmäßig ausgeübt. Wenn möglich wird nicht über zwei Gelenke getestet und soweit nötig fixiert. Die Bewegung wird gleichmäßig und langsam ausgeführt (Smolenski et al. 2020).

Range of Motion (ROM)

Die Ergebnisse der ROM-Messung für Max sind in ➤ Tab. 3.5 aufgeführt.

Tab. 3.3 Muskelfunktionstest nach Janda, Werte von Max

Muskel	links	Rechts
M. triceps surae	4	4
M. tibialis anterior	3	3
M. quadriceps femoris	5	5
M. biceps femoris	4	4

Tab. 3.4 Stufeneinteilung – Muskelfunktionstest nach Janda

Stufe	Kürzel	Beschreibung
Stufe 5	Normal (N)	Volle, normale Muskelkraft vorhanden (im Vergleich zur nicht betroffenen Seite). Ein großer Widerstand kann im vollen Bewegungsausmaß überwunden werden.
Stufe 4	Good (G)	Ca. 75 % der Muskelkraft vorhanden. Ein mittelgroßer Widerstand kann im vollen Bewegungsausmaß überwunden werden.
Stufe 3	Fair (F)	Ca. 50 % der Muskelkraft vorhanden. Die Bewegung kann gegen die Schwerkraft ohne Widerstand in vollem Bewegungsausmaß ausgeführt werden.
Stufe 2	Poor (P)	Ca. 25 % der Muskelkraft vorhanden. Die Bewegung kann unter Ausschaltung der Schwerkraft im vollen Bewegungsausmaß durchgeführt werden.
Stufe 1	Trace (T)	Ca. 10 % der Muskelkraft vorhanden. Eine Spur von Anspannung ist palpierbar, die Bewegung kann auch unter Ausschaltung der Schwerkraft nicht im vollen Bewegungsausmaß durchgeführt werden.
Stufe 0	Zero (Z)	Keine Muskelanspannung palpierbar, keine Bewegung durchführbar.

Tab. 3.5 Range of Motion, Werte von Max

Gelenk	links	Rechts
Unteres Sprunggelenk	o. B.	o. B.
Oberes Sprunggelenk	25/0/40	25/0/40
Kniegelenk	o. B.	o. B.
Hüfte	o. B.	o. B.

KLINISCHER HINTERGRUND

Range of Motion (ROM)

Die Messung des *Range of Motion* (ROM) nach der *Neutral-Null-Methode* beschreibt das Bewegungsausmaß eines Gelenks, gemessen in einer standardisierten Ausgangsstellung. Es werden alle Gelenkbewegungen eines Gelenks gemessen, welche diesem möglich sind. Hierfür wird ein Goniometer verwendet. Gemessen wird aktiv, passiv und assistiv – dies wird zusätzlich vermerkt. Anhand standardisierter, einheitlicher Messwerte sowie des Seitenvergleichs kann eine Abweichung im Bewegungsausmaß festgestellt werden.

Muskeleigenreflexe (MER)

ASR sowie PSR sind beidseits unauffällig.

KLINISCHER HINTERGRUND

Reflextestung

Der ASR sowie der PSR zählen zu den Muskeleigenreflexen (MER). Diese werden durch einen kurzen Schlag mit dem Reflexhammer auf die Sehne des Muskels ausgelöst. So wird der Muskel kurz gedehnt. Wenn der Muskel sich als Antwort kontrahiert, ist der Reflexbogen intakt. Es sollte bei der klinischen Überprüfung immer ein Seitenvergleich durchgeführt werden. Geachtet wird auf Steigerungen, Abschwächungen oder pathologische Abweichungen (Schünke et al. 2011).

Gleichgewichtsreaktionen

Einbeinstand links fünf Sekunden, rechts vier Sekunden.

Rückwärtsgehen

Ist mit Aufsetzen der Ferse beidseits möglich, aber unsicher für drei Meter. Mit geschlossenen Augen ist es nicht möglich (unsicher).

Ganganalyse

Ergebnisse für Max ➤ Tab. 3.6, klinischer Hintergrund ➤ Fall 9.

Tab. 3.6 Gangphasen von Max

Phase	links	rechts
Initial Contact	Erstkontakt mit Zehenspitzen und Vorfuß	Erstkontakt mit Zehenspitzen und Vorfuß
Loading Response	Bein minimal flektiert im Kniegelenk, Gewicht auf Zehenspitzen – Vorfuß; Becken vermehrt nach ventral gekippt + Lordose LWS	Bein minimal flektiert im Kniegelenk, Gewicht auf Zehenspitzen – Vorfuß; Becken vermehrt nach ventral gekippt + Lordose LWS
Midstance	Gewicht weiterhin auf Zehenspitzen – Vorfuß, Ferse nähert sich Boden leicht an; Becken vermehrt nach ventral gekippt + Lordose LWS	Gewicht weiterhin auf Zehenspitzen – Vorfuß, Ferse nähert sich Boden leicht an; Becken vermehrt nach ventral gekippt, + Lordose LWS
Terminal Stance	Gewicht weiterhin auf Zehenspitzen (weniger Vorfuß); Becken vermehrt nach ventral gekippt + Lordose LWS	Gewicht weiterhin auf Zehenspitzen (weniger Vorfuß); Becken vermehrt nach ventral gekippt + Lordose LWS
Preswing	Leichte Knieflexion, Gewicht auf Zehenspitzen	Leichte Knieflexion, Gewicht auf Zehenspitzen
Initial Swing	Leichte Aufrichtung des Beckens, Fuß kommt in leichte Dorsalextension	Leichte Aufrichtung des Beckens, Fuß kommt in leichte Dorsalextension
Midswing	Fuß bleibt in leichter Dorsalextension, jedoch nach wie vor vermehrte Plantarflexion ersichtlich	Fuß bleibt in leichter Dorsalextension, jedoch nach wie vor vermehrte Plantarflexion ersichtlich
Terminal Swing	Fuß in vermehrter Plantarflexion, Knie gestreckt	Fuß in vermehrter Plantarflexion, Knie gestreckt

Aktivitätsebene

Max bewegt sich überwiegend im Zehenspitzengang beim Gehen und Laufen fort. Im Stehen steht er ebenfalls überwiegend auf den Zehen, setzt aber kurzfristig immer mal wieder die Ferse mit auf den Boden. Hin und wieder, scheinbar willkürlich, wird die Ferse auch beim Gehen initial aufgesetzt und es wird physiologisch abgerollt. Dies geschieht aber nur für eine Schrittsequenz von 2–5 Schritten, bevor es wieder auf die Zehenspitzen geht.

Beim Klettern an der Sprossenwand klagt Max beim zweiten Erklettern von sieben Sprossen über ein Ziehen in den Waden beidseits. Bergab geht Max teilweise im Zehenspitzgang und teilweise mit Fersenkontakt. Bergauf wird die Strecke immer im Zehenspitzgang zurückgelegt. Rückwärts geht Max meist mit Fersenkontakt.

Partizipationsebene (Teilhabe)

Beim Spielen mit Freunden fällt der Mutter auf, dass Max beim Wettrennen oft nicht so gut mithalten kann und schneller erschöpft ist als die anderen Kinder. Er tänzelt auch beim Stehen oft auf den Zehenspitzen herum und kann in einer Gruppe schwer ruhig stehen bleiben.

Im Winter hat Max nun mit dem Skifahren begonnen. Wenn er im Skischuh steht, hat er keine Möglichkeit, auf die Zehenspitzen zu kommen, was ihm selbst positiv aufgefallen ist. Er empfindet die Schuhe als angenehm.

3.3 Zusammenfassung der wichtigsten Befunde

Der jetzt beinahe siebenjährige Max hat einen idiopathischen Spitzfuß beidseits mit leichter Gelenkeinschränkung der Dorsalextension von 5°. Er weist einen verminderten Kraftwert von drei der Dorsalextensoren auf beiden Seiten auf. Es ist ihm jedoch möglich, nach Aufforderung mit beiden Fersen auf dem Boden aufzusetzen und physiologisch im Gehen abzurollen. Zudem weist er ein leichtes Kraftdefizit in den Plantarflexoren sowie im M. biceps femoris auf. Max wächst in einem psychisch belasteten Umfeld auf und zeigt einen allgemein erhöhten Grundtonus. Am deutlichsten spürbar wird dieser erhöhte Tonus im M. triceps surae beidseits.

3.4 Physiotherapeutische Zielsetzung

Gemeinsam mit seinen Eltern werden folgende Ziele in der Physiotherapie vereinbart:

Mittelfristig:

- Vermehrtes Gehen mit Fersenkontakt im Verhältnis 80:20
- Verständnis für physiologisches Gangbild vermitteln
- Wahrnehmungsförderung
- Anleitung von Heimübungen für Max, welche auch mit der Schwester durchgeführt werden können

Langfristig:

- Physiologisches Gangbild mit initialem Fersenkontakt und adäquatem Abrollen beidseits
- Halten des Therapieerfolgs auch bei Wachstumsschüben und in herausfordernden Situationen
- Vermeiden von Sekundär- und Folgeproblemen

3.5 Physiotherapeutische Maßnahmen/Therapieplan

Max bekommt in einem ambulanten Therapiezentrum rasch einen Termin zur Physiotherapie. Zudem ist er in dem multidisziplinären Zentrum auch in ergotherapeutischer Behandlung (ebenfalls zehn Einheiten). Die Mutter wird von der Physiotherapeutin über den engen Zusammenhang von Wahrnehmung und Gangbild aufgeklärt. Es wird zudem besprochen, dass wahrscheinlich mehrere Einheiten notwendig sein werden, bis ein Erfolg eintreten kann. Da Max sich schon sehr lange an sein Gangbild gewöhnt hat, wird es für ihn schwierig sein, sich umzugewöhnen und die Wahrnehmung eines physiologischen Gehens zu adaptieren.

Evidenz

Es gibt leider bisher eine recht dünne Evidenzlage für den idiopathischen/habituellen Spitzfuß. So konnte kaum Evidenz zu physiotherapeutischen Behandlungsmethoden gefunden werden. Ein wichtiges Werk zu diesem Thema kommt von Pomarino (2012).

3

LITERATUR

Claßen M, Sommerburg O. Klinikleitfaden Pädiatrie. 11. Aufl. München: Elsevier Urban & Fischer, 2020.

Döderlein L, Wenz W & Schneider U. Der Spitzfuß – Der Hackenfuß. Heidelberg: Springer, 2004.

Götz-Neumann K. Gehen verstehen – Ganganalyse in der Physiotherapie. 4. Aufl. Stuttgart: Thieme, 2016.

Hammerschmidt U, Koch J. Leitfaden Physiotherapie in der Pädiatrie. München: Elsevier Urban & Fischer, 2018.

Kumbrink B. K-Taping bei Kindern – Grundlagen, Techniken, Indikationen. 2. Aufl. Heidelberg: Springer, 2021.

Pfeffer, A. Assessment: Muskelfunktionsprüfung. Manuell Muskelkraft messen. Physiopraxis 2007; 2: 34–35.

Pomarino, D (Hrsg.). Der habituelle Zehenspitzengang. Diagnostik, Klassifikation, Therapie. Stuttgart: Schattauer, 2012

Schünke M et al. Prometheus Lernatlas der Anatomie – Allgemeine Anatomie und Bewegungssystem. 5. Aufl. Stuttgart: Thieme, 2011.

Smolenski et al. Janda Manuelle Muskelfunktionsdiagnostik. 6. Aufl. München: Elsevier Urban & Fischer, 2020.

FALL

4 Haltungsschwäche

Kristine Helmus

Leitsymptome: Zeitweilige leichte Rückenschmerzen im Bereich der BWS – Haltungsauffälligkeiten im gesamten Bereich der Wirbelsäule

leicht

Definition

Haltungsschwäche
Bei einer Haltungsschwäche handelt es sich um eine Abweichung von der physiologischen Doppel-S-Form der Wirbelsäule, die vom Kind kurzfristig aktiv wieder ausgeglichen werden kann. Es kommt nicht zu strukturellen Veränderungen am Skelett.

4.1 Vorgeschichte

Lisa kommt erstmals mit acht Jahren zur physiotherapeutischen Behandlung. Ihren Eltern ist aufgefallen, dass sie seit ihrem Schulbesuch eine schlechtere Haltung einnimmt. Da ihr älterer Bruder bereits aus dem gleichen Grund in physiotherapeutischer Behandlung war, haben die Eltern bei Lisa sehr auf die Haltung geachtet und die Ärztin auf die Veränderung aufmerksam gemacht. Lisa gibt selbst keine Probleme an, ist aber genervt, weil ihre Eltern sie ständig darauf aufmerksam machen, gerade zu sitzen.

Die Orthopädin hat auf dem Rezept eine allgemeine Muskelschwäche angegeben.

Bisher war Lisa noch nicht in physiotherapeutischer Behandlung und ist weder den Eltern noch der Kinderärztin als auffällig erschienen.

In diesem Fallbeispiel werden folgende Fragen analysiert und beantwortet:

- Worauf sollten die Eltern im Behandlungsablauf hingewiesen werden, um einen Therapieerfolg zu sichern?
- Welche Bereiche sollte der Therapieplan umfassen?
- Welche Sportarten können die Haltung positiv beeinflussen?
- Welche Faktoren können im Alltag verändert werden, um die Haltung positiv zu beeinflussen?

4.2 Untersuchungsbefunde

4.2.1 Medizinische Befunde

Die Ärztin hat eine allgemeine Anamnese und eine körperliche Untersuchung durchgeführt. Da beim Vorbeugetest nach Adams (➤ Kap. 5) keine Auffälligkeiten aufgetreten sind, wurde kein Röntgen angeordnet.

Die Patientin ist 117 cm groß und wiegt 31 kg. Im Vorbeugetest zeigt sie keine Abweichung. Beim Armvorhaltetest nach Matthiass (➤ Tab. 4.1) kann Lisa 15 Sekunden eine physiologische Haltung einnehmen, dann zeigt sie eine vermehrte BWS-Kyphose (➤ Abb. 4.1) mit nach ventral vorgeschobenem Becken, Genu recurvatum bds. und protrahierten

Tab. 4.1 Ärztliche Diagnostik

Untersuchung	Verfahren	Beschreibung
Schober-Zeichen (Schober 1937)	Der Patientin wird 10 cm kranialwärts von S1 auf der Haut ein Punkt markiert. Anschließend wird die Patientin aufgefordert, sich nach vorne zu beugen (mit gestreckten Knien). In der vorgebeugten Haltung wird jetzt der Abstand von S1 bis zum markierten Punkt gemessen. In der Regel ist der Abstand in der Flexion etwa 4–5 cm länger, in der Extension 1–2 cm kürzer.	Bei Lisa werden bei der Flexion 4 cm gemessen, bei der Extension 0,5 cm.
Ott-Zeichen	Der Patientin wird vom C7 ausgehend 30 cm kaudalwärts auf der Haut ein Punkt markiert. Anschließend wird die Patientin aufgefordert, sich nach vorne zu beugen (mit gestreckten Knien). In der vorgebeugten Haltung wird jetzt der Abstand vom C7 bis zum Punkt gemessen. In der Regel sind 3–4 cm Längenzuwachs normal.	Bei Lisa wird ein Längenzuwachs von 2 cm gemessen
Vorbeugetest	Die Patientin wird gebeten, sich mit getreckten Beinen nach vorne zu beugen. Dabei zeigt sich die rotatorische Abweichung der Wirbelsäule.	Lisa zeigt keine Besonderheiten
Finger-Boden-Abstand (FBA)	Die Patientin wird gebeten, sich bei gestreckten Beinen so weit wie möglich vornüber zu beugen. Der Abstand von dem Fingern bis zum Boden wird gemessen. Der Abstand kann zwischen 0 und 10 cm liegen.	Lisa hat einen Finger-Boden-Abstand von 3 cm
Armvorhaltetest (Matthiass 1966)	Die Patientin hält beide Arme für 30 Sekunden in Vorhalte. Dabei soll die aufrechte Haltung der Wirbelsäule beibehalten werden. Bei einer schwachen Rumpfmuskulatur kommt es zu einem Ausweichen des Beckens ventral und einer vermehrten Kyphose der BWS. Man unterscheidet dabei ein sofortiges Ausweichen und ein langsames Ausweichen. Je schneller die Ausweichbewegung stattfindet, desto schlechter ist die Rumpfmuskulatur	Bei Lisa zeigt sich eine Ausweichbewegung nach 15 Sekunden.

S1 = erster Sakralwirbel; C7 = siebter Halswirbel; BWS = Brustwirbelsäule

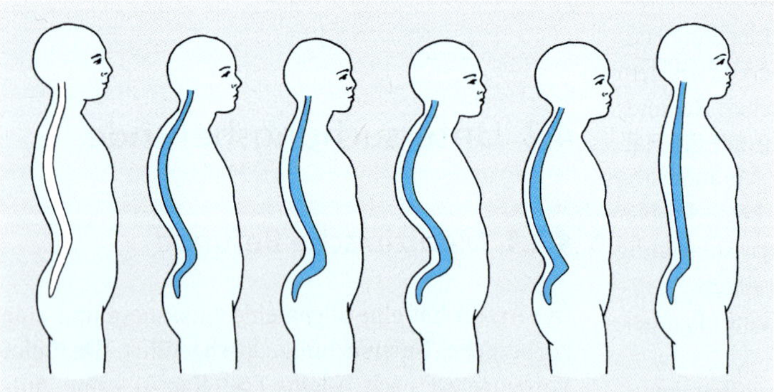

Abb. 4.1 Unterschiedliche Ausprägungen von Haltungsstörungen [L157]

Schultern. Zusätzlich stellt die Ärztin leichte X-Beine und Knick-Senk-Füße beidseits fest.
In der Anamnese erzählen die Eltern, dass eine Haltungsproblematik in der Familie liegt und auch der große Bruder von Lisa wegen Haltungsschwäche in physiotherapeutischer Behandlung war.

KLINISCHER HINTERGRUND

Da sich die Fehlhaltung während des Wachstums häufig bessert, wird in der Regel kein Röntgenbild angefertigt. Erst wenn sich die Problematik durch die konservative Behandlung (Physiotherapie und bei Bedarf propriozeptive Schuheinlagen) nicht verbessert, wird eventuell ein Röntgenbild angeordnet, um andere Erkrankungen der Wirbelsäule auszuschließen.

4.2.2 Physiotherapeutische Anamnese

Lisa berichtet, dass sie keine Probleme hat. Ihre Eltern haben bemerkt, dass sie nach dem letzten Wachstumsschub vermehrt in einer Kyphose der Brustwirbelsäule (BWS) sitzt. Der Besuch der Schule scheint die Haltung nach Aussage der Eltern auch negativ zu beeinflussen. Sie machen sich Sorgen, dass Lisa langfristige Probleme mit der Wirbelsäule bekommt. Der Vater hatte bereits zwei Bandscheibenvorfälle.

Yellow Flags: Skepsis von Lisa gegenüber der Therapie, da der Bruder keine positiven Erfahrungen gemacht hat. Keine Red Flags.

4.2.3 Evaluation des Gesundheitszustands nach ICF

Personenbezogene Faktoren

Lisa geht in die zweite Klasse der örtlichen Grundschule. Dort hat sie viele Freunde. Ihre beste Freundin ist Jana. In ihrer Freizeit spielen die beiden gerne mit Lisas Playmobil-Puppenhaus. Meistens sitzen sie dabei auf dem Boden und verteilen die Figuren um sich herum. Manchmal dürfen sie auch mit dem Tablet ein Spiel spielen. Diese Spielzeit begrenzt aber die Mutter auf eine Stunde pro Tag.

Sportlich betätigt sich Lisa kaum. Sie ist in keinem Sportverein und sie geht nur zum Schaukeln auf den Spielplatz. Nur wenn die Familie mal am Wochenende ins Schwimmbad geht oder einen Ausflug macht, ist Lisa sportlich aktiv.

Umweltfaktoren

Lisa lebt mit ihren Eltern und dem großen Bruder in einem Einfamilienhaus in einem kleinen Dorf.

Die Eltern wünschen eine Physiotherapie für Lisa und wollen sie auch bei Übungen zu Hause zu unterstützen. Ihr Bruder hat dagegen eine negative Haltung gegenüber seiner eigenen Physiotherapie und ärgert seine kleine Schwester, in dem er Späße darüber macht, dass sie zur Therapie muss.

Funktions- und Strukturebene

Körperliche Untersuchung

Inspektion im Stand: Die Haltung wird von dorsal, ventral und lateral beurteilt.

- **Dorsale Inspektion:**
  - Untere Extremitäten: bds. leichte Knick-Senk-Füße, bds. leichtes Genu valgum, keine Beinlängendifferenz
  - Becken: gerade
  - Wirbelsäule: hervorstehende Dornfortsätze im Bereich der BWS, bds. Scapula alata
  - Schultern: bds. protrahiert
  - Halswirbelsäule (HWS): unauffällig
- **Laterale Inspektion:**
  - Untere Extremitäten: Füße unauffällig, bds. Genu recurvatum
  - Becken: leicht ventral gekippt
  - Wirbelsäule: vermehrte Kyphose der BWS
  - Schultern: bds. protrahiert
  - HWS: unauffällig
- **Ventrale Inspektion:**
  - Bds. Genu valgum, Hüften bds. leicht nach innen rotiert
  - Becken: unauffällig
  - Wirbelsäule: unauffällig
  - Schultern: unauffällig
  - HWS: unauffällig

Insgesamt zeigt Lisa eine geringe Körperspannung und steht eher passiv in den Gelenken.

Funktionsprüfung

Wirbelsäulenbeweglichkeit im Stand:

- Extension: kann die Wirbelsäule aufrichten, weicht aber nach kurzer Zeit in eine BWS-Kyphose aus
- Flexion: in der Lendenwirbelsäule (LWS) nicht eingeschränkt, voll umfänglich in der BWS
- Seitneigung links und rechts: keine Einschränkungen
- Rotation: keine Einschränkungen

Mögliche Assessments: Schober-Zeichen, Ott-Zeichen, Vorbeugetest nach Adams, Finger-Boden-Abstand, Armvorhaltetest nach Matthiass (➤ Tab. 4.1)

4

Muskelfunktionsprüfung

Dehnfähigkeit:
- Ischiokrurale Muskulatur
- M. iliopsoas
- Adduktoren der Hüfte
- Innenrotatoren der Hüfte
- M. pectoralis major

Muskelkraft:
- Bauchmuskulatur (aus der Rückenlage mit angebeugten Beinen in den Sitz kommen für die geraden Bauchmuskeln und aus der Rückenlage den Oberkörper nach rechts bzw. links abheben für die schrägen Bauchmuskeln)
- Rückenmuskulatur (aus der Bauchlage den Oberkörper abheben)
- Abduktoren
- Außenrotatoren
- Ischiokrurale Muskulatur
- Kurze Fußmuskeln (die Zehen krallen, strecken und abspreizen)

Bei den Rückenmuskeln zeigt Lisa eine Schwäche (Stufe 3 nach Janda, Smolenski et al. 2020, vgl. ➤ Kap. 3), ebenso bei den Bauchmuskeln. Beim ROM ist die Außenrotation und Abduktion der Hüfte nur leicht eingeschränkt.

Aktivitätsebene

Lisa geht in die dritte Klasse der örtlichen Grundschule. Sie muss täglich einen Schulweg von etwa zehn Minuten zurücklegen, da kein Bus dorthin fährt. Die Hausaufgaben macht sie meistens am Küchentisch.

Es sind keine Einschränkungen auf Aktivitätsebene vorhanden.

Partizipationsebene (Teilhabe)

In ihrer Freizeit trifft sich Lisa mit ihren Freundinnen aus der Umgebung und sie spielen mit dem Tablet oder tauschen auf dem Handy Videos aus. Außer ihrem täglichen Schulweg und dem Sportunterricht ist Lisa körperlich wenig aktiv.

Es ist keine Einschränkung der Partizipation bekannt.

PRAKTISCHER TIPP

Verlaufskontrolle

Um die die Daten der Assessments besser einordnen zu können, sollte man dieses bei jeder dritten bis vierten Behandlung wiederholen. So kann man die erhobenen Daten miteinander vergleichen. Wichtig ist dabei die exakte Durchführung.

4.3 Zusammenfassung der wichtigsten Befunde

Lisa hat eine leichte Hyperkyphose der BWS mit einer Muskelschwäche im Bereich des Rumpfes. Wenn Lisa länger sitzen muss, zeigt sie eine vermehrte BWS-Kyphose. Dies kann man vor allem beim Spielen auf dem Boden beobachten. Aber auch wenn sie auf einem Stuhl längere Zeit sitzt, fällt sie in diese Haltung. Muss Lisa längere Zeit stehen, weicht sie mit dem Becken in eine Ventralkippung („Swayback") aus.

Ebenso zeigt sich eine leichte Bewegungseinschränkung der Hüften in die Abduktion und Außenrotation, die ihr im Schneidersitz Probleme macht. Nach längerer Zeit in dieser Position gibt sie Schmerzen in den Beinen an. Daher sollte prophylaktisch die Beweglichkeit der Hüfte in die Behandlung mit einbezogen werden.

Körperfunktion: Muskuläres Ungleichgewicht zwischen vorderer und hinterer Muskelkette, die physiologische Aufrichtung der Wirbelsäule gegen die Schwerkraft ist durch schwache Rumpfmuskeln nicht konstant möglich.

Körperstruktur: Leichte, funktionelle BWS-Kyphose.

4.4 Physiotherapeutische Zielsetzung

Mit Lisa und ihren Eltern werden folgende Ziele vereinbart:

Kurzfristig: Lisa soll mit ihren Eltern über ein sportliches Freizeitprogramm nachdenken. Eventuell wäre der Eintritt in den Sportverein im Dorf eine Möglichkeit.

Mittelfristig: Verbessern der Muskelkraft im Bereich des Rumpfes. Erhalten der Beweglichkeit der Hüfte.

Langfristig: Vermeiden einer Fehlstellung der Wirbelsäule.

Physiotherapeutische Zielsetzung:

- Kräftigung der Rumpfmuskulatur und Fußmuskulatur
- Dehnung des M. pectoralis major, der Adduktoren und Innenrotatoren der Hüfte
- Verbesserung der muskulären Koordination und der Aufrichtung der Wirbelsäule
- Verbesserung der Körperwahrnehmung
- Verbessern der Beinachse
- Anpassung der Alltagsbedingungen an die Haltungsproblematik (Schulranzen, „Arbeitsplatz", sportliche Aktivitäten)
- Zur Prophylaxe Erhalten der Beweglichkeit der Hüfte in Außenrotation und Abduktion

4.5 Physiotherapeutische Maßnahmen

Aufgrund des klinischen Bilds von Lisa sollte die Behandlung in drei Bereichen aufgebaut sein.

1. Allgemeine physiotherapeutische Übungen zur Kräftigung, Dehnung und Mobilisation
2. Körperwahrnehmung
3. Abstimmung der Umgebung/Umweltbedingungen auf das Haltungsproblem

Alle drei Bereiche müssen in Zusammenarbeit mit den Eltern entwickelt und besprochen werden, sodass ein ganzheitliches Heimübungsprogramm entsteht. Die Akzeptanz der Therapie und das Mitwirken aller Beteiligten ist dabei entscheidend, um die gesetzten Ziele zu erreichen.

Lisa kommt einmal die Woche für 30 min in die Praxis. Dabei ist in der Regel ein Elternteil mit anwesend. In der ersten Therapieeinheit wurden der physiotherapeutische Befund durchgeführt und die Ziele für die weitere Therapie festgelegt

Lisa soll zur zweiten Behandlung ihren Schulranzen mitbringen, um ihr den richtigen Umgang damit zu zeigen. Die Hausaufgaben soll sie zukünftig an ihrem Schreibtisch erledigen.

In der weiterlaufenden Therapie werden Übungen für das Heimprogramm festgelegt und mit den Eltern und Lisa besprochen.

PRAKTISCHER TIPP

Heimübungsprogramm attraktiv gestalten

Bei der physiotherapeutischen Behandlung von Lisa muss berücksichtigt werden, dass in der Regel bei Fehlhaltungen die Ärzte wenige Rezepte verordnen. Daher sind das Erlernen eines effizienten Heimübungsprogramms und die Übernahme der Übungen in den Alltag besonders wichtig. Da der große Bruder von Lisa negative Erfahrungen mit der Therapie gemacht hat, sollte das Heimübungsprogramm Lisa Spaß machen. Dann wird sie die Übungen auch nach der ambulanten Behandlung weiterführen.

Edukation

Zunächst sollten die Eltern mit Lisa zusammen besprechen, dass die Hausaufgaben am Schreibtisch erledigt werden müssen. Dazu sollte auch überprüft werden, ob der „Arbeitsplatz" richtig eingerichtet ist und genug Platz zum Lernen ist.

Des Weiteren sollte die Familie gemeinsam überlegen, ob und wie sportliche Aktivitäten in den Alltag eingebaut werden können. Dabei ist weniger die Auswahl der Sportarten (Schwimmen, Leichtathletik, Tanzen) wichtig, sondern vielmehr die regelmäßige Teilnahme. Schön wäre, wenn die ganze Familie dabei mitmachen würde. Das würde Lisa sicher motivieren.

Das physiotherapeutische Übungsprogramm sollte einmal täglich durchgeführt werden. Hilfreich wäre es auch hier, wenn die Eltern aktiv mitmachen würden.

Da Lisas Familie offensichtlich Probleme mit der Haltung hat, müssen die Eltern darüber aufgeklärt werden, dass durch Wachstumsschübe und fehlende sportliche Aktivität eine Verschlechterung der Haltung eine Folge sein kann.

Beim Spielen mit dem Puppenhaus sollte es Lisa einfacher gemacht werden und das Haus auf einen Tischgestellt werden. So wird es ihr nicht so schwerfallen, eine physiologische Haltung einzunehmen.

Physiotherapeutische Behandlung

Bei der physiotherapeutischen Behandlung von Kindern mit Haltungsproblemen gibt es keine Leitlinien, welche Therapie angewendet werden sollte. In der Regel reichen einfache physiotherapeutische Maßnahmen, die die Kinder auch selbstständig in ihren Alltag übernehmen können. Spezielle Therapien wie Vojta oder Bobath sind nicht erforderlich.

Die einzelnen Maßnahmen sollten für das Kind gut verständlich und durchführbar sein, mit der Angabe der Dauer der Durchführung oder der Anzahl der Wiederholungen. Man kann auch einen „Vertrag" mit den Kindern schließen, in dem das Heimübungsprogramm aufgelistet ist und den alle Parteien unterschreiben. Der Vertrag wird dann im Kinderzimmer aufgehängt, sodass die Kinder selbst nachschauen können, was sie machen sollen. Wenn ein Kind noch nicht lesen kann, kann man auch Bilder malen, Fotos oder Videos machen und so die Behandlung festhalten. Lisa kann dann z. B. immer wieder die Übungen abrufen, auch wenn eventuell die Behandlung bereits beendet ist.

Ziel ist es, Lisa zu motivieren, Sport in ihren Alltag zu übernehmen und Freude an der Bewegung zu entwickeln. So kann man einer eventuellen Verschlechterung der Haltung durch Wachstumsschübe bereits im Vorfeld entgegenwirken.

PRAKTISCHER TIPP

Videotechnik nutzen

Für eine Behandlungseinheit kann man als Ziel die Erstellung eines Heimübungsvideos festlegen. Zusammen mit dem Kind legt man die wichtigsten Übungen fest und hält diese im Video fest. Das Video kann dann auch den Freunden gezeigt werden und eventuell machen diese dann auch mit.
Alternativ kann auch ein anderes Thema für das Video vereinbart werden z. B. „Dance Video" etc. Hierbei kann spielerisch die WS-Aufrichtung geschult werden.

Kräftigung

Die Kräftigung der Rückenmuskulatur (im Bereich der BWS), der Abduktoren und Außenrotatoren der Hüfte sowie die Wahrnehmungsschulung sind im Fall von Lisa einer der Schwerpunkte der Behandlung. Hierbei muss das Muskelungleichgewicht in der gesamten Rumpfmuskulatur beseitigt werden, sodass eine physiologische Aufrichtung ermöglicht wird.

Die Kräftigung der Hüftmuskulatur soll eine Verschlechterung der Beinachsenstellung verhindern (siehe Klinischer Hintergrund). Ziel ist es, die Fehlhaltung zu korrigieren und eine Verschlechterung der Situation bei Wachstumsschüben zu vermeiden.

KLINISCHER HINTERGRUND

Entwicklung der Beinachsen

Zur physiologischen Entwicklung während des Wachstums gehört die Veränderung der Beinachsen. Während bei einem Neugeborenen noch eine Valgusstellung im Kniegelenk von 15° zu finden ist, entwickelt sich etwa bis zu dritten Lebensjahr eine Valgusstellung von 10° im Kniegelenk. Erst im Alter von etwa sieben Jahren kommt es zur physiologischen Valgusstellung, die bis zum Erwachsenenalter bestehen bleibt (Niethard et al. 2017, ➤ Abb. 4.2).
Die physiologische Entwicklung der Beinachsen muss in der Beurteilung, ob eine Beinachsenfehlstellung vorliegt, immer bedacht werden. Nur so kann beurteilt werden, ob das Kind sich noch innerhalb der normalen Entwicklung befindet oder schon Abweichungen von der Norm zeigt.

Abb. 4.2 Die Beinachsenentwicklung im Kindesalter [L190]

> Falls sich mit sieben Jahren in der Behandlung noch eine verstärkte Valgusstellung zeigt, sollte prophylaktisch in der Behandlung auf die Beinachse eingegangen werden.

Mobilisation

Bei der Mobilisation liegt der Schwerpunkt auf der Verbesserung der Beweglichkeit der BWS in die Extension. Prophylaktisch soll in diesem Fall auch auf die Hüftgelenke eingegangen werden.

Da Lisa sich in ihrem Alltag nicht ausreichend sportlich betätigt, sollte die Mobilisation das ganzen Körpers mit einbezogen werden.

Wahrnehmung

Die Wahrnehmung des eigenen Körpers ist eine Grundvoraussetzung für die Entwicklung einer physiologischen Bewegung. Um die Fehlhaltung zu erkennen und zu akzeptieren, sollte Lisa bewusst gemacht werden, wo ihre Probleme sind. Dies führt zu einer besseren Akzeptanz der Behandlung und steigert die Motivation, regelmäßig das Heimübungsprogramm durchzuführen. Gleichzeitig kann sie die Übungen besser selbstständig durchführen und braucht nicht mehr so viel Korrektur.

Übungsbeispiele

In ➤ Tab. 4.2 sind Übungsbeispiele für jeden Bereich der Behandlung zu finden. Der Behandler kann sich aus jedem Bereich für seine Intervention verschiedene Übungen auswählen. Es sollten alle Bereiche abgedeckt sein, aber man kann für die jeweilige Intervention besondere Schwerpunkte setzen (z. B. Kräftigung, richtiges Sitzen am Schreibtisch usw.).

Die nachfolgenden Abbildungen stehen beispielhaft für die Übungen während Lisas Therapie. Man kann prinzipiell jede bekannte physiotherapeutische Übung, die in der Behandlung von Erwachsenen mit dieser Problematik eingesetzt wird, anwenden. Allerdings ist es hilfreich, sich für diese Übungen eigene, kindgerechte Namen auszudenken. Dadurch kann das Kind besser eine Verknüpfung herstellen und vergisst sie nicht so schnell.

Abstimmung des Alltags auf das Haltungsproblem

Hierzu gehört die richtige Einstellung des Arbeitsplatzes, der richtige Umgang mit dem Schulranzen und die Einbindung von Sport in den Alltag. Zur richtigen Einstellung des Arbeitsplatzes gehören:

- Ein Schreibtischstuhl, der in der Höhe verstellbar ist und eine Rückenlehne hat, die idealerweise auch höhenverstellbar ist und in der Sitztiefe reguliert werden kann.
- Ein Schreibtisch, der von der Arbeitsfläche groß genug ist, um Bücher und Hefte darauf zu verteilen. Optimal wäre auch hier die Möglichkeit, den Tisch in der Höhe einzustellen.
- Lisa sollte bei den Hausaufgaben in regelmäßigen Abständen die Position wechseln und auch Mobilisationsübungen machen.
- Der Schulranzen sollte eng am Rücken anliegen. Die oberste Kante des Ranzens muss mit den Schultern abschließen.
- Der Inhalt des Ranzens muss von den Eltern regelmäßig überprüft werden. Was ist für die Schule notwendig? Die schweren Bücher werden zum Rücken hin eingepackt, die leichten werden weiter nach vorne einsortiert. Mit der Zeit kann Lisa diese Regeln allein umsetzten und es bedarf nicht der ständigen Kontrolle durch die Eltern.

Probleme während der Behandlungszeit

Während der Behandlung von Kindern mit Haltungsproblemen kommt es selten zu einer Verschlechterung der Ausgangssituation. Das Hauptproblem ist eher die fehlende Compliance und Motivation der Kinder und Eltern. Da Lisa weder Schmerzen noch eine starke Veränderung der Haltung zeigt, kann es im Laufe der Behandlung zum Nachlassen der Motivation kommen. Dies äußert sich meistens in der Vernachlässigung des Heimübungsprogramms.

Um das zu vermeiden, ist es notwendig, die physiotherapeutische Intervention so abwechslungsreich wie möglich zu gestalten und viele verschiedene Bewegungsanreize zu geben. Gleichzeitig ist es günstig, bei der Auswahl der Übungen mit einer Übung möglichst mehrere Ziele abzudecken. So dient z. B. die Übung „Äffchen“ der Kräftigung der

Tab. 4.2 Übungsbeispiele zur Kräftigung, Mobilisation und Körperwahrnehmung

Kräftigung	Mobilisation	Wahrnehmung
„Statue" (➤ Abb. 4.3): Schneidersitz vor dem Spiegel, Hände im Nacken, „Mutbein" (Sternum) nach vorne oben strecken, Bauch anspannen, der Therapeut gibt an verschiedenen Stellen Widerstände und das Kind soll wie eine Statue fest sitzen bleiben.	„Statue": wie vor beschrieben. Aus dem Yoga kann man noch mehr Übungen auswählen, die Kobra (➤ Kap. 15, ➤ Abb. 15.2) ist nur ein Beispiel.	„Pizza": Das Kind ist die Pizza und wird durch verschiedene Ausstreichungen, Klopfungen usw. „belegt".
Theraband: Befestigung an der Sprossenwand, mit gestrecktem Arm aus dem Stand das Band nach hinten-oben ziehen (Achtung Ausweichbewegungen!). BL vor der Sprossenwand und das Band nach hinten-oben ziehen.	„Hängebauchschwein": Vierfüßlerstand, die Wirbelsäule zur Unterlage durchhängen lassen, die Betonung liegt bei Lisa auf der BWS.	Spiegel: Der Therapeut macht eine Ausgangsstellung vor, das Kind soll sie exakt nachmachen.
„Flieger" (➤ Abb. 4.4): BL auf dem Pezziball, die Arme sind die Tragflächen des Flugzeugs und werden in Seithalte mit Außenrotation gehalten, die Beine werden festgehalten, das Kind muss den Oberkörper gegen die Schwerkraft in der Luft halten und „fliegen" (Variationen: im Sturm, tief und hochfliegen, abstürzen usw.), als Alternative ist auch „Schwimmen möglich.	„Igel"– BL auf dem Pezziball, nach vorne rollen, mit den Händen aufstützen und anschließend die Beine unter den Oberkörper ziehen (Variation: Beine seitlich anziehen). „Salamander": BL auf dem Pezziball, Beine umfassen den Ball seitlich (Hüften in Flexion, Abduktion und Außenrotation), Lateralflexion der Wirbelsäule im Wechsel rechts und links.	Spiegel: alle Übungen können vor einem Spiegel durchgeführt werden, um die Wahrnehmung zu fördern.
„Puzzle" (➤ Abb. 4.5): BL auf dem Pezziball, Puzzle vorne, mit den Händen und dem Oberkörper vom Boden abheben und das Puzzle legen, dabei nicht die Beine abheben (LWS!) und nicht mit den Armen abstützen.	„Bodenschnüffelübung" (➤ Abb. 4.6): Päckchensitz, Arme nach vorne gestreckt, nur die Hände sind auf dem Boden, langsam mit den Armen nach vorne schieben, bis die Knie maximal in 90° Flexion sind, dann weiter mit den Händen nach vorne schieben und die Knie kommen nach.	„Männchen": Das Kind soll ein Männchen aus verschiedenen Materiealien bauen (Stab, Ball usw.). Anschließend soll es mit verschiedenen eigenen Köperteilen das Männchen an bestimmten Köperteilen berühren, z. B. mit der eigenen Nase an die Schulter vom Männchen. Dadurch wird dem Kind der eigene Körper bewusster.
„Memory" (➤ Abb. 4.7): RL über dem Pezziball, bis die Arme auf den Boden kommen, Memory-Karten aufheben, anschließend z. B. Memory spielen z. B. in BL mit abgehobenem Oberkörper	„Schildkröte" (➤ Abb. 4.8): Sitz, Fußsohlen werden aneinandergelegt und die Füße mit den Händen umfasst, die Hüften sind in Flexion, Abduktion und Außenrotation, Gesäß nach vorne rutschen, Füße vorstellen und wieder mit dem Gesäß nachrutschen usw. Macht als Wettrennen mit der ganzen Familie besonders Spaß!	Auf den Rücken malen: Der Therapeut malt z. B. mit dem Finger einen Baum auf den Rücken des Kindes und das Kind muss erraten, was gemalt wurde.
Tuch: ein Tuch mit den Füßen falten, wieder glattstreichen, unter den Füßen verstecken, glattstreichen, aufheben und auf einen Stuhl legen, wieder vom Stuhl heben, usw., als Abschluss das Tuch unter einen Fuß legen und gegenseitig versuchen sich das Tuch zu „klauen" (Vorsicht Rutschgefahr!).	„Äffchen" (➤ Abb. 4.9): Sitz auf der Bobath-Rolle, die Fußsohlen sind seitlich an der Rolle aufgestellt, Hüften in Flexion, Abduktion und Außenrotation, Arme werden in der Luft gehalten und die Wirbelsäule aufgerichtet, der Therapeut dreht und bewegt die Rolle und das Kind muss sich in dieser Position halten.	Progressive Muskelentspannung nach Jacobson: bewusstes Anspannen einzelner Muskeln, anschließend maximale Entspannung der angespannten Muskulatur (z. B. Schultern hochziehen und wieder fallen lassen).

BL = Bauchlage, RL = Rückenlage, BWS = Brustwirbelsäule, LWS = Lendenwirbelsäule

4

Abb. 4.3 Die Statue [M1164]

Abb. 4.4 Der Flieger [M1164]

Fußmuskulatur, der Dehnung der Adduktoren und Innenrotatoren der Hüfte, ebenso der Kräftigung der Abduktoren und Außenrotatoren der Hüfte sowie der Mobilisation und Kräftigung der Wirbelsäule. Für das Heimübungsprogramm kann man daher wenige (4–5) solcher Übungen zusammenstellen und dabei viele Ziele abdecken.

Bei der Einrichtung des Schreibtisches sollte man die gesamte Familie mit einbeziehen. Wie sitzt der Bruder am Schreibtisch, der Vater, die Mutter? Das

Abb. 4.5 Puzzle auf dem Pezziball in Bauchlage [M1164]

Abb. 4.6 Bodenschnüffelübung [M1164]

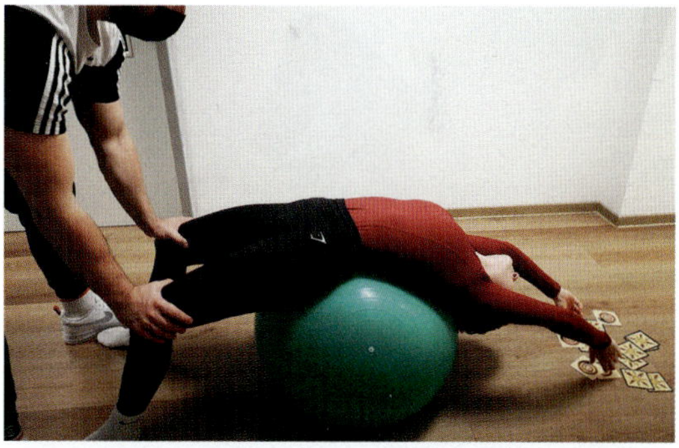

Abb. 4.7 Memory auf dem Pezziball in Rückenlage [M1164]

ist eine große Motivation für das Kind, jetzt auch mal die „Großen" aus der Familie kontrollieren zu dürfen.

Therapieverlauf und -abschluss

Während der Therapie sollte das Heimübungsprogramm immer wieder abgefragt werden.

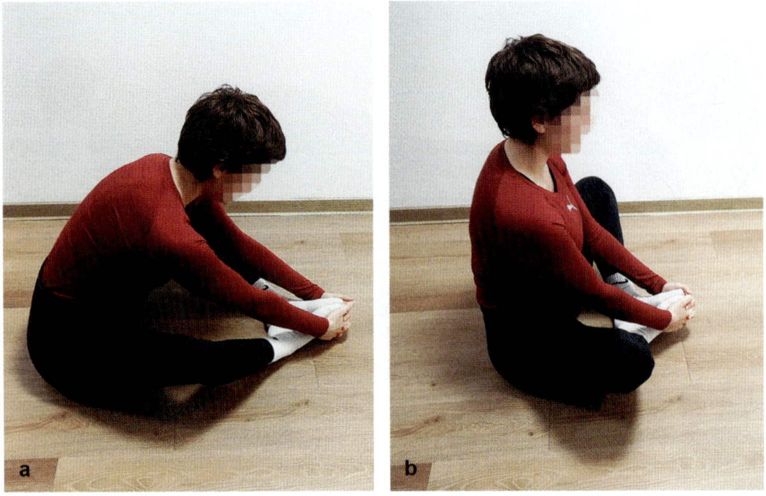

Abb. 4.8 Die Schildkröte [M1164]

Abb. 4.9 Das Äffchen [M1164]

Der zu Beginn durchgeführte Befund wird bei jeder dritten bis vierten Behandlung wiederholt, um aussagekräftige Ergebnisse zu dokumentieren und eventuell Veränderungen der Haltung festzuhalten. Bei Wachstumsschüben ist eine Verschlechterung der Haltung zu erwarten. Daher sollten die Eltern auch darauf aufmerksam gemacht werden, auf Veränderungen zu achten.

Zum Abschluss der Therapie wird mit der Familie festgelegt, welche Übungen weiterhin zu Hause durchgeführt werden sollen.

WAS WÄRE, WENN …

… es innerhalb der Behandlung von Lisa zu einem Problem mit der Motivation käme?

Falls es bei der Behandlung zu einer Ablehnung der Therapie kommen sollte, kann man versuchen, durch einen Therapeutenwechsel wieder Spaß an der Therapie zu wecken.

4.6 Evidenzbasierte Zusammenfassung

Zum Thema Haltungsschwäche oder auch Haltungsstörung im Bezug zur Physiotherapie sind leider nur wenige Studien zu finden. Es gibt allgemeine Empfehlungen zur Gesundheit von Kindern und Jugendlichen, die aber meist im Bezug stehen zur Entwicklung von Übergewicht, zum Ernährungsverhalten und zur Beschäftigung mit Medien.

So erheben das RKI und auch die WHO regelmäßig Daten zu verschiedenen Teilbereichen wie Dauer der sportlichen Betätigung von Kindern, Alltagsverhalten, körperliche und geistige Entwicklung (z. B. Schubert et al. 2004). Diese Daten sagen aber wenig über Haltungsproblematiken im Einzelnen aus, sie sind vielmehr eine Anregung zur Entwicklung von neuen Projekten wie zum Beispiel der „Bewegten Pause“ oder auch „Schule 2000“.

So wurden anhand einer qualitätsgesicherten Literaturrecherche aus dem Jahr 2017 (Graf et al. 2017) Empfehlungen entwickelt, wonach die Kinder ab dem Grundschulalter mindestens 90 Min. am Tag eine moderate bis intensive körperliche Aktivität durchführen sollen. Gleichzeitig soll die Beschäftigung mit digitalen Medien oder auch dem Fernsehen möglichst kurz gehalten werden. Dies hat einen positiven Einfluss auf das Herz-Kreislauf-System, die motorische Entwicklung, die Koordination und auch die geistige Entwicklung der Kinder. Daher liegt die Vermutung nahe, dass die körperliche Aktivität auch positive Auswirkungen auf die Haltung der Kinder hat, auch wenn dies noch nicht genau untersucht wurde.

LITERATUR

Graf C. Empfehlungen für körperliche Aktivität und Inaktivität von Kindern und Jugendlichen-Methodisches Vorgehen, Datenbasis und Begründung. Gesundheitswesen 2017; 79(Suppl. 1): S11–S19.

Matthiass H (1966) Reifung, Wachstum und Wachstumsstörungen des Haltungs- und Bewegungsapparates im Jugendalter. Basel: Karger, 1996.

Niethard F. et.al. Duale Reihe Orthopädie und Unfallchirurgie. Stuttgart: Thieme, 2017.

Schubert I et al. Gesundheit von Kindern und Jugendlichen. Berlin: Robert Koch-Institut, 2004.

Smolenski UC et al. Janda Manuelle Muskelfunktionsdiagnostik. München: Elsevier, Urban und Fischer, 2020.

Thormann U. Haltungsstörungen. Pschyrembel Klinisches Wörterbuch online (letzte Aktualisierung: 02/2022).

Tab. 5.1 Ärztliche Diagnostik

Untersuchung	Verfahren	Beschreibung
Röntgen	Das Röntgen ist der Goldstandard zur Diagnose einer Skoliose. Bei der Erstuntersuchung werden eine Wirbelsäulenganzaufnahme a.p. sowie eine sagittale Aufnahme gemacht. Auswertung: • Krümmung und Form der Skoliose (Einteilung nach King) • Bestimmung der Neutralwirbel und des Scheitelwirbels zur Bestimmung des Cobb-Winkels ➤ Abb. 5.2 • In der seitlichen Aufnahme Bestimmung des Kyphose- und Lordosewinkels • Bestimmung des Risser-Stadiums ➤ Abb. 5.3 (Progredienzbestimmung)	• Cobb-Winkel von 23° thorakal (Th3–Th11) und lumbal 11° (Th11–L4) • Typ III nach King • Risser-Stadium II • Keine Wirbelkörperanomalien vorhanden
4D-Lichtvermessung	Die 4D-Lichtvermessung ist eine strahlenfreie Vermessung des Rückens. Hierbei wird ein Linienraster auf den Rücken projiziert, woraus ein dreidimensionales Bild der Rückenoberfläche entsteht. Diese Methode wird zur Verlaufskontrolle genutzt, um eine Strahlenbelastung durch zu häufige Röntgenkontrollen bei Skoliosen zu vermeiden. Eine Lichtvermessung sollte nur nach der röntgenologischen Bestätigung einer Skoliose genutzt werden, da hierbei keine Fehlbildungen der Wirbelsäule etc. erkannt werden können.	• Lotabweichung nach rechts • Lordosewinkel 39,7° • Kyphosewinkel 33,2°
Vorbeugetest (nach Adams)	Das Kind wird gebeten, sich mit getreckten Beinen nach vorne zu beugen. Dabei zeigt sich die rotatorische Abweichung der Wirbelsäule.	• Rippenberg rechts • Lendenberg links • Beckenstand gerade

Ärztliche Untersuchung

Der Patient ist 167 cm groß und wiegt 52 kg.

Im Vorbeugetest zeigen sich ein Rippenberg rechts und einen Lendenberg links. Im Röntgenbild ist eine thorakal-betonte Skoliose mit einem Cobb-Winkel von thorakal 23° und lumbal 11° zu erkennen (➤ Abb. 5.1). Schmerzen im Wirbelsäulenbereich werden verneint.

Des Weiteren wird eine Lichtvermessung durchgeführt. Hierbei zeigen sich eine Lotabweichung nach rechts, ein Kyphosewinkel von 33,2° und ein Lordosewinkel von 39,7°. Ein Beckenschiefstand ist nicht vorhanden.

Weiterhin auffallend sind eine Abweichung der Beinachse und Knick-Spreiz-Senkfüße sowie eine allgemein hypotone Körperhaltung.

Der Arzt verschreibt Schuheinlagen und 2×/Woche Physiotherapie. Die nächste Untersuchung soll in drei Monaten stattfinden. Wenn bis dahin eine Verschlechterung auftritt, soll Tom ein Korsett erhalten. Sport kann ohne Einschränkungen weiter ausgeführt werden.

KLINISCHER HINTERGRUND

Das Progredienzrisiko

Es gibt verschiedene Faktoren für eine Krümmungsprogredienz. Dazu gehören unter anderem das Alter, der Cobb-Winkel und die Skelettreife. Je jünger die Patient*innen bei der Diagnosestellung sind, desto größer ist die Wahrscheinlichkeit einer Progredienz.

Zur **Bestimmung des Cobb-Winkels** wird der Winkel zwischen der Deckplatte des obersten Neutralwirbels und der Grundplatte des untersten Neutralwirbels der Krümmung gemessen (➤ Abb. 5.2). Je größer der Cobb-Winkel und die Ausprägung der Rotation, desto größer ist das Progredienzrisiko.

Das **Risser-Zeichen** wird verwendet, um die Verknöcherung des Iliums und somit die Skelettreife zu bestimmen. Grad 1 sind 25 % Ossifikation, Grad 2 sind 50 % Ossifikation, Grad 3 sind 75 % Ossifikation, Grad 4 sind 100 % Ossifikation, bei Grad 5 ist die Apophyse vollständig verknöchert. ➤ Abb. 5.3). Je niedriger der Grad des Risser-Zeichens beim Auftreten der Skoliose, desto größer ist das Progredienzrisiko.

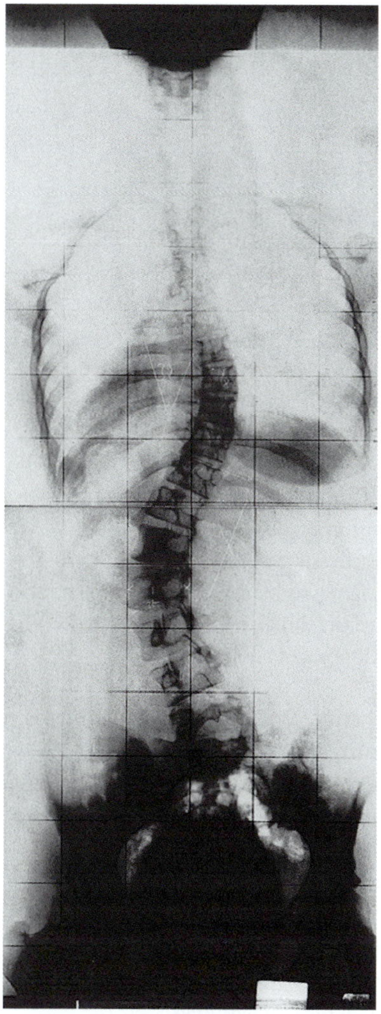

Abb. 5.1 Röntgenbild Skoliose [R107–01]

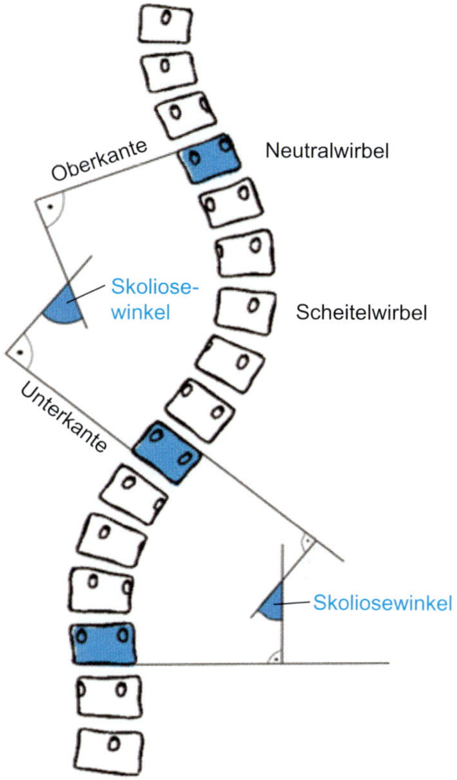

Abb. 5.2 Bestimmung des Cobb-Winkels [L190/L271]

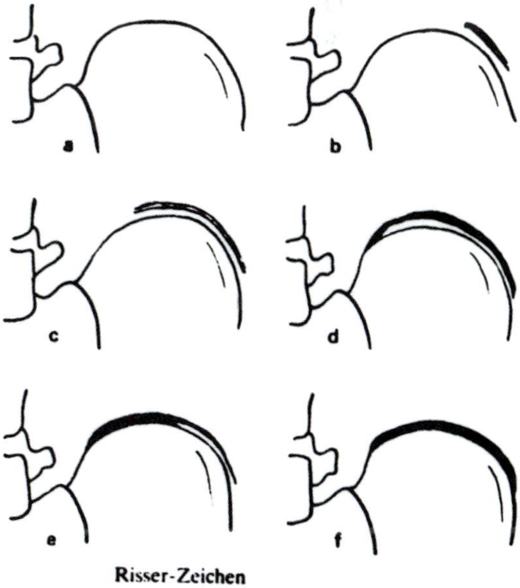

Abb. 5.3 Risser-Zeichen [R300]

5.2.2 Physiotherapeutische Anamnese

Tom berichtet, seinen Eltern sei aufgefallen, dass er nicht mehr gerade sitzen konnte, weshalb er bei einem Orthopäden vorstellig wurde. Dabei wurde eine rechtsthorakale Skoliose mit einem Cobb-Winkel von thorakal 23° und lumbal 11° festgestellt.

In seinem Alltag hat Tom keine Probleme oder Schmerzen. Der Arzt würde ihm gerne ein Korsett zur Therapie verschreiben, das möchte Tom aber in keinem Fall in der Schule tragen. Außerdem macht er sich Sorgen, dass er wegen der Skoliose nicht mehr am Fußball- und Tennistraining teilnehmen darf.

Toms Mutter ist sehr besorgt, da eine Bekannte aufgrund ihrer Skoliose eine Wirbelsäulenoperation hatte, was sie für Tom auf keinen Fall möchte. Sie hat große Angst, dass das Tennisspielen aufgrund der einseitigen Belastung die Skoliose verschlechtern könnte, und möchte deshalb, dass Tom mit dem Tennistraining aufhört.

Es liegen keine Nebenerkrankungen vor, Red Flags sind nicht vorhanden. Yellow Flags: Große Angst der Mutter. Tom möchte in der Schule kein Korsett tragen.

5.2.3 Evaluation des Gesundheitszustands nach ICF

Umwelt- und personenbezogene Faktoren

Tom lebt mit seinen Eltern und seinem kleinen Bruder in einem Haus mit Garten. Seine Mutter ist sehr darauf bedacht, dass die Krümmung der Wirbelsäule nicht weiter zunimmt, und unterstützt ihn bei den Heimübungen.

Funktions- und Strukturebene

Inspektion im Stand

Bei der Untersuchung wird die Haltung im Stand beurteilt. Befundet wird von frontal, dorsal und lateral. Es zeigen sich folgende Ergebnisse:

Allgemeiner Eindruck
- Wenig Körperspannung/hypotone Haltung
- Passives Stehen

Schultergürtel
- Schulterhochstand rechts, Clavicula rechts erhöht
- Schultern protrahiert, rechts > links

Wirbelsäule

Von dorsal
- Thorakal rechtskonvexe Lateralflexion *(Rippenberg)*
- Thorakale Konkavität links *(Rippental)*
- Lumbal linkskonvexe Lateralflexion *(Lendenberg)*
- Lumbale Konkavität rechts *(Lendental)*
- Taillendreieck rechts > links

Von ventral
- Sternum-Mittellinie mit leichter rechtsthorakaler Abweichung
- Ventrale Konvexität links *(vorderer Rippenberg)*
- Ventrale Konkavität rechts *(enge Vorderseite)*

Von der Seite
- Protrahierte Schultern
- Beinachse: Genu valgum
- Füße: Knick-Spreiz-Senkfüße

Funktionsprüfung

WS-Beweglichkeit im Stand
- Flexion: zeigt einen Lendenberg links und einen Rippenberg rechts, Range of Motion (ROM) leicht eingeschränkt (wenig Entfaltung im LWS-Bereich)
- Extension: in der Lendenwirbelsäule (LWS) nicht eingeschränkt, wenig Extension der BWS
- Seitneigung rechts: LWS frei, BWS verminderte ROM
- Seitneigung links: LWS verminderte ROM, BWS frei
- Rotation: rechts > links

Assessment: Vorbeugetest nach Adams

Zur Beurteilung und Verlaufskontrolle wird der Vorbeugetest nach Adams mit einer Skoliometermessung durchgeführt (➤ Abb. 5.4). Es zeigt sich thorakal eine Rechtsrotation von 12° und lumbal eine Linksrotation von 7°.
- *Körperfunktion:* Einschränkung der Wirbelsäulenbeweglichkeit mit eingeschränkter ROM
- *Körperstruktur:* Wirbelsäulenverformung rechtsthorakal und linkslumbal

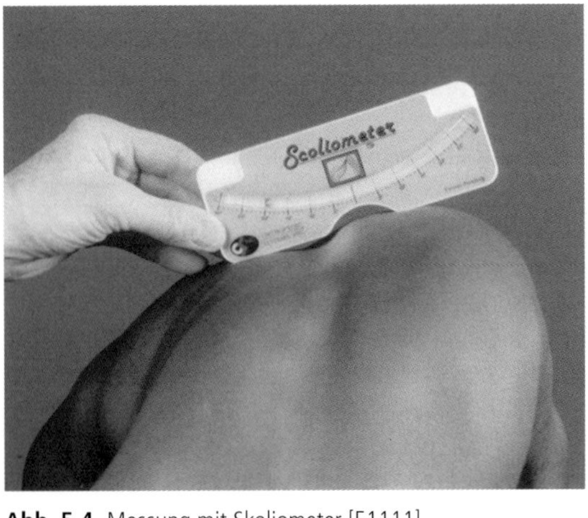

Abb. 5.4 Messung mit Skoliometer [E1111]

PRAKTISCHER TIPP

Adams-Test mit Skoliometermessung

Die Messung mit dem Skoliometer ist ein effektives Screening-Tool. Der Cut-off-Wert für eine Skoliose liegt bei einer Rotation von 7° gemessen mit dem Skoliometer. Eine Messung von 7° Rotation mit dem Skoliometer korreliert mit einem Cobb-Winkel von 20°.
Der Patient/die Patientin wird gebeten, sich mit durchgestreckten Knien nach vorne zu beugen. Das Skoliometer wird mit der Aussparung auf den Dornfortsätzen angelegt und über den Rücken gefahren. Dabei können die einzelnen Gradzahlen abgemessen werden.

Einteilung des Skoliosemusters nach Schroth

Für die Übungsauswahl wird das Skoliosemuster nach Schroth bestimmt. Nach Schroth werden die Krümmungen in Haupt- und Nebenkrümmung eingeteilt. Die Hauptkrümmung ist die Krümmung, die den größten Einfluss auf die Körperstatik und Körperhaltung hat; sie wird als Primärbogen bezeichnet. In Toms Fall ist das die thorakale Krümmung. Die Nebenkrümmung ist der lumbale Bogen. Daraus ergibt sich das Skoliosemuster: **Tre Lli (thorakal rechts, lumbal links).**

Aktivitäts- und Partizipationsebene (Teilhabe)

Tom geht in die 8. Klasse der Realschule. Er spielt zweimal die Woche Fußball im Verein und einmal wöchentlich Tennis und ist in der freiwilligen Jugendfeuerwehr.

Es sind keine Einschränkungen der Aktivität und Partizipation vorhanden

5.3 Zusammenfassung der wichtigsten Befunde

Bei Tom liegt eine thorakal betonte, rechtskonvexe Skoliose mit einem Cobb-Winkel von thorakal 23° und lumbal 11° vor. Außerdem zeigen sich eine eher hypotone Körperhaltung sowie eine Beinachsenabweichung und Knick-Spreiz-Senkfüße.

5.4 Physiotherapeutische Zielsetzung

Gemeinsam mit Tom und seiner Mutter werden folgende Ziele für die Therapie vereinbart:
Mittelfristig: Verhindern einer Progredienz der Krümmung während des Wachstumsschubs.
Langfristig: Verminderung der Krümmung, um nach Wachstumsabschluss eine Progredienz auszuschließen. Erhalt der Teamsportfähigkeit und Schmerzfreiheit.

Als **Nebenziel** gibt Tom an, kein Korsett tragen zu müssen, da ihm das in der Schule zu peinlich ist.

Physiotherapeutische Ziele:
- Verminderung der Wirbelsäulenkrümmung
- Verbesserung der Wirbelsäulenmobilität
- Steigerung der Haltungs- und Bewegungskontrolle
- Verbesserung der Wirbelsäulenstatik

5.5 Physiotherapeutische Maßnahmen/Therapieplan

Aufgrund der Evidenzlage und des klinischen Bilds werden zur Therapie die Schroth-Behandlung sowie allgemeine Übungen zur Mobilisierung der Wirbelsäule und Rumpfkräftigung in der Therapie und zum Heimübungsprogramm ausgewählt.

Tom kommt zweimal die Woche für 25 Minuten zur Physiotherapie. Die Mutter ist bei den ersten drei Behandlungen mit dabei, danach kommt Tom allein. In der ersten Einheit werden die Anamnese sowie die speziellen Tests durchgeführt und mit Tom und seiner Mutter wird das weitere Vorgehen für die Therapie und die Ziele zusammen besprochen (Vermeidung einer Progression und Vermeidung eines Korsetts) sowie festgelegt, was für die Zielerreichung nötig ist (zweimal wöchentlich Physiotherapie und tägliches Heimprogramm, siehe Edukation).

Edukation

Wichtig bei Skoliose ist eine gute Edukation der Eltern und Kinder/Jugendlichen bezüglich folgender Aspekte:

Tab. 5.3 Therapieplan

Einheit	Schroth-Übung	Rumpfkräftigung/Mobilisation
1	• Erarbeiten der Korrekturatmung • Muskelzylinder in Seitlage mit Schultergegenzug (➤ Abb. 5.5, ➤ Abb. 5.6) (3 × 5 Atemzüge)	• Dynamischer Vierfüßlerstand (3 × 15 Wdh. pro Seite) • Rudern mit Theraband (3 × 15 Wdh.)
2	• Muskelzylinder in Seitlage mit Schultergegenzug (3 × 5 Atemzüge) • 50 x Übung mit Pezziball (➤ Abb. 5.7) (3 × 5 Atemzüge)	• Unterarmstütz (3 × 30 Sekunden) • Seitstütz (jede Seite 3 × 15 Sekunden) • Katze/Kuh (WS-Flexion und -Extension im Vierfüßlerstand) (3 × 15 Wdh.)
3	• Muskelzylinder in Seitlage mit Schultergegenzug (3 × 5 Atemzüge) • Muskelzylinder im Kniestand mit Stab (➤ Abb. 5.8) (3 × 5 Atemzüge)	• Dynamischer Vierfüßlerstand (3 × 15 Wdh. pro Seite) • Rudern mit Theraband (3 × 15 Wdh.)
4	• Muskelzylinder im Kniestand mit Stab (3 × 5 Atemzüge) • Hochräkeln mit Schultergegenzug (➤ Abb. 5.9) (3 × 5 Atemzüge) • Dreh-Sitz (➤ Abb. 5.10) (3 × 5 Atemzüge)	• Stütz im Vierfüßlerstand (3 × 30 sec.) • Katze/Kuh (3 × 15 Wdh.)
5	• Dreh-Sitz (3 × 7 Atemzüge) • 50 x Übung mit Pezziball (3 x 7 Atemzüge)	• Seitstütz (jede Seite 3 × 15 sec.) • Rudern mit Theraband (3 × 15 Wdh.)
6	• Muskelzylinder im Kniestand mit Stab (3 × 7 Atemzüge) • Hochräkeln mit Schultergegenzug (3 × 7 Atemzüge)	• Dynamische Standwaage (3 × 6 Wdh. pro Seite) • Katze/Kuh (3 × 15 Wdh.)
Als **Heimübungsprogramm** sollen täglich zwei skoliosespezifische Übungen und jeweils eine Stabilisations- und Mobilisationsübung durchgeführt werden. Für eine gute Compliance ist es hilfreich, die Patient*innen die Heimübungen der Woche mitbestimmen zu lassen und diese beim nächsten Termin zu besprechen.		
Wdh. = Wiederholungen		

Abb. 5.5 Muskelzylinder in Seitlage mit Schultergegenzug (Ausgangsstellung, Einatmung) [M1157]

Abb. 5.6 Muskelzylinder in Seitlage mit Schultergegenzug (Endstellung, Ausatmung) [M1157]

KLINISCHER HINTERGRUND

Korsettindikation

Um die Progression der Wirbelsäulenverformung zu verhindern, wird das Tragen eins Korsetts als evidenzbasierte Maßnahme angesehen (Weiß, Ley & Seibel 2021).

Eine Korsettindikation besteht bei einem Cobb-Winkel von 25°–40° bei einem noch wachsenden Kind oder bei Cobb-Winkeln < 25°, wenn eine Progression von 5°–10° innerhalb von sechs Monaten (oder mehr als 1° pro Monat) vorliegt (Kaelin 2020).

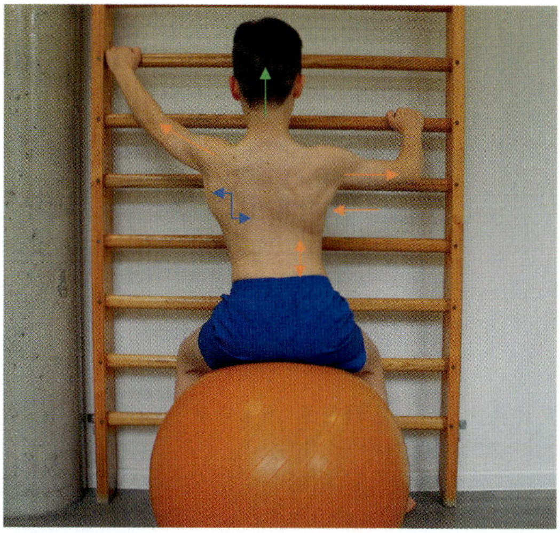

Abb. 5.7 50 x Übung mit dem Pezziball [M1157]

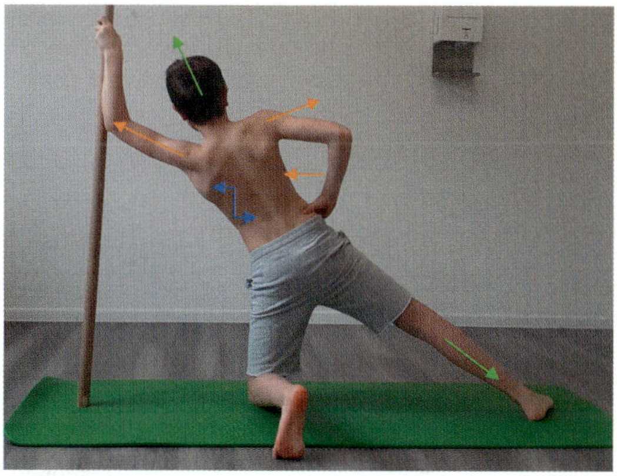

Abb. 5.8 Muskelzylinder im Kniestand mit Stab [M1157]

Korsettformen

Es gibt verschiedene Korsettformen:

- Chêneau-Korsett
- Boston-Korsett
- Milwaukee-Korsett
- Lyon-Korsett
- Providence- Korsett
- Nachtkorsett/Charleston-Korsett

In Europa wird hauptsächlich das Chêneau-Korsett verordnet, was an das Schroth-Konzept gekoppelt ist. Es ist ein asymmetrisch gebautes Korsett, das aus Druckzonen (Pelotten) und Expansionszonen (Freizonen) aufgebaut ist. Dadurch soll es zu einer Derotation der Wirbelsäule kommen sowie zu einer dreidimensionalen Aufrichtung des Körpers und einer Anpassung des Sagittalprofils.

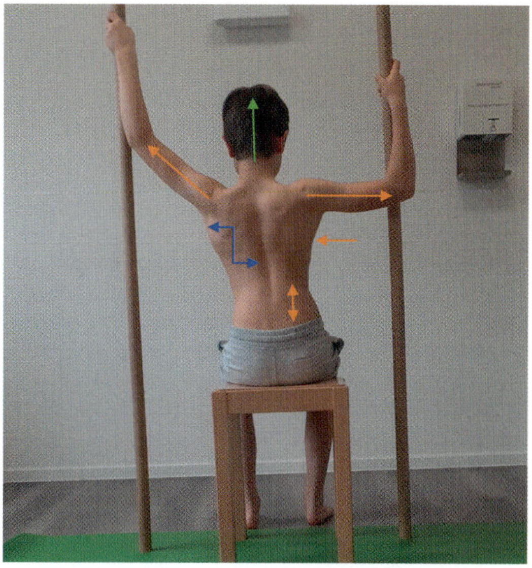

Abb. 5.9 Hochräkeln mit Schultergegenzug [M1157]

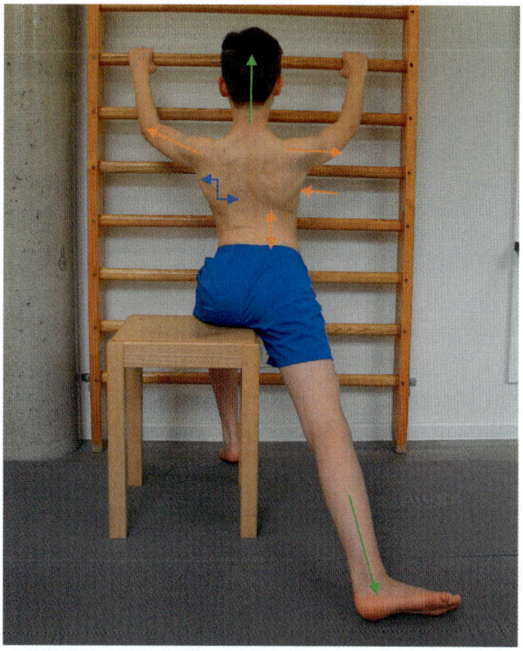

Abb. 5.10 Dreh-Sitz [M1157]

Korsettanpassung

Korsette werden immer durch Orthopädietechniker*innen/Korsettbauer*innen individuell angepasst. Dabei werden Röntgenbilder sowie Lichtvermessungen, 3D-Vermessungen oder Gipsabdrücke genutzt. Nach der Anpassung des Korsetts wird ein Röntgenbild im Korsett angefertigt. Die Korrektur muss mindestens 50 % zu dem initialen Cobb-Winkel betragen, um eine Verbesserung erreichen zu können. Die Anpassungsphase beträgt zwei Wochen. Die Tragezeit wird dabei sukzessiv auf 23 h täglich gesteigert (ausgenommen sportliche Tätigkeiten). Hierbei muss vor allem auf mögliche Schmerzen, Hautirritationen etc. geachtet werden, die eine Anpassung des Korsetts erfordern. Je länger die tägliche Tragezeit, desto besser das Korrekturergebnis.

Die Behandlungsdauer beträgt zwischen zwei und vier Jahren, bis die Skelettreife erreicht ist (Kaelin 2020).

5

WAS WÄRE, WENN ...

... es während der Behandlung von Tom zu einer deutlichen Verschlechterung der Skoliose kommen würde?

Sollte es trotz der Therapie zu einer weiteren Verschlechterung der Skoliose kommen, z.B. durch einen starken Wachstumsschub, wären eine Korsettversorgung sowie eine Rehabilitationsmaßnahme indiziert.

Die Indikation zur Korsettversorgung ist aufgrund des Progredienzrisikos ab einem Cobb-Winkel von 25°–45° gegeben. Ab dieser Krümmungszahl wird ein Vollzeit-Korsett mit 20–24 h Tragezeit empfohlen.

Therapieverlauf und -abschluss

Zur objektiven Erfolgskontrolle der Therapiemaßnahmen soll regelmäßig eine Skoliometermessung durchgeführt werden. So können Veränderungen schneller objektiv wahrgenommen und Maßnahmen angepasst werden.

Innerhalb des viermonatigen Behandlungszeitraums erhält Tom zweimal wöchentlich 25 min. Physiotherapie in Form von skoliosespezifischen Übungen nach Schroth sowie allgemeine Übungen zur Verbesserung der Rumpfkontrolle und der Wirbelsäulenbeweglichkeit. Das Heimprogramm führt Tom sehr zuverlässig täglich durch. Objektiv messbar durch die Skoliometermessung hat sich Wirbelsäulenrotation thorakal auf 10° und lumbal auf 5° verbessert. Innerhalb der vier Monate ist Tom 3 cm gewachsen. Hierbei ist es wichtig anzumerken, dass es auch schon als Erfolg gewertet werden kann, wenn die Progredienz aufgehalten wird!

Tom hat das Gefühl, dass sich seine Haltung deutlich verbessert hat, was auch seine Mutter und der Tennistrainer bestätigen.

Der Arzt ist mit dem momentanen Stand der Therapie zufrieden und empfiehlt weiterhin einmal wöchentlich Physiotherapie und eine Röntgenkontrolle in drei Monaten.

PRAKTISCHER TIPP

Therapiekontrolle

Während den Hauptwachstumsphasen (> 9 cm/Jahr) ist die Wahrscheinlichkeit einer Progression am größten. Dabei sind Krümmungszunahmen von bis zu 30° in wenigen Monaten häufig zu beobachten. Deshalb ist es entscheidend, diese Phasen gut zu kontrollieren.

Es empfiehlt sich, während Therapiepausen die Körpergröße einmal wöchentlich zu messen, um schnelle Wachstumsphasen abzupassen und gegebenenfalls ärztliche Kontrollen sowie intensivere Therapien und Korsettanpassungen vornehmen zu können.

5.6 Evidenzbasierte Zusammenfassung

Therapieempfehlung nach Schweregrad

Laut der AWMF-Leitlinie „Spezielles Rehabilitationskonzept Wirbelsäulendeformitäten" (Stand 2012) gilt bei adoleszenten idiopathischen Skoliosen ohne sekundäre Funktionsstörungen eine ambulante Physiotherapie mit oder ohne Orthese als ausreichend (Weiß 2012).

Skoliosen unter 15° sind bei 80 % der Fälle nicht progredient und verbessern sich teilweise spontan. Hier wird empfohlen, während der Wachstumsschübe Physiotherapie durchzuführen und die Gradzahlen regelmäßig ärztlich kontrollieren zu lassen.

Bei einem Cobb-Winkel ab 25° besteht aufgrund des Progressionsrisikos die Indikation für eine Korsettversorgung mit einem Vollzeitkorsett (20–24 h Tragezeit).

Das Korsett ist eine wachstumslenkende Maßnahme, um eine Progression zu verringern. Die Korsettversorgung sollte dabei von Physiotherapie begleitet werden. Hier wird auch eine stationäre Rehabilitationsmaßnahme empfohlen.

Bei einem Cobb-Winkel > 45° besteht aufgrund des hohen Progressionsrisikos und möglicher sekundären Risiken (kardiopulmonal) eine relative OP-Indikation.

Evidenz zur Physiotherapie

Eine systematische Übersichtsarbeit von Negrini et al. (2008) zeigte, dass Übungen zur Verbesserung einer Skoliose eine Level-1b-Gültigkeit haben. Dabei zeigen spezifische Skolioseübungen einen besseren Erfolg als konventionelle Physiotherapie und die Korsettpflichtigkeit kann deutlich gesenkt werden.

Zu den spezifischen Skoliosetherapien gehört auch die Schroth-Therapie. In einer Metaanalyse von 2018 wurde der Effekt der Schroth-Therapie bei adoleszenten Skoliosen untersucht, wobei gezeigt werden konnte, dass Schroth-Übungen einen positiven Einfluss auf den Cobb-Winkel haben. Dabei ist der Effekt auf Skoliosen mit einem Krümmungswinkel zwischen 10° und 30° höher als bei Krümmungswinkeln über 30° (Park, Jeon & Park 2018). Schreiber et al. (2019) konnte außerdem zeigen, dass Patient*innen nach einer Schroth-Intervention von sechs Monaten, unabhängig vom Cobb-Winkel, ein besseres Gefühl in Bezug auf ihren Rücken hatten.

Evidenz

Zu einigen Maßnahmen liegt bereits moderate bis gute Evidenz vor:

- Physiotherapeutische Übungen (Negrini et al. 2018, Negrini et al. 2008)
- Schroth-Therapie (Park, Jeon & Park 2018; Lee et al. 2016, Kocaman et al. 2021)
- Korsettindikation (Kaelin 2020)

LITERATUR

Asamoah V et al. Oberflächenvermessung des Rückens. Wertigkeit in der Diagnostik der Wirbelsäulenerkrankungen. Orthopäde. 2020; 29: 480–489.

Choudhry MN, Ahmad Z, Verma R. Adolescent idiopathic scoliosis. Open Orthop J. 2016; 10: 143–154.

Hopf C, Felske-Adler C, Heine J: Empfehlungen zur sportlichen Betätigung von Patienten mit idiopathischen Skoliosen. Z Orthop. 1991; 129: 204–207.

Horne JP, Flannery R, Usman S. Adolescent idiopathic scoliosis: diagnosis and management. Am Fam Physician. 2014; 89(3): 193–198.

Park JH, Jeon HS, Park HW. Effects of the Schroth exercise in idiopathic scoliosis: a meta-analysis. Eur J Physical Rehabil Med. 2018; 54(3): 440–449.

Kaelin AJ. Adolescent idiopathic scoliosis: indications for bracing and conservative treaments. Ann Translat Med. 2020; 8(2): 28.

Kocaman H et al. The effectiveness of two different exercise approaches in adolescent idiopathic scoliosis: A single-blind, randomized-controlled trial. PLOS One. 2021; 16(4): e0249492.

Lee HJ et al. Effect of the Schroth method emphasis of active holding on Cobb's angle in patients with scoliosis: a case report. J Phys Ther Sci. 2016; 28(10): 2975–2978.

Negrini et al. Exercises reduce the progression rate of adolescent idiopathic scoliosis: results of a comprehensive systematic review of the literature. Disabil Rehabil. 2008; 30(10): 772–785.

Negrini S et al. 2016 SOSORT guidelines: orthopaedic and rehabilitation treatment of idiopathic scoliosis during growth. Scoliosis Spinal Disord. 2018; 13: 3.

Schmitt H, Carstens C. Skoliose und Sport. Dtsch Z Sportmed. 2004; 55(6): S164.

Schreiber S et al. Patients with adolescent idiopathic scoliosis perceive positive improvements regardless of change in the Cobb angle. Results from a randomized controlled trial comparing a 6-month Schroth intervention added to standard care and standard care alone. BMC Musculoskelet Disord. 2019; 20(1): 319.

Weiß HR et al. Ist eine Verbesserung der Behandlungssicherheit in der Korsettversorgung von Skoliosepatienten durch Anwendung standardisierter CAD-Algorithmen möglich? Orthopäde. 2021; 50: 435–445.

Weiß HR. Spezielles Rehabilitationskonzept Wirbelsäulendeformitäten Eine Leitlinie der Sektion Rehabilitation und Physikalische Medizin der DGOOC von Orthopäden für Orthopäden. Leitlinie der Orthopädischen Rehabilitation. AWMF-Register-Nr. 033-045. (Stand: I/2012, abgelaufen).

FALL

6

Michael Jung

Spina bifida – Meningomyelozele

Leitsymptome: Motorische und sensible Lähmung – Hydrozephalus – Tethered Cord – Arnold-Chiari II-Malformation

schwer

Definition

Spina bifida – Meningomyelozele (MMC)

Eine erstmalige Beschreibung dieses Krankheitsbilds kam von Nicolas Tull im Jahre 1630. Er beschrieb die stark behaarte Deformationszone, den Hydrozephalus, den starken Körpergeruch aufgrund der Inkontinenz, die Fußdeformitäten und Sensibilitätsstörungen.

Medizinisch betrachtet stellt die Spina bifida einen Grenzfall zwischen zentraler und peripherer Störung sowie zwischen orthopädischen und neurologischen Problemen dar.

Die Spina bifida kann in zwei Formen unterschieden werden:

(1) Spina bifida aperta (partialis oder totalis); ICD-10: Q05.-*

Bei der Spina bifida cystica handelt es sich um eine Dysraphie (teilweise oder komplett) im Bereich der dorsalen Mittellinie. Man kann von einer Missbildung infolge gestörter Neuralrohrentwicklung (Verschlusshemmung) sprechen. Daraus resultiert ein fehlerhafter Verschluss der Wirbelbögen, durch den sich Rückenmark und Rückenmarkshäute als Liquorblase (Zele) bruchartig hervorwölben können.

In der Klinik wird Spina bifida oft global mit MMC (Meningomyelozele) abgekürzt, obwohl es genaue Definitionen für den Grad der Vorwölbung des Rückenmarks gibt:

- **Meningozele:** Bei dieser Form handelt es sich um die alleinige Ausstülpung der Rückenmarkshäute durch den offenen, dorsalen Wirbelbogenspalt bei normal ausgebildetem und lokalisiertem Rückenmark. Die Hautabdeckung ist regelgerecht, evtl. sind lipomartige Verdickungen auffällig. Nervöse Ausfälle und Begleitfehlbildungen bestehen nur ausnahmsweise. Sie ist von der Meningomyelozele und der Myelozele abzugrenzen.
- **Meningomyelozele:** Sie ist meist mit Haut gedeckt, das fehlgebildete Rückenmark wölbt sich mit seinen Häuten durch den offenen, dorsalen Wirbelbogen nach außen.
- **Myelozele:** Sie stellt sich als primärer Hautdefekt im Bereich des Wirbelbogenspaltes dar. Fehlgebildetes Rückenmark stülpt sich als weicher, kugeliger Tumor (häufig von blauroter Färbung) hervor und liegt offen an der Körperoberfläche.

Die **Spina bifida totalis** wird häufig auch als **Rhachischisis** bezeichnet.

(2) Spina bifida occulta (Hemi-Rhachischisis); ICD-10: Q76.0

Die Spina bifida occulta ist die geschlossene Form der Spina bifida ohne Hervortreten von Rückenmark, die bei etwa 20 % der Bevölkerung lumbosakral auftritt. (Hettige et al. 2022) In den meisten Fällen ist sie ein Zufallsbefund, da sie gewöhnlich keine Beschwerden verursacht. Evtl. kann während des Wachstums, nach Unfällen oder im Alter ein erstes Problem auftreten, viele Fälle bleiben aber auch unerkannt. In einigen Fällen fallen diese Kinder erst durch Bettnässen oder (häufige) Obstipation unklarer Genese auf. Oft werden Hautveränderungen über der Fehlbildung, z. B. verstärkte Behaarung, Nävi oder Lipome beobachtet.

Entstehungszeitraum: Die Verschlusshemmung des Neuralrohrs findet zwischen dem 19. und 28. Schwangerschaftstag statt. Zu diesem sehr frühen Zeitpunkt wissen einige Frauen von der bestehenden Schwangerschaft noch gar nichts, sodass eine prophylaktische Folsäuregabe, in Kombination mit anderen Vitaminen, noch nicht begonnen wurde.

Mögliche Ursachen: Unklare, vermutlich multifaktorielle Genese. Einwirkungen exogener Noxen (antikonvulsive Präparate, z. B. statistisch erhöhtes Risiko für MMC unter Valproat und Carbamazepin) oder genetische Dispositionen werden diskutiert (Rohen & Lütjen-Drecoll 2017). Als gesichert wird ein Folsäuremangel in der Frühschwangerschaft als Ursache angesehen (Vaupel, Schaible & Mutschler 2015).

Wenn äußere Faktoren eine Rolle spielen, dann nur in den ersten vier Wochen der Schwangerschaft, danach sind das Rückenmark und der Rückenmarkskanal ausgebildet. Die pränatale Diagnostik erfolgt durch Ultraschall bzw. Feinultraschall. Ein erhöhter Spiegel von Alphafetoprotein im Blut der Schwangeren bzw. bei einer Amniozentese kann ein Hinweis für eine MMC sein.

Inzidenz der Spina bifida cystica: Etwa 1–3/1.000 Neugeborene in Mitteleuropa, jedoch steigt die Inzidenz in Familien mit bereits einem Kind mit Spina bifida deutlich an.

6.1 Vorgeschichte

Antonio ist ein 13-jähriger Junge mit Spina bifida, Läsionshöhe Th_{12}. Er ist Rollstuhl-versorgt und geht in die 6. Klasse einer integrativen Gesamtschule. Antonio ist sehr sportbegeistert, was er sich aber momentan am meisten wünscht, ist ein Begleithund.

Als Antonio mit einer Spina bifida zur Welt kam (➤ Abb. 6.1), war dies für seinen Eltern zuerst ein Schock. Beide dachten, sie seien jung und gesund, und die Schwangerschaftsuntersuchungen gaben keinen Hinweis auf eine Störung. Die vorsorgliche Einnahme von Folsäure wurde der Mutter erst nach der Feststellung des positiven Schwangerschaftstests empfohlen.

Da man in einer der letzten Ultraschalluntersuchung die Zele identifiziert hatte, wurde ein Kaiserschnitt durchgeführt und Antonio einen Tag nach Geburt in der Neurochirurgie der Uni-Klinik operiert. Neben der Abtragung und Deckung der Zele wurde aufgrund eines Hydrozephalus eine ventrikuloperitoneale Shuntversorgung durchgeführt. Diesen schwierigen Umständen „verdankte" es die junge Familie, dass eine erste Kontaktaufnahme und Versorgung ihres Neugeborenen auf der Intensivstation stattfand. Die natürlichen Pflegemaßnahmen und **Bonding**-Situationen waren hierdurch erschwert.

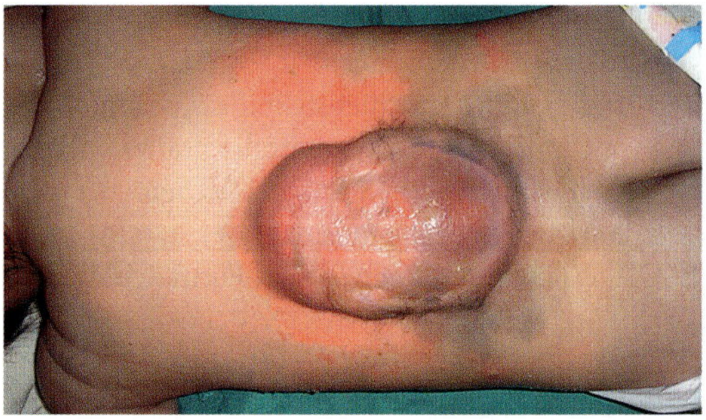

Abb. 6.1 Neugeborenes mit einer Spina bifida [F320–001]

KLINISCHER HINTERGRUND

Hydrozephalus

In ca. 75–90 % aller Fälle ist die Spina bifida mit einem Hydrozephalus kombiniert (Landsleitner 2020). Dieser wird in den meisten Fällen mit einer Shunt-OP versorgt (hauptsächlich ventrikuloperitonealer Shunt). Im Verlauf kommt es dabei häufiger zu Komplikationen (z. B. Fehlfunktion oder Infektion), die eine operative Revision erfordern. Kinder mit Spina bifida mit sehr ausgeprägtem Hydrozephalus werden manchmal auf einem Wasserkissen gebettet, welches einen Dekubitus am Okziput verhindern soll. Außerdem liegt die ehemalige OP-Stelle am Rücken weich und sicher auf. Nach Vojta wird mit der Reflexlokomotion der Liquorfluss bei Hydrozephalus begünstigt (Vojta & Bauer 1983).

Antonios Läsionsniveau wird zu diesem Zeitpunkt vom Neuropädiater auf Th_{12} festgelegt. Seine sensomotorischen Fähigkeiten werden sich im Laufe der Entwicklung zeigen.

Aufgrund seiner Läsionshöhe von Th_{12} ist Antonio inkontinent und wird von seiner Mutter täglich mehrmals katheterisiert. Da bei dieser Läsionshöhe auch die Bauchmuskulatur nur bedingt von ihm kontrolliert werden kann, neigt Antonio außerdem zu Obstipation.

Beckenboden, Blase und Mastdarm sowie der Genitalbereich sind entsprechend ihrer Innervationshöhe von S_3 bei Kindern mit Spina bifida fast immer betroffen. Lediglich 7 % der Kinder haben keine Blasen- und/oder Mastdarminkontinenz, 20 % können Stuhl und Urin bis zu zwei Stunden einhalten, der große Rest ist inkontinent und deren Harnblase muss bis zu drei bis fünf Mal täglich katheterisiert werden.

Assoziiert mit der Spina bifida hat Antonio einen ausgeprägten neurogenen Klumpfuß beidseits, der im Alter von elf Monaten, kurz vor der Versorgung mit einer Steh- und Gehorthese, operativ versorgt wird.

In diesem Fallbeispiel werden folgende Fragen analysiert und beantwortet:

- Welche Behandlungsgesichtspunkte werden in der Therapie der Spina bifida verfolgt?
- Welche Hilfsmittel sind in welchem Altersbereich zu empfehlen?
- Welche Zeichen deuten auf ein Tethered Cord hin?
- Welche Sportarten können die Kinder möglicherweise ausüben?

6.2 Untersuchungsbefunde

6.2.1 Medizinische Befunde

Aufgrund der vielen beteiligten medizinischen Fachdisziplinen ist Antonios „Krankenakte" sehr umfangreich. Seine Eltern haben auf Anraten einer anderen Familie, die ein Kind mit Spina bifida hat, einen Ordner angelegt und bewahren alle seine Befunde in Kopie auf.

Ärztliche Untersuchung

Die erste kinderärztliche Untersuchung von Antonio in der Geburtsklinik erfolgt postnatal mit der U1. Um zu evaluieren, ob nicht noch weitere Organe der Mittellinie betroffen sind, können Ultraschall (Sonografie), MRT oder CT am Neugeborenen Aufschluss geben. Die Darstellung der knöchernen Strukturen erfolgt mittels Röntgen.

Kinderärztliche Befunde der U2

Die gängigen kinderärztlichen Untersuchungen ab der U2 sind in ➤ Tab. 6.1 angegeben.

6

Tab. 6.1 Ärztliche Diagnostik beim Säugling mit Spina bifida

Untersuchung	Beschreibung	Beispiele
Anamnese	Befragung der Mutter zu Schwangerschaft, Geburtsverlauf und -modus, bisherigen Verlauf.	Primigravida, primipara, per sectio, unauffällige Schwangerschaft, Folsäuregabe ab SSW 5. Antonios Narbe ist unauffällig, die Wundheilung gut. Die Fäden wurden am 12. Tag gezogen.
Sichtbefund der Spontan- und Reaktivmotorik	Bei der Betrachtung der Spontanmotorik wird der Säugling nicht manipuliert. Zur Beobachtung der Reaktivmotorik wird opto-akustisch stimuliert, um altersentsprechende Antworten zu erhalten.	In Bauchlage zeigt Antonio die physiologische Beugehaltung der Arme und freie Kopfdrehung nach links/rechts bei akustischer Stimulation. Die Beine zeigen eine hypotone Lähmung mit Klumpfuß beidseits. Die Bauchmuskulatur ist ebenfalls hypoton, zeigt dadurch ein weites, ausladendes Abdomen.

Tab. 6.1 Ärztliche Diagnostik beim Säugling mit Spina bifida *(Forts.)*

Untersuchung	Beschreibung	Beispiele
Palpation/Testung der Sensibilität	Palpation des Bauchbereichs zur Identifizierung von Obstipation. Testung der Oberflächen- und Tiefensensibilität, des Warm-Kalt-Empfindens in den entsprechenden Dermatomen.	Bei Antonio sind nach einigen Monaten immer wieder kleine Kotballen zu spüren. Antonio hat in den betroffenen Dermatomen keinerlei Wahrnehmung.
Testung der primären Reaktionen und der Lagereaktionen nach Vojta	Je nach Läsionshöhe sind die Lagereaktionen der unteren Extremitäten auffällig und müssen deshalb nicht unbedingt getestet werden.	Auffällige primäre Reaktionen sind: suprapubischer Streckreflex, neonatales Stehen, Placing-Reaktion, Schreitreaktion, Bauer-Reaktion, Fußgreifreaktion.
Prüfung der Gelenkbeweglichkeit	Aktive und passive Beweglichkeitsveränderungen im Range of Motion (ROM) werden anhand der Neutral-Null-Methode erhoben.	Antonio hat bereits intrauterin einen Klumpfuß beidseits und Hüft- und Kniebeugekontrakturen entwickelt.
Prüfung der Muskelreigenreflexe (MER)	Testung der MER mittels Reflexhammer.	Achillessehnenreflex (ASR) und Patellarsehnenreflex (PSR) sind bei ihm beidseits nicht auslösbar, ebenso der Bauchhaut-, Anal- und Kremasterreflex.

⚠ VORSICHT

Empfindungsstörungen

Inkomplette Läsionen kommen häufig vor! Gerade bei tiefen Lähmungen (meist sind sensible Nerven stärker als motorische betroffen, weil sie dorsal im Rückenmark verlaufen) finden sich Störungen der Schmerz- und Temperaturempfindung im Fuß- und Gluteal-Bereich, was zu thermischen oder anderen Verletzungen führen kann (z. B. bei Barfußlaufen durch Gras, Lehnen an der Heizung im Winter).

Lokalisationen und Komorbiditäten der Spina bifida

Als mögliche Komorbiditäten bei Spina bifida erkannte schon Nicolas Tull in seiner Erstbeschreibung folgende orthopädische Probleme:

- Kontrakturen
- Fußdeformitäten
- Skoliose
- Hüftgelenksluxation

KLINISCHER HINTERGRUND

Hüftgelenksluxation bei Spina bifida

Aufgrund der mangelhaften muskulären Stabilisierung kann das Hüftgelenk bei Spina bifida leichter luxieren (bei Lähmungen im Thorakalbereich ist dies fast immer der Fall). Bei fehlender Schmerzsymptomatik (aufgrund der eingeschränkten Sensibilität) oder fehlender Gefahr, Gefäße abzuklemmen, ist dies teilweise zu tolerieren und wird dann dezentriert belassen. Bei einer beidseitigen Luxation muss ein Röntgenbild zeigen, wie die Oberschenkelknochen neben den Hüftgelenkspfannen stehen und ob man sie so belässt. Bei gut gehfähigen Kindern sollte reponiert werden, da sonst die falschen Strukturen beim Gehen belastet werden und auf Dauer zusätzlichen Schaden nehmen.

Meist sind Störungen der Motorik und der Sensibilität, vorwiegend der unteren Extremität (entsprechend Läsionsniveau) infolge der Rückenmark-Fehlanlage anzutreffen. Das Läsionsniveau und die Größe der Läsion entscheiden über den Ausfall der Motorik und Sensibilität und deshalb auch über die Chance des Kindes zur selbstständigen Vertikalisierung.

KLINISCHER HINTERGRUND

Lokalisation der Spina bifida in % (nach Grifka 2007)

Sakral	11 %
Lumbosakral	23 %
Lumbal	41 %
Thorakolumbal	21 %
Thorakal	3 %
Zervikothorakal	1 %

Schmerzen in den betroffenen Extremitäten haben diese sensibel und motorisch gestörten Kinder selten. Ohne Orthesenversorgung werden sie jedoch nicht oder nur auf sehr unphysiologische und unökonomische Art und Weise vertikalisieren.

Bestimmte Operationen, wie die Iliopsoas-Derotations-OP, haben sich dabei nur als bedingt wirkungsvoll erwiesen. Aufgrund der sehr asymmetrischen Muskelzüge können diese Kinder auch häufiger kieferorthopädische Problemstellungen bekommen.

Einige Kinder mit Meningomyelozele haben zusätzlich eine Arnold-Chiari-II-Fehlbildung als Begleiterscheinung (Landsleitner 2020). Außerdem wurden weitere, z. T. ventrale Begleitfehlbildungen wie Balkenhypoplasien, Lippen-Kiefer-Gaumenspalte (LKG), Herz-, Blasen- und Darmfehlbildungen (ebenfalls alles Fehlbildungen der Mittellinie, sog. Mittelliniensyndrome) beobachtet.

Etwa 64 % der Kinder sind gemäß ihrer Behinderung geistig ganz normal entwickelt, etwa 28 % haben eine Lernbehinderung und nur ca. 7 % sind wirklich geistig behindert.

Zur Dokumentation der Rückenmarksverletzung bei Spina bifida eignet sich die **ASIA-Skala** der *American Spinal Injury Association* (https://asia-spinalinjury.org/wp-content/uploads/2019/04/ASIA-ISCOS-IntlWorksheet_2019.pdf, Zugriff am 09.03.2022).

PRAKTISCHER TIPP

Um zu viele Wiederholungen der ärztlichen Tests in der physiotherapeutischen Untersuchung zu vermeiden, empfiehlt es sich, einige Ergebnisse der medizinischen Befundaufnahme in das physiotherapeutische Clinical Reasoning aufzunehmen.

6.2.2 Physiotherapeutische Anamnese

Um sich einen Überblick über die aktuelle Situation zu verschaffen, wird die Physiotherapeutin in der Praxis im Anamnese-Gespräch ähnliche Fragen wie die Kinderärztin stellen. Mögliche Assessments zur Verlaufsdokumentation sind in ➤ Tab. 6.2 aufgeführt.

Tab. 6.2 Mögliche Assessments zur Verlaufsdokumentation

Assessment	Wert
Range of Motion (ROM)	Gelenkbeweglichkeit der unteren Extremitäten (Hüfte, Knie und oberes Sprunggelenk)
Beurteilung der sensomotorischen Entwicklung	Um die Gesamtentwicklung des Kindes zu beurteilen, eignen sich die Bayley Scales of Infant and Toddler Development III (1 bis 42 Monate) besonders gut.

KLINISCHER HINTERGRUND

Range of Motion (ROM)

Die Messung der Gelenkbeweglichkeit mittels Goniometer nach der Neutral-Null-Methode kann an fast allen Gelenken bei Patienten jeglichen Alters stattfinden. Für Säuglinge und Kleinkinder werden oft sehr kleine Goniometer (Fingergoniometer der Rheumatiker) eingesetzt. Es kann bei der ROM zwischen aktiver und passiver Beweglichkeit unterschieden werden.

6.2.3 Evaluation des Gesundheitszustands nach ICF

Personenbezogene Faktoren

Antonio ist ein sehr freundliches und kontaktfreudiges Kind. Seinem Interesse an Sport sollte unbedingt nachgegeben werden.

Da Antonio sehr tierlieb ist, liebäugeln die Eltern mit der Anschaffung eines Begleithundes.

Umweltbezogene Faktoren

Antonios Familie wird von der Physiotherapeutin auf die Vorteile der Vertikalisierung und des Stehens im Stehgerät hingewiesen. Hierbei kommt es ihr auch sehr auf die Interaktion mit Antonios Umfeld an.

Die Familie plant für einen Hausbau die Installation von Armaturen und Gerätschaften für das tägliche Leben auf einer rollstuhlfreundlichen Höhe und einen behindertengerechten Zugang zum Garten.

Funktions- und Strukturebene

Minussymptomatik: Aktive Beinbewegungen der betroffenen Extremitäten sind bei Antonio nicht möglich. Einige Kinder mit Spina bifida haben eine Restinnervation, die zu (meist nicht willkürlich steuerbaren) Bewegungen führt. Ebenso liegt bei der Sensibilität der Haut eine Minussymptomatik vor, sodass den Dermatomen entsprechend diese Hautbereiche nicht oder vermindert wahrgenommen werden.
Plussymptomatik: Wenn sich beim Kind mit Spina bifida eine spastische Blasensituation entwickelt, zählt dies zur Plussymptomatik, ebenso die erhöhte Gewebespannung der muskulären Kontrakturen, bei Antonio z. B. an den Klumpfüßen, der Hüft- und Kniebeugemuskulatur.
Adaptive Phänomene: Es kommt zur Entwicklung von spinalen Automatismen, einer Hüftluxation, Skoliose und ggfs. eines Tethered Cord (Dorsalfixation des Conus medullaris unterhalb von L_2–L_3, ➤ 6.5).

Aktivitätsebene

Bedingt durch die Schädigung des Rückenmarks zeigt Antonio keine Eigenaktivität der Beine. Sein weit ausladendes Abdomen suggeriert, dass auch im Bereich der Verdauungsaktivitäten Probleme auftauchen werden.

Die sensomotorische Entwicklung mit Aufbau des Körperschemas beginnt mit etwas Verzögerung im Alter von dreieinhalb Monaten mit der Hand-Hand- und Hand-Mund-Koordination.

Die Einleitung des Drehvorgangs in Richtung Bauchlage beginnt aufgrund der insuffizienten Bauchmuskulatur nur mit deutlichem Armeinsatz im sechsten Monat.

Partizipationsebene (Teilhabe)

Nachdem die Familie den Umgang mit den besonderen Bedürfnissen von Antonio in dessen Säuglingsphase gelernt hat, genießen alle den Umgang miteinander (Kuscheln, Pflege, Spielen) sehr.

Als Kleinkind liebte es Antonio, gemeinsam mit dem Papa zu baden, probierte gerne mit Löffel und Gabel am Tisch mitzuessen und ging gerne in den Kindergarten. Bei der Auswahl der Grundschule achtet die Familie auf die Rollstuhlfreundlichkeit des Gebäudes, damit Antonio weitgehend selbstständig fahren kann.

Als Antonio altersbedingt auf eine andere Schule wechselt, möchte er eine Teamsportart ausprobieren.

6.3 Zusammenfassung der wichtigsten Befunde

Antonio hat eine schlaffe Lähmung beider Beine ohne spinale Automatismen. Bis ins Teenageralter haben sich verschiedene Kontrakturen entwickelt (➤ Tab. 6.3).

Über seine Bauchmuskulatur hat Antonio nur bedingt Kontrolle. Sensibel spürt er an den unteren Extremitäten nichts – Blase, Darm und Sexualfunktion sind beeinträchtigt. Die Shuntversorgung funktioniert seit Jahren problemlos. Kognitiv ist Antonio nicht eingeschränkt, er geht in die sechste Klasse einer integrativen Gesamtschule.

6.4 Physiotherapeutische Zielsetzung

Gemeinsam mit dem nun 13-jährigen Antonio und seinen Eltern werden folgende Ziele in der Physiotherapie festgelegt:

Tab. 6.3 Antonios ROM untere Extremitäten

Gelenk/Bewegung	Links	Rechts
Hüfte: Extension-Flexion	0°–10°–110°	0°–15°–100°
Hüfte: Abduktion-Adduktion	30°–0°–20°	40°–0°–20°
Hüfte: Außenrotation-Innenrotation	40°–0°–30°	35°–0°–20°
Knie: Extension-Flexion	0°–5°–110°	0°–10°–100°
Oberes Sprunggelenk: Dorsalextension–Plantarflexion	0°–10°–40°	0°–15°–40°

Mittelfristig:

- Kräftigung der Rumpf- und Armmuskulatur für selbstständige Körperpflege, Transfers und den gewünschten Sport
- Erleben einer „annähernd normalen" sensomotorischen Entwicklung und Fortführen der passiven Vertikalisierung aus den zuvor genannten Gründen
- Fortführen der Kontrakturprophylaxe

Langfristig:

- Erhalt der höchstmöglichen sensomotorischen Entwicklungsstufe
- Erreichen der bestmöglichen Autonomie für ein selbstbestimmtes Leben
- Erhalt der Therapieergebnisse auch bei Wachstumsschüben
- Vermeiden von Sekundär- bzw. Folgeproblemen, wie Klumpfuß-Rezidiv, Hüft- und Kniebeugekontrakturen, Skoliose, Tethered Cord

Ein **Nebenziel** von Antonios Familie ist die Einbindung eines Behindertenbegleithundes. Dieser soll als Assistenzhund z.B. lernen, Gegenstände aufzuheben. Der Einsatz von Therapie- oder Begleithunden wird teilweise von der Krankenkasse übernommen.

6.5 Physiotherapeutische Maßnahmen/Therapieplan

Akut- oder Neugeborenenphase

Da eine Abtragung und Deckung der Zele möglichst innerhalb der ersten 24–48 Stunden nach der Geburt erfolgen soll, beginnt die Physiotherapie der Akutphase für Antonio schon innerhalb der Neugeborenenperiode. Um keinen unnötigen Stress auf das postoperativ frische Narbengewebe (z.B. nach Schwenklappenplastik) auszuüben, wird er bis zum Ziehen der Fäden in Bauchlage gelagert. Durch diese **Lagerung** kann bereits eine erste Prophylaxe der Hüftbeugekontraktur durchgeführt werden.

Nach dem Ziehen der Fäden und bei normaler Wundheilung wird Antonio in Rücken-, Seit- oder am Monitor auch in Bauchlage gelagert. Zu diesem Zeitpunkt wird auch mit einer vorsichtigen **Narbenbehandlung**/Narbenmobilisation begonnen.

Bei bestehenden Störungen des Lymphabflusses und dadurch ödematös geschwollenen Füßen oder Beinen kann mit einer sanften **manuellen Lymphdrainage** (MLD) bereits im Neugeborenen- oder Säuglingsalter begonnen werden.

WAS WÄRE, WENN ...

... massiver Druck oder Zug auf die frische OP-Naht käme?

Lagerung post-OP in Bauchlage: Zum Schutz des Rückenmarks vor mechanischer Irritation (weiterer Schädigung) und vor möglicherweise eindringenden Keimen wird die Zele idealerweise innerhalb der ersten 24–48 Stunden nach Geburt gedeckt (operiert).
In den ersten Tagen post-OP soll das Neugeborene in Bauchlage gelagert werden. Wenn eine entsprechende Restinnervation die Hüftbeuger ansteuert, sollte eine **Kontrakturprophylaxe** mittels Lagerung durchgeführt werden. Die Hüftgelenke werden in Bauchlage mit einem Tuch passiv in Streckung gebracht und gehalten. Das Tuch darf keinen Zug auf die OP-Narbe setzen, es kann diese falls nötig bedecken. Das Fixationstuch muss so breitflächig angelegt sein, dass es auch den lymphatischen Rückstrom und die Atmung nicht behindert, die Hüftgelenke aber trotzdem in Streckung hält.

Physiotherapie im Säuglingsalter

Innerhalb des ersten Lebensjahres wendet Antonios Physiotherapeutin viel Zeit für die Kontrakturprophylaxe der unteren Extremitäten auf. Neben **passiven, statischen Dehnungsübungen** und Techniken der **manuellen Therapie** werden Ausgangsstellungen gewählt, in denen der Körper sich (weitestgehend) im Alignment befindet. Für die Klumpfußproblematik werden OP-vorbereitend **redressierende Griffe** in Anlehnung an die **dreidimensionale manuelle Fußtherapie nach Zukunft-Huber** (2022) appliziert.

Je frei beweglicher die Gelenke sind, desto leichter fällt es später, eine adäquate Orthesen- oder Schienenversorgung durchzuführen. Orthopäd*innen berichten häufig von leichter durchzuführenden Klumpfuß-OPs, wenn eine gute physiotherapeutische Vorbehandlung erfolgte.

Die besonders bei thorakalen Läsionshöhen auftretende schlaffe Lähmung der Beinmuskulatur imponiert durch das Vorliegen einer sog. Froschhaltung (Hyperabduktion), welche durch **Lagerung in Richtung Nullstellung** zu korrigieren ist. Bei der

Lagerung der unteren Extremitäten sollte vor allem auf eine Extension in der Hüfte bei Ab-/Adduktions- und Rotationsnullstellung geachtet werden. Weiter ist die Extension im Kniegelenk durch Lagerung zu unterstützen. Um die gewünschten Gelenkstellung zu gewährleisten, werden meist frühzeitig **Nachtlagerungsschienen** angefertigt.

In Anlehnung an das **Bobath Konzept** werden Bewegungsübergänge fazilitiert und die höchstmögliche Stufe der Vertikalisierung erarbeitet. Weiterhin wird Antonio jede sensomotorische Entwicklungsstufe, die er sich nicht selbstständig nicht erarbeiten kann, zum Erleben (passiv) angeboten, um seinen sensomotorischen Erfahrungsschatz anzureichern.

Da innerhalb der ersten drei Lebensjahre immer wieder massive Obstipationen auftreten, lernt Antonios Mutter von der Physiotherapeutin eine **Kolonmassage.** Dies und der zusätzliche Besuch einer Diätassistentin verbessern dieses Problem deutlich.

Die Kinderärztin erklärt Antonios Mutter die für seine Darmentleerung zu eingreifenden Maßnahmen (mindestens Movicol per os oder kohlensäurehaltige Zäpfchen, Darmirrigator u. a.).

Sollten durch die gestörte sensomotorische Entwicklung gehäuft Infekte der Lunge/Atemwege auftreten, sollte auch intensiv **Atemtherapie** durchgeführt werden.

Physiotherapeutische Maßnahmen im Kleinkindalter und weitere Versorgungen

Im Altern von 15 Monaten beginnt Antonios Mutter ihn 2–3× täglich nach der Vojta-Methode zu behandeln. Im Säuglingsalter hatten die Eltern aufgrund der Narbe und der Shunt-Versorgung noch großen Respekt davor, Antonio unter der Vojta-Therapie korrekt zu lenken.

KLINISCHER HINTERGRUND

Therapie nach Vojta bei Spina bifida

Die Therapie nach Vojta kommt in vielen Kliniken und Einrichtungen zur Anwendung. Hiermit soll einer muskulären Dysbalance, soweit bei Spina bifida überhaupt möglich, entgegengewirkt werden. Vojta und Bauer zeigen in einer Untersuchung auf (Vojta & Bauer, 1983), dass durch Reflexlokomotion eine Sogwirkung erzeugt wird, die einen besseren Abfluss des Liquors bei Hydrozephalus bedingt. Dies gelte auch für Shunt-versorgte Kinder.

Kinder mit einer Spina bifida sollen möglichst zum gleichen Zeitpunkt wie gesunde Kinder vertikalisiert werden. Für Antonio erfolgt diese passive **Vertikalisierung** mit 14 Monaten, drei Monate nach seiner Klumpfuß-OP. Die Physiotherapeutin überlegt hierbei zusammen mit den Eltern und dem Orthopädietechniker, ob eine Versorgung mit einem Stehgerät oder eine **Steh- und Gehorthese** Antonio den größeren Nutzen bringt. Als Gehorthesen kommen hüftübergreifenden **Ferrari-Schienen** mit einem Rollator oder ein **Swivel Walker** (➤ Abb. 6.2), den man ohne Rollator fortbewegt, in Betracht. (Preisler 1995)

Die Entscheidung fällt zugunsten der Ferrari-Schienen, da die Fertigung mit Polyethylen kostengünstig in der Herstellung, schnell verfügbar und gut anpassbar ist. So lernt Antonio mit 16 Lebensmonaten selbstständig am Rollator zu gehen.

KLINISCHER HINTERGRUND

Vorteile der (passiven) Vertikalisierung

Die Versorgung mit Schienenapparaten, Steh- und Gehorthesen kann für die Kinder folgende positive Aspekte haben:

- Orthostatischer Einfluss auf Blase und Mastdarm
- Orthostatischer Einfluss auf die Liquorzirkulation/den Liquorabfluss
- Einfluss auf die Knochenmineralisierung
- Einfluss auf die sensomotorische und kognitive Entwicklung

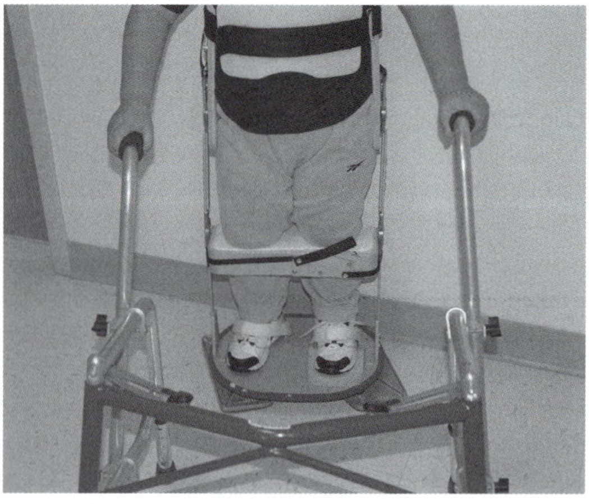

Abb. 6.2 Erreichen von Mobilität unter Einsatz eines Swivel Walker [E1112]

- Veränderte Durchblutungs- und Belüftungssituation der Atemwege/Lunge
- Interaktion/Kommunikation des Kindes mit seiner Umwelt in einer höheren Ausgangsstellung (biopsychosozialer Aspekt)
- Kontraktur- und Dekubitusprophylaxe

Physiotherapeutische Betreuung ab dem Kindergartenalter

Um im **Kindergarten** eigenständige Transfers in den und aus dem Rollstuhl durchführen zu können, übt die Physiotherapeutin mit Antonio das Ein- und Austeigen mittels Armkraft über die Fußplatte des Rollstuhls. Sie beginnt dieses Training am Ende des zweiten Lebensjahres.

Etwa in diesem Zeitraum kommt es bei Antonio auch zu einer wachstumsbedingten Rollstuhl-Anpassung. Bei dieser multiprofessionellen Versorgung teilt auch Antonios Ergotherapeutin ihre Anforderungen an einen Rollstuhl mit und die Bedeutung einer guten Sitzschalenversorgung wird hierbei klar.

Als **Teenager** interessiert sich Antonio mehr und mehr für Sport und seine Eltern gehen mit ihm zum Rollstuhl-Basketball. Sport für Menschen mit Behinderung ist eine gute Möglichkeit der Partizipation und steigert bei Jugendlichen die Selbstwirksamkeit. In einem rollstuhlgängigen Fitness-Studio kräftigt Antonio unter Anleitung eines Sporttherapeuten seine Rumpf- und Armmuskulatur. Dies ermöglicht ihm ein besseres und länger beschwerdefreies Sitzen sowie leichtere Transfers und hilft ihm beim Sport (Basketball). Auch zum Rollstuhl-Tanz gibt es mehrere Untersuchungen, die dessen positive Effekte aufzeigen.

KLINISCHER HINTERGRUND

Multiprofessionelle Zusammenarbeit in der Versorgung des Kindes mit Spina bifida

Die multiprofessionelle Kooperation der Fachbereiche in der Versorgung eines Kindes mit Spina bifida ist außerordentlich wichtig. Dieses Krankheitsbild ist ein Betätigungsfeld für fast alle Bereiche der Medizin und der therapeutischen Professionen, wie in ➤ Abb. 6.3 dargestellt. Viele der genannten Professionen begleiten den Menschen mit Spina bifida ein Leben lang und sollen deshalb als interprofessionelles Team agieren.

Da bei fast allen Kindern und Jugendlichen die Inkontinenz ein großes Problem darstellt und bei Jugendlichen auch die Frage der Sexualität auftritt, ist die Urologie ein wichtiger Teil des Teams. Neben dem Mehrfach-Kathetern kommt es gehäuft zu Restharnbildung, Infektionen mit Nierenbeteiligung, dann auch zu Blasenumbau (z. B. Balkenblase bei erhöhtem Blasen-Innendruck). Bei einigen Kindern sind medikamentöse Maßnahmen (z. B. Oxybutinin) notwendig, antibiotische Prophylaxe ist sinnvoll, und bei z. B. spastischem Blasenschließmuskel gibt es eine Botox-Option. Manchmal muss auch eine künstliche Blase geschaffen werden. In einigen Fälle stellt auch die Geruchsbelästigung ein Problem dar.

Weiterführende physiotherapeutische Empfehlungen und Einschätzungen

Während einer Wiedervorstellung des nun 13-jährigen Antonio in der Spina-bifida-Ambulanz eines kinderneurologischen Zentrums berichtet seine Mutter von den vielen physiotherapeutischen Anwendungen, die ihr Sohn im Laufe seines Lebens bereits erhalten hat. Damit er im Rahmen seiner sensomotorischen Möglichkeiten eine optimale Entwicklung erlebt und um das Stehen und Gehen mit Hilfsmitteln vorzubereiten, werden seine (teil-) innervierten Muskeln mit Bahnungstechniken wie der **Reflexlokomotion nach Vojta,** dem **Bahnungssystem nach Brunkow (akrodynamische Therapie),** dem Bobath Konzept und später mittels **propriozeptiver neuromuskulärer Fazilitation (PNF)** angesteuert.

Bereits im Krankenhaus wurden Antonios Eltern in korrektem *Handling* ihres Babys angeleitet. Die dort tätige Physiotherapeutin betonte auch, wie außerordentlich wichtig es sei, dass die Kinder mit Spina bifida den sensibel innervierten Teil des Körpers wahrnehmen und ein entsprechendes **Körperschema aufbauen** (Wahrnehmungsschulung, z. B. als Schoßbehandlung). Auch eine **Baby- und Säuglingsmassage** kann diesen Zweck erfüllen.

Antonios natürlichem Bewegungsdrang und der Bewegungsfreude wird in der Behandlung nach dem **Bobath-Konzept** immer nachgegangen, damit er so viel Bewegungserfahrungen wie möglich sammelt. Als Alternative zu dem für Antonio nicht möglichen Krabbeln bot die Physiotherapeutin in der wohnortnahen Kinderpraxis den Einsatz eines Rollbretts an.

6

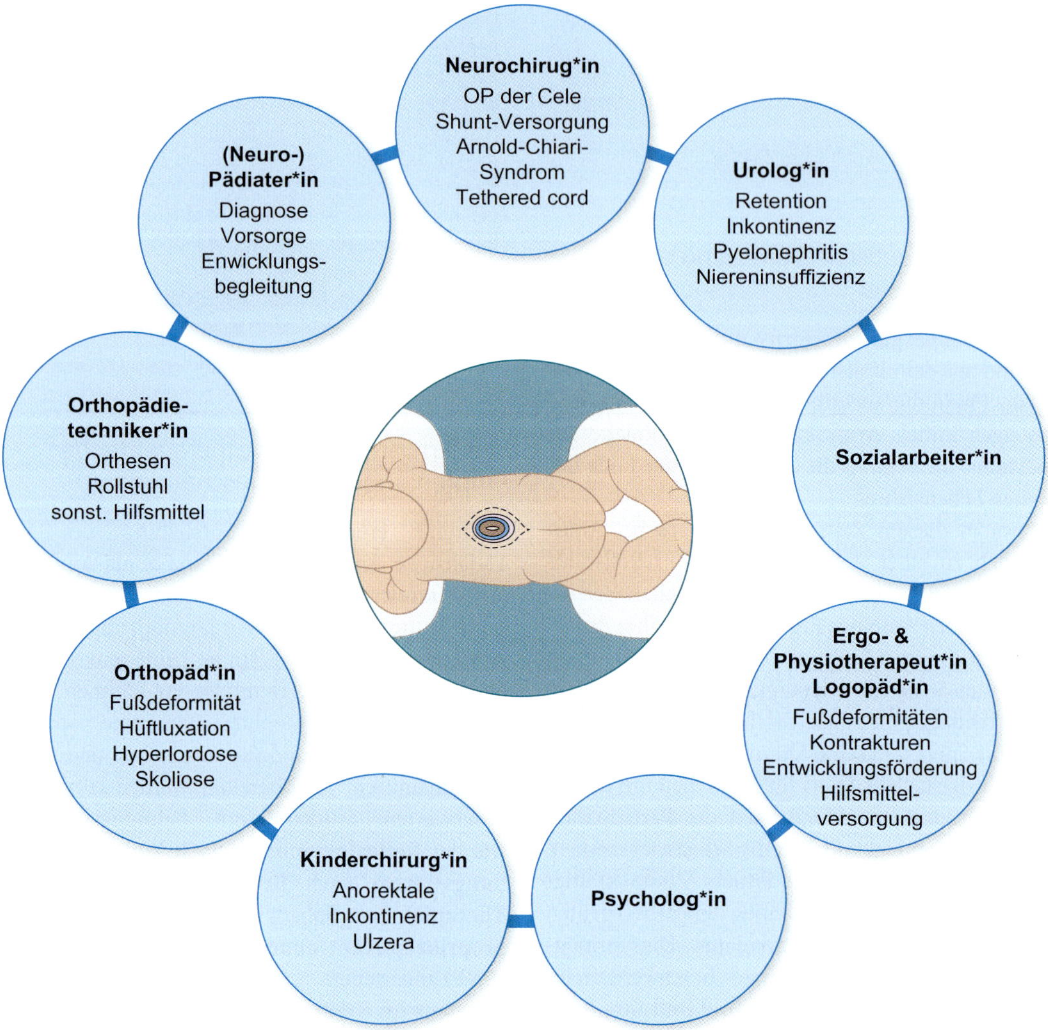

Abb. 6.3 Entwicklungsbegleitung des Kindes mit Spina bifida im interprofessionellen Team [P498/L231]

Zusätzlich zur Physiotherapie hat seine Mutter mit dem damals fünfjährigen Antonio eine pädagogische Kleinkinder-Schwimmgruppe besucht. Im **Bewegungsbad** fühlte sich Antonio sehr wohl und viele seiner Handicaps an Land waren im Wasser quasi aufgehoben.

Im Kindergarten und der Grundschule ist es vorrangig, dem Aktivrollstuhl-versorgten Antonio die bestmögliche Selbstständigkeit zu ermöglichen. Mit kräftiger Armmuskulatur und einem stabilen Haltungshintergrund werden nötige Transfers, z. B. vom Bett zum Rollstuhl, vom Rollstuhl auf den Boden und wieder zurück und sogar vom Rollstuhl ins Auto, geschult. Antonio sagt schon immer, er wolle seinen Führerschein machen.

Um die gut zur Verfügung stehenden Muskeln ökonomisch einzusetzen und zu kräftigen, wird weiterhin **PNF** und im Teenageralter zusätzlich **medizinische Trainingstherapie (MTT),** z. B. am Zugapparat, eingesetzt. Hierdurch wird die normal innervierte Muskulatur in einem ausgesprochen guten Zustand gehalten und soll orthopädischen Problemen vorgebeugt werden.

Eine große physiotherapeutische Herausforderung bei Spina bifida ist die muskuläre Dysbalance mit schlaffen und spastischen Teilparesen in unterschiedlicher Kombination, häufig kombiniert mit spinalen Automatismen.

Aufgrund seiner guten kognitiven Eigenschaften ist es für Antonio ein realistisches Ziel, später einem Beruf nachzugehen und selbstbestimmt (autonom) zu leben.

Hilfsmittelversorgung

Als Antonio zwei Jahre alt ist, trifft seine Mutter die Mutter eines anderen betroffenen Kindes in der Spina-bifida-Spezialambulanz. Diese berichtet ihr von all den Hilfsmitteln, die ihre Tochter bei einer Läsionshöhe von L_4 und den darunter ausgefallenen Muskeln erhalten hat. In ➤ Tab. 6.4 sind die Hilfsmittel aufgelistet, die diese Patientin im Laufe ihrer Entwicklung erhielt.

Gerade für die Beratung der Eltern in Hinblick auf ihre Rechte und Möglichkeiten ist eine Sozialberatung, auch hinsichtlich eines Behindertenausweises, eines Behindertenparkplatzes usw. unverzichtbar.

Handling während der ADL

Für die ersten Lebensjahre des Kindes mit Spina bifida müssen die Eltern (Bezugspersonen) im entwicklungsfördernden Handling (Lommel 2002) ebenso wie in der Versorgung für die Körperhygiene (Katheterisieren) angeleitet werden. Danach soll das Kind seine höchstmögliche Autonomie erreichen, ggf. auch unter Einsatz von Kompensationsmustern. Ein selbstbestimmtes Leben von Menschen mit besonderen Bedürfnissen ist immer oberstes Ziel.

Tab. 6.4 Mögliche Hilfsmittel bei Spina bifida mit Läsionshöhe L_4

Bezeichnung	Zeitpunkt des Ersteinsatzes	Bemerkungen
Nachtlagerungsschienen (ggf. mit Quengelgelenk)	Ab Ende des ersten Lebensjahrs	Davor mit Gipslagerungsschienen des Arztes
Badeliege/Duschliege	Im ersten Lebensjahr	Auf Wunsch der Eltern/behandelnden Ärzt*innen
Duschrollstuhl/Badewannenlifter	Bedarfsabhängig	Auf Wunsch der Eltern/behandelnden Ärzt*innen
Therapiestuhl	Ab Ende des ersten Lebensjahrs	
Rehabuggy	Im ersten Lebensjahr	
Aktiv- oder Adaptivrollstuhl	Bedarfsabhängig	Abhängig von der Lähmungshöhe und der Sichtweise der Eltern/Therapeut*innen
Kopfstütze für Rollstuhl	Bedarfsabhängig	Auch als „Sicherung" bei einem Selbstfahrer-Rollstuhl bei thorakaler Lähmung und fehlender Bauchmuskulatur (aktives Widerlagern bei schnellem Anschub durch Dritte)
Elektrorollstuhl (in Einzelfällen mit integrierter Stehfunktion)	Bedarfsabhängig	Abhängig von der Lähmungshöhe (hoher Querschnitt/Hydromyelie HWS) und den kognitiven Fähigkeiten des Kindes
Dekubituskissen	Bedarfsabhängig	In der Regel erst bei größeren und schweren Kindern und Jugendlichen, aber auch bei sehr „knöchernen" Kindern mit Dekubitusrisiko
Rollstuhlgerechte Wohnung	So früh wie möglich	Verbesserung der Selbstständigkeit und Teilhabe
Adaptierter Pkw	> 18 Jahre	Cave: Beeinträchtigungen der Wahrnehmung, Anfallsleiden, ggf. Gutachten erforderlich

6

Mögliche Probleme bei Spina bifida

Die Zusammensetzung des interprofessionellen Teams (➤ Abb. 6.3) verdeutlicht die Vielzahl an Problembereichen, die ein Mensch mit Spina bifida im Laufe seines Lebens antreffen kann.

WAS WÄRE, WENN ...

... Antonio während des Wachstums durch Veränderungen oder gar Verschlechterungen der Symptome auffallen würde?

Wenn Kinder mit Spina bifida die Situation des **Tethered Cord** (angeheftetes Rückenmark) haben, kann unter einem Wachstumsschub das so fixierte Rückenmark in die Länge gezogen werden. Beim Tethered Cord handelt es sich um eine Dorsalfixation des Conus medullaris unterhalb von L_2-L_3, was erst durch Wachstum problematisch wird. Diese Dysbalance zwischen Wachstum von Wirbelsäule und Rückenmark kann in einer Höhlenbildung z. B. im Hals- oder thorakalen Rückenmark **(Syringomyelie)** und in einem Tiefstand der Medulla oblongata resultieren. Letzteres kann dann zu Atemstörungen bis hin zum Tod führen. Hinweisend sind ein verstärkter Masseterreflex oder ein verzögerter oder abgeschwächter Lidschlussreflex. Bei der Syringomyelie im HWS-Bereich kann z. B. eine Spastik im Bereich der Arme neu auftreten.
Typische Anzeichen für das Tethered Cord sind eine sich entwickelnde Spastik (meist einseitig), schnell zunehmende Kontrakturen, Verschlimmerung der Skoliose, Verlust bisheriger Funktionen (z. B. der Gehfähigkeit), Blasen-Mastdarm-Störungen (möglicherweise Änderungen von Durchlaufblase zu spastisch), Kloni, Steifigkeit, Myoklonien, Parästhesien.
Diese Problematik kann auch bei Spina bifida occulta auftreten und ein erster Hinweis auf dieselbe sein.
Die **Arnold-Chiari-Malformation Typ II** ist eine embryonale Fehlbildung des Gehirns mit Kaudalverlagerung der Kleinhirntonsillen mit oder ohne Hydrozephalus.

Weiterführende Therapie

Je nach Läsionshöhe und klinischem Verlauf müssen regelmäßige Termine in der Kinderorthopädie vereinbart werden. Der Physiotherapeutin fällt hierbei die Aufgabe zu, in ihren wöchentlichen Therapieeinheiten rechtzeitig relevante Veränderungen zu erkennen. Hierzu gehört auch das rechtzeitige Einleiten einer möglichen Orthesenversorgung, je nach Läsionshöhe und individuellen Möglichkeiten, Wünschen und Bedürfnissen der Familie (➤ Tab. 6.5).
Als Antonio 14 Jahre alt ist, bemerkt die Physiotherapeutin eine für Teenager typische „Therapiemüdigkeit". Um weiter an den langfristigen Therapiezielen zu arbeiten und ihn zusätzlich zu motivieren, geht sie mit ihm zum **therapeutischen Klettern.** Dies sieht Antonio eher als Sport denn als Physiotherapie an und hat viel Freude beim Tandem-Klettern an der Kletterwand. Dies ist eine gute Möglichkeit, Kinder mit Behinderungen zu Teilhabe und sportlicher Betätigung zu befähigen (Jung 2012).

PRAKTISCHER TIPP

Regelmäßige orthopädische Wiedervorstellungen

Orthopädische Probleme werden das Kind bzw. den Menschen mit Spina bifida ein Leben lang begleiten, weshalb die regelmäßige physiotherapeutische Behandlung versucht, eine drohende Verschlechterung so lange wie möglich aufzuhalten. Hierbei ist eine kontinuierliche, gute Zusammenarbeit mit der Orthopädie und der Orthopädietechnik für anstehende Operationen (➤ Tab. 6.6) und notwendige Hilfsmittelversorgungen erforderlich.

Tab. 6.5 Weitere mögliche Hilfsmittel entsprechend der Läsionshöhe

Hilfsmittel	Läsionshöhe	Zusätzliche Hilfen
Einlagen	S_3	Keine
Unterschenkel-Orthesen	S_1–S_2	Orthesenschuhe, 4-Punkt-Stöcke
Knie-/hüftübergreifende Orthesen	(L_4) L_5–S_1	Orthesenschuhe/Rollator/Gehstöcke
Hüftübergreifende Orthesen – Swivel Walker, Parawalker, Isozentrische ARGIO Geh- und Stehorthese	Th_4–L_3 (L_4)	Orthesenschuhe/Rollator/Gehstöcke
Dynamic GPS Soft-Orthesen, Korsettversorgung, Sitzschalen	Abhängig von der Läsionshöhe auch schon im ersten Lebensjahr	

Tab. 6.6 Mögliche/notwendige Operationen bei Spina bifida

Operation	Fachbereich
Abtragung und Decken der Meningomyozele	Neurochirurgie
Anlage eines Shunts bei Hydrozephalus	Neurochirurgie
Klumpfuß- oder Spitzfuß-Korrektur	Orthopädie/Chirurgie
Operation einer Arnold-Chiari II-Malformation	Neurochirurgie
Lösen eines Tethered Cord	Neurochirurgie
Lösen möglicher Kontrakturen	Orthopädie/Chirurgie
Ggf. Shunt-Revision	Neurochirurgie

6.6 Evidenzbasierte Zusammenfassung

Bisher existiert nur zu wenigen therapeutischen Maßnahmen aussagekräftige Evidenz. So wurden Maßnahmen zur Reduktion von Schulterschmerz bei Rollstuhlfahrern untersucht (Nawoczenski et al. 2006) und eine Einzelfallstudie beschreibt den Erfolg von seriellem Gipsen zur Reduktion von Kniebeugekontrakturen (Al-Oraibi 2014). Die Mehrheit der Publikationen beschäftigt sich mit Assessments in Bezug auf die Mobilität von Patienten mit Spina bifida (Kane et al. 2016; Bloemen et al. 2017). Eine S2k-Leitlinie von 2019 zur neurogenen Blasenstörung bei spinaler Dysraphie ist von der AWMF-Homepage abrufbar (www.awmf.org/leitlinien/detail/ll/043-047.html, Zugriff am 09.03.2022).

Ob und wie die Blasenstörung und deren Behandlung die Lebensqualität der Betroffenen beeinträchtigt, untersuchten Smith und Kollegen (2016).

Der Mangel an Bewegung, wie ihn Bloemen et al. (2019) aufzeigen, führt zu reduzierten Fitnesswerten (Kraft und kardiorespiratorische Ausdauer). Hierzu zeigten bereits 2014 Oliveira, Jácome und Marques, dass Bewegungstherapie diese Werte verbessern kann.

Evidenz

- Reduzierung von Schulterschmerz bei erwachsenen Rollstuhlfahrern (Nawoczenski et al. 2006)
- Serielle redressierende Gipse mit anschließender Orthesenversorgung gegen Kniebeugekontrakturen (Al-Oraibi 2014)
- Verbesserung der kardiorespiratorischen Ausdauer sowie der Muskelkraft durch Bewegungstherapie (Oliveira, Jácome und Marques 2014)
- Messung der Gehfähigkeit (Kane et al. 2016)
- Wirksamkeit von Maßnahmen für Nieren und Blase (Smith et al. 2016)
- Erfassung von Mobilität im Rollstuhl (Bloemen et al. 2017)
- Mangelnde physische Aktivität aufgrund der Rollstuhlnutzung (Bloemen et al. 2019)

LITERATUR

Al-Oraibi S. Non-surgical intervention of knee flexion contracture in children with spina bifida: case report. J Phys Ther Sci. 2014; 26: 793–795.

Bayley N, Reuner G, Rosenkranz J. BAYLEY-III. Bayley scales of infant and toddler development. 3. Aufl. Göttingen: Hogrefe, 2014.

Bloemen MAT et al. Wheelchair shuttle test for assessing aerobic fitness in youth with spina bifida: validity and reliability. Phys Ther. 2017; 97: 1020–1029.

Bloemen MAT et al. Physical activity in wheelchair-using youth with spina bifida: an observational study. J Neuroeng Rehabil. 2019; 16(1): 9.

Ermert A. Lexikon Spina bifida & Hydrozephalus von A bis Z: ein Schlüssel zum besseren Verständnis. Dortmund: Verlag ASBH-Stiftung, 2011.

Grifka J. Wirbelbogenschlussstörungen. In: Heisel J. (Hrsg.). Neurologische Differenzialdiagnostik. Krankheitsbilder der Halte- und Bewegungsorgane mit neurologischer Begleitsymptomatik. Stuttgart, New York: Thieme, 2007.

Hettige S., Shtaya A., Gangopadhyay A. N. (2022) Spina Bifida. In: Sinha C. K., Davenport M. (eds) Handbook of Pediatric Surgery. Berlin-Heidelberg: Springer, 2022.

Jung M. Möglichkeiten neuer Freizeitaktivitäten wie (Sport-) Klettern oder Slackline zur Steigerung der Teilhabe bei Personen mit Handicap. COMED 2012; 11: 8–11.

Kane KJ et al. Preliminary study of novel, timed walking tests for children with spina bifida or cerebral palsy. SAGE Open Medicine 2016; 4: 1–8.

Landsleitner B. Meningomyelocele. In: Kretz FJ, Becke K (Hrsg.). Anästhesie und Intensivmedizin bei Kindern. 4. Aufl. Stuttgart, New York: Thieme, 2020.

Lommel E. Handling und Behandlung auf dem Schoß: in Anlehnung an das Bobath-Konzept. 3. Aufl. München: Pflaum Verlag, 2002.

Nawoczenski DA et al. Clinical trial of exercise for shoulder pain in chronic spinal injury. Phys Ther. 2006; 86(12): 1604–1618.

Oliveira A, Jácome C, Marques A. Physical fitness and exercise training on individuals with spina bifida: a systematic review. Res Dev Disabil. 2014; 35(5): 1119–1136.

Preisler B. Rehabilitation of spina bifida children early ambulation using swivel walkers and parawalkers. In: Panteliadis CP, Darras BT (eds.). Pediatric Neurology. Theory and Praxis. Thessaloniki: Karger Publishers, 1995, S. 247–256

Rohen JW, Lütjen-Drecoll E. Funktionelle Embryologie. 5. Aufl. Stuttgart: Schattauer, 2017.

Smith K et al. The effectiveness of bowel and bladder interventions in children with spina bifida. Dev Med Child Neurol. 2016; 58(9): 979–988.

Vaupel E, Schaible HG, Mutschler P. Anatomie, Physiologie und Pathologie des Menschen. 7. Aufl. Stuttgart: Wissenschaftliche Verlagsgesellschaft, 2015.

Vojta V, Bauer H. Besteht eine Beeinflussung der Liquorzirkulation durch krankengymnastische Behandlung (Reflexlokomotion nach Vojta)? In: Voth D (Hrsg.). Hydrocephalus im frühen Kindesalter. Stuttgart: Enke, 1983.

Vojta V. Die cerebralen Bewegungsstörungen im Säuglingsalter: Frühdiagnostik und Frühtherapie. 8. Aufl. Stuttgart: Thieme, 2008.

Vojta V, Peters A. Das Vojta Prinzip – Muskelspiele in Reflexfortbewegung und motorischer Ontogenese. 3. Aufl. Berlin: Springer, 2007.

Zukunft-Huber B. Der kleine Fuß ganz groß. 4. Aufl. München: Elsevier Urban & Fischer, 2022.

FALL

7

Michael Jung

Geburtstraumatische Plexusparese

Leitsymptome: Sensorische und motorische periphere Parese – Horner-Syndrom – (einseitige) Zwerchfellparese

mittel

Definition

Plexusparese
Nach der physiotherapeutisch weniger therapierelevanten Klavikulafraktur ist die Plexusparese, Typ Erb-Duchenne, das zweithäufigste Geburtstrauma mit einer Inzidenz von 0,2–3,3/1.000 Neugeborenen (Hasenlechner et al. 2010).

Diese periphere Nervenläsion zeigt sich symptomatisch sowohl motorisch an der Schulter- und Brustmuskulatur als auch motorisch und sensibel an Arm und Hand. Seltener imponieren diese Neugeborenen mit einem Horner-Syndrom (Schädigung auf Höhe Th_1) oder einer Phrenikusparese mit Zwerchfelllähmung (Schädigung auf Höhe C_4).

7.1 Vorgeschichte

Die an Diabetes mellitus Typ I leidende Katja N. ist 34 Jahre alt und zum ersten Mal schwanger. Sie und ihr Mann Karl freuen sich sehr auf das Baby und sind froh, dass Katja eine unproblematische Schwangerschaft hat.

Die Gynäkologin stellt während der routinemäßigen Ultraschalluntersuchungen fest, dass die Familie ein Mädchen bekommt. Katja entbindet pünktlich zum errechneten Geburtstermin. Da sie bis zu ihrem 24. Lebensjahr Eiskunstlauf als Leistungssport betrieben hat, ist ihr Beckenboden durch die unzähligen Sprünge und Landungen auf dem Eis sehr fest. Die Spontangeburt ihrer Tochter Annika findet nach elf Stunden Wehentätigkeit aus Beckenendlage unter geburtshilflichen Griffen der Hebamme (Veit-Smellie-Handgriff) statt. Annika ist mit einem Geburtsgewicht von 4.705 g und einer Körperlänge von 52 cm ein großes Baby. Ihre Apgar-Werte lauten 6/8/8, da sie unter der Geburt eine Plexusparese des linken Arms erleidet.

An Annikas drittem Lebenstag wird Frau N. mit ihrer Tochter von der Wöchnerinnenstation entlassen. Weitere drei Tage später bekommt sie einen Termin zur U2 bei der ortsansässigen Kinderärztin. Auf Anraten einer Physiotherapeutin der Geburtsklinik vereinbart die junge Mutter auch gleich einen Termin bei einer Physiotherapeutin im Nachbarort, die auf Kinderbehandlungen spezialisiert ist.

In diesem Fallbeispiel werden folgende Fragen analysiert und beantwortet:

- Inwieweit ist eine Plexusparese reversibel?
- Welche Therapiemaßnahmen haben wissenschaftliche Evidenz?
- Wie können die Eltern den Heilungsverlauf unterstützen?
- Welche möglichen (orthopädischen) Probleme können bei unzureichender Rehabilitation auftreten?

7.2 Untersuchungsbefunde

Bei der Plexusparese können zwei Formen unterschieden werden, wobei es auch Mischformen gibt (ICD-10: P14.3).

Die obere Plexuslähmung oder Erb-Duchenne-Parese (ICD-10: P14.0)

Es handelt sich um eine unter dem Geburtsvorgang erlittene Schädigung des Plexus cervicobrachialis, meist am Erb-Punkt (obere Schlüsselbeingrube) zwischen dem Hinterrand des M. sternocleidomastoideus und dem M. scalenus medius.

Die an diesem Punkt vereinigten Vorderäste der Zervikalnerven (4), 5, 6 können durch Dehnung, Zerrung, Quetschung oder ein Hämatom irritiert werden.

- Kommt es zu einer **Neurapraxie** (ICD-10: T14.4), liegt eine ischämische Läsion mit Schädigung des Perineuriums und der Vasa vasorum vor.
- Bei einer **Axonotmesis** liegt eine Schädigung des Axons bei intaktem Hüllgewebe und in Ausnahmefällen ein Wurzelausriss am Rückenmark vor.
- Beim seltenen, kompletten Nervenabriss mit Durchtrennung der Hüllstrukturen liegt eine **Neurotmesis** vor.

Dies bedeutet eine teilweise oder komplette Schädigung folgender Nerven: N. axillaris C_4–C_6, N. musculocutaneus C_5 –C_7, N. suprascapularis C_4–C_6 und manchmal N. radialis C_5–Th_1.

Diese Nervenschädigung kann zur Lähmung folgender Muskeln führen: M. rhomboideus major, M. deltoideus, M. biceps brachii, M. brachialis, M. supinator, zuweilen M. coracobrachialis, M. brachioradialis, M. supra- und infraspinatus, M. teres major, M. teres minor, Pars clavicularis des M. pectoralis major, seltener M. subscapularis.

Hierdurch entsteht eine typische Schonhaltung des Arms in Adduktion, Innenrotation und Pronation des Unterarms bei gestrecktem Ellenbogen (➤ Abb. 7.1).

Je nach Sitz und Ausmaß der Schädigung können auch Muskeln in der Nachbarschaft geschwächt sein. Bei einer Schädigung in Höhe von C_4 kommt es gelegentlich zu einer **Phrenikusparese,** welche durch eine Zwerchfelllähmung imponiert (Karabiber et al. 2004), während es bei einer Schädigung in Höhe von C_7 zur Parese des M. triceps brachii und M. pectoralis major kommen kann.

Die untere Plexuslähmung/Dejerine-Klumpke-Parese (ICD-10: P14.1)

Die seltenere Schädigung des 7. und 8. Zervikalnervs zeigt eine Lähmung der langen, bei Beteiligung des 1. Thorakalnervs auch der kurzen Handmuskeln. Die untere Plexusparese tritt nur in etwa 10–15 % aller Fälle auf. Der Entstehungsmechanismus ist der Gleiche wie bei der Erb-Parese.

Die typische Haltung zeigt sich in einer halboffenen Fallhand bei semiflektiertem Ellenbogen. Mögliche Sensibilitätsstörungen sind an der Ulnarseite von Unterarm und Hand anzutreffen.

Eine Schädigung in Höhe von Th_1 kann ipsilateral zu einem **Horner-Syndrom** führen. Bei Beteiligung des Ramus communicans des N. sympathicus entsteht der Horner-Symptomenkomplex mit **Miosis** (Pupillenverengung), **Ptosis** (Herabhängen des Ober-

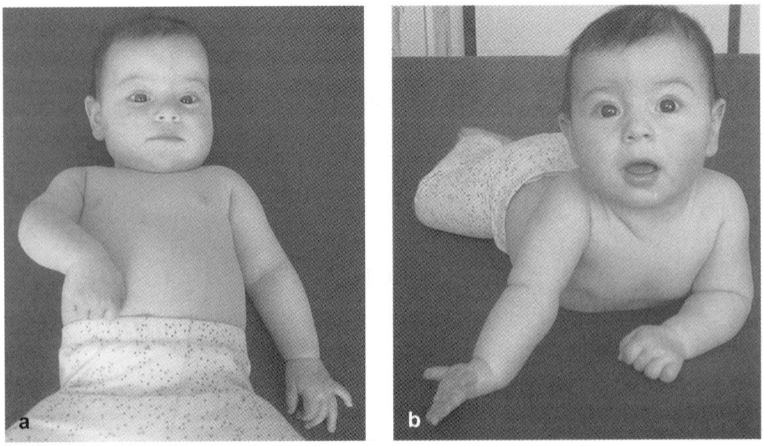

Abb. 7.1 Säugling mit oberer Plexusparese [P486]

lids durch Lähmung des M. levator palpebrae superioris) und **Enophtalmus** (tiefes Zurücksinken des Augapfels in die Orbita).

PRAKTISCHER TIPP

Ein Horner-Syndrom findet sich manchmal bei der geburtstraumatischen Plexusparese und kann mit propriozeptiver neuromuskulärer Fazilitation (PNF) oder der orofazialen Regulationstherapie (ORT) aus dem Konzept nach Castillo Morales behandelt werden. Elektrotherapie mit einer Punktelektrode ist deutlich unangenehmer und wird deshalb bei Säuglingen selten angewandt.

Bei der unteren Plexusparese werden manchmal unterschiedliche Augenfarben im linken und rechten Auge beobachtet. Weitere vegetative Störungen wie z. B. kalter Schweiß und schlechte Durchblutung komplettieren das klinische Erscheinungsbild dieser geburtstraumatischen Läsion.

7.2.1 Medizinische Befunde

Neugeborene mit einer Plexusparese sind im Sichtbefund aufgrund ihrer Armhaltung und der beeinträchtigten Motorik auffällig. Zusätzlich fällt schon früh eine Beeinträchtigung der Sensibilität auf. Allein diese Punkte führen sofort nach der Geburt dazu, dass die Diagnose gestellt und eine Verordnung zur Physiotherapie ausgesprochen wird.

KLINISCHER HINTERGRUND

Differenzialdiagnose

Bei der Diagnosestellung am Neugeborenen und Säugling sollte beachtet werden, dass Schmerzreaktionen gegen eine Plexusparese sprechen. Scheinlähmungen mit ähnlicher Schonhaltung werden bei Klavikulafrakturen, Epiphysenlösungen und Humerusfrakturen beobachtet. In einigen Fällen wurde eine ähnliche Schonhaltung des Arms bei schlaffen Hemiparesen beobachtet.
Bei Kleinkindern kann eine ähnliche Schonhaltung des Arms auch nach einer Luxation des Radiusköpfchens aus dem Lig. anulare radii, einer **Chassaignac-Luxation** (engl. *Nursemaid's Elbow*) auftreten (➤ Abb. 7.2).
Zur Diagnosesicherung und Abgrenzung zu Frakturen werden Röntgen, Ultraschall oder eine Elektromyografie (EMG) eingesetzt.

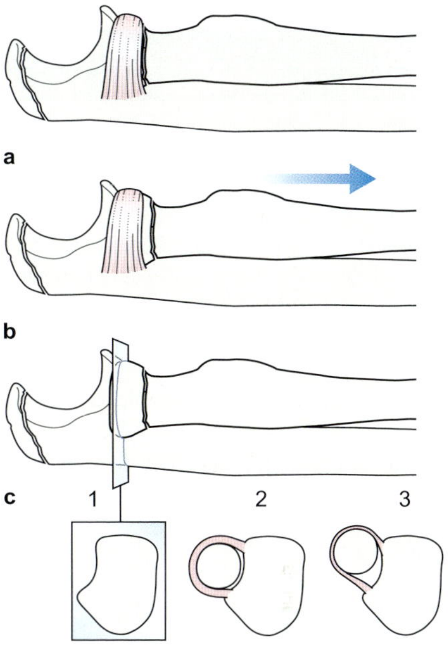

Abb. 7.2 Pathogenese der Chassaignac-Luxation [E1113]

Ärztliche Untersuchung

Die Kinderärztin beobachtet und testet am 6. Lebenstag in der U2 die Spontan- und Reaktivmotorik sowie die Sensibilität von Annika. Bedingt durch die periphere Nervenläsion sind die Muskeleigenreflexe (MER) an der betroffenen Seite abgeschwächt oder nicht auslösbar. Aufgrund ihrer linksseitigen motorischen und sensiblen Ausfälle durch die obere Plexusparese verordnet die Ärztin Annika Physiotherapie (➤ Tab. 7.1).

In der U3, Mitte der 5. Lebenswoche, sieht die Kinderärztin eine erste Verbesserung der Spontanmotorik, jedoch auch einen beginnenden Neglect der betroffenen Seite.

KLINISCHER HINTERGRUND

Bildgebende Untersuchungen

Bildgebende Verfahren zur Diagnostik der geburtstraumatischen Plexusparese sind selten erforderlich. Die Klinik und der Geburtsmodus geben eindeutige Hinweise auf das Krankheitsbild.
Bei ausbleibender Verbesserung können ggf. **MRT, CT** und eine Messung der Nervenleitgeschwindigkeit **(NLG)** durchgeführt werden, um eine OP-Indikation zu stellen.

Tab. 7.1 Ärztliche Diagnostik beim Neugeborenen zur Sicherung der Diagnose „Plexusparese"

Konservativ		
Untersuchung	**Beschreibung**	**Beispiele**
Anamnese	Befragung der Mutter zu Schwangerschaft, Geburtsverlauf und -modus, ggf. bisherige Entwicklung.	Die Mutter gibt an, dass unter dem Zug der Hebamme Annikas Schulter zuerst an ihrer Symphyse hängen blieb.
Sichtbefund der Spontan- und Reaktivmotorik	Bei der Betrachtung der Spontanmotorik wird das Neugeborene/der Säugling nicht manipuliert. Zur Beobachtung der Reaktivmotorik wird optoakustisch stimuliert, um altersentsprechende Antworten zu erhalten.	Annika hält den linken Arm adduziert, innenrotiert und proniert bei gestrecktem Ellenbogen. Bei Stimulation reagiert sie ausschließlich mit dem gesunden Arm, der betroffene Arm bleibt auf der Unterlage.
Palpation Muskeltonus	Der betroffene Arm imponiert durch eine hypotone Parese.	
Testung der primären Reaktionen und Lagereaktionen nach Vojta	Beim Testen der sieben Lagereaktionen kommt es mehrfach zur Dehnung des Nervengeflechts, weshalb auf diese Tests nach Vojta verzichtet wird.	Bei Annika fehlen linksseitig die Mororeaktion und die asymmetrisch-tonische Nackenreaktion, die Handgreifreaktion ist beidseits vorhanden.
Prüfung der Gelenkbeweglichkeit	Aktive und passive Beweglichkeitsveränderungen im Range of Motion (ROM) werden anhand der Neutral-Null-Methode getestet.	Kontrakturen, v. a. im Ellenbogen, und Störungen des humeroskapularen Rhythmus treten meist erst im Kleinkindalter auf.
Atmung	Eine Schädigung in Höhe von C_4 führt gelegentlich zu einer Phrenikusparese, welche durch eine einseitige Zwerchfelllähmung imponiert. Im Sichtbefund zeigen sich dann eine asymmetrische Zwerchfelltätigkeit (asymmetrische Atembewegung) und Zyanose, was schnell zu Dyspnoe, Bronchitis oder Pneumonie führen kann.	Aktuell hat Annika keine Probleme mit der Atmung.
Muskeleigenreflexe (MER)	Bei einer Läsion des Arms werden im Seitenvergleich der Bizeps- (BSR) und Trizepssehnenreflex (TSR) getestet.	An Annikas linkem Arm ist der BSR nicht auszulösen. Der TSR ist beidseits normal auszulösen.

7

WAS WÄRE, WENN ...

... die Kinderärztin bei Annika während der U4 keinerlei muskuläre Aktivität (MFP-Wert 0) am betroffenen Arm erkennen würde?

Dann sollte mit der Kinderärztin und der Neurochirurgie das weitere konservative oder ein mögliches operatives Vorgehen diskutiert werden.

7.2.2 Physiotherapeutische Anamnese

Nach einigen Fragen zur Geburtsanamnese verschafft sich auch die Physiotherapeutin einen Überblick über die motorischen und sensiblen Ausfälle bei Annika. Frau N. erklärt ihr, die Physiotherapeutin in der Geburtsklinik hätte einmal demonstriert, wie man Annika plexusschonend aus- und anziehen kann. An diese Vorkenntnis knüpft die Physiotherapeutin während des ersten Termins an.

Die Überprüfung der Sensibilität an den disponierten Stellen ist beim Neugeborenen und Säugling schwer. Eine grobe Annäherung gibt der vierstufige **Sensibilitätstest nach Narakas** (1987).

PRAKTISCHER TIPP

Die Kenntnis der potenziellen Stellen für Sensibilitätsstörungen ist u. a. für die exterozeptive Stimulation in der Brunkow-Therapie (akrodynamische Therapie, ADT) und die Anlage von Elektroden bei der funktionellen Elektrostimulation (FES) wichtig.

Auch eine Muskelfunktionsprüfung ist aufgrund der mangelnden Compliance der Säuglinge sehr schwierig. Als praktikabel und aussagekräftig hat sich der **Toronto-Test-Score** (Michelow et al. 1994) erwiesen. Er beschreibt aktive Gelenkbewegungen der oberen Extremität gegen die Schwerkraft.

Die Qualität der Bewegungen wird mittels eines 7-Punkte-Bewertungssystems quantifiziert. Folgende aktive Bewegungen werden bewertet: Flexion und Extension des Ellenbogens, Extension des Handgelenks, Extension der Finger und Extension des Daumens. Jede dieser fünf Bewegungen wird auf einer Skala von 0 (keine Muskelkontraktion) bis 2 (normale vollständige Bewegung) bewertet, und die Summe der Werte ergibt den kompletten Toronto-Test-Score (➤ Tab. 7.2).

Aus der Bewertung und der damit verbundenen Punktzahl (Maximum 10) kann eine Prognose zur Erholung der Plexusparese formuliert werden. Liegt der Punktwert im Alter von drei Monaten unter 3,5, wird eine schlechte Genesung prognostiziert. Hier muss ein frühzeitiger chirurgischer Eingriff diskutiert werden. Punktwerte über 3,5 zu diesem Zeitpunkt machen eine gute Genesung wahrscheinlich.

Als Annika **6 Monate** alt ist, führt die Physiotherapeutin mit ihr den **Handkerchief-/Towel-Test** durch. Bei diesem eigentlich entwicklungsneurologischen Test wird Annikas Gesicht mit einem Tuch bedeckt und beobachtet, ob sie in der Lage ist, das Tuch mit dem betroffenen Arm wegzuziehen (Bertelli & Ghizoni 2004). Im Alter von **9 Monaten** muss Annika den **Cookie-Test** absolvieren. Er testet, ob sie in der Lage ist, einen Keks mit der betroffenen Hand zum Mund zu führen (Clarke & Curtis 1995).

Beide Tests werden im jeweiligen Alter als wichtige Entscheidungskriterien bezogen auf das weitere therapeutische Vorgehen angesehen: Sind die funktionelle Wiederherstellung bzw. Regenerationstendenz ausreichend oder sollte eine operative Nervenrekonstruktion in Betracht gezogen werden? Beide Tests absolviert Annika mit Bravour, somit ist ein operativer Eingriff zunächst einmal obsolet. Später kommen zur Identifizierung möglicher Kontrakturen die **Gelenkmessungen nach der Neutral-Null-Methode** zur Anwendung.

Mögliche Assessments zur Verlaufsdokumentation sind in ➤ Tab. 7.2 zusammengefasst.

Tab. 7.2 Mögliche Assessments zur Verlaufsdokumentation

Assessment	Wert		
Range of Motion (ROM) (Golden et al. 2007)	Winkelgrade werden erhoben.		
Standardisierte Fotodokumentation	In Rücken- und Bauchlage (➤ Abb. 7.1)		
Muskelfunktionsprüfung nach Toronto Test Score (Michelow et al., 1994)	*Schwerkraft ausgeschaltet*	*Bewegungsqualität*	*Punktwert*
	Keine Kontraktion	0	0
	Kontraktion, keine Bewegung	1	0,3
	Bewegung < ½ ROM	2	0,3
	Bewegung > ½ ROM	3	0,6
	Vollständige Bewegung	4	0,6
	Entgegen der Schwerkraft	*Bewegungsqualität*	*Punktwert*
	Bewegung < ½ ROM	5	0.6
	Bewegung > ½ ROM	6	1,3
	Vollständige Bewegung	7	2
Umfangs- und Längenmessung in cm	Die Arme sollten in Umfang und Länge im Seitenvergleich beidseits gleich sein.		
Sensibilitätstest nach Narakas (1987)	S0 = keine Reaktion auf Stimulus S1 = Reaktion auf Schmerzreiz, keine Reaktion auf Berührung S2 = Reaktion auf Berührung S3 = augenscheinlich normale Sensibilität		

KLINISCHER HINTERGRUND

Range of Motion (ROM)

Messungen des Bewegungsumfangs mittels Goniometer nach der Neutral-Null-Methode können an fast allen Gelenken bei Kindern jeder Altersstufe stattfinden. Beim Neugeborenen und jungen Säugling trifft man bei der hypotonen Plexusparese selten Kontrakturen an.

Manchmal ist der Ellenbogen deutlich überstreckbar. Im Verlauf entstehen aber aufgrund der Inaktivität und des Wachstums Kontrakturen im Ellenbogen, der Schulter und manchmal der Hand.
Der Bewegungsumfang kann in aktive (AROM) und passive (PROM) Beweglichkeit unterteilt werden.

7.2.3 Evaluation des Gesundheitszustands nach ICF

Personenbezogene Faktoren

Annikas linker Arm zeigt sich im Verlauf der Entwicklung 1–2 cm kürzer als der gesunde Arm. Dies muss beim Kauf von Kleidung immer beachtet werden.

Umweltbezogene Faktoren

Die Physiotherapeutin leitet die Eltern zuerst in einem entwicklungsfördernden Handling an. Für die Schlafphasen tagsüber, bei welchen die Eltern immer mal wieder einen Blick auf ihr Kind haben können, zeigt die Physiotherapeutin ihnen verschieden Lagerungsmöglichkeiten, welche die Erholung des Plexus unterstützen.

In den einzelnen Therapiesitzungen verweist die Physiotherapeutin je nach Entwicklungsstufe von Annika immer wieder auf Spielzeug, welches eine beidhändige Manipulation erfordert.

Da die Familie ein schwedisches Kindermädchen hat, wird auch dieses im Handling angeleitet. Gemeinsam überlegen alle, wie das Umfeld von Annika gestaltet werden kann, damit sie die betroffene Seite mehr wahrnimmt und dann auch einsetzt.

Unterschiedliche Lagerungshilfen (z. B. Handtuchrolle) können die Vertikalisierungsentwicklung von Annika unterstützen.

Funktions- und Strukturebene

Minussymptomatik: Die Spontan- und Reaktivmotorik der betroffenen Seite kommt aufgrund der hypotonen Parese fast vollständig zum Erliegen. Im Bereich Muskeltonus und Muskeleigenreflexe herrscht eine Minussymptomatik vor.

Bei Vorliegen deutlich sichtbarer Umfangs- und Längendifferenzen zwischen beiden Armen sollte auch an eine Minussymptomatik in Bezug auf die Mineralisation der Knochen gedacht werden.

Plussymptomatik: Ist bei der Plexusparese nicht vorhanden.

Adaptive Phänomene: Manchmal entwickeln Säuglinge mit Plexusparese im Laufe der (asymmetrischen) Entwicklung einen Neglect des betroffenen Arms und die Gefahr einer Skoliose im Schulkindalter wird diskutiert.

Aktivitätsebene

Mit zunehmender optischer Orientierung beginnt Annika aufgrund der peripheren Parese links die gesunde rechte Seite mehr zu beachten.

Mit zwei Lebensmonaten zeigt sie eine einseitige (rechtsseitige) Hand-Mund-Koordination und beginnt deutlich retardiert im fünften Lebensmonat, mit beiden Händen zu spielen (Hand-Hand-Koordination).

Sämtliche grob- und feinmotorischen Aktivitäten mit dem Arm bzw. der Hand führt Annika vorzugsweise mit der rechten Seite ausgeführt.

Partizipationsebene (Teilhabe)

Im Verlauf, v. a. bei mangelhafter Rekonvaleszenz, können Spiele und Sportarten, die eine gute bimanuelle Koordination verlangen, Annika sehr schwerfallen. Im Kindergarten und in der Grundschule kann sie aufgrund schwacher Bilateralintegration auffallen.

KLINISCHER HINTERGRUND

Umfangs- und Längenmessungen der Arme

Da sich der betroffene Arm durch die schlaffe Lähmung weniger formative Druck- und Zugbelastungen verschafft, kann er im Längenwachstum hinter dem gesunden Arm zurückbleiben. Weiterhin wird das mangelhaft ausgeprägte Muskelkorsett des betroffenen Arms dafür verantwortlich sein, dass der gesunde Arm deutlich größere Umfangsmaße aufweist. Die kann u. U. zu erschwerter Teilhabe im Sport und beim Musizieren führen.

7.3 Zusammenfassung der wichtigsten Befunde

Die kleine Annika hat eine angeborene Plexusparese links, wodurch ihr Arm schlaff gelähmt in Adduktion, Innenrotation, Ellenbogenextension und Pronation des Unterarms auffällt.

An der Kleinfingerseite des linken Unterarmes spürt Annika noch nichts und beginnt diesen Arm mehr und mehr zu ignorieren. Ihre sensomotorische Entwicklung und der Aufbau des Körperschemas sind dadurch retardiert.

7.4 Physiotherapeutische Zielsetzung

Die Familie vereinbart mit der Physiotherapeutin folgende Behandlungsziele:

Mittelfristig:
- Ansteuerung und Aktivierung der paretischen Muskulatur im linken Arm
- Finden der Symmetrie (Körpermitte) in Rücken- und Bauchlage

Langfristig:
- Altersentsprechende sensomotorische Entwicklung
- Vermeiden von Kontrakturen im betroffenen Arm (auch bei Wachstumsschüben)
- Vermeiden von Sekundärproblemen wie z. B. Skoliose

Ein vor allem von dem Vater benanntes Problem wird in allen zuvor genannten Zielen sozusagen als **Nebenziel** beachtet: Der Neglect des betroffenen Arms soll aufgelöst und der betroffene Arm vollständig in Annikas *Körperschema* (Körperbild) integriert werden.

7.5 Physiotherapeutische Maßnahmen

Obwohl in manchen Kliniken erst nach etwa 7–10 Tagen mit der Physiotherapie begonnen wird, bekommt Frau N. bereits auf der Wöchnerinnenstation verschiedene **Lagerungsmöglichkeiten** gezeigt. Die Physiotherapeutin demonstriert mehrere Schlafpositionen für Annika, in denen der betroffene Arm schonend gelagert ist und keine Dehnung auf den Plexus cervicobrachialis kommt (➤ Abb. 7.3, ➤ Abb. 7.4). Diese Lagerung sollen die Eltern bis zum 3.–4. Lebensmonat zuhause durchführen, da dann erst eine stabile Kopfkontrolle erreicht wird.

Die Familie ist anfangs zunächst sehr verängstigt aufgrund des gelähmten Ärmchens. Damit sich die geschädigten Nervenstrukturen bestmöglich erholen können, soll dem geschädigten Plexus cervicobrachialis in den ersten drei Lebensmonaten keine weitere Dehnung widerfahren. Das heißt, bei diesen Neugeborenen wendet man ein vorsichtiges **Handling** an. Während der Aktivitäten des täglichen Lebens mit dem Säugling (Aufnehmen und Tragen, Baden und Wickeln, sogar während des Fütterns) stellen Kopf und Schulter-Hals-Bereich eine funktionelle Einheit dar, bei welcher man darauf achtet, dass der Winkel

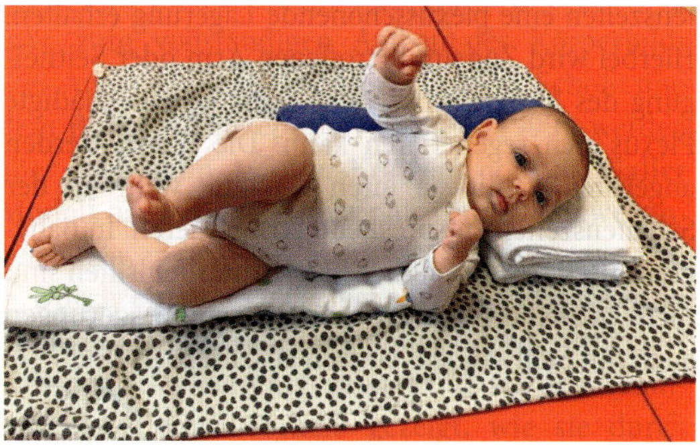

Abb. 7.3 Lagerung der Plexusparese auf der betroffenen Seite [P498]

Abb. 7.4 Lagerung der Plexusparese auf der gesunden Seite [P498]

Mit zunehmender Regeneration des Plexus cervicobrachialis in den ersten Lebensmonaten wird in den zweimal wöchentlich stattfindenden Physiotherapiesitzungen und beim täglichen häuslichen Üben die sensomotorische Entwicklung (z. B. durch Gewichtsverlagerung nach links und rechts auf dem Pezziball oder durch Spielzeug-induziertes Einleiten des Drehvorgangs zu beiden Seiten) unterstützt. Mögliche Folgeschäden sollen damit vermieden werden.

Als Annika fast vier Monate alt ist, besucht ihre Mutter mit ihr einen Kurs zur **Baby- und Säuglingsmassage,** zu dem auch ihr Ehemann zweimal mitkommen kann. Die behandelnde Physiotherapeutin befürwortet die Teilnahme an diesem Kurs, da sie hier eine schöne Eltern-Kind-Interaktion sieht und über die taktile Stimulation das Körperschema weiter aufgebaut wird.

Der Einfluss und damit mögliche Einsatz **funktioneller Elektrostimulation (FES)** bei peripherer Nervenläsion des Säuglings wird allgemein als kritisch beurteilt. Justice und Awori (2018) beschreiben jedoch in einem Review eine schnellere Erholung der Nerven sowie ein Vermeiden von Muskelatrophie und damit bessere Muskelkraft und ROM unter der Anwendung von funktioneller Elektrostimulation.

⚠ VORSICHT

Sollten sensible Störungen, wie bei der Plexusparese, vorliegen, kann sich der Säugling bei Hautirritationen durch Strom, Kälte- oder Wärmeapplikationen nicht bemerkbar machen. An den typischen Stellen einer Sensibilitätsstörung der Plexusparese sollte mit Elektrotherapie (z. B. FES) an Säuglingen vorsichtig agiert werden. Ähnliches gilt für die angeborene Fazialisparese.

Einer auch unter Vojta-Therapeuten noch weit verbreiteten Meinung, erst nach etwa sechs Tagen mit der (**Vojta-**)**Therapie** zu beginnen, um dem Plexus eine Erholungszeit zu gönnen, widersprechen z. B. Smith et al. (2018), die in ihrem Review eine Frühbehandlung und häusliche Übungen empfehlen. Sofort nach Diagnosestellung kann bei korrektem Handling mit der Physiotherapie begonnen werden.

Um den paretischen Arm in seiner Motorik zu fördern, eignet sich besonders die Methode nach Vaclav Vojta. Unter der dreidimensionalen Stimulation definierter Auslösezonen werden angeborene, vermutlich subkortikal verankerte Bewegungsmuster ausgelöst, welche den Säugling mit einer Plexusparese den betroffen Arm aktiv bewegen lassen.

Dies hat auch Annikas Mutter gelesen. Nach Rücksprache mit der Physiotherapeutin wird Annika zweimal wöchentlich in der Praxis nach Vojta behandelt und ihre Mutter macht die Übungen zweimal täglich zuhause. In der zweiten Phase – Reflexumdrehen – bewegt Annika den Arm der Gesichtsseite nach wenigen Wochen bereits sehr gut im Muster. Ihre Mutter hat sich gemerkt, dass ihre Tochter auf den großen Gelenken – Hüfte und Schulter – in Seitlage positioniert wird und an zwei Auslösezonen (Spina iliaca anterior superior und Scapula) stimuliert wird.

Eine weitere Behandlungsmöglichkeit wird im **Konzept der neuromotorischen Entwicklungstherapie (NET) nach Rodolfo Castillo Morales** beschrieben. Die Stimulation der motorischen Zonen nach diesem Konzept sowie die Griffe und Techniken der Modulation zur Harmonisierung des Muskeltonus können von den Eltern gut erlernt werden und dienen der Förderung der Motorik.

Die weitere motorische Entwicklung kann, je nach Erholung des Plexus cervicobrachialis, mit einer sensomotorischen Retardierung verlaufen. In der Literatur wird aber eine vollständige oder beinahe vollständige Ausheilung der Verletzung in 90 % der Fälle beschrieben (Pondaag et al. 2004). Den Kindern wird gemeinhin eine sehr gute Prognose bescheinigt. Aufgrund der asymmetrischen Belastung, der Händigkeit mit der gesunden Seite oder bei einem sehr ungünstigen Verlauf kann es jedoch zu einer deutlich ausgeprägten Skoliose kommen.

Eigene Erfahrungen des Autors mit einem italienischen Patientenkollektiv ergaben, dass Kinder mit einer Plexusparese des rechten Arms mit ihrem linken Bein (Fuß) geöffnet stehen (in Außenrotation) und im Langsitz das linke Bein gebeugt halten und hierdurch mehr Belastung auf dieser Seite haben. Bei langem Sitzen z. B. in der Schule wird hierbei eine Asymmetrie angebahnt. Die Glutealmuskulatur dieser Seite imponiert durch eine deutlichere Formausprägung. Eine langanhaltend asymmetrische Afferenz wird immer wieder mit der Gefahr einer Skoliose in Verbindung gebracht. Diese Gefahr sehen Bahm et al. (2009) an der von ihnen untersuchten Klientel nicht bestätigt.

PRAKTISCHER TIPP

Mögliche Frühtherapie der geburtstraumatischen Plexusparese

- Lagerung, Handling und Schoßbehandlung in Anlehnung an das Bobath Konzept bzw. das St. Galler Modell (Affolter-Konzept)
- Reflexlokomotion nach Vojta
- Akrodynamische Therapie (ADT)/Bahnungssystem nach Brunkow
- Neuromotorische Entwicklungstherapie (NET) nach Castillo Morales
- Constraint-Induced Movement Therapy (CIMT, einschränkungsinduzierte Bewegungstherapie)/Forced Use
- Funktionelle Elektrostimulation (FES)

Alle an Annika tätigen Bezugspersonen lernen das korrekte Handling, v. a. das Aufnehmen und Ablegen über die betroffene Seite. Hierbei greifen sie an den von Berta Bobath so bezeichneten Schlüsselpunkten. Ein sicheres Handling muss beherrscht werden, da es mehrmals täglich in den Aktivitäten des täglichen Lebens benötigt wird (An- und Ausziehen, Wickeln, etc.).

WAS WÄRE, WENN...

... die konservative Behandlung nicht den gewünschten Erfolg bringen würde?

Bahm und Gilbert (1997) sehen die kräftige Bizepsfunktion nach 3–6 Monaten als Wegweiser zwischen konservativer und operativer Therapie. Weiterhin sollte der M. deltoideus ausreichend Funktion (MFP-Wert 3) haben. Sollte keine kräftige Funktion dieser Muskeln vorliegen, wird ein nervenwiederherstellender Eingriff am Plexus cervicobrachialis empfohlen.

Spätere Eingriffe bestehen meist aus Sehnentransfers. Sollte eine längere Innenrotationshaltung bestanden haben und das Schultergelenk in dieser Position kontrakt geworden sein, kann es zu einem dysplastischen Wachstum des Humeruskopfs kommen. Hier bleibt als letzte OP-Möglichkeit häufig nur noch die Derotationsosteotomie des Humerus.

KLINISCHER HINTERGRUND

Übersicht (vereinfacht) zur Behandlungsstrategie nach Bahm & Gilbert (1997)

- 0–3 Monate: Entscheidung konservativ – operativ; Nervenrevision, falls schwerwiegender Schaden der oberen (Erb-Lähmung) oder aller Wurzeln mit ungenügender Remission des M. biceps brachii
- Bis 2 Jahre: mögliche mikrochirurgische Wiederherstellung der Nervenbahnen
- 2–4 Jahre: proximale Korrekturen (Schulter)
- Bis 6 Jahre: Korrekturen an Unterarm, Handgelenk und Hand
- Immer begleitende Physiotherapie, ggf. Elektrostimulation

Therapieverlauf und -abschluss

Da die motorischen Tests im Alter von 6 und 9 Monaten keinen Anlass zur Änderung der konservativen Vorgehensweise gaben, kommt Annika weiterhin zweimal wöchentlich zur Physiotherapie und erhält seit dem 12. Lebensmonat zusätzlich einmal pro Woche Ergotherapie. Die Ergotherapeutin hat sich mit der Physiotherapeutin verständigt, dass in beiden Therapiesitzungen immer wieder Anteile der **CIMT** bzw. des **Forced Use** eingesetzt werden (Buesch et al. 2010; Vaz et al. 2010). Hierfür wird Annikas gesunder Arm mit einem Tuch am Körper fixiert und der betroffene Arm spielerisch aktiviert. Während die Ergotherapeutin viele feinmotorische Spiele anbietet, achtet die Physiotherapeutin während ihrer Übungen vermehrt auf die Qualität der grobmotorischen Bewegungsmuster. So sollten Flexionsmuster im Arm z. B. immer mit einer Außenrotationskomponente im Humerus kombiniert sein. Die CIMT wird den Eltern für regelmäßige häusliche Übungssitzungen gezeigt, da der Mutter die Lenkung von Annika unter der Vojta-Therapie zunehmend schwerer fällt.

Ähnlich wie beim Tortikollis sollten die Eltern darauf hingewiesen werden, dass bei Wachstumsschüben wieder eine Verschlechterung der Bewegungsqualität oder eine Bewegungseinschränkung auftreten kann. Ein Wiederauftreten der Parese ist nicht zu erwarten. Die Physiotherapeutin rät den Eltern, nach abgeschlossener Vertikalisierung die Wirbelsäule regelmäßig kontrollieren zu lassen.

Auch das Anspritzen ausgewählter Muskulatur mit **Botulinumtoxin A** für Kinder ab etwa einem Lebensjahr wird in der Literatur immer wieder beschrieben (Morscher et al. 2020; Garcia Ron, Gallardo & Huete Hernani 2019; Pons et al. 2019).

Tab. 8.1 Einteilung der CP anhand des Subtyps (Surveillance of Cerebral Palsy in Europe 2021)

Subtyp	Charakteristika
Bilaterale (60 %) bzw. unilaterale (30 %) spastische CP	Beidseitig bzw. einseitig erhöhter Muskeltonus (im Sinne einer Spastik), Hyperreflexie und Vorhandensein pathologischer Reflexe (z. B. Babinski-Zeichen), wodurch es zu abnormalen Positionen und Bewegungsmustern, häufig mit Co-Kontraktionen, kommt
Dyskinetische CP (6 %)	Unwillkürliche, unkontrollierbare, sich wiederholende, mitunter stereotype Bewegungen bei variablem Muskeltonus Unterformen: • Dystonie: Hypokinese und Hypertonie • Choreo-Athetose: Hyperkinese und Hypotonie – Chorea: schnelle Bewegungen – Athetose: langsame, sich ständig ändernde Bewegungen
Ataktische CP (4 %)	Gestörte Koordination der Muskelspannung, wodurch Bewegungen mit abnormaler Kraft, Rhythmus und Genauigkeit ausgeführt werden. Es kommt zum Intentionstremor, herabgesetzter Feinjustierung und Koordination sowie zu Gleichgewichtsdefiziten.

CP = Zerebralparese

8.1 Vorgeschichte

Yanick wurde nach einer unauffälligen Schwangerschaft in der 41. Schwangerschaftswoche per Notfallsectio geboren. Sein Geburtsgewicht betrug 4.200 g und er war 52 cm groß. Seine Apgar-Werte lagen bei 8/9/9. Einige Stunden nach der Geburt musste Yanick wegen Apnoen mit Sauerstoffsättigungsabfällen bis 40 % mit der Maske beatmet werden. Weiter fielen fokale Anfälle am rechten Arm auf, die rasch medikamentös mit einem Antiepileptikum behandelt wurden. Mittels Schädelsonografie und anschließender bildgebender Verfahren (MRT) des Gehirns konnte ein neonataler ischämischer Infarkt unklarer Genese im Gebiet der linken A. cerebri media und posterior nachgewiesen werden.

KLINISCHER HINTERGRUND

Apgar-Werte

Der Apgar-Test beurteilt eine, fünf und zehn Minuten nach der Geburt, wie gut das Kind den Geburtsstress überstanden hat. Dabei werden fünf verschiedene Kriterien (Herzfrequenz, Atmung, Muskelspannung, Reflexe, Hautdurchblutung) mit jeweils 0, 1 oder 2 Punkten bewertet. Wenn alles optimal ist, ergibt sich die Note 10, bei 7–8 Punkten ist noch alles normal, die Punktzahlen 0–6 beschreiben einen schweren, mittelgradigen oder leichten Depressionszustand des Kindes nach Geburt (Apgar 1953). Yanick wurde mit einem Apgar-Wert von 8/9/9 bewertet und zeigte sich somit in den ersten 10 Minuten nach der Geburt als völlig normal.

Fokale Epilepsie (Krampfanfall)

Neonatale Krampfanfälle bei reifen Neugeborenen können ursächlich auf Hirninfarkte zurückgeführt werden. Die Neugeborenen fallen meist in den ersten Lebenstagen durch fokale Krampfanfälle auf. Fokal bedeutet, dass nur ein Teil des Gehirns betroffen ist. Diese Anfälle können diskret, z. B. in Form von Apnoen, oder schwerer sein und müssen dann medikamentös über längere Zeit behandelt werden. Bei Yanick zeigten sich schon kurz nach der Geburt diese Krampfanfälle im rechten Arm. Bei ihm wurde noch auf der Neonatologie eine medikamentöse Therapie bis zum 10. Monat eingeleitet.

Ischämischer neonataler Infarkt

Die genaue Ursache eines ischämischen neonatalen Infarkts bleibt oft ungeklärt. Dabei kommt es zwischen dem Gestationsalter von 20 Wochen und einem postnatalen Alter von 28 Wochen zu einer Unterbrechung des zerebralen Blutflusses aufgrund von arteriellen oder zentralvenösen Thrombosen oder Embolisationen. 30 % aller Hemiparesen bei ehemals reif geborenen Kindern sind auf ischämische neonatale Infarkte zurückzuführen. Damit ist der ischämische neonatale Infarkt als eine der Hauptursachen für die Zerebralparese zu sehen.
Was bei Yanick genau die Ursache ist, kann nicht sicher beantwortet werden. Genauso wenig kann der Zeitpunkt festgelegt werden, wann genau der Infarkt passiert ist (vor, während oder nach der Geburt). Wesentlich ist, dass früh erkannt wurde, dass Yanick vermutlich einen anderen Entwicklungsweg gehen wird und schon sehr früh spezielle Förderung benötigt.

In der motorischen Entwicklung im Säuglingsalter fiel eine leichte Asymmetrie zwischen rechter und linker Seite auf. Der Muskeltonus im Rumpf war eher vermindert. Yanick zeigte einen Gehbeginn mit 18 Monaten und Sprachbeginn mit 20 Monaten. Die

Diagnose der unilateralen spastischen Zerebralparese wurde im Alter von zwei Jahren gestellt.

Im Alter von sechs Jahren fielen eine Überempfindlichkeit gegen Geräusche und Schwierigkeiten in der Körperwahrnehmung auf. Yanick zeigte Verhaltensauffälligkeiten wie Hyperaktivität, erhöhte Ablenkbarkeit und aggressives Verhalten. Seine kognitive Leistungsfähigkeit lag im Normbereich, wies jedoch ein heterogenes Leistungsprofil bezüglich des Sozialverhaltens auf. Er besuchte den Regelkindergarten mit heilpädagogischer Unterstützung und wurde weiterführend für die erste Klasse in ein gezielt auf seinen Förderbedarf ausgerichtetes Sonderschulsetting eingeschult. Im Alter von neun Jahren wurde bei Yanick offiziell die Diagnose eines Aufmerksamkeitsdefizit- und Hyperaktivitätssyndroms (ADHS) gestellt. Es äußerte sich bei ihm durch Probleme mit der Aufmerksamkeit, durch seine Impulsivität und mangelnde Selbstregulation.

Yanick erhält seit dem Alter von drei Monaten Physiotherapie. Heilpädagogische Frühförderung, Logopädie und Ergotherapie begleiten ihn seit dem Kleinkindalter.

In diesem Fallbeispiel werden folgende Fragen analysiert und beantwortet:

- Wie und wann kommt es zur unilateralen Zerebralparese?
- Wie wird im Verlauf mit funktionellen und strukturellen Veränderungen umgegangen?
- Wie setze ich mit dem Kind zusammen bedeutende und gleichermaßen effiziente Ziele?
- Wie baue ich ein aufgabenorientiertes Training auf?
- Wie kann ich die Kraftausdauer bei Kindern mit Zerebralparese fördern?
- Wie sieht die Evidenz der gewählten Therapiemethoden aus?

8.2 Untersuchungsbefunde

8.2.1 Medizinische Befunde zum Zeitpunkt T1 und T2

Nachfolgend werden die medizinischen Befunde von Yanick zu zwei verschiedenen Zeitpunkten betrachtet. Der erste Zeitpunkt ist mit sechs Jahren, kurz nachdem Yanick in die Schule kam, und der zweite in der Pubertätsphase, als Yanick 13 Jahre alt ist. Heute weiß man, dass der Verlauf der klassischen Zerebralparese gewissen Gesetzmäßigkeiten folgt. Hatte Yanick noch als Baby einen verminderten Muskeltonus, so zeigte sich bei ihm ab dem zweiten Lebensjahr eine Tonuszunahme, die im Verlauf in einer Spastizität des rechten Arms und Beins resultierte. Die zunehmenden Einschränkungen der Beweglichkeit, das typische Haltungsmuster und schließlich die Kontrakturen in den Gelenken werden im Vergleich der Befunde zu zwei verschiedenen Zeitpunkten deutlich (➤ Tab. 8.2).

Die medizinischen Befunde zeigen von T1 zu T2 eine deutliche Zunahme der Spastizität in den distalen Gelenken des rechten Arms und Beins. Yanick fällt es zunehmend schwer, den rechten Arm aus seiner typischen Flexionshaltung im Ellenbogen und im Handgelenk mit adduziertem Daumen herauszubewegen.

WAS WÄRE, WENN…

…Yanick schon als Säugling spezielle Therapie für die obere Extremität bekommen hätte?

Ann-Christine Eliasson (Eliasson et al. 2014) entwickelte eine adaptierte Form der *„constraint-induced movement therapy"* (CIMT) für Säuglinge mit klaren asymmetrischen Handfunktionen, welche Ausdruck eines hohen Risikos für die Entwicklung einer unilateralen zerebralen Bewegungsstörung darstellen. **Baby-CIMT** ist eine Therapie, die von den Eltern mit ihrem Kind im häuslichen Umfeld durchgeführt wird. Die Eltern erhalten dabei von Therapeut*innen Training und Coaching. Bei Baby-CIMT wird die nicht betroffene Hand des Säuglings durch z. B. eine Socke oder einen Handschuh in seiner Funktion während eines täglichen Trainings von 30 Minuten eingeschränkt. Während der Trainingszeit motivieren die Eltern den Säugling, mit der betroffenen Hand attraktive und altersgerechte Gegenstände zu explorieren und zu ergreifen mit dem Ziel, die betroffene Hand mehr zu gebrauchen. Dieses Training wird während 2 × 6 Wochen täglich, mit einer Pause von sechs Wochen, durchgeführt. Zwei Studien, eine retrospektive Studie (Nordstrand et al. 2015) und eine randomisiert kontrollierte Studie (Eliasson et al. 2018), haben gezeigt, dass Baby-CIMT, durchgeführt im ersten Lebendjahr, zu einem besseren Gebrauch der betroffenen Hand bei bimanuellen Aktivitäten führt.
Wenn Yanick schon in seinem ersten Lebensjahr Baby-CIMT erhalten hätte, wäre seine Chance, seine rechte Hand im Umgang mit Besteck oder Reißverschlüssen besser einzusetzen, sechsmal größer gewesen.

8

Tab. 8.2 Medizinische Befunde zum Zeitpunkt T1 (6 Jahre) und T2 (13 Jahre)

	T1 mit 6 Jahren	**T2 mit 13 Jahren**
	Gewicht 19,5 kg (Perzentile 3–10), Länge 119 cm (Perzentile 10–25)	Gewicht 37,7 kg (Perzentile 25–50), Länge 150 cm (Perzentile 25–50)
Spastizität	Die obere Extremität rechts weist eine leichte Spastizität der Arm-, Handgelenks- und Fingerflexoren, der Pronatoren und des M. adductor pollicis auf. Der rechte Arm wird spontan in Ellenbogen- und Handgelenksflexion sowie in Ulnardeviation gehalten. Die Spontanhaltung kann sowohl in den proximalen als auch distalen Gelenken immer wieder "aufgelöst" werden. In der unteren Extremität zeigt sich eine Spastizität in den Hamstrings, im M. rectus femoris und in der Gastrosoleusgruppe. Die Muskeleigenreflexe sind auf der linken Seite lebhaft, rechts wegen willkürlicher Muskelanspannung nicht testbar.	Die obere Extremität rechts weist eine deutliche Spastizität der Arm-, Handgelenks- und Fingerflexoren, der Pronatoren und des M. adductor pollicis auf. Fingertippen rechts ist nicht möglich, links stockend. Greifen und Loslassen sind erschwert. Die Spontanhaltung des rechten Armes in Flexionsstellung mit Ulnardeviation und Daumenadduktion kann in den distalen Gelenken kaum noch aufgelöst werden. In der unteren rechten Extremität zeigt sich eine Zunahme der Spastizität vorwiegend in der Gastrosoleusgruppe, weniger ausgeprägt in den Hamstrings und M. rectus femoris. Es lässt sich eine Überaktivität des M. peroneus tertius und der langen Zehenextensoren feststellen.
Beweglichkeit/ Kraft	Passive Gelenkbeweglichkeit der oberen Extremität ist frei. Aktiv zeigt sich ein Supinationsdefizit rechts von 45°. Es fällt auf, dass kaum selektive Fingerbewegungen möglich sind. Es zeigt sich eine globale Muskelkraftminderung der rechten Extremitäten (M4)	Passive Gelenkbeweglichkeit der oberen Extremität ist frei. Aktiv zeigt sich ein Supinationsdefizit rechts von 60°. Die aktive Ellenbogenextension rechts ist vollständig. Das aktive Fingerstrecken rechts ist deutlich erschwert. Dorsalextension der Hand aktiv mit gebeugten Fingern ca. 0°, mit „gestreckten" Fingern ca. 60°. Passiv (nach Nachlassen der stark erhöhten Spastizität) ca. 30° möglich. Aktives Fußheben rechts kaum möglich. Es zeigt sich eine globale distale Kraftminderung der rechten Extremitäten (M3–4)
Gangbild	Auf der rechten Seite Vorfußlandung, unvollständiger Bodenkontakt mit zum Teil unvollständiger Knieflexion und zum Teil Hyperextension. In der Schwungphase verminderte Kniebeugung und Fußhebung. Die linke Seite ist unauffällig in Fersenlandung, zeigt vollständigen Bodenkontakt bei Knieextension. Die rechte Hüfte steht in Innenrotation. Mit Unterschenkelorthese Fersenlandung und vollständiger Bodenkontakt beidseits. Nur diskrete bestehende Innenrotation rechts in der Hüfte, Kniehyperextensionstendenz bleibt bestehen. Beinlängendifferenz zu Ungunsten der rechten Seite ca. 5 mm (➤ Abb. 8.1a). Die Wirbelsäule ist im Lot. Der Berührungs- und Vibrationssinn ist intakt.	Auf der rechten Seite barfuß Vorfußlandung, Fersenlandung links. In der Mitte der Standphase unvollständiger Bodenkontakt rechts, vollständiger links, diskretes Kniestreckdefizit beidseits. Innenrotation der Hüfte sowie leichte Abduktion des Fußes mit talonavikulärer Subluxation rechts. In der Schwungphase verminderte Knieflexion rechts. Mit der Unterschenkelorthese Fersenlandung beidseits, Füße stehen in Gangrichtung, jedoch weiter hinkendes Gangbild. Beckenschiefstand bei Beinlängendifferenz von 2.5 cm (re < li) (➤ Abb. 8.1b) Die Wirbelsäule im Lot, keine sichtbare Skoliose.

Mit 13 Jahren kann Yanick seinen rechten Fuß kaum noch in Dorsalextension heben. In der Gastrosoleusgruppe lässt sich eine deutliche Zunahme der Spastizität erkennen. Das Gangbild von Yanick zeichnet sich durch ein „*stiff-knee-gait*" aus, welches sich grob durch die fehlende Fußhebung, die unzureichende Hüftextension in der terminalen Standphase und die unvollständige Knieflexion in der mittleren Schwungphase beschreiben lässt.

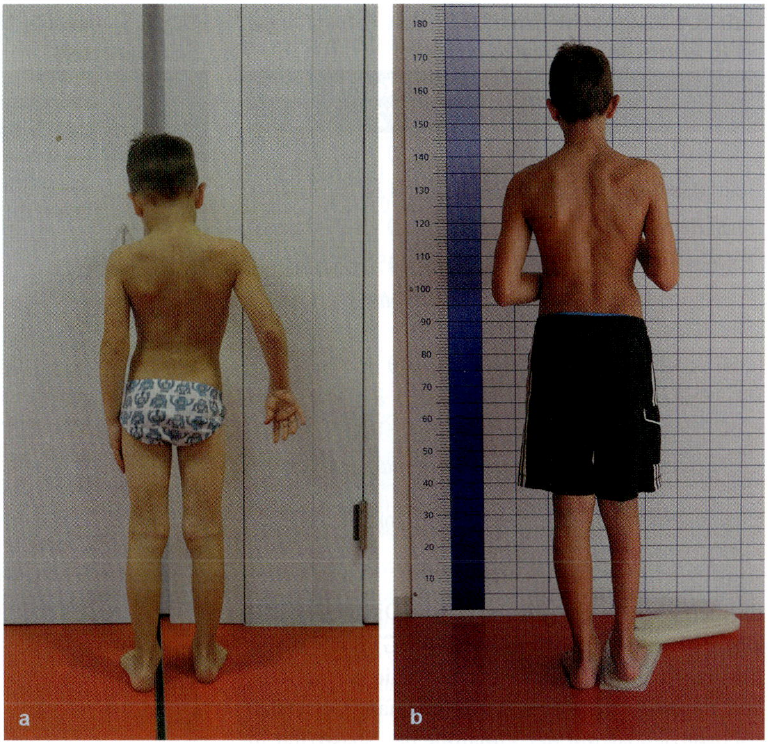

Abb. 8.1 Beinlängendifferenz, a) mit 6 Jahren (T1), b) mit 13 Jahren (T2) [M1170]

Zum Zeitpunkt T2 ist das rechte Bein 2,5 cm kürzer als das linke Bein.

Das Gangbild wurde im Ganglabor unter standardisierten Messbedingungen erfasst und analysiert. Das Verfahren der Ganganalyse wird in ➤ Fall 9 (Zerebralparese GMFCS II) genauer erläutert, auf eine ausführliche Beschreibung wird daher an dieser Stelle verzichtet.

Yanicks Fähigkeiten wurden mithilfe der GMFCS, MACS, EDACS und CFCS ermittelt. (➤ Tab. 8.3).

Ärztliche Untersuchung

Um ein umfassendes Bild von Yanick zu erhalten, wird die Beweglichkeit der unteren Extremität detailliert untersucht (➤ Tab. 8.4).

Die Untersuchungssituation zu T1 wurde durch das herausfordernde Verhalten von Yanick in Form von Hyperaktivität, Ablenkbarkeit und geringer Compliance erschwert.

Aus ➤ Tab. 8.4 wird ersichtlich, dass sich die Beweglichkeit zwischen den Zeitpunkten nur im

Tab. 8.3 Einteilung in GMFCS, MACS, EDACS und CFCS (ausführliche Darstellung der Klassifikationssystem im Anhang)

Level	Fähigkeiten
GMFCS I	Yanick wird hier in Level I eingeteilt, da er keine Einschränkungen beim Zurücklegen weiter Strecken zeigt und Treppen ohne Benutzung des Geländers bewältigen kann.
MACS II	Yanick kann mit den meisten Gegenständen umgehen, jedoch mit eingeschränkter Ausführungsqualität. Seine rechte Hand verwendet er als Hilfshand, und vereinfacht die Handhabung von Gegenständen, indem er z. B. eine Tischfläche zur Unterstützung benutzt.
EDACS I	Yanick isst und trinkt sicher und effizient.
CFCS I	Yanick ist ein wirksamer Sender und Empfänger. Er hat ein gutes Sprachverständnis und kommuniziert in einer angenehmen Geschwindigkeit.

GMFCS = Gross Motor Function Classification System, MACS = Manual Ability Classification System, EDACS = Eating and Drinking Ability Classification System, CFCS = Communication Function Classification System

- Yanick stellt fest, dass er seit der Operation bei Aktivitäten wie Laufen und Fahrradfahren schneller ermüdet. Im Hinblick auf das Skilager soll er seine anaerobe Ausdauer verbessern.
- Yanick möchte in seiner Freizeit Waveboard fahren. Mit einem aufgabenorientierten Training soll er die nötigen Fertigkeiten trainieren.
- Individuelle Zielformulierung mit GAS (➤ Tab. 8.7).

Langfristig:

- Für sich selbst sorgen – körperliche Grenzen wahrnehmen und akzeptieren
- Verhaltensmanagement
- Erhalten seines hohen körperlichen Leistungsniveaus
- Vermeiden von Haltungsschäden

Tab. 8.7 Individuelle Goal Attainment Scale (GAS)

Ziel: Selbstständig Waveboard fahren bis in drei Monaten.	
+ 2	Fährt selbstständig zwei Längen (100 m) im Schulgang und kann dabei 10 Hindernisse (Kegel) im Slalom umfahren.
+ 1	Fährt selbstständig eine Länge (100 m) im Schulgang und kann kleine Kurven, mindestens fünf, nach rechts und links fahren.
0	Fährt selbstständig ohne Unterbrechungen eine Länge (100 m) im Schulgang
– 1	Fährt mit < 2 Unterbrechungen eine Länge (100 m) im Schulgang
– 2	Steht auf dem Brett und fährt an der Hand geführt eine Länge im Schulgang

8.5 Physiotherapeutische Maßnahmen

Der Therapieplan von Yanick beinhaltet zwei physiotherapeutische Behandlungen pro Woche. Zusammen mit Yanick werden die Zielsetzungen in Abständen von zwei bis drei Monaten evaluiert, besprochen und gegebenenfalls neu angepasst.

Die physiotherapeutischen Maßnahmen richten sich nach den formulierten Zielsetzungen, die entweder Top-down oder Bottom-up formuliert werden. In ➤ Tab. 8.8 werden im Hinblick auf die Ziele die Maßnahmen zugeordnet.

Aufgrund der chirurgischen Eingriffe am rechten Bein haben sich die Beinachse und die Fußstellung bei Yanick verändert. Eine regelmäßige Kontrolle der Unterschenkelorthese ist deswegen unerlässlich und ein wichtiger Bestandteil innerhalb des Therapieplans.

Tab. 8.8 Zielsetzung und Maßnahmen nach ICF

Aktivität/Partizipation	Körperstruktur/Funktion	Maßnahmen
Erholung und Freizeit: Yanick nimmt in sieben Monaten am fünftägigen Skilager teil. Sein Ziel ist es, jeweils am Vormittag und am Nachmittag während drei Stunden Ski zu fahren und im Abschlussrennen einen der ersten drei Plätze zu belegen.	• **Funktionen der Muskelkraft im Rumpf und in den unteren Extremitäten** • **Funktionen der kardiopulmonalen Leistungsfähigkeit** *Zielsetzungen:* • Yanick steigert sein Kraftniveau in den Hüftabduktoren und -extensoren und im Oberschenkel rechts auf M4–5. • Yanick steigert seine kardiopulmonale Leistung um 10 Watt.	• High Intensity Interval Training (HIIT) • Squads-Training in verschiedenen Schrittstellungen • Zirkeltraining Rumpfmuskulatur
Sich Fertigkeiten aneignen: Yanick kann selbstständig mit dem Waveboard fünf Kegel im Slalom umfahren, ohne Kegel umzuwerfen und vom Waveboard abzusteigen.	• **Funktionen der Bewegungssteuerung und Koordination** • **Funktionen der Kontrolle von Willkürbewegungen** *Zielsetzungen:* • Yanick lenkt sein Waveboard durch eine koordinierte Gewichtsverlagerung. • Die Bewegungskontrolle wird durch regelmäßiges Fahren flüssig und sicher.	• Klettern an Kletterwand • Neuromotor Task Training – Waveboardfahren

Tab. 8.8 Zielsetzung und Maßnahmen nach ICF *(Forts.)*

Aktivität/Partizipation	Körperstruktur/Funktion	Maßnahmen
Gehen und sich fortbewegen: Yanick geht in 12 Monaten ohne Schienen in die Schule.	• **Funktionen der Muskelkraft** • **Funktionen der Muskelausdauer** *Zielsetzungen:* • Yanick steigert sein Kraftniveau in den Hüftabduktoren und -extensoren und im Oberschenkel rechts auf M 4–5 • Yanick steigert seine Muskelausdauer in der Gastrosoleusgruppe rechts auf 10 Wiederholungen in Zehenspitzenstand.	• Funktionelles Krafttraining mit Gewichten • Zirkeltraining Beine • Waden trainieren mit Zehenstand
Sein Verhalten steuern: Yanick lernt bis Ende des Schuljahrs sein Verhalten wahrzunehmen und mit eigenen Maßnahmen zu regulieren.	**Funktionen der Adaptationsfähigkeit**	• Yanick stimmt einem Beobachtungsprotokoll durch das Förderteam zu. • Yanick überlegt sich Lösungen bei Auffälligkeiten.

PRAKTISCHER TIPP

Muscle-Power-Sprint-Test (MPST

Der Muscle-Power-Sprint-Test (MPST)) ist eine zuverlässige und praktische Methode zur Bestimmung der anaeroben Leistungsfähigkeit bei Kindern und Jugendlichen mit einer Zerebralparese. Die Durchführung dauert wenige Minuten und erfordert nur einen freien Platz, eine Stoppuhr und zwei Kegel. Der Test beinhaltet 6 × 15 m Laufsprints mit maximaler Anstrengung (bei Bedarf mit Orthesen), unterbrochen jeweils durch 10-Sekunden-Ruhezeiten (➤ Abb. 8.2). Mithilfe einer Excel-Tabelle (www.kcrutrecht.nl/producten/sprinttests-voor-cp/) können die mittlere Leistung und die Spitzenleistung berechnet werden. Die Ergebnisse lassen sich leicht mit den verfügbaren Referenzwerten interpretieren (➤ Abb. 8.3). Der Test hat eine hohe Validität und Reliabilität.

Abb. 8.2 Yanick während des Muscle-Power-Sprint-Tests [M1170]

Physiotherapeutische Ansätze

In der pädiatrischen Therapie werden verschiedene Konzepte und Therapieansätze genutzt. Ganz grob lassen sich die Ansätze einteilen in handlungsorientierte Top-down-Interventionen auf Aktivitäts- und Partizipationsebene und in Bottom-up-Interventionen, die auf eine Verbesserung der Körperfunktionen und -strukturen abzielen (Lieber, Marsico & Labruyère 2021).

Im Falle von Yanick sollen die erlernten Fertigkeiten, also das Waveboardfahren, in seiner Freizeit eingesetzt werden (Top-down). Dies ist aber nur möglich, wenn seine Ausdauer und seine Kraft in den Beinen mit einem intensiven Training verbessert werden (Bottom-up).

High-Intensity-Intervalltraining (HIIT)

Zur Steigerung der kardiopulmonalen Leistungsfähigkeit kann ein **High-Intensity-Intervalltraining** (HIIT) durchgeführt werden. Allgemein beschreibt HIIT ein Trainingsprogramm, welches durch intervallartige Belastungen und hohe Intensitäten

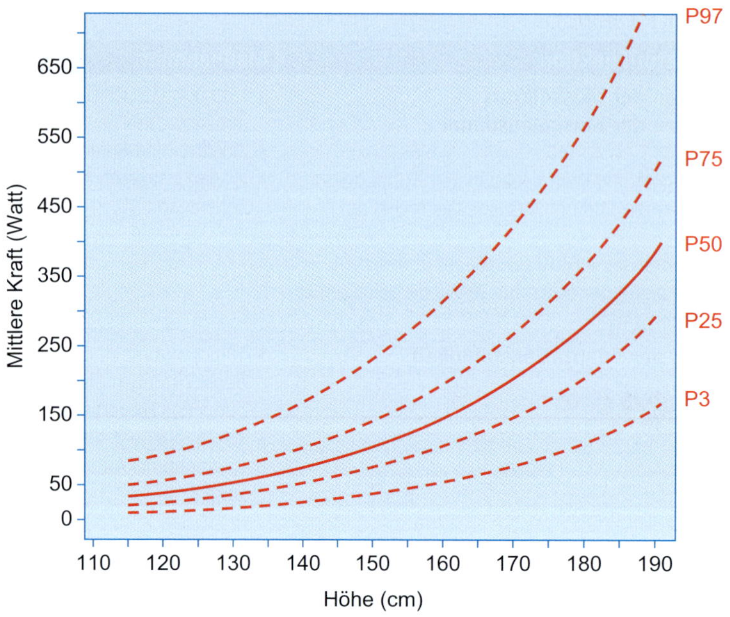

Abb. 8.3 MPST-Referenzwerte für einen männlichen Patienten, GMFCS-Level I (Verschuren et al. 2010) [H139–003/L231]

ausgezeichnet ist. Diese wechseln sich mit Erholungsphasen geringerer Intensität ab. Aufgrund fehlender Hormone (v. a. Testosteron) und Angst vor Überlastungen galt das Training mit hohen Intensitäten bei Kindern und Jugendlichen lange Zeit als ergebnislos und gefährlich. Im Laufe der letzten Jahre wuchs das Forschungsinteresse im Hinblick auf Kinder in und vor der Pubertät. Die Ergebnisse neuerer Studien konnten frühere Überlegungen widerlegen und haben gezeigt, dass eine optimale anaerobe Leistung für Kinder und Jugendliche wichtig ist, um an täglichen Aktivitäten teilnehmen zu können. Kinder führen körperliche Aktivitäten in kurzen, hochintensiven Stößen aus, während die Aktivitäten älterer Kinder in der Regel strukturierter im Rahmen eines Spiels oder einer Mannschaftssportart ablaufen. In beiden Fällen ist die Fähigkeit, wiederholte Sprintleistungen zu erbringen, ein wichtiger Leistungsfaktor. Kinder mit einer hohen anaeroben Kapazität sind daher aktiver und haben eine bessere körperliche Gesundheit (Lauglo et al. 2016).

Diese Trainingsform bereitet Yanick sichtlich Spaß. Sie ist klar strukturiert, beinhaltet klare Aufgaben und ist zeitlich limitiert. Das Training beinhaltet acht Wiederholungen mit jeweils 30 Sekunden Vollgas und 1–2 Minuten Pause. Während jeweils 30 Sekunden springt Yanick beidbeinig in einer Reihe am Boden ausgelegter Ringe. Dabei soll er beim Abspringen die Hände zur Decke strecken (➤ Abb. 8.4a) und beim Landen mit den Händen den Boden berühren (➤ Abb. 8.4b). In der 1-minütigen Pause dehnt er verschiedene Muskeln.

PRAKTISCHER TIPP

HIIT

- Die intensive Phase des HIIT sollte 20 bis max. 30 Sekunden dauern.
- In der Regel wird ein Pausenverhältnis von mind. 1:3 empfohlen. Pause kann aktiv oder passiv sein.
- Die Intensität sollte 70–80 % der Maximalkraft nicht unterschreiten, d. h., es muss wirklich anstrengend sein.
- UND es muss Spass machen.

Funktionelles Krafttraining

Ein weiterer Therapieansatz ist das **funktionelle Krafttraining.** Ein funktionelles Training ist eine alltagsrelevante Trainingsform. Sie beinhaltet komplexe Bewegungsabläufe, die mehrere Gelenke und Muskelgruppen gleichzeitig beanspruchen. Ergebnisse einer Studie von Liesbeth van Vulpen (van

Abb. 8.4 Yanick während des HIIT. a) Absprung, b) Landen auf dem Boden [M1170]

Vulpen et al. 2017) zeigen, dass funktionelles Krafttraining ein wirksames Training zur Verbesserung der Gehfähigkeit bei Kindern mit zerebraler Lähmung ist.

Das funktionelle Training von Yanick zur Stärkung seiner Beinmuskulatur besteht aus einer Aufwärmphase und drei bis vier verschiedenen Kraftübungen. Wichtig: Die funktionellen Übungen beinhalten eine progressive Belastung in Form von Gewichtsmanschetten oder Hantelscheiben. Yanick ist in einem idealen Alter, um ihn für solche Trainingsformen zu gewinnen.

PRAKTISCHER TIPP

Möglichkeiten des funktionellen Krafttrainings

- Treppensteigen: mit Gewichtsmanschetten an den Sprunggelenken
- Rennen: mit einem Gurt um die Hüfte eine Kiste mit Gewichten ziehen (➤ Abb. 8.5)
- Rollerfahren: mit einem Gurt um die Hüfte eine Kiste mitziehen
- Einen Stuhl schieben: Stuhl steht in einer offenen Kiste mit Gewichten

Neuromotor-Task-Training (NTT)

Einen aufgabenorientierten Ansatz bietet das **Neuromotor-Task-Training (NTT).** Yanick zeigt in der Regel wenig Geduld, wenn es darum geht, innerhalb eines Bewegungsablaufs an der Qualität einer Bewegung zu arbeiten. Viel einfacher ist es, wenn er selbst eine Fertigkeit erlernen möchte. So können seine Bewegungskontrolle und seine Bewegungsausführung innerhalb der Aktivität gefördert werden. Als Vorbereitung auf das Skilager und im Hinblick auf seinen Wunsch, Snowboard zu fahren, kommt die Idee auf, das Waveboarden zu erlernen. Yanick ist sofort daran interessiert. Von diesem Moment an entwickelt er eine erstaunliche Beharrlichkeit und Ausdauer, an sich und seinen Bewegungsabläufen zu arbeiten. In einer ersten Phase, der kognitiven Phase, geht es darum, Yanick möglichst viel Raum und Zeit zur Verfügung zu stellen, um das Waveboardfahren zu explorieren.

In der assoziativen Phase entwickelt er zunehmend eine Vorstellung von der Bewegung (➤ Abb. 8.6). Die Durchführung wird durch Versuch und Irrtum verfeinert und immer wieder angepasst. Erstaunlich schnell gelangt Yanick in eine autonome Phase, in der das Waveboardfahren für ihn mühelos, fließend und automatisch wird. Nun kann der Schwierigkeitsgrad kontinuierlich gesteigert werden.

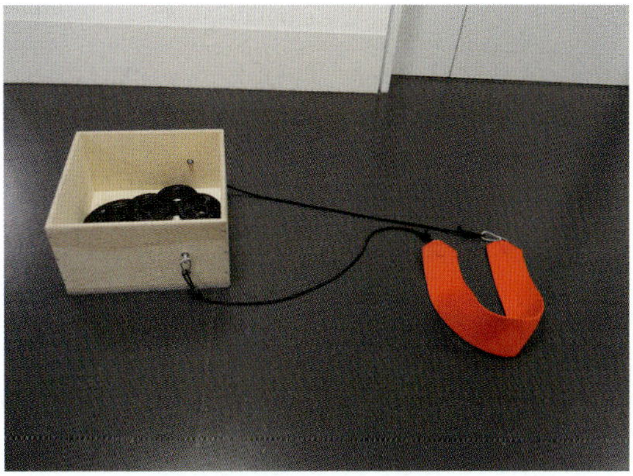

Abb. 8.5 Kiste mit Gewichten [M1170]

Abb. 8.6 Neuromotor-Task-Training: Yanick lernt Waveboardfahren [M1170]

KLINISCHER HINTERGRUND

Neuromotor-Task-Training

Das NTT ist ein aufgabenorientiertes Training, das auf aktuellen Erkenntnissen zur neuromotorischen Kontrolle und zum motorischen Lernen basiert. Die Methode soll Kinder mit leichten motorischen Problemen befähigen, ihre Bewegungskontrolle und Bewegungsausführung zu verbessern. Das übergeordnete Ziel dabei ist, dass die Kinder die gelernten Fertigkeiten auch in einem anderen Kontext oder mit anderen Anforderungen in ihren Alltags transferieren können (Smits-Engelsman 2013).

Während des aufgabenorientierten Trainings übt das Kind diejenigen motorischen Fertigkeiten, mit denen es Probleme hat. Diese Vorgehensweise wird durch die Theorie über die neuronale Entwicklung, die sogenannte *„neuronal group selection"*, gestützt. Demnach ist das Gehirn ein dynamisches System, das sich während einer Aktivität ständig verändert. Zu einer erfolgreichen Handlung kommt es nicht durch nacheinander ablaufende Abarbeitung in einzelnen Hirnregionen, sondern durch den ständigen wechselseitigen Austausch der Signale im gesamten Großhirn (Fitts & Posner 1967).

Motorische Fertigkeiten können erlernt werden. Fitts und Posner teilen das motorische Lernen in die kognitive, die assoziative und die autonome Phase ein. Ihre Einteilung ist eine der am weitesten verbreiteten.

Therapieverlauf und -abschluss

Nach seinem Reha-Aufenthalt wurde die postoperative Rehabilitation weiterhin intensiv physiotherapeutisch betreut und die Therapiefrequenz auf dreimal wöchentlich erhöht. Die Epiphysiodese links hat die Beinlängendifferenz von 2,5 cm noch nicht ausgeglichen. Beim konzentrierten Gehen zeigt Yanick ein verbessertes Gangbild mit einer leichten Bewegungsamplitude am Knie. Wenn Yanick unkonzentriert oder schnell geht, gerät er in sein altes Bewegungsmuster eines *„stiff knee gait"*.

Yanick ist sehr motiviert, an seiner Kraft und Leistungsfähigkeit zu arbeiten. Dies zeigt sich schon bald im 6-Minuten-Gehtest. Er steigert seine Wegtrecke um 55 m (➤ Tab. 8.9).

Seine anaerobe Leistungsfähigkeit erhöht sich innerhalb der 20 Wochen ebenfalls um knapp 10 Watt. Interpretiert man seine Resultate anhand der Referenzwerte, so lässt sich erkennen, dass sich beide Werte auf der gleichen Kurve (75 % Perzentile) befinden. Dies deutet darauf hin, dass die anaerobe Leistungssteigerung im Zusammenhang mit seinem raschen Längenwachstum steht.

Betreffend seiner Fertigkeiten beim Waveboardfahren ist ein deutlicher Zuwachs an Geschicklichkeit und Geschwindigkeit zu erkennen. Die Bewegungen wirken flüssig und mühelos. Die Schwierigkeitsgrade können nun kontinuierlich gesteigert werden. Yanick schätzt sich selber bei einem Wert von +1 ein. Das heißt, er hat sein Ziel mehr als erwartet erreicht. Er fährt selbstständig eine Länge (100 m) im Schulgang und kann kleine Kurven (mindestens fünf) nach rechts und links fahren.

8.6 Evidenzbasierte Zusammenfassung

Mittlerweile gibt es zahlreiche Maßnahmen, welche Dank umfangreicher Studien Einzug in den Therapiealltag gefunden haben. Ein gutes Beispiel hierfür ist HIIT bei Kindern, das lange Zeit kontrovers dis-

Tab. 8.9 Vergleich der Assessments

Assessment	T1 (vor OP)	T2 (20 Wochen nach OP)
Goal Attainment Scale (GAS)	−1	+1
Muscle-Power-Sprint-Test (MPST)	MP: 216,3 Watt (75 %-Perzentil)	MP: 225,2 Watt (75 %-Perzentil)
6-Minuten-Gehtest	555 Meter	610 Meter

kutiert wurde. Inzwischen ist die Effektivität eines HIIT bei Kindern mit einer zerebralen Lähmung mit Studien von guter Qualität deutlich belegt.

Auch das funktionelle Krafttraining bei Kindern – lange ein Tabu – ist in den vergangenen Jahren intensiv untersucht worden. Die Studien zeigen eine moderate Qualität, da sie meist nur über eine geringe Probandenzahl von 20–30 Kindern verfügen.

Evidenz

Für die angewandten Maßnahmen liegt folgende moderate bis gute Evidenz vor:

- High-Intensity-Intervalltraining (Lauglo et al. 2016)
- Funktionelles Krafttraining bei Kindern mit Zerebralparese (van Vulpen et al. 2017)
- Muscle-Power-Sprint-Test (Steeman 2016, Verschuren et al. 2010, 2013)
- Neuromotor Task Training (Smiths-Engelman et al. 1998)
- CIMT (Eliasson et al. 2018)
- 6-Minuten-Gehtest (Fitzgerald et al. 2016; Maher, Williams & Olds 2018)

LITERATUR

Apgar V. A proposal for a new method of evaluation of the newborn infant. Curr Res Anesthesia Analgesia. 1953; 32(4): 260–267.

Baumann T, Dierauer S, Meyer-Heim A. Zerebralparese. Diagnose, Therapie und multidisziplinäres Management. Stuttgart: Thieme, 2018.

Döderlein L. Infantile Zerebralparese. Diagnostik, konservative und operative Therapie. 2. Aufl. Berlin–Heidelberg: Springer Verlag, 2015.

Eliasson AC et al. The effectiveness of Baby-CIMT in infants younger than 12 months with clinical signs of unilateral-cerebral palsy; an explorative study with randomized design. Res Dev Disabil. 2018; 72: 191–201.

Eliasson et al. Efficacy of baby-CIMT: Study protocol for a randomised controlled trial on infants below age 12 months, with clinical signs of unilateral CP. BMC Pediatr. 2014; 14:1.

Fitts PM, Posner MI. Human performance. Pacific Grove, Ca: Brooks/Cole Pub. Co., 1967.

Fitzgerald D et al. Six-minute walk test in children with spastic cerebral palsy and children developing typically. Pediatr Phys Ther. 2016; 28(2): 192–199.

Heyrman L et al. A clinical tool to measure trunk control in children with cerebral palsy: The Trunk Control Measurement Scale. Res Dev Disabil. 2011; 32(6): 2624–2635.

Hidecker MJ et al. Developing and validating the Communication Function Classification System for individuals with cerebral palsy. Dev Med Child Neurol. 2011; 53(8): 704–710.

Lauglo R. et al. High-intensity interval training to improve fitness in children with cerebral palsy. BMJ Open Sport & Exercise Medicine. 2016; 2(1): e000111.

Lieber J, Marsico P, Labruyère R. Interventionen früh beginnen – Mobilität von Kindern mit Zerebralparese. Physiopraxis. 2021;19(09): 30–33.

Maher C, Williams MT, Olds T. The six-minute walk test for children with cerebral palsy. Int J. Rehabil Res. 2008; 31(2): 185–188.

McGinley JL et al. Single-event multilevel surgery for children with cerebral palsy: A systematic review. Dev Med Child Neurol. 2012; 54(2): 117–128.

Mitteregger E et al. Translation and construct validity of the Trunk Control Measurement Scale in children and youths with brain lesions. Res Dev Disabil. 2015; 45–46: 343–352.

Nordstrand L et al. Improvements in bimanual hand function after baby-CIMT in two-year old children with unilateral cerebral palsy: A retrospective study. Res Dev Disabil. 2015; 41–42C: 86–93.

Rosenbaum P et al. A report: the definition and classification of cerebral palsy April 2006. Dev Med Child Neurol. 2007; 109: 8–14.

Sellers D. et al. (2014): Eating and Drinking Ability Classification System from 3 years: descriptors and illustrations [online]. https://www.sussexcommunity.nhs.uk/downloads/misc-documents/edacs-sheet%2006-09-21.pdf (letzter Zugriff: 11. März 2022).

Smits-Engelsman B. Neuromotor Task Training – Zum motorischen Lernen befähigen. Ergopraxis 2013; 6(09): 24–30.

Smits-Engelsman BCM, Henderson SE, Michels, CGJ. The assessment of children with Developmental Coordination Disorders in the Netherlands: The relationship between the Movement Assessment Battery for Children and the Körperkoordinations Test für Kinder. Human Movement Science 1998; 17(4): 699–709.

Steenman K et al. Extended reference values for the muscle power sprint test in 6- to 18-year-old children. Pediatr Phys Ther. 2016; 28(1): 78–84.

Surveillance of Cerebral Palsy in Europe (2021): CP and CP subtypes [online]. https://eu-rd-platform.jrc.ec.europa.eu/scpe/data-collection_en (letzter Zugriff: 11. März 2022).

van Vulpen LF et al. Improved walking capacity and muscle strength after functional power-training in young children with cerebral palsy. Neurorehabil Neural Repair 2017; 31(9): 827–841.

Verschuren O et al. Reference values for anaerobic performance and agility in ambulatory children and adolescents with cerebral palsy. Dev Med Child Neurol. 2010; 52(10): e222–228.

Verschuren O et al. Validity of the muscle power sprint test in ambulatory youth with cerebral palsy. Pediatr Phys Ther. 2013; 25(1): 25–28.

8

FALL

9

Laura Sedlbauer und Lena Braun

Zerebralparese GMFCS Level II

Leitsymptome: Gangunsicherheit – Hypertonus

mittel

9.1 Vorgeschichte

Jonas ist ein ruhiger 12-jähriger Junge mit der Diagnose spastische Zerebralparese (GMFCS Level II). Er geht in die 5. Klasse einer Förderschule. Seit ca. 1,5 Jahren kann Jonas im Schulgebäude und zu Hause ohne Hilfsmittel laufen. Bei Ausflügen außerhalb des Schulgeländes und einer Gehdauer von mehr als zehn Minuten dient ihm der Rollstuhl als Hilfsmittel. Jonas zeigt trotz des großen Fortschritts in den letzten Jahren weiterhin eine hohe Sturztendenz, kann sich aber jederzeit gut abfangen und eigenständig wieder aufstehen. Aus diesem Grund trägt er während des Gehens keine Gegenstände in den Händen. Von der Orthesenversorgung im Bereich des Sprunggelenks ist er seit ca. einem Jahr zu sensomotorischen Einlagen gewechselt. Jonas lebt zu Hause mit seinen Eltern, er hat keine Geschwister. Am liebsten spielt er mit seinem Vater im Garten Fußball. Jonas ist großer Fußballfan.

Jonas besucht eine Förderschule mit dem Schwerpunkt „konduktive Förderung“. In diesem Rahmen findet auch die physiotherapeutische Behandlung statt. In der Klasse ist Jonas ein beliebter Mitschüler und wurde dieses Jahr zum Klassensprecher gewählt. Er ist sehr ehrgeizig, kann gut eigenständig arbeiten und zeigt deshalb auch gute schulische Leistungen. In der Schule spricht Jonas leise, heiser und in kurzen Sätzen. In Elterngesprächen wird deutlich, dass Jonas zu Hause eine andere Sprachmelodie zeigt als in der Schule.

KLINISCHER HINTERGRUND

Konduktive Förderung nach Petö

Konduktive Förderung ist keine spezifische Heilmethode, sondern ein pädagogischer Ansatz, der unterschiedliche Disziplinen zusammenführt. Dieses Konzept versucht nicht, den Patienten zu „behandeln" sondern den Patienten zu lehren, selbst zu handeln (Danielczyk 2003). Entwickelt wurde diese Methode durch den ungarischen Arzt Andràs Petö. Folgende Grundprinzipien beinhaltet die konduktive Förderung:

- Gruppenprinzip
- Ganzheitsprinzip
- Prinzip der täglichen Routine
- Prinzip der Aktivität
- Prinzip der Fazilitation

Das Ganzheitsprinzip beschreibt z. B. eine umfassende Fördermaßnahme, welche auf die körperlichen, seelischen und intellektuellen Bedürfnisse der Kinder eingeht (Danielczyk, 2003). Der Körper wird durch gezielte motorische Übungen gestärkt. Rhythmisches Intendieren als eine Art der Fazilitation begleitet die Bewegung und fördert den Geist. Die Seele wird durch eine entspannte Atmosphäre und die Zugehörigkeit in der Gruppe gestärkt. Aktivität steht immer vor der Passivität, um den Lernprozess voranzutreiben (Becker 2016). Kinder mit zerebralen Bewegungsstörungen sollen also motiviert werden, ein Ziel eigenständig zu erreichen, um selbstständiger zu werden (Danielczyk 2003). Dazu muss das Ziel verständlich und realistisch sein. Es ist die Aufgabe des Therapeuten, zu erkennen, wodurch und womit das Kind angeregt wird, aktiv zu werden.

Im vorliegenden Fallbericht werden folgende Fragen beantwortet:

- Wie interpretiere ich eine Ganganalyse und welche Hypothesen ergeben sich daraus für die therapeutische Behandlung?

Tab. 9.2 Ganganalyse nach Götz-Neumann (2015)

Initial Contact	Loading Response	Midstance (früh und spät)	Terminal Stance	Preswing
Fersenkontakt zum Boden	Stabilität und Vorwärtsbewegung; kontrollierte Kniegelenksflexion bewirkt eine Stoßdämpfung und Kniegelenksstabilisation Hüftgelenkstabilisation sorgt für eine aufrechte Haltung des Rumpfes.	Früh: Stabilität und Erhalt der Vorwärtsbewegung Gesamtes Körpergewicht lastet auf einem Bein; spät: Exzentrische Muskelaktivität der Wadenmuskulatur steuert Stabilität des Beins und erlaubt kontrollierte Vorwärtsbewegung der Tibia	Kontrollierte Dorsalextension am Sprunggelenk mit Ablösung der Ferse am Boden; Hyperextension im Hüftgelenk	Abdruckphase mit Vorwärtsbeschleunigung des Beins

Tab. 9.3 Ganganalyse nach Renata Horst (2022a)

Digiti Kontakt (DK)	Konzentrische Vertikalisierung (KV)	Exzentrische Stabilisierung (ES)	Digiti Push (DP)	Vorwärtsbeschleunigung (VB)
Erster Bodenkontakt bis zur Gewichtsübernahme auf dem Vorfuß (exzentrische Funktion, Extensorensynergie)	Beckenrotation nach dorsal (konzentrische Funktion Hüftextensoren und pelvitrochantäre Muskulatur)	Plantarflexoren, Knieflexoren, Hüftflexoren, M. quadriceps femoris und Rückenstrecker (exzentrische Funktion)	Mm. flexor hallucis longus und peronei (konzentrische Funktion), weiterlaufende Plantarflexoren OSG und Knieflexoren	Nutzen des DVZ (M. rectus femoris und M. tibialis anterior)

OSG = oberes Sprunggelenk; DVZ = Dehnungsverkürzungszyklus

Tab. 9.4 Mögliche Assessments zur Verlaufsdokumentation

Assessment	Aussage und Quelle
Edinburgh Gait Scale	Visuelle Bewertung Ganganalyse Kinder mit CP (Read et al. 2003)
Trunk Control Measurement Scale (TCMS)	Messung der Rumpfkontrolle für Kinder mit CP (Heyrman et al. 2011, Mitteregger et al. 2015 [validiert auf Deutsch)
Mini-BESTest	Kurzversion des Balance Evaluation Systems Test (Horak, Wrisley & Frank 2009, Franchignoni et al. 2010)
Timed up and go	Zeitdauer für Aufstehen und Gehen
ROM aktiv in geschlossener Kette	Bewegungsausmaß während der aktiven Bewegung
Poplitealer Winkel	Passive Überprüfung der ischiokruralen Muskeln
Silfverskjörd-Test	Passive Überprüfung M. triceps surae
Duncan-Ely-Test	Passive Überprüfung M. rectus femoris
Thomas-Handgriff	Passive Überprüfung Hüftbeugemuskeln

CP = Zerebralparese

Personenbezogene Faktoren

Egal ob in der Therapie oder im schulischen Kontext, Jonas zeigt sich als sehr ehrgeizig. Gestellte Aufgaben setzt er schnell und gewissenhaft um. In der Therapie schafft er es deshalb, Bewegungsaufgaben schnell zu verstehen und konzentriert zu bleiben. Hierbei zeigt sich bei Jonas großes Potenzial für weitere Therapiefortschritte.

Funktions- und -Strukturebene

Minussymptomatik: Kraftminderung im Bereich der unteren Extremität, schnelle Ermüdbarkeit, verminderte Geschicklichkeit und Feinmotorik, sensomotorisches/propriozeptives Defizit, eingeschränkte reziproke Innervation.
Plussymptomatik: Erhöhte Muskel- und Gewebsspannung im Bereich des Thorax, der Adduktoren; Thorax in Inspirationsstellung, evtl. erhöhte Sympathikusaktivität (Schutzmechanismus).
Adaptive Phänomene: Mögliche intrinsische Muskelveränderungen (vgl. ➤ 9.3, Klinischer Hintergrund zur Spastik).

Die Auswertung der Ganganalyse erfolgt nach dem N.A.P.-Prinzip (neuroorthopädische aktivitätsabhängige Plastizität) von Renata Horst (2022a). Nach der Inspektion der einzelnen Phasen erfolgt die Aufstellung von möglichen Hypothesen für den physiotherapeutischen Prozess. Im Allgemeinen zeigt Jonas ein steifes, undynamisches Gangbild. Er schafft es nur schwer, abzubremsen und stehen zu bleiben oder die Richtung zu wechseln. Aus dieser Beobachtung ergeben sich erste Hinweise auf mögliche Probleme der Bewegungssteuerung und Schwierigkeiten beim Wechsel der Ansteuerung der Muskulatur.

Die folgende Aufschlüsselung des Gangzyklus soll präzise Aussagen über mögliche muskuläre Schwächen bieten. Hierbei wird der Sichtbefund von Jonas mit einem physiologischen Gangbild verglichen.

Digiti Kontakt

Fersenkontakt erfolgt eher plan und über die mediale Innenkante. Fortlaufend ergibt sich keine kontrollierte Gewichtsübernahme auf den Vorfuß (➤ Abb. 9.1). Der Vorfuß übernimmt kein Gewicht und die Zehen bleiben ohne Bodenkontakt. In der Frontalebene fällt das Knie v. a. links bei Gewichtsübernahme nach medial. Daraus ergeben sich folgende Hypothesen:

- Geringe präaktive Aktivierung der Plantarflexoren, damit keine kontrollierte Gewichtsübernahme
- Geringe Stoßdämpfung durch mangelnde exzentrische Funktion der Extensorensynergie (M. gluteus maximus, M. quadriceps femoris, M. triceps surae)
- Medialisierung des Knies bei Gewichtsübernahme, evtl. bedingt durch eine geringe Hüftstabilisation mit Schwäche der Hüftabduktoren/-außenrotatoren/-extensoren

Konzentrische Vertikalisierung

Die konzentrische Vertikalisierung erfolgt bei Jonas über eine Extension im Kniegelenk, die Beckenrotation bleibt weiterhin ventral ausgerichtet (➤ Abb. 9.2). Daraus ergibt sich folgende Hypothese: mangelnde Beckenrotation nach dorsal durch einen Mangel der konzentrischen Funktion der Hüftextensoren und der pelvitrochantären Muskeln.

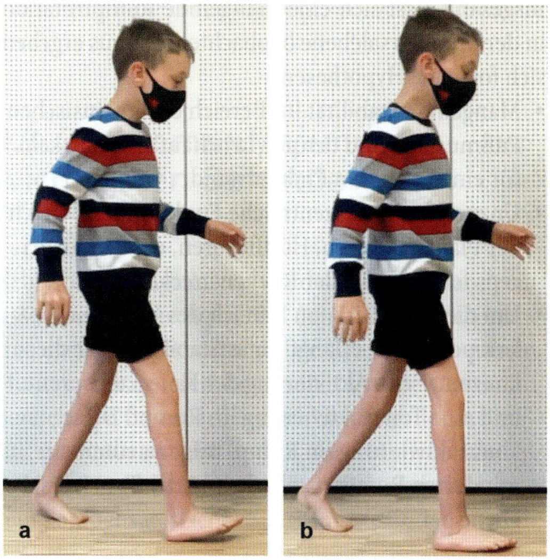

Abb. 9.1 Initial Contact zu Loading Response [M1171]

Hypothesen aus dem physiotherapeutischen Prozess

- Schwierigkeiten in der Bewegungssteuerung durch Ko-Kontraktionen der Muskeln der unteren Extremität
- Mangelnde konzentrische Kraft in den Plantarflexoren (M. flexorum hallucis longus/digitorum longus/M. gastrocnemius/M. fibularis longus) sowie den pelvitrochantären Muskeln (Hüftabduktoren, Hüftextensoren und Hüftaußenrotatoren)
- Mangelnde exzentrische Kraft der Hüft- und Knieflexoren und der Peronealmuskeln sowie des M. obliquus internus/externus
- Mangelnde Mobilität und Elastizität im Bereich des Brustkorbs, hoher Sympathikotonus (evtl. Einfluss auf die Ausdauerfähigkeit)

KLINISCHER HINTERGRUND

„Spastik"

Spastik wurde von Pandyan (2010) definiert als eine „gestörte sensomotorische Kontrolle, die durch eine Verletzung des ersten motorischen Neurons verursacht wird und sich als intermittierende oder länger anhaltende unwillkürliche Muskelaktivierung präsentiert."

Die Läsion des oberen Motoneurons im zentralen Nervensystem hat große Auswirkungen auf die Willkürmotorik der Patient*innen. In der Klinik zeigt sich eine Tonuserhöhung. Ein beeinflussender Faktor für diese Tonuserhöhung sind intrinsische Veränderungen des Muskels, wie zum Beispiel ein Verlust an Sarkomeren (Dietz & Sinkjaer 2007). Die Patient*innen sind nicht mehr in der Lage, ihre Muskelaktivität anzupassen, es kommt lediglich zu einer tonischen Aktivierung der Muskelfasern (Dietz 2013). Die reziproke Innervation während des Gehens kann beeinträchtigt sein, es kommt zu Ko-Aktivierungen der Antagonisten (Dietz & Sinkjaer 2007). Brunner & Romkes (2008) beschreiben, dass möglicherweise die Muskelschwäche und nicht die Spastik das Hauptproblem bei Kindern mit Zerebralparese ist.

Die Betroffenen sind damit nicht mehr in der Lage, fließende Bewegung auszuführen, bei denen sich die Muskeln z. B. unter Spannung verlängern (Götz-Neumann, 2015). Die dauerhafte Kontraktion verhindert damit die exzentrische Muskelaktivität. Um dieser Instabilität und mangelnden willkürlichen Steuerung entgegenzuwirken, machen sich die Patient*innen steif. In der Klinik zeigt sich dies als „Spastik" (Brunner 2021). Eine Verbesserung der Stabilität kann sich demnach günstig auf das klinische Bild auswirken.

Botox-Behandlung immer sinnvoll bei immobilen Patienten?

Antispastische Medikamente werden eingesetzt, um den Muskeltonus zu senken. Bei immobilen Patienten scheint dies eine sinnvolle Entscheidung zu sein. Die Entstehung der Spastik ist jedoch multifunktionell. Der Umbau der Gewebestrukturen des Muskels, z. B. durch Verlust von Sarkomeren und durch Gelenksteifigkeiten, resultiert in einem „spastischen" Muskeltonus. Diese tonische Muskelaktivierung ist notwendig, damit das Kind überhaupt gehfähig wird (Dietz & Sinkjaer 2007). In diesem Fall würden antispastische Medikamente zu einer Funktionsverschlechterung des Gangbilds des Kindes führen und vielleicht sogar das klinische Bild der Parese verstärken (Dietz 2013).

Es ist daher wichtig, nicht nur das klinische Bild des Muskeltonus zu beurteilen, sondern auch die funktionelle Bewegungseinschränkung, welche dadurch entsteht. Bei immobilen Patient*innen können antispastische medikamentöse Interventionen eine sinnvolle Maßnahme sein, um u. a. zur Schmerzlinderung beizutragen (Dietz 2013).

9.4 Physiotherapeutische Zielsetzung

Jonas wird zu Beginn der Therapie zu seinen Zielen befragt. In der Schule erfolgt dies über einen ICF-Selbstevaluationsbogen. Jonas gibt hier Ziele an im Bereich der Kognition (z. B. seine schulischen Ziele), im sozialen Bereich und im Bereich der Mobilität (➤ Tab. 9.6). Im Bereich der Mobilität ist es Jonas sehr wichtig, sicher gehen zu können, weniger zu fallen und auch längere Gehstrecken zu bewältigen. In einem Elterngespräch zusammen mit Jonas werden diese Ziele nochmal besprochen und in Nah- und Fernziele unterteilt.

9.5 Physiotherapeutische Maßnahmen/Therapieplan

Weicht das Gangbild von der Norm ab, wird mehr Energie gebraucht und es besteht eine Tendenz zur Verschlechterung (Brunner 2021). Grundvoraussetzung für ein verbessertes Gangbild ist eine ausreichende

Tab. 9.6 Zielsetzung nach ICF

Aktivität/Partizipation	Körperstruktur/Funktion
Gehstrecke meistern von über 15 Minuten ohne Pause und Hilfsmittel → Ausdauerfähigkeit	• Verbesserung der sensomotorischen Ansteuerung der unteren Extremität • Förderung der Kraftausdauer der Hüftextensoren/-abduktoren und -außenrotatoren • Verbesserung der kardiopulmonalen Leistung unter anderem durch eine verbesserte Brustkorbmobilität • Verbesserung der Exzentrik der Extensoren für eine verbesserte Stoßdämpfung und Lastenübernahme • Gangbild effizienter gestalten
Einen Fußball gezielt schießen, ohne das Gleichgewicht zu verlieren → Stabilität	• Verbesserung der sensomotorischen Ansteuerung der unteren Extremität • Erreichen eines Einbeinstands, ohne dass Jonas sich festhalten muss • Dafür motorische Kontrolle der hüftstabilisierenden Muskeln, der Plantarflexoren, des M. peroneus longus und der rumpfstabilisierenden Muskeln
Gegenstände tragen während des Gehens innerhalb des Schulgebäudes → Gleichgewicht	• Verbesserung der Gleichgewichtsreaktion • Erarbeitung von reaktiven Schrittmustern

Körperkontrolle, diese ist abhängig vom Gleichgewicht und der Propriozeption (Brunner 2021).

Die physiotherapeutische Behandlung findet während des Ganztagesangebots in der Schule statt. Die Befunde und therapeutischen Zielsetzungen werden mit dem interdisziplinären Team besprochen. Hierzu zählen neben Konduktorin, Ergo- und Logopädin auch Ärztin, Klassenlehrerin und Fachpersonal von örtlichen Sanitätshäusern. Aus den anhand der physiotherapeutischen Anamnese aufgestellten Hypothesen werden Therapiemaßnahmen abgeleitet. Die Behandlung erfolgt in 2–3 physiotherapeutischen Einzel- und Gruppeneinheiten pro Woche. Jonas bekommt zusätzlich wöchentliche Behandlung der anderen Disziplinen im Rahmen des konduktiven Schulsettings. Die Behandlungsgrundlagen der folgenden Therapie leiten sich aus dem Konzept der **konduktiven Förderung** und dem Konzept der **neuroorthopädischen aktivitätsabhängigen Plastizität (N.A.P.)** von Renata Horst ab. In der N.A.P.-Therapie steht das Üben von gezielter Aktivität zur Veränderung der kortikalen Repräsentation im Vordergrund (Horst, 2022b).

KLINISCHER HINTERGRUND

N.A.P.-Konzept nach Renata Horst

Die N.A.P.-Therapie bildet die Brücke zwischen Orthopädie und Neurologie. Die Behandlung orientiert sich stark an den Bedürfnissen und Potenzialen der Patient*innen, damit sie lernen zu handeln, anstatt behandelt zu werden. Dafür werden in der Therapie manualtherapeutisches Wissen und neurophysiologische Prinzipien genutzt, um das motorische Lernen optimal zu fördern (Horst 2022b). Das Wissen darüber, welche Körperstruktur wie funktionieren muss, damit Patient*innen sichere und ökonomische motorische Strategien entwickeln und in den Alltag integrieren können, gilt als Grundlage für Therapeut*innen.

Jede Bewegung, die gelernt werden soll, wird in einer sinnvollen Handlung und realem Kontext ausgeführt. Die Hände der Therapeut*innen stellen manuell die erforderliche biomechanische Situation her, um optimale Hebelarme der Gelenkstellung für die Willkürhandlung zu erreichen. Das Gehirn bekommt hierbei neuen Input für eine Bewegung und lernt damit Handlungen zu organisieren. Um eine posturale Kontrolle zu erreichen, ist es notwendig, dass die Muskeln exzentrisch arbeiten können. So wird eine Aufrichtung gegen die Schwerkraft möglich. Durch Approximation (Druck) oder Traktion (Zug) der entsprechenden Struktur können Therapeut*innen unterschiedlichen taktilen Input geben. In der N.A.P.-Therapie wird die Approximation in Richtung der Gelenkflächen dafür genutzt, propriozeptiven Input zu geben, die Schwerkraftinformationen zu verstärken und damit eine präaktive Stabilität zu erreichen. Eine posturale Anpassung in der geschlossenen Kette wird damit ausgelöst (Horst 2022a).

Die Therapeutin kreiert eine motivierende Therapieumgebung. Jonas ist hierbei immer wieder gefordert, selbst problemlösend zu handeln und sich entsprechend zu bewegen. So ist gesichert, dass seine Aufmerksamkeit auf die gestellte Bewegungsaufgabe gerichtet ist und es für Jonas ein klares Ziel gibt, z. B. eine Kiste schieben (Verbesserung der Kraft

Abb. 9.6 Trampolinsprung [M1171]

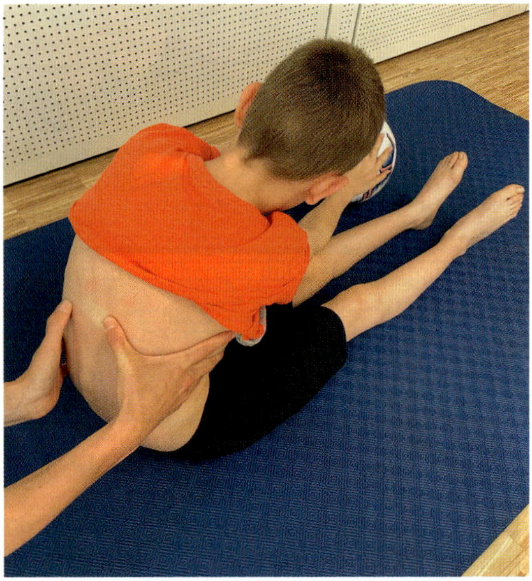

Abb. 9.7 Mobilisation Oberkörper [M1171]

⚠ **VORSICHT**

Besondere Vorsicht ist bei Patienten mit sehr instabilen Sprunggelenken geboten. Hier empfiehlt sich zu Beginn eine eher statische Übung. Dabei startet der Patient im Vierfüßlerstand und streckt die Knie durch und den Po Richtung Decke, um in ein großes Dreieck zu kommen (*downward dog position/Bärenstand*). Die Aufgabe besteht nun darin, die Knie zu beugen bis kurz vor dem Boden und wieder komplett auszustrecken. Ein taktiler Input im Bereich der Zehen als Punctum fixum oder der Fersen kann zusätzlich hilfreich sein.

Aktive Mobilisation Oberkörper

Im Langsitz soll Jonas einen Fußball in einer Diagonale vor- und zurückrollen (➤ Abb. 9.7). Beide Hände sind dabei auf dem Ball. Rollt der Ball nach vorne, bringt Jonas den Oberkörper Richtung Boden. Anschließend richtet er sich wieder auf, sodass eine dynamische Mobilisation entsteht. Nach ein paar Durchgängen verbindet Jonas die Bewegung mit der Atmung. Beim Vorbeugen atmet er aus, während der Aufrichtung atmet er ein. Zusätzlich gibt die Therapeutin taktile Reize im Interkostalraum, um den Sympathikotonus zu senken. Diese Übung dient der Elastizitätsförderung und der Tonussenkung.

Jonas bekommt zusätzlich kleine Übungen, die er sicher und ohne Unterstützung einer zweiten Person zu Hause ausführen kann. Im Rahmen der konduktiven Förderung werden die Übungen der Körper- und Strukturebene weiter in Aktivität und Partizipation umgesetzt. Therapiestand und Fortschritte werden mit dem Team besprochen. So werden die Bewegungsaufgaben ständig angepasst. Jonas bekommt nach einigen Wochen außerdem die Aufgabe, seinen Sportbeutel in der Hand in die Turnhalle zu tragen.

Therapieverlauf und -abschluss

Die Therapie wurde nach einem einheitlichen Prinzip aufgebaut. Zu Beginn jeder Einheit wurde strukturell gearbeitet, d. h., mithilfe von manuellen Techniken der Therapeutin wurden taktile Reize gesetzt, um Jonas einen neuen Input und verstärkte sensomotorische Informationen zu geben. Verbesserungen der Hebelverhältnisse wurden anschließend aktiv in funktionelle Übungen umgesetzt. Da die Therapie im Schulsetting stattfand, konnte zusätzlich die Ebene der Partizipation in der Therapie gewährleistet werden. Jonas konnte die funktionellen Übungen direkt in seinen Schulalltag integrieren und z. B. das Gehen unter unterschiedlichen Bedingungen

9

und Situationen üben. Der Therapieverlauf folgte demnach einem Muster von struktureller Arbeit, funktionellen Übungen und der Umsetzung in die Partizipationsebene. Damit konnte gewährleistet werden, dass Jonas seine Ziele vor Augen behält und Übungen gezielt umsetzen kann. Jonas zeigte direkt im Anschluss der Therapieeinheiten ein flüssigeres Gangbild. Dieser Effekt hielt meist jedoch nur wenige Stunden an. Nach längeren Sitzphasen in der Schule erfolgte schnell ein Übergang in sein gewohntes Muster. Jonas nahm diese dynamischen Veränderungen sehr deutlich wahr.

Während des Therapieverlaufs wurden immer wieder kleinere Videoanalysen des Gangbilds mit Jonas aufgenommen. Diese wurden anschließend mit Jonas und dem therapeutischen, konduktiven und ärztlichen Fachpersonal besprochen. Diese visuelle Rückmeldung unterstütze Jonas dabei, die Zeitspanne des flüssigen Gehens auszubauen. Jonas hat es geschafft, innerhalb des Schulgebäudes seinen Turnbeutel eigenständig zu tragen. Weitere Therapieschwerpunkte in der Zukunft sind der sichere Einbeinstand und ein Ausbau von Dual-Task-Aufgaben während des Gehens. Die Assessments wurden nochmals durchgeführt, um eine Verlaufskontrolle zu ermöglichen (➤ Tab. 9.7).

Der Ehrgeiz von Jonas und seine Fähigkeit, Bewegungsaufgaben auch kognitiv umzusetzen, trugen positiv zum Therapieergebnis bei. Diese Art der Interventionen erfordert ein gewisses Maß an Compliance der Patient*innen. Zusätzlich wäre eine 3D-Ganganalyse in einem Ganglabor sicher sinnvoll gewesen, um eine detaillierte Messung der Gelenkwinkel zu erlangen und weitere Informationen zur Kraft und Muskelaktivität über EMG abzuleiten. Eine reine Ganganalyse per Videoaufnahme birgt immer das Risiko, sehr subjektiv von Betrachter analysiert zu werden.

Tab. 9.7 Vergleich der Assessments

Assessment	T1 (Erstbefund)	T2 (nach 20 Wochen)
Edinburgh Gait Scale	22 Punkte	18 Punkte
Trunk Control Test (TCT)	100 Punkte	100 Punkte
Trunk Control Measurement Scale (TCMS)	31 Punkte	36 Punkte
Mini-BESTest	13 Punkte	19 Punkte
Timed up and go	Aufstehen mit Händen am Stuhl: 14,03 Sek. Aufstehen ohne Hände am Stuhl: 16,76 Sek.	Aufstehen mit Händen am Stuhl: 12,04 Sek. Aufstehen ohne Hände am Stuhl: 13,12 Sek.
Range of Motion (RoM) aktiv	OSG in geschlossener Kette mit KG-Extension: Rechts: 30°–0–20° (Plantarflexion/Dorsalextension) Links: 40°–0–20°	OSG in geschlossener Kette mit KG-Extension: Rechts: 30°–0–20° (Plantarflexion/Dorsalextension) Links: 40°–0–20°
Poplitealer Winkel	35° beidseits	30° beidseits
Silfverskjörd-Test	positiv	positiv
Duncan-Ely-Test	positiv	positiv
Thomas Handgriff	30° beidseits	20° beidseits

OSG = oberes Sprunggelenk, KG = Kniegelenk

9.6 Evidenzbasierte Zusammenfassung

Die Wahl der Therapieintervention bei Kindern mit Zerebralparese hängt immer stark vom klinischen Bild und dem Ziel des Kindes ab. Die Intervention kann noch so erfolgversprechend sein – wenn keine intrinsische Motivation beim Kind vorliegt oder das Ziel nicht definiert ist, wird die Lernkurve in der Therapie gering bleiben.

Novak et al. fassten 2019 den aktuellen Stand der Evidenz zur Therapie von Kindern mit Zerebralparese zusammen. Grünes Licht bekamen Interventionen mit hoher Wirksamkeit aus RCTs oder systematischen Reviews. Zur Verbesserung der Motorik vor allem im Bereich der unteren Extremität zählten hierbei Maßnahmen wie z. B. zielgerichtete Therapie, aufgabenorientiertes Training, Mobility Training oder Krafttraining (Novak et al. 2020). Die Autor*innen stellen außerdem fest, dass die Interventionen alltagsorientiert, zielgerichtet umgesetzt werden sollten, um das gesetzte Ziel des Kindes zu erreichen. Im Gegensatz dazu waren passive Maßnahmen weniger erfolgreich und hatten keinen Einfluss auf die Funktionsverbesserung der Bewegung bei Kindern mit Zerebralparese (CP) (Novak et al. 2020).

*Prosser et al. (*2010*)* untersuchten die Frequenz der Muskelaktivierung während eines Gangzyklus bei Kindern mit CP. Im Vergleich zu Kindern mit typischer Entwicklung zeigten sich veränderte Aktvierungsmuster der Rumpf- und Hüftmuskeln, unter anderem eine veränderte Synchronität der motorischen Einheiten. Dies kann dazu beitragen, dass die Muskeln bei Kindern mit CP schneller ermüden und ineffizient arbeiten. Die Autor*innen empfehlen daher Maßnahmen zum Training der Rumpfmuskulatur, um ein effizientes Aktivierungsmuster der Muskulatur während des Gehens zu trainieren.

*Lorentzen et al. (*2020*)* stellten fest, dass die eingeschränkte Fähigkeit, die Plantarflexoren willentlich zu aktivieren und damit eine effiziente Abstoßphase zu erreichen, für den asymmetrischen Gang bei Kindern mit CP von Bedeutung ist. Sie empfehlen daher ein intensives Gangtraining, um die Abstoßkraft der Plantarflexoren zu trainieren.

Dodd, Taylor & Graham (2003) fokussierten die Muskelschwäche bei Kindern mit CP und setzten ein gezieltes Krafttraining der Plantarflexoren und Knieextensoren ein. Sie erreichten durch die Muskelkräftigung auch eine Funktionsverbesserung im Bereich des Gehens und des GMFM.

*Götz-Neumann (*2014*)* bestätigt in einer Einzelfallstudie, dass exzentrisches Training der Plantarflexoren, der Hüftabduktoren, -extensoren und -außenrotatoren zu einer deutlichen Verbesserung des Gangbilds führt.

Auch *Renata Horst (*2013*)* generiert in ihrem klinischen Praxisbeispiel die Hypothese, dass die Streckerkette des Patienten mit CP zu schwach ist, um sich gegen die Schwerkraft aufzurichten. Durch Behandlungsmaßnahmen zur Aktivierung der exzentrischen Muskelaktivität wurde das klinische Gangbild des Patienten verbessert.

Neben der Evidenz im Bereich der Behandlungsmethode sollten bei der Auswahl um Umsetzung der Therapiemaßnahmen die Aspekte der Trainingslehre und der Pädagogik nicht fehlen.

9

Evidenz

- Übersicht der aktuellen Evidenz: Novak et al. 2020
- Krafttraining der unteren Extremität: Park & Kim 2014; Liang et al. 2021
- Funktionelles Gangtraining: Booth et al. 2018
- Zielgerichtetes Training: Toovey et al. 2017
- Training der Plantarflexoren: Lorenzten et al. 2020; Dodd, Taylor & Graham 2003; Götz-Neumann 2014

LITERATUR

Becker H. KörperLernen: Therapieansätze und Strategien für motorisches und Handlungslernen. München: Elsevier, Urban & Fischer, 2016.

Booth ATC et al. The efficacy of functional gait training in children and young adults with cerebral palsy: a systematic review and meta-analysis. Dev Med Child Neurol. 2018; 60(9): 866–883.

Brunner R. Orthopädie der cerebralen Bewegungsstörungen. In: Strobl W et al. (Hrsg.). Therapeutisches Arbeiten in der Neuroorthopädie: Multiprofessionelle Teamarbeit und transdisziplinäres Denken. Berlin, Heidelberg: Springer, 2021; S. 91–101.

Brunner R, Romkes J. Abnormal EMG muscle activity during gait in patients without neurological disorders. Gait Posture. 2008; 27(3): 399–407.

Danielczyk, M Konduktive Förderung bei Erwachsenen. Konzept nach Andràs Petö. München: Pflaum, 2003.

Dietz V. Klinik der Spastik – spastische Bewegungsstörung. Nervenarzt. 2013; 84(12): 1508–1511.

Dietz V, Sinkjaer T. Spastic movement disorder: impaired reflex function and altered muscle mechanics. Lancet Neurol. 2007; 6(8):725–733.

Dodd KJ, Taylor NF, Graham HK. A randomized clinical trial of strength training in young people with cerebral palsy. Dev Med Child Neurol. 2003; 45(10): 652–657.

Franchignoni F et al. Using psychometric techniques to improve the Balance Evaluation Systems Test: the mini-BESTest. J Rehabil Med. 2010; 42(4): 323–331.

Geraedts P. Motorische Entwicklung und Steuerung: Eine Einführung für Physiotherapeuten, Ergotherapeuten und Trainer. Berlin, Heidelberg: Springer, 2020.

Götz-Neumann K. Von Spastizität zur Aktivität: Exzitation statt Inhibition. Physioscience. 2014; 10: 115–125.

Götz-Neumann K. Gehen Verstehen: Ganganalyse in der Physiotherapie. Stuttgart: Thieme, 2015.

Heyrman L et al. A clinical tool to measure trunk control in children with cerebral palsy: the Trunk Control Measurement Scale. Res Dev Disabil. 2011; 32(6): 2624–2635.

Horak FB, Wrisley DM, Frank J. The Balance Evaluation Systems Test (BESTest) to differentiate balance deficits. Phys Ther. 2009; 89(5): 484–498.

Horst R. Neuroreha heute. Was ist aufgabenorientiertes Training? PT Zeitschrift für Physiotherapeuten. 2013; 65, 8.

Horst R. (2022a) Fuß und Becken: Vom Stehen zum Gehen. In: Horst R. N. A. P. –Neuroorthopädische Therapie. Untersuchen, Üben, Eigentraining. 2. Aufl. Stuttgart: Thieme 2022.

Horst R. (2022b) Grundlagen der N.A.P.-Therapie. Einleitung. In: Horst R. N. A. P. –Neuroorthopädische Therapie. Untersuchen, Üben, Eigentraining. 2. Aufl. Stuttgart: Thieme 2022.

Kleim JA, Jones TA. Principles of experience-dependent neural plasticity: implications for rehabilitation after brain damage. J Speech Lang Hear Res. 2008; 51(1): S225–239.

Kubik W. Neurobiologische Grundlagen des motorischen Lernens und Überblick der Therapiekonzepte. In: Strobl W et al. (Hrsg.). Therapeutisches Arbeiten in der Neuroorthopädie: Multiprofessionelle Teamarbeit und transdisziplinäres Denken. Berlin, Heidelberg: Springer, 2021; S. 193–202.

Laube W. Muskelaktivität: Prägung des ZNS und endokrine Funktionen. Manuelle Medizin. 2013; 51(2): 141–150.

Liang X et al. Effectiveness of exercise interventions for children with cerebral palsy: A systematic review and meta-analysis of randomized controlled trials. J Rehabil Med. 2021; 53(4): 2733.

Lorentzen J et al. Gait training facilitates push-off and improves gait symmetry in children with cerebral palsy. Hum Mov Sci. 2020; 69:102565.

Mitteregger E et al. Translation and construct validity of the Trunk Control Measurement Scale in children and youths with brain lesions. Res Dev Disabil. 2015; 45–46: 343–352.

Novak I et al. State of the Evidence Traffic Lights 2019: Systematic review of interventions for preventing and treating children with cerebral palsy. Curr Neurol Neurosci Rep. 2020; 20(2):3.

Pandyan A. Spastik: Überlegung zu klinisch relevanten Definitionen und Messungen. Neuroreha. 2010; 2(03): 106–110.

Park EY, Kim WH. Meta-analysis of the effect of strengthening interventions in individuals with cerebral palsy. Res Dev Disabil. 2014; 35(2): 239–249.

Prosser LA et al. Trunk and hip muscle activity in early walkers with and without cerebral palsy – a frequency analysis. J Electromyogr Kinesiol. 2010; 20(5): 851–859.

Read HS et al. Edinburgh visual gait score for use in cerebral palsy. J Pediatr Orthop. 2003; 23(3): 296–301.

Rosenbaum P et al. A report: the definition and classification of cerebral palsy April 2006. Dev Med Child Neurol Suppl. 2007; 109: 8–14. Erratum in: Dev Med Child Neurol. 2007; 49(6): 480.

Toovey R et al. Task-specific gross motor skills training for ambulant school-aged children with cerebral palsy: a systematic review. BMJ Paediatr Open. 2017; 1(1): e000078.

FALL

10 Zerebralparese – GMFCS Level III

Anna Fehrenbach

Leitsymptome: Bilaterale arm- und beinbetonte spastische Parese – Z. n. Fuß-OP

●●● schwer

10.1 Vorgeschichte

Emma kam vor 12 Jahren als drittes Kind von Frau G. auf die Welt. Bereits in der Schwangerschaft war aufgefallen, dass ihr Gewicht und ihre Größe etwas unterhalb des Normbereichs lagen. Ansonsten verlief die Schwangerschaft bis zur 28. Woche unauffällig. In der 29. Schwangerschaftswoche bekam Frau G. vorzeitige Wehen und Emma kam mit einem Geburtsgewicht von 1.200 g zehn Wochen (SSW 30+2) vor dem errechneten Geburtstermin auf die Welt. Es wurde eine Untersuchung des Gehirns mittels Ultraschall veranlasst. Dabei zeigte sich eine periventrikuläre Leukomalazie (PVL, ➤ Abb. 10.1).

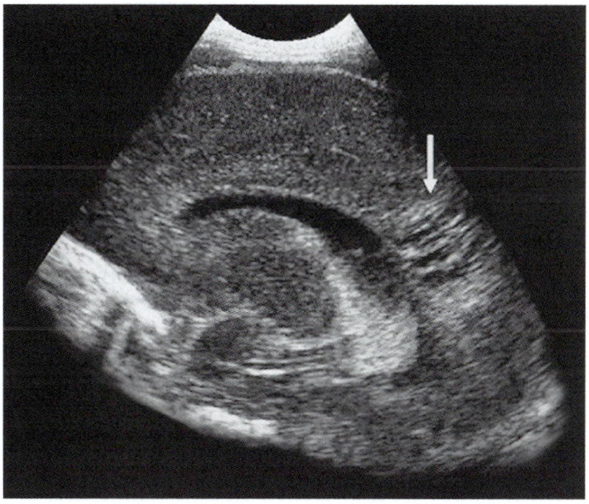

Abb. 10.1 Sonografie einer periventrikulären Leukomalazie (PVL) mit Nachweis von Nekrosen in Nachbarschaft des Seitenventrikels [M451]

KLINISCHER HINTERGRUND

Bei Säuglingen sind die Schädelplatten noch nicht komplett miteinander verwachsen. Daher kann durch die so genannten Fontanellen mit einem Ultraschall das Gehirn bildlich dargestellt werden. Dies ist bis zum Alter von ca. 18 Monaten möglich.
Diese Untersuchungsmethode bietet den Vorteil, dass der Säugling im Gegensatz zu MRT oder CT weder eine Narkose benötigt, noch Strahlungen ausgesetzt ist.

Emmas sensomotorische Entwicklung war von Geburt an verlangsamt. Als Säugling fielen insbesondere ihr hypotoner Rumpf und die verminderte Kopfkontrolle sowie eine Trinkschwäche auf. Im Alter von ca. sechs Monaten begann sich zusätzlich ein erhöhter Tonus in den Beinen und Armen abzuzeichnen. Nach weiteren differenzialdiagnostischen Untersuchungen wurde schließlich eine bilaterale arm- und beinbetonte spastische Zerebralparese diagnostiziert.

KLINISCHER HINTERGRUND

Der Zeitpunkt einer Gehirnschädigung im Schwangerschaftsverlauf lässt Rückschlüsse auf die betroffenen Hirnstrukturen zu (➤ Abb. 10.2).
Ende des 2. und Anfang des 3. Schwangerschaftstrimesters ist der periventrikuläre Bereich des Gehirns besonders anfällig für Schädigungen z. B. durch perinatalen Sauerstoffmangel (bei Frühgeburten) oder Infektionen wie Zytomegalie, Toxoplasmose, Röteln etc. (Surveillance of Cerebral Palsy in Europe 2021).
Bei Emma ist ein perinataler Sauerstoffmangel daher die wahrscheinlichste Ursache für ihre periventrikuläre Leukomalazie.

à 45 Minuten und Logopädie 1 × pro Woche à 30 Minuten. Die Therapien finden in der Schule statt und Frau G. hat keine genaueren Informationen über die aktuellen Inhalte der Therapie. Sie gibt ihr Einverständnis zur Kontaktaufnahme mit der Schul-Physiotherapeutin. Diese gibt an, dass sie seit der zweiten Fußoperation insbesondere am Erhalt der Knie- und Hüftgelenksbeweglichkeit sowie an der Rumpfstabilität gearbeitet hat. Seitdem die Vollbelastung des linken Fußes freigegeben ist, hat noch keine Physiotherapie stattgefunden (Herbstferien).

- Interessen/Vorlieben: Emma liebt Musik. Ihre Schultherapeutin gibt an, dass Emma meist eine hohe intrinsische Motivation hat, insbesondere Klang- und Rhythmusspiele steigern Emmas Motivation zusätzlich. Außerdem malt und puzzelt sie gerne.
- Hilfsmittel (➤ Tab. 10.3): Die Hilfsmittel sollten regelmäßig evaluiert werden, um zu überprüfen, ob sie weiterhin passend und zweckmäßig sind.

Tab. 10.3 Aktuelle Hilfsmittelversorgung

Hilfsmittel	Evaluation (förderlich +/hinderlich –)
Aktivrollstuhl [V529] Ausstattung: anatomisches Sitzkissen, Fußbrett und Beinfixierung, Schiebebügel; Anschnallgurt, Kippschutz 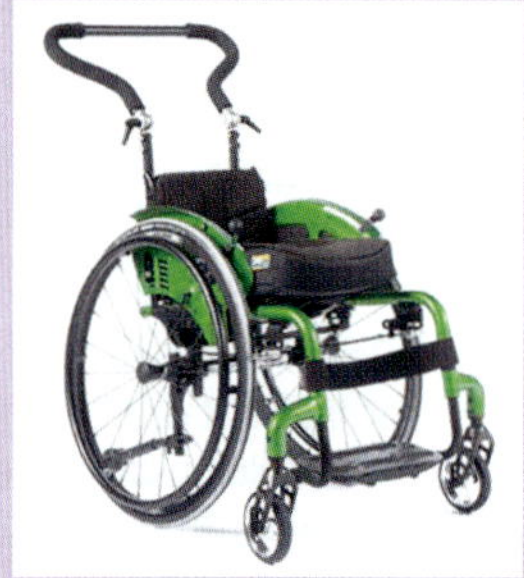	+ Ermöglicht selbstständige Fortbewegung in Gebäuden und auf ebenem Gelände draußen + Selbstständiger Transfer Bett–Rollstuhl möglich – Emma kann damit keine weiten Strecken selbstständig zurücklegen (Kraft und Ausdauer reduziert) → E-Fix für weitere Strecken wäre sinnvoll
Unterarm-Posterior-Rollator Ausstattung: Rückfahrstopp, Richtungsfeststeller an den Vorderrädern, Schleifbremse an den Hinterrädern Höhenverstellbare Unterarmauflagen mit Handgriffen, Sitz zum Herunterklappen	+/– Posterior-Rollator → gut für das Gehen, aber erschwert die Einnahme der korrekten Position, da Emma sich drehen muss (vs. ventraler Unterarm-Rollator, der beim Aufstehen direkt vor sie gestellt werden könnte) +/(–) Rückfahrbremse → hilft Emma beim Gehen, aber erschwert das Drehen – Maximale Höheneinstellung erreicht, benötigt bald größeres Modell
Stehständer [V985] 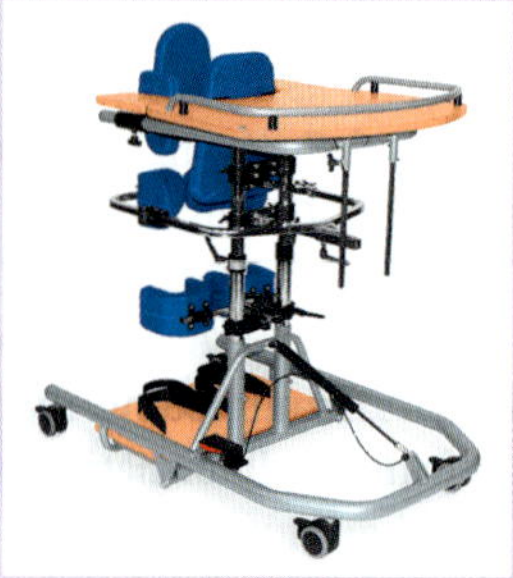	+ Ermöglicht (passives) Stehen für ca. 15 Minuten mit größtmöglicher Knie- und Hüftextension

10

Tab. 10.3 Aktuelle Hilfsmittelversorgung (*Forts.*)

Hilfsmittel	Evaluation (förderlich +/hinderlich –)
1 Paar Unterschenkel-Orthesen + Orthesenschuhe Beschaffenheit: mit dorsaler Carbonfederung, separates Klickfußteil	+ Passen gut, keine Druckstellen + Ermöglichen Stehen und Gehen + Einfaches An- und Ausziehen; kann selbstständig von Emma durchgeführt werden
1 Paar Unterschenkel-Nachtlagerungsorthesen	+ Erhalt korrigierter Fußposition – Kein Einfluss auf Streckdefizit Knie → Anpassung Ganzbein-Nachtlagerungsorthesen mit Quengelgelenk am Kniegelenk
Rutschbrett [V833]  Modell: Banana Rutschbrett curved	+ Ermöglich selbstständigen Transfer vom Rollstuhl ins Bett

- **Yellow Flags:** Bei zu hoher Anstrengung neigt Emma zu Kopfschmerz und Übelkeit im weiteren Tagesverlauf.

PRAKTISCHER TIPP

Kooperation zwischen Therapeut*innen

Eine Kontaktaufnahme mit dem/der Behandler*in in der ambulanten Therapie liefert wertvolle Informationen auf fachlicher Ebene. Ebenso erleichtert eine Rückmeldung über den Rehabilitationsverlauf am Ende des Aufenthalts den Übergang zurück in die ambulante Therapie. Inhalt des Austauschs können neben dem aktuellen motorischen Stand und den Therapieinhalten auch Besonderheiten des Kindes und seiner Familie sein (z. B. wodurch das Kind sich gut zur Mitarbeit motivieren lässt). Voraussetzung ist ein schriftliches Einverständnis der Erziehungsberechtigten zur gegenseitigen Kontaktaufnahme.

10.2.3 Evaluation des Gesundheitszustands nach ICF

Umwelt- und personenbezogene Faktoren

Emma hat eine hohe intrinsische Motivation, ist anstrengungsbereit und hat eine gute Ausdauer und Konzentrationsfähigkeit (> 60 Minuten).

Frau G. ist als Begleitperson während des gesamten Rehabilitationsaufenthalts mit anwesend. Sie ist freundlich und interessiert. Emmas Eltern sind verheiratet und sie hat noch zwei ältere Schwestern, die beide noch zuhause wohnen.

Familie G. wohnt in einem Haus. Das Erdgeschoss wurde vor vier Jahren rollstuhlgerecht umgebaut. Das Badezimmer ist allerdings im 1. Obergeschoss (Treppe, 16 Stufen, Geländer auf beiden Seiten).

10.5 Physiotherapeutische Maßnahmen/Therapieplan

Es wird in einer interdisziplinären Sitzung der in ➤ Tab. 10.6 dargestellte Therapieplan für Emma beschlossen. Zusätzlich erhält sie je 2× pro Woche Musiktherapie und Hundetherapie in der Gruppe und es findet ein Angehörigengespräch mit dem Sozialdienst sowie in der Psychologie statt.

Therapieschwerpunkte

Aufgrund der Evidenzlage und des klinischen Bilds wurden in der Physiotherapie die folgenden drei Therapieschwerpunkte gewählt.

Therapieschwerpunkt 1: Mobilisation und Kräftigung (10–15 Minuten)

Emmas Extensionsdefizit in den Knie- und Hüftgelenken sowie die herabgesetzte Kraft(ausdauer) der Beinmuskulatur stellen aktuell zwei wesentliche limitierende Faktoren für die Qualität und Effizienz beim Stehen und Gehen dar. Daher werden die manuelle Mobilisation der Knie- und Hüftgelenke sowie die aktive Kräftigung der Beinmuskulatur als Therapieschwerpunkte auf Körperfunktions- und -strukturebene gewählt.

Die manuelle Mobilisation findet jeweils zu Beginn der Therapieeinheit statt, sodass das erweiterte Bewegungsausmaß bei der anschließenden Kräftigung sowie im Stand und Gang direkt aktiv genutzt werden können.

Die herabgesetzte Dehnfähigkeit des M. iliopsoas, der ischiokruralen Muskulatur und der Wadenmuskulatur tragen zum Extensionsdefizit der Knie- und Hüftgelenke im Stand bei. Dennoch wird auf eine passive Dehnung im Rahmen der Physiotherapie verzichtet. Stattdessen erfolgt eine passive Dehnung dieser Strukturen beim Stehen im Stehständer. Die dadurch ermöglichte Dehnung erfolgt deutlich länger als eine passive Dehnung im Rahmen der Therapie und erfolgt zusätzlich, außerhalb der Therapiezeit. Die aktuelle Evidenzlage bezüglich passiver Dehnung bei Kindern mit Zerebralparese liefert keine eindeutigen Hinweise bezüglich der Effektivität (Eldridge & Lavin 2016; Novak et al. 2020).

Bei der Kräftigung wird der Fokus auf die Knie- und Hüftstrecker sowie auf die Hüftabduktoren gelegt. Gemäß den allgemeinen Trainingsprinzipen bezüglich Intensität und Wiederholungszahl erfolgen pro Übung 2–3 Sätze à 6–12 Wiederholungen (➤ Fall 22). Da Emma eine sehr hohe intrinsische Motivation zeigt, wird bei der Übungsdurchführung auf spielerische Aspekte verzichtet und der Fokus auf eine optimale Muskelaktivierung gelegt. Rumpfkräftigung sowie allgemeine Kräftigung finden im Rahmen der Ergotherapie bzw. der Sporttherapie statt.

Tab. 10.6 Therapieplan für Emma

	Frequenz und Inhalt
Physiotherapie	5× pro Woche à 45 Minuten, davon 1× pro Woche Gangtrainer • Kontrakturprophylaxe Knie- und Hüftgelenk, Kräftigung untere Extremität • Stand- und Ganganbahnung
Sporttherapie	• Wassergymnastik Gruppe (2× pro Woche à 60 Minuten) • Allgemeine Kräftigung (manuelle Trainingstherapie 3× pro Woche à 45 Minuten) • Rollstuhlgruppe (2× pro Woche à 45 Minuten)
Ergotherapie	3× pro Woche à 45 Minuten • Rumpfaufrichtung und -kräftigung • Feinmotorik – insbesondere Anziehtraining
Logopädie	2× pro Woche à 45 Minuten • Sprachtherapie bei Dysarthrie und herabgesetztem Wortschatz
Physikalische Therapie	• 2× pro Woche à 30 Minuten Narbenmassage und Desensibilisierung der Füße • 3× pro Woche à 30 Minuten Fango Beine

WAS WÄRE, WENN …

… Emma die Durchführung der selektiven Kräftigungsübungen verweigern würde?

Bei fehlender intrinsischer Motivation zur Durchführung von selektiven Kräftigungsübungen kann versucht werden, durch extrinsische Motivation, z. B. in Form von spielerischen Übungsanreizen, die Kinder zur Durchführung zu bewegen (Beispiele hierfür ➤ Fall 22). Alternativ kann auf funktionelle Kräftigungsübungen (wie z. B. Übergang Sitz–Stand zur Kräftigung der Knie- und Hüftstrecker) zurückgegriffen werden. Dabei sollte besonders auf eine ausreichende Wiederholungszahl und die Vermeidung von Kompensationsstrategien geachtet werden.

Die im Verlauf des Rehabilitationsaufenthalts erlernten Übungen zur Beinkräftigung werden Emma auch als Heimübungsprogramm zur Weiterführung zuhause mitgegeben.

Dazu werden in jeder Woche von einer der Kräftigungsübungen Fotos mit Emma gemacht und mit ihr gemeinsam in für sie verständlicher Sprache die Übung inklusive Steigerungsmöglichkeiten schriftlich notiert. Anschließend wird auch Frau G. in der Übungsdurchführung angeleitet.

Therapieschwerpunkt 2: Aufgabenorientiertes Training – Verbesserung Stand und Gang (30–35 Minuten)

Als zweiter Therapieschwerpunkt wird aufgabenorientiertes Training mit dem Schwerpunkt der Verbesserung von Stand und Gang gewählt (➤ Tab. 10.7).

KLINISCHER HINTERGRUND

Aufgabenorientiertes Training

Das aufgabenorientierte Training *(task-oriented training)* basiert auf den Prinzipien des motorischen Lernens mit dem Fokus des zielgerichteten Erlernens relevanter motorischer Fertigkeiten. Durch repetitives Üben funktioneller Aktivitäten soll eine alltagsrelevante Verbesserung der motorischen Leistungen, wie z. B. Gehen, Treppensteigen oder An- und Ausziehen von Socken etc., erreicht werden. Im Vordergrund steht dabei die selbstständige Durchführung der zu verbessernden Aktivität durch die Patient*innen. Der/die Therapeut*in hat dabei die Aufgabe die Übungsdurchführung zu strukturieren, Instruktionen und Feedback zu geben, die muskuloskelettalen Voraussetzungen zu evaluieren und zu optimieren sowie ggf. Hilfsmittel anzupassen. Die Definition von spezifischen und messbaren Therapiezielen und das gezielte Trainieren relevanter Aktivitäten können sehr motivierend für Patient*innen, Eltern und Therapeut*innen sein (Freivogel 2013; Franki et al. 2012).

Therapieschwerpunkt 3: Gangtrainer

Beim Gehen ohne mechanische Unterstützung kann mit Emma insbesondere zu Beginn des Rehabilitationsaufenthaltes nur eine sehr geringe Anzahl an

Tab. 10.7 Erarbeitung Belastungsaufbau linkes Bein, Stand und Gang

Therapieinhalte	Mögliche spielerische Umsetzung
Gewichtsübernahme auf das linke Bein im Stand	Gewichtsverteilung auf zwei Waagen mit eingestelltem Zielgewicht links. Sobald das Zielgewicht erreicht ist (Display der Waage wird grün), wird die Lieblings-CD abgespielt (und lauthals mitgesungen); schrittweise Steigerung des Zielgewichts links bis zur Vollbelastung.
Verlängerung der Stehzeit	Stand mit Halt vorne an hoher Bank/Sprossenwand/Gehbarren, dabei Zeigen eines Wimmelbilds mit versteckten Klanginstrumenten (z. B. Triangel, Trommel, Klanghölzer…). Wenn Emma ein Instrument entdeckt, wird es aus der Instrumentenkiste rausgesucht; im Anschluss an das Stehen werden die gefundenen Klanginstrumente ausprobiert.
Gewichtsverlagerung im Stand und Seitschritte	Stand auf einer Klaviermatte mit Halt vorne; Gewichtsverlagerung und Seitschritte, um verschiedene Töne zu spielen.
Erarbeitung Gehen zunächst im Gehbarren und später im Unterarm-Posterior-Rollator	Rhythmische Begleitung der Schritte durch Klatschen/Trommeln; 1-Cent-Stück mit doppelseitigem Klebeband an der Schuhsohle (im Fersenbereich) befestigen, das bei jedem Schritt klackert.

Schritten durchgeführt werden. Um dennoch ein hochdosiertes Gangtraining mit vielen Wiederholungen umzusetzen, findet einmal pro Woche die Therapie auf dem Gangtrainer (➤ Abb. 10.3) statt. Zu Beginn toleriert Emma das Gehen im Gangtrainer nur mit Gewichtsentlastung. Im Verlauf des Aufenthalts kann die Gewichtsentlastung schrittweise reduziert und schließlich ganz weggelassen werden. Die Gehzeit und Schrittzahl im Gangtrainer konnte im Rehabilitationsverlauf von 10 Minuten und 410 Schritten auf 30 Minuten und 1.380 Schritte gesteigert werden.

Besonderer Fokus wird auf ein symmetrisches Gangbild mit Gewichtsübernahme auf das linke Bein gelegt. Zudem wird eine größtmögliche Knie- und Hüftstreckung im Gang erarbeitet. Zu Beginn benötigt Emma dafür noch manuelle Unterstützung. Im Rehabilitationsverlauf kann die manuelle Unterstützung nach und nach durch Aufforderung zur aktiven Streckung und durch visuelles Feedback mithilfe eines Spiegels ersetzt werden.

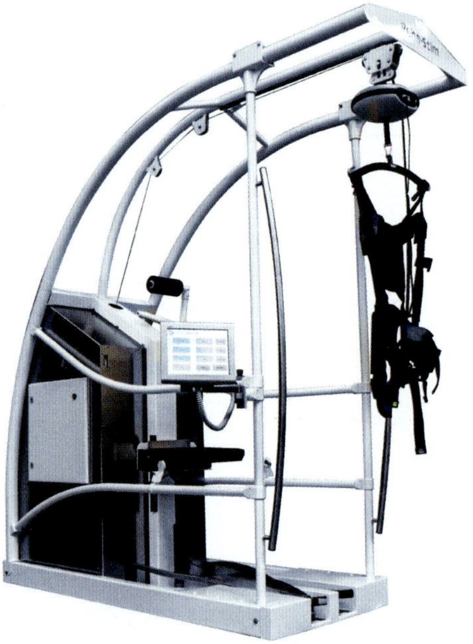

Abb. 10.3 Gangtrainer [V759]

Elternanleitung

Frau G. ist einmal pro Woche bei der Therapie anwesend. Es werden aufgekommene Fragen geklärt, Tipps zur Umsetzung der erreichten Fortschritte in Stand und Gang im Alltag gegeben, und sie wird zur Durchführung eines Hausübungsprogramms (insb. für Kräftigungsübungen) angeleitet.

Es wird ein Stehständer angepasst. Frau G. und das Pflegepersonal werden in die Handhabung des Stehständers eingewiesen, sodass täglich zwei Steheinheiten auf der Station stattfinden. Die schrittweise Steigerung der Stehzeit von 15 Minuten zu Beginn auf 30 Minuten zum Ende des Rehabilitationsaufenthalts findet nach regelmäßiger Rücksprache statt und wird im Stehprotokoll (➤ Abb. 10.4) dokumentiert. Zudem wird die Hüft- und Kniestreckung durch Anpassung des Stehständers sukzessive gesteigert.

Therapieverlauf und -abschluss

Am Ende des achtwöchigen Rehabilitationsaufenthaltes werden die oben aufgeführten Assessments erneut durchgeführt. Die Ergebnisse sind in ➤ Tab. 10.8 zusammengefasst.

Beide physiotherapeutischen Rehabilitationsziele konnten erreicht werden. Die deutliche Verbesserung der grobmotorischen Fähigkeiten spiegelt sich auch in den drei getesteten Dimensionen des GMFM

Protokoll Stehständer

Name des Kindes: ______________________

Zuständige/r Therpeut/in: ______________________

Vorgaben durch Therapeut/in		
Datum	Anzahl Steheinheiten pro Tag	Dauer (in min) pro Steheinheit

Datum	Uhrzeit Beginn	Uhrzeit Ende	Dauer (in min)	Beschäftigung während der Stehzeit (z.B. Schule, Spiel, Essen)	Bemerkung (z.B. Schmerzen/andere Beschwerden; vorgenommene Änderungen am Stehständer; Grund für vorzeitigen Abbruch)

Abb. 10.4 Protokoll Stehständer [M1163/L231]

Tab. 10.8 Aufnahmebefund und Re-Test der grobmotorischen Fähigkeiten

	Aufnahmebefund	Re-Test (nach 8 Wochen Rehabilitation)
Stand	Stand mit Halt durch eine Hilfsperson • Maximal 3–5 kg Gewichtsübernahme auf links • Maximale Stehzeit 30 Sekunden	Stand mit Halt an Gegenstand • Vollbelastung links möglich • Maximale Stehzeit 110 Sekunden
Gang	Einzelne Schritte mit deutlicher Unterstützung durch eine Hilfsperson möglich; kaum Gewichtsübernahme auf den linken Fuß. Die Durchführung des 10-Meter-Gehtests war zum Aufnahmezeitpunkt nicht möglich.	Gang am Unterarm-Posterior-Rollator 30–40 Meter möglich; deutlich bessere Gewichtsübernahme auf den linken Fuß. 10-Meter-Gehtest (Durchschnittswert 3 Versuche): • 34 Sekunden (1,06 km/h)* • 26 Schritte
GMFM	Dimension C) 60 %; D) 8 %; E) 0 % Gesamtwertung im Zielbereich: 23 %	Dimension C) 81 %; D) 18 %; E) 13 % Gesamtwertung im Zielbereich: 37 %

* Durchschnittswert und Standardabweichung (SD) des 10-Meter-Gehtests bei gesunden 12-jährigen Kindern: 9,42 sec (SD: 1,63 sec) (Pereira, Ribeiro & Araújo 2016)
GMFM = Gross Motor Function Measure

wider, in denen jeweils eine Verbesserung um ≥ 10 % erzielt wurde. In einer Studie mit 108 Kindern mit Zerebralparese wurde eine Veränderung des GMFM-Scores um + 5,2 % von Eltern als mäßige Verbesserung beurteilt und eine Veränderung um + 11,4 % als starke Verbesserung. Therapeut*innen beurteilten eine Veränderung von + 7 % als mäßige Verbesserung und + 24,6 % als starke Verbesserung (Russell et al. 2006).

Auf Körperfunktions- und -strukturebene konnte zudem das Streckdefizit in den Hüftgelenken beidseits auf 15° und in den Kniegelenken rechts auf 10° und links auf 15° reduziert werden. Die Beinkraft konnte gesteigert werden, sodass Emma jetzt in allen Muskelgruppen einen Kraftgrad ≥ 4 erreicht.

Es findet erneut eine telefonische Kontaktaufnahme mit der ambulanten Physiotherapeutin statt, um ihr über den Rehabilitationsverlauf und den aktuellen Stand zu berichten. Zudem erhält sie einen Abschlussbericht.

10.6 Evidenzbasierte Zusammenfassung

Es gibt zahlreiche Behandlungsansätze für Kinder mit Zerebralparese. Das breite Spektrum des klinischen Erscheinungsbilds von Kindern mit Zerebralparese sowie die Komplexität vieler Behandlungsverfahren erschweren jedoch die Erbringung von wissenschaftlichen Nachweisen für die Effektivität einzelner Maßnahmen und deren Übertragbarkeit auf individuelle Patient*innen. Hinzu kommt, dass in der Praxis meist mehrere Behandlungsverfahren kombiniert werden, die Umsetzung einiger Behandlungsansätze zwischen Therapeut*innen variiert und etablierte Methoden der evidenzbasierten Forschung (wie z. B. die Verblindung von Therapeut*innen und/oder Patient*innen) teilweise nicht umsetzbar sind.

Das Review von Novak et al. (2020) fasst die aktuelle Evidenzlage zu Therapieverfahren für Kinder mit Zerebralparese zusammen. Das Review zeigt, dass für die meisten Behandlungsmethoden nachgewiesene Verbesserungen vor allem in dem Bereich auftreten, in dem die jeweilige Behandlungsmethode ansetzt. Meist gab es weniger überzeugende Evidenz (sowohl qualitativ als auch quantitativ), dass die Erfolge auch auf weitere Bereiche oder Ebenen der ICF übertragen werden (Novak et al. 2020). So deutet die aktuelle Evidenzlage z. B. darauf hin, dass Krafttraining wirksam ist, um die Muskelkraft zu verbessern, dies jedoch nicht automatisch zu Verbesserungen auf Aktivitäts- oder Partizipationsebene führt (Novak et al. 2020; Ryan et al. 2017).

Um eine Verbesserung auf Aktivitätsebene (z. B. Gehen und Stehen) zu erreichen, wird vor allem ein zielgerichtetes funktionelles Training benötigt (Novak et al. 2020). Auch Franki et al. (2012) kamen

- In welchem Zusammenhang stehen eine erschwerte Ernährungssituation und die motorischen Fähigkeiten vor dem Hintergrund der Zufriedenheit der Patient*innen?

11.2 Untersuchungsbefunde

11.2.1 Medizinische Befunde

Aufgrund der auffälligen Hypotonie und der abnormalen Bewegungen von Lucie wurde wenige Stunden nach der Geburt ein EEG durchgeführt, in dem sich ein schmaleres Frequenzband und eine fokale zentrale Auffälligkeit zeigten. Eine entsprechende Medikation wurde eingeleitet. Am achten Lebenstag erfolgte ein MRT des Schädels, das abnormale hyperintense T1-Signale im Bereich der Basalganglien und der Thalami beidseits aufwies. Seit Lucies drittem Lebensmonat zeigen die regelmäßigen EEG-Kontrollen keine Auffälligkeiten mehr. Auch seitens der Eltern sind zu keinem Zeitpunkt zerebrale Krampfanfälle beobachtet worden, sodass die anfängliche Medikation abgesetzt werden konnte. Zum Ausschluss eines sich entwickelnden Hydrozephalus erfolgten Schädelsonografie-Kontrollen. Eine metabolisch-genetische Störung konnte nach unauffälligem CGH-Array und wiederholt normalem Ceruloplasmin-Level nicht nachgewiesen werden. Außerdem wurde ein gastroösophagealer Reflux bei Lucie diagnostiziert.

KLINISCHER HINTERGRUND

Zerebrale Krampfanfälle

Grundsätzlich ist das Vorliegen von zerebralen Krampfanfällen keine Kontraindikation zur Physiotherapie! Durch eine Behandlung auf neurophysiologischer Grundlage, z. B. nach Bobath oder Vojta, können Auslösefaktoren für einen Krampfanfall sogar reduziert werden, beispielsweise durch die Regulation des Schlaf-Wach-Rhythmus, die Harmonisierung des Aktivitätsniveaus und die positive Beeinflussung der Haltungs- und Bewegungssteuerung (Vojta 2018). Während der medikamentösen Einstellungsphase kann der Zugang zur Patientin/zum Patienten in der physiotherapeutischen Behandlung allerdings erschwert sein, da der Antrieb vermindert und die Berührungsempfindlichkeit erhöht sein kann.

Ärztliche Untersuchung

Im SPZ erfolgt am ersten Behandlungstag von Lucie eine ärztliche, entwicklungsneurologische Untersuchung (➤ Tab. 11.1). Anamnestisch bespricht der Arzt mit den Eltern kurz die Vorgeschichte von Lucie, die als Bericht der irischen Klinik zur Verfügung steht.

Am Untersuchungstag beträgt Lucies Gewicht mit 18 Monaten 8,7 kg bei einer Körpergröße von 81,6 cm. Damit liegt ihr Gewicht an der untersten Grenze der Perzentilkurve. Ihr Allgemeinzustand ist stabil. Während der gesamten Untersuchung ist Lucie wach, aufmerksam und dem Arzt sehr zugewandt. Dabei zeigt sie großes Interesse an ihrer Umgebung und den ihr angebotenen Gegenständen. Im Kontext ihrer ausgeprägten Störung der orofazialen Regulation empfiehlt der Arzt eine Diagnostik, Beratung und Anleitung zur orofazialen Regulationstherapie nach Castillo Morales, die während des Aufenthalts von Lucie zur intensiven Vojta-Therapie begleitend im SPZ stattfinden kann. Außerdem rät er zu einer augenärztlichen und HNO-ärztlichen Kontrolle in Irland, die zuletzt nicht erfolgten. Der Neuropädiater stellt eine umschriebene Entwicklungsverzögerung fest und differenziert die bestehende Diagnose einer dyskinetischen Zerebralparese in eine dystonathetoide Form.

KLINISCHER HINTERGRUND

Tomatis®-Methode

Die Tomatis®-Methode ist ein spezielles Hörprogramm. Dabei werden Stimme und Musik in Echtzeit verarbeitet zur Erzeugung des „Tomatis-Effekts": Die Stimme kann nur Frequenzen wiedergeben, die das Ohr auch wahrnehmen kann. Eine Störung der Hörverarbeitung kann erhebliche Auswirkungen auf die persönliche Entwicklung und das Wohlbefinden haben. Die Tomatis®-Methode arbeitet an der Rezeption und Integration von Hörreizen durch das Ohr und hilft, das Gehirn wirkungsvoll zu stimulieren sowie Hörbeeinträchtigungen zu minimieren. So wird einerseits die zerebrale Stimulation wesentlich vom Ohr bestimmt und andererseits auch die Plastizität des Gehirns positiv angeregt. Die Dauer traditioneller therapeutischer oder pädagogischer Abläufe kann signifikant verkürzt werden. Die Tomatis®-Methode ist in allen Altersgruppen anwendbar.

Tab. 11.1 Ärztliche Diagnostik zur Sicherung der Diagnose „dyskinetische Zerebralparese"

Untersuchung	Beschreibung	Beispiele
Anamnese	Besprechung der aus Irland vorliegenden Untersuchungsergebnisse und Vorbefunde mit den Eltern. Befragung der Eltern zu Lucies motorischer und sprachlicher Entwicklung. Frage nach bisherigen Therapien.	Drehen über die Längsachse mit ca. 9 Monaten, bisher keine Vorwärtsbewegung, keine Stützfunktion in Bauchlage, intoniert Einzelsilben, kein angemessenes Trinken oder Kauen möglich. 2 Blöcke Tomatis®-Methode in Belgien im Alter von 15 Monaten, einzelne Bobath-Elemente werden im häuslichen Kontext angewendet.
Sichtbefund	Äußeres Erscheinungsbild beim unbekleideten Kleinkind.	Häufige Zungenvorverlagerung, mangelnder Mundschluss, verstärkte Salivation v. a. im Rahmen von oraler Inspektion von Gegenständen, unterer Rippenbogen prominent klaffend, Rektusdiastase, kleiner Thoraxumfang im Verhältnis zum Abdomen. Deutliche BWS-betonte Kyphosierung mit klinischem Ausschluss einer Skoliose, Hüften klinisch ohne Luxationshinweis.
Spontanmotorik	In Bauch- und Rückenlage werden die spontanen Bewegungen der Extremitäten im Zusammenhang mit der Steuerung des Rumpfes bei aktiver Kopfdrehung beurteilt.	In Rückenlage fixiert und verfolgt Lucie Personen und Gegenstände, ergreift gezielt Gegenstände im Pinzettengriff mit Unterarmpronationshaltung und führt diese zum Mund, mit links Greifen über der Mittellinie, dabei zeigt sie eine dystone Haltung, Reklination des Kopfes, Überstreckung des Rumpfes, Drehen über die Längsachse, Hand-Fuß-Mund-Kontakt. In Bauchlage ist kein Stütz möglich, Lucie hebt den Kopf kurz an, verliert das Gleichgewicht und dreht sich zurück auf die Seite oder den Rücken, der Körperschwerpunkt liegt in Bauchlage auf Schlüsselbeinebene.
Reflexologie	Im Wesentlichen werden Eigen- von Fremdreflexen unterschieden. Ergänzt werden diese von stereotypen und komplexen Reaktionen.	Die Muskeleigenreflexe sind beinbetont lebhaft und verbreitert auslösbar, negative Pyramidenbahnzeichen, Galant-Reaktion seitengleich, neonatal erhaltene Fußgreifreflexe, keine Kloni auslösbar, Muskeltonus rumpfbetont hypoton, positives Durchschlupfphänomen (in axillärer Hängelage klappen die Arme des Kindes nach oben und es rutscht durch die Hände des Untersuchers nach unten).
Lagereaktionen nach Vojta (➤ Abb. 11.1)	Die Lagereaktionen sind ein Instrument zur Beurteilung der Dynamik des Reifungsprozesses des ZNS. Sie beschreiben provozierte Haltungen und Bewegungen als Reaktion auf definierte Änderungen der Körperlage im Raum. Sie sind kinesiologisch definiert als globale Muster, Teilmuster und alterstypische Bewegungsmuster. Die Lagereaktionen zeigen nicht nur die erreichte Entwicklungsstufe, sondern in ihrer Art der Abweichung auch das Ausmaß der Abnormalität und der pathologischen Entwicklung.	• Traktions-Reaktion: erfreuliche Kopfmitnahme, deutliche Beinstützentwicklung • Landau-Reaktion: Hypotonie des Rumpfes, Beine locker gestreckt • Axillare Hängereaktion: Beine zeigen Entwicklung zum Beinstütz • Seitkippreaktion nach Vojta: Hypotonie des Rumpfes • Horizontale Seithängereaktion nach Collis: Armstütz und deutliche Beinstützentwicklung • Vertikale Hängereaktion nach Peiper und Isbert: Arme in Retraktionshaltung, thorakale Kyphose • Vertikale Hängereaktion nach Collis: Bein in Hüft- und Kniebeugung • Insgesamt überwiegendes Beugemuster, Rumpf sehr hypoton, keine deutliche Seitenbetonung • Posturale Reagibilität liegt bei maximal 9 Monaten
Klassifikationen	Die Fähigkeiten eines Patienten werden objektiv geprüft, verglichen und eingeteilt. Vor allem im Hinblick auf das Therapieziel und die Therapieplanung ist eine Klassifikation sinnvoll.	• Lokomotionsstadium nach Vojta: 1 (➤ Tab. 11.2) • GMFCS IV (➤ Tab. 11.3)

11

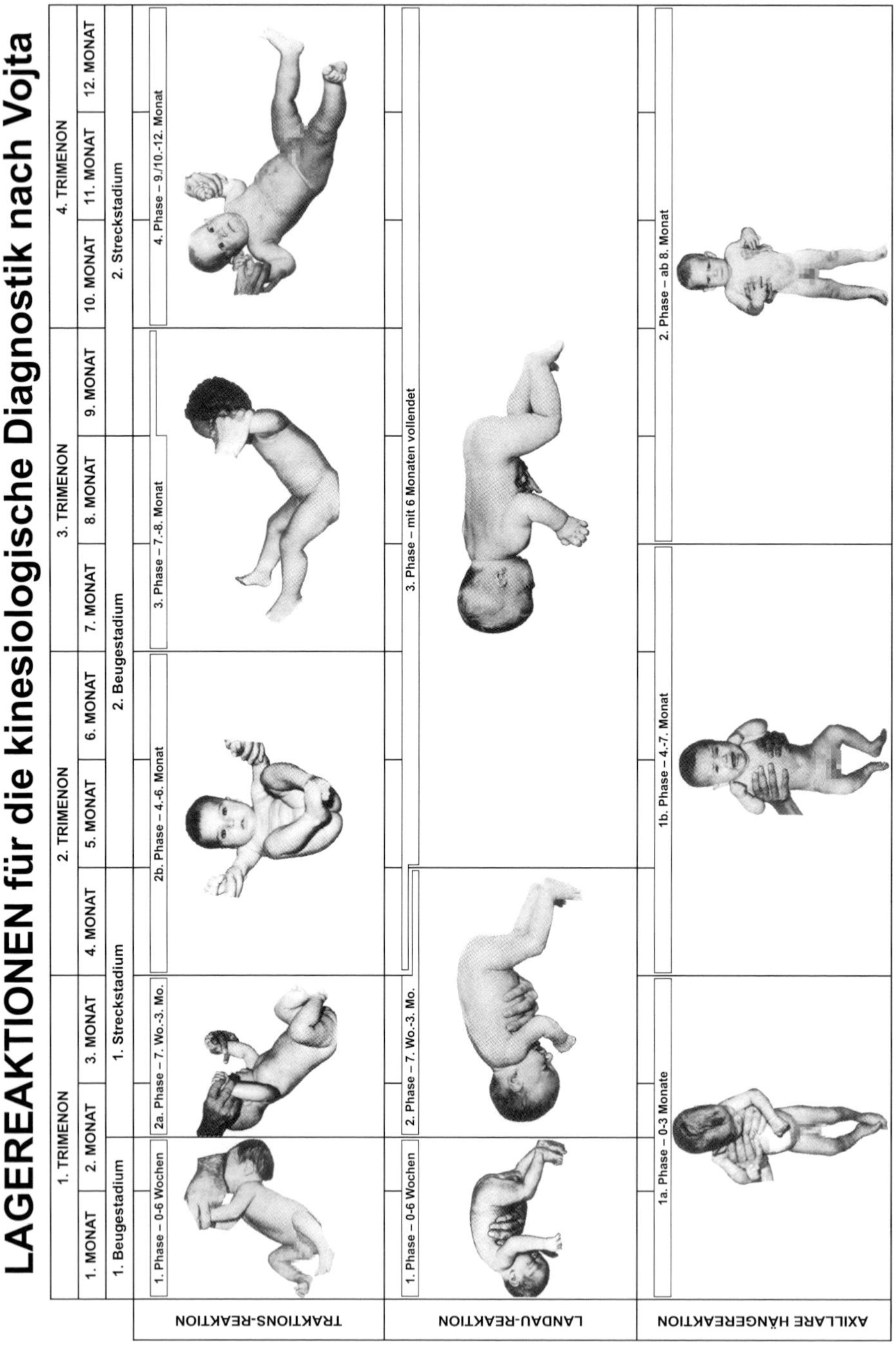

Abb. 11.1 Die Lagereaktionen nach Vojta [E152–2/W157]]

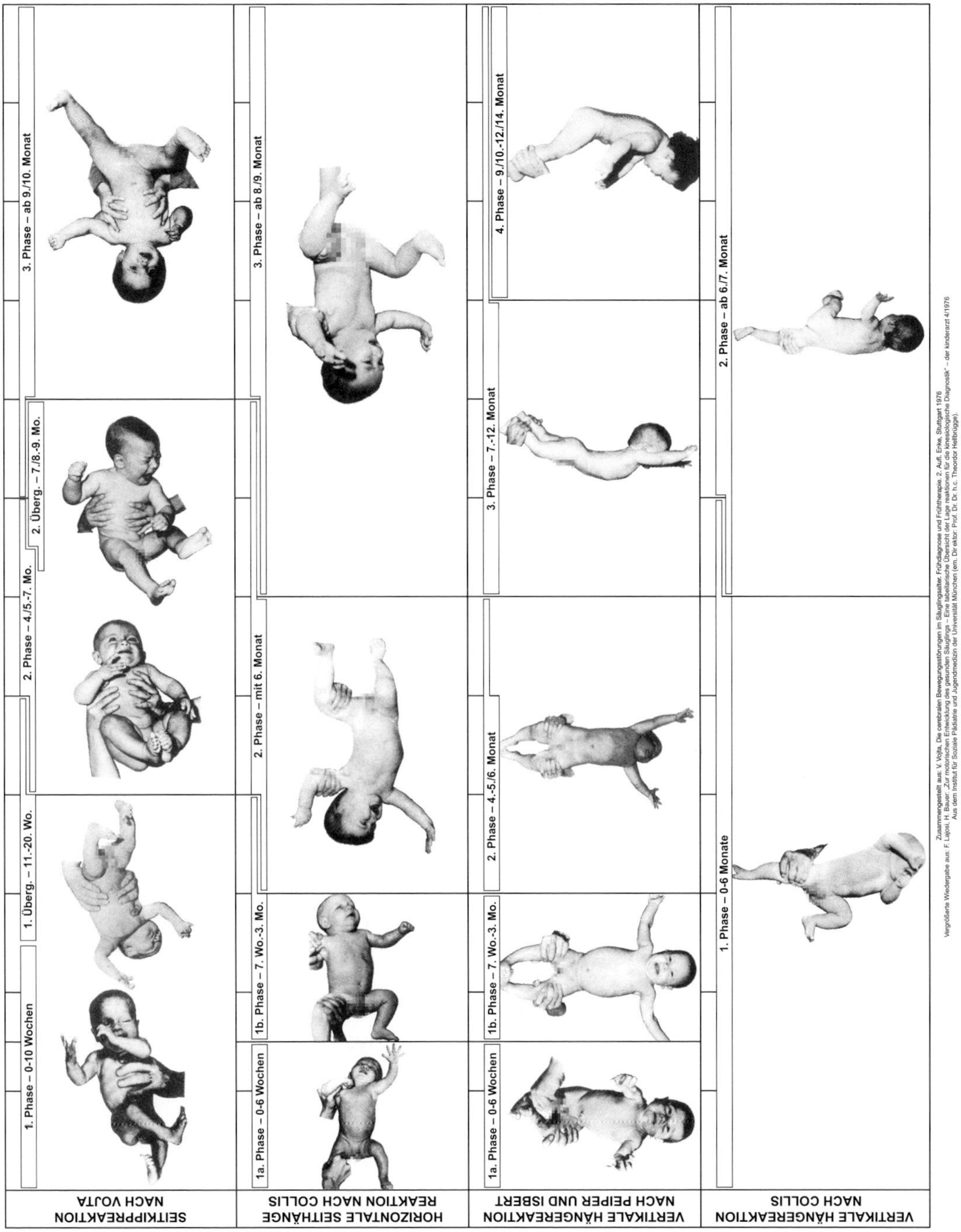

Abb. 11.1 Die Lagereaktionen nach Vojta [E152–2/W157] (*Forts.*)

Tab. 11.2 Lokomotionsstadien nach Vojta (Vojta, 1987)

Stadium	Globales pathologisches Muster	Analogie zur idealen motorischen Entwicklung
0	Kind wendet sich nicht zum Objekt, greift nicht → pathologische holokinetische Motorik	Holokinetische Phase des Neugeborenen
1	Kind wendet sich zum Objekt, betastet/greift, ist apedal → pathologische Zuwendung mit dem ganzen Körper	Kind mit 3–4 Monaten: laterales Greifen
2	Pathologischer Stütz in Bauchlage, evtl. Greifen, Bemühen, sich Objekt zu nähern, weiterhin apedal	Einzelellenbogenstütz: 4,5–6 Monate
3	Pathologisches Robben oder Kriechen von Zimmer zu Zimmer	Robben: 7–8 Monate
4	Homologes „Hüpfen" (Bunny Hopping) aus dem abnormalen Vierfüßlerstand	Keine Analogie zur idealen motorischen Entwicklung, einzustufen in etwa 9. Monat
5	Pathologisches alternierendes Krabbeln von Zimmer zu Zimmer	Kreuzkoordiniertes Krabbeln: 8–10 Monate
6	Vertikale Hilfslokomotion im pathologischen Muster	Seitliches Gehen an Gegenständen und von Gegenstand zu Gegenstand laufen („Küstenschifffahrt"): 12–13 Monate
7	Pathologisches freies Laufen ohne Hilfsmittel	Sicheres freies Laufen = Anhalten und Richtungswechsel: ab 14 Monate
8	Pathologischer Einbeinstand („Knie zum Bauch") rechts **oder** links, mindestens 3 Sekunden	Einbeinstand rechts **oder** links, mindestens 3 Sekunden: 3. Lebensjahr
9	Pathologischer Einbeinstand („Knie zum Bauch") rechts **und** links, länger als 3 Sekunden	Einbeinstand rechts **und** links, länger als 3 Sekunden: 4. Lebensjahr

Tab. 11.3 Einteilung in GMFCS, MACS, EDACS und CFCS (ausführliche Darstellung der Klassifikationssysteme im Anhang)

	Fähigkeiten
GMFCS IV	Lucie wird hier in Level IV eingeteilt, da sie sich von der Rückenlage auf den Bauch und von Bauchlage auf den Rücken drehen kann. Beim passiven, gehaltenen Sitz zeigt Lucie eine gute Kopfkontrolle.
MACS III	Lucie greift und manipuliert langsam mit eingeschränkter Koordination der Finger. Bei gesichertem Sitz bzw. gesicherter Lage kann sie deutlich schneller und gezielter hantieren.
EDACS IV	Lucie ist vor allem limitiert bezogen auf das Trinken und Essen von flüssigen Lebensmitteln wie Suppen. Sie nimmt ausschließlich pürierte Kost mit Hilfe zu sich.
CFCS IV	Lucie kommuniziert vor allem mit ihr gut vertrauten Menschen und kann nicht konsistent zwischen Sender- und Empfängerrollen wechseln.

GMFCS = Gross Motor Function Classification System, MACS = Manual Ability Classification System, EDACS = Eating and Drinking Ability Classification System, CFCS = Communication Function Classification System

⚠ **VORSICHT**

Hüftluxation und Skoliose

Bei Patienten mit GMFCS Stufe IV und V besteht ein hohes Risiko der Entwicklung einer Hüftluxation (➤ Fall 2) und/oder Skoliose (➤ Fall 5). Mit zunehmendem Alter der Patient*innen verstärkt sich das klinische Bild dieser Sekundärveränderungen. Daher ist der frühzeitige Beginn der Physiotherapie ebenso wichtig wie die intensive Weiterführung ambulant und im häuslichen Umfeld.

11.2.2 Physiotherapeutische Anamnese

Die behandelnde Physiotherapeutin ist bei der ärztlichen Erstvorstellung anwesend und kennt die Vorgeschichte und Befunde aus Irland.

Unmittelbar im Anschluss an die Untersuchung findet die erste physiotherapeutische Einheit statt. Mit Einverständnis der Eltern macht die Therapeutin zunächst Fotos und kurze Videoaufnahmen von Lucie. Am Ende der zwei Wochen Intensivbehandlung und ggf. zwischendurch wird die Therapeutin erneute Videos zur Verlaufsdokumentation erstellen. Sie lässt sich von Herrn und Frau S. an Puppen zeigen und erklären, was sie zu Hause mit Lucie therapeutisch machen. So erhält sie einen genaueren Einblick in die bisherige Therapieumsetzung. Lucie darf sich in dieser Zeit ein wenig ausruhen. Die Eltern berichten, dass Lucie seit der Tomatis®-Therapie aufmerksamer ist und das Drehen über die Längsachse mittlerweile zum Teil zielgerichtet als Fortbewegung einsetzt. Sie wendet den Kopf zu Geräuschquellen und kann den Blickkontakt besser halten. Über das Internet haben sie von der Vojta-Therapie gelesen und sind überzeugt, ihrer Tochter damit helfen zu können, sich motorisch zu verbessern. Ihnen ist bewusst, dass sie dazu die Therapie mehrmals täglich zu Hause durchführen sollten.

Über diesen ersten Eindruck, den die Therapeutin von Familie S. gewonnen hat, erhält sie wichtige Informationen für den möglichen Verlauf von Lucies gesamter Behandlung: Beide Eltern sind mitgereist und motiviert, ihrem Kind eine optimale Therapie zukommen zu lassen.

11.2.3 Evaluation des Gesundheitszustands nach ICF

Umwelt- und personenbezogene Faktoren

Umweltbezogene Faktoren

- Lucie besucht stundenweise einen Kindergarten in Irland, jedoch nur unregelmäßig, da Familie S., bedingt durch den Beruf des Vaters, häufig zwischen Irland und Frankreich pendeln muss. Diese Situation ist für Lucie, vor allem was die sozialen Kontakte angeht, sehr schwierig. Die Eltern hoffen, dass sich die berufliche Perspektive bald zugunsten eines festen Wohnsitzes in Irland ändern wird.
- Die Vojta-Therapie möchten beide Eltern zu Hause durchführen.

Personenbezogene Faktoren

- Lucies Kondition ist, unter anderem aufgrund ihrer schwierigen Ernährungssituation, eingeschränkt.
- Lucie hat einen unregelmäßigen Schlaf-Wach-Rhythmus, sie wird zum Teil bis zu zehnmal nachts wach.
- Da Lucie viel und häufig spuckt und die Nahrungsaufnahme erschwert ist, wird die Physiotherapie jeweils vor den Mahlzeiten durchgeführt. Die orofaziale Regulationstherapie nach Castillo Morales wird im Anschluss an die Vojta-Therapie stattfinden.

Körperfunktion und -struktur

Hier erfasst die Therapeutin zur Beurteilung der Spontanmotorik die **Qualität,** d. h. die motorischen Bewegungsinhalte. Bei Lucie ist aufgrund der Zerebralparese die ideale motorische Ontogenese nicht nur blockiert, sondern es liegt bereits eine pathologische Entwicklung vor, sodass sie auf sogenannte Ersatzmuster angewiesen ist, die sich in einer Reduzierung der Bewegungsinhalte widerspiegeln (Vojta, 2018).

In Rückenlage bevorzugt Lucie die Kopfdrehung zur linken Seite, dabei inkliniert die Halswirbelsäule zur selben Seite. Bei Kopfdrehung nach rechts nimmt die Inklination zur linken Seite zu. Sogar in Rückenlage fällt eine deutliche Reklination des Kopfes mit weiter Mundöffnung auf. Bei Ansprache liegen ihre Arme in Henkelstellung mit Innenrotation und Protraktion der Schultergelenke bzw. der Scapulae. Die Auflagefläche ist somit verbreitert. Sobald ihre Aktivität zunimmt, z. B. durch das Anbieten eines interessanten Gegenstandes, beginnt Lucie heftig zu speicheln und wird dyston. Mit dem Abheben der Arme zum Greifen wird sie instabil und reagiert mit zunehmender Extension, Innenrotation und Adduktion in den Hüftgelenken, links deutlicher als rechts. Dabei überstreckt sie den Rumpf, die unteren Rippenbögen weiten sich und die Rektusdiastase tritt deutlich hervor. Im Verhältnis zum Abdomen ist der Thoraxumfang auffällig klein. Beim Hand-Fuß-Mund-Kontakt wechseln die Beine mit der Flexion in eine Hyperabduktion mit Innenrotation, dazu wird die Lendenwirbelsäule stark flektiert und von der Unterlage abgehoben. Das Greifen zeigt Lucie im Pinzettengriff mit Pronation der Unterarme, auf der rechten Seite langsamer und in den Abweichungen ausgeprägter als links. Lucie steht eine unzureichende posturale Steuerung zur Verfügung, was sich

Langfristig:
- Fortbewegung im Sinne eines Krabbelns und im Verlauf einer vertikalen Hilfslokomotion
- Größtmögliche Selbstständigkeit in der Kommunikationsfähigkeit/Kontaktaufnahme und bezogen auf das Essen und Trinken
- Bestmögliche Integration/Inklusion im Kontext mit einer gesteigerten Lebensqualität
- Psychosoziale Stabilität
- Verbesserung des Körperschemas
- Erhalt der Gelenkbeweglichkeit zur Kontrakturprophylaxe
- Vermeiden einer ausgeprägten Skolioseentwicklung
- Entgegenwirken einer Hüftluxation
- Optimale Hilfsmittelversorgung

Als **Nebenziel** gibt Familie S. an, einen regelmäßigen Schlaf-Wach-Rhythmus von Lucie erreichen zu wollen, vor allen Dingen, weil sie sich unsicher sind, ob Lucie eventuell aufgrund von Schmerzen aufwacht.

11.5 Physiotherapeutische Maßnahmen/Therapieplan

Wie bereits erwähnt, nutzt die Therapeutin die erste physiotherapeutische Einheit, um per Foto und Video den Ist-Zustand von Lucie zu dokumentieren. Innerhalb des zweiwöchigen Aufenthalts wird dies mehrfach wiederholt, um eine Verlaufsdokumentation zu erheben. Am dritten Behandlungstag, als Lucie sich an die neue Umgebung und die Therapeutin gewöhnt hat, erfolgt eine GMFM-88-Testung (➤ Fall10) mit einem Gesamtergebnis von 10,1 %. Geplant ist eine weitere Testung beim nächsten Aufenthalt, um eine entsprechende Entwicklung dokumentieren zu können.

Die Eltern werden zu Hause die bereits in den Alltag integrierten Bobath-Elemente weiterführen. In nächster Zeit möchten Herr und Frau S. allerdings zunächst die Vojta-Therapie intensiv auch im häuslichen Umfeld anwenden, um die Effizienz der Therapie optimal beurteilen zu können. Die im Folgenden beschriebenen verschiedenen Variationen der Vojta-Therapie werden in unterschiedlichen Kombinationen innerhalb der zweiwöchigen Intensivtherapie angewendet.

Vojta-Therapie

Reflexkriechen

Die Reflexlokomotion nach Vaclav Vojta enthält die grundlegenden Bewegungsmuster, die in der normalmotorischen Individualentwicklung zur menschlichen Haltung und Bewegung eingesetzt werden. Der Koordinationskomplex des Reflexkriechens ist ein Bewegungsablauf, der mit gesetzmäßigem Ablauf die wesentlichen Bestandteile der Fortbewegung beinhaltet:
- Eine bestimmte Lagesteuerung (= posturale Steuerung)
- Aufrichtung gegen die Schwerkraft
- Gezielte Schrittbewegungen der Arme und Beine

Damit besitzt das Reflexkriechen die Grundmuster der menschlichen Fortbewegung und enthält Elemente aus der idealen Spontanmotorik bis hin zum freien Laufen.

Die Therapeutin wendet bei Lucie eine Variation des Reflexkriechens an, das sogenannte „Reflexkriechen mit angebeugtem Gesichtsbein" (➤ Abb. 11.2). In dieser Variation lässt sich Lucie am umfangreichsten aktivieren. Die Aktivierung erfolgt, indem die Therapeutin unterschiedliche, definierte Zonen auslöst, z. B. am lateralen Kalkaneus des Hinterhauptsbeins. Lucies Kopf wird dabei in Bauchlage zu einer Seite gedreht und von der Therapeutin gehalten, um die erwartete Drehung des Kopfes zur Gegenseite zu bremsen. Dadurch wird die Aktivierung der gesamten Körpermuskulatur verstärkt. Die Extremitäten werden dazu in einer definierten Winkelstellung eingestellt.

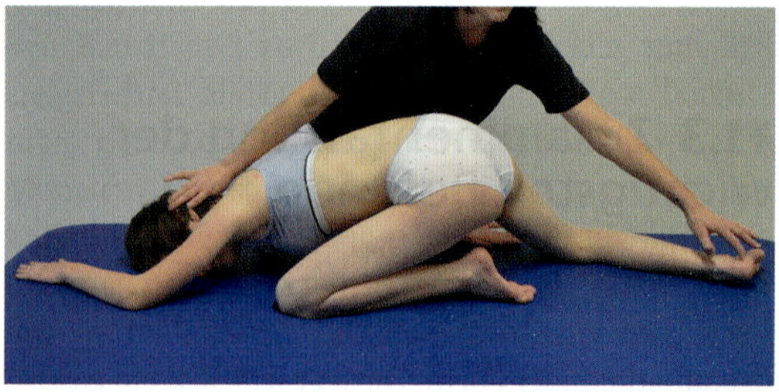

Abb. 11.2 Vojta-Therapie in Bauchlage [M1146]

11

Erwartet wird der Stütz auf dem Arm der Gesichtsseite, dem Fuß der Hinterhauptsseite und dem Knie der Gesichtsseite. Der Arm auf der Hinterhauptsseite befindet sich in phasischer Funktion. In allen Schlüsselgelenken findet unter anderem über das Ansprechen der Außenrotatoren eine Zentrierung statt, was z. B. einer drohenden Hüftluxation entgegenwirkt. Die Hals- und Brustwirbelsäule werden intersegmental gedreht und axial gestreckt mit weiterlaufender Dorsalextension des Beckens und freier Kopfdrehung. Die Stützfunktion des Arms mit der aufgerichteten Scapula steht in direktem Zusammenhang mit der konzentrischen Aktivierung der Bauchmuskulatur und dem Stütz der Beine mit dem aufgerichteten Becken. Diese Aufrichtungsmechanismen beeinflussen die gesamte ventrale Muskulatur, insbesondere auch der Hals- und Kiefermuskulatur, was sich positiv auf die Saug-, Kau- und Schluckkoordination auswirkt. Sogar der Zugriff auf die Sprache kann erleichtert werden. Die gesamte posturale Steuerung wird im globalen Muster, d. h. in Verbindung mit der Stützfunktion und zielgerichteten phasischen Funktion, angesprochen, was sich positiv auf die gesamte Koordinationsfähigkeit auswirkt.

Die Therapeutin wiederholt den Vorgang des Reflexkriechens auf der anderen Seite, jetzt mit entsprechend gegensinniger Kopfdrehung. Erwartet werden hier die gleichen Reaktionen.

Reflexumdrehen

Der Koordinationskomplex des Reflexumdrehens verfügt über ein reflexbedingtes System, das dem spontanen Drehen im idealen Muster von der Rückenlage über die Seitenlage bis hin zum Krabbelgang entspricht. Auch Bewegungsabläufe aus dem Seitwärtsgehen sind im Reflexumdrehen zu finden. Somit sind in diesem Koordinationskomplex ebenfalls die wesentlichen Bestandteile der Fortbewegung enthalten.

Mit diesem weiteren Koordinationskomplex geschieht die Aktivierung der Reflexlokomotion allein durch die Ausgangsstellung, vor einem anderen Haltungshintergrund, bei dem die Muskulatur in einem neuen Gesamtzusammenhang aktiviert wird. Somit ist es für ein gutes und umfangreiches Therapieergebnis erforderlich, beide Koordinationskomplexe gleichermaßen anzusprechen.

Rückenlage

Die Therapeutin aktiviert bei Lucie in der Rückenlage die sogenannte 1. Phase des Koordinationskomplexes Reflexumdrehen (➤ Abb. 2.4). Dazu wird die Brustzone über einen leichten Druck in dreidimensionaler Richtung ausgelöst. Lucies Kopf hält die Therapeutin zur Seite der Brustzone gedreht. Erwartet wird unter anderem das Beugen beider Beine mit Außenrotation, Flexion um 90° und leichter Abduktion in den Hüftgelenken bei dorsalextendiertem Becken. Die Arme werden, zunächst phasisch, auf die nachfolgende Stützfunktion vorbereitet. Die Steuerung des Beckens über den Hüftköpfen im Zusammenhang mit der zielgerichteten phasischen Bewegung der Arme und später auch mit deren Stützfunktion wird somit aktiviert.

Die Kopfdrehung zur anderen Seite mit axial gestreckter Hals- und Brustwirbelsäule wird aktiviert, was jedoch durch den Führungswiderstand der Therapeutin gebremst wird. Dadurch kommt es zur Summation der Reflexantwort. Dabei unterliegt der gesamte Körper einer entsprechenden automatischen Haltungssteuerung mit konzentrisch aktivierter Bauchmuskulatur, was unter anderem die Rektusdiastase schließt. Auch der Reflux wird über die Aktivierung der gesamten ventralen Muskulatur positiv beeinflusst. Vor allem die 1. Phase des Reflexumdrehens fördert die eigene Körperwahrnehmung und hat weitreichenden Einfluss auf das gesamte Körperschema und die Koordination.

Danach löst die Therapeutin die Brustzone auf der gegenüberliegenden Seite aus mit entsprechend gegensinniger Kopfdrehung. Erwartet werden die gleichen Reaktionen.

Seitenlage

Die Therapeutin probiert viele verschiedene Variationen des Reflexumdrehens in der Seitenlage bei Lucie aus. Am effektivsten zu aktivieren ist das Reflexumdrehen 3. Phase, was einen Ausschnitt des Drehvorgangs in der Seitenlage beschreibt. ➤ Abb. 11.3 Hier wird durch das Auslösen bestimmter Zonen ein Stütz auf dem unten liegenden Arm erwartet mit Außenrotation im Schultergelenk bei Aufrichtung des Oberkörpers gegen die Schwerkraft.

Der weiterlaufende Stütz auf die offene, entfaltete Hand wird gebremst, was auch hier zur Summation der Reflexantwort führt. Dabei kommt es zur axialen

11

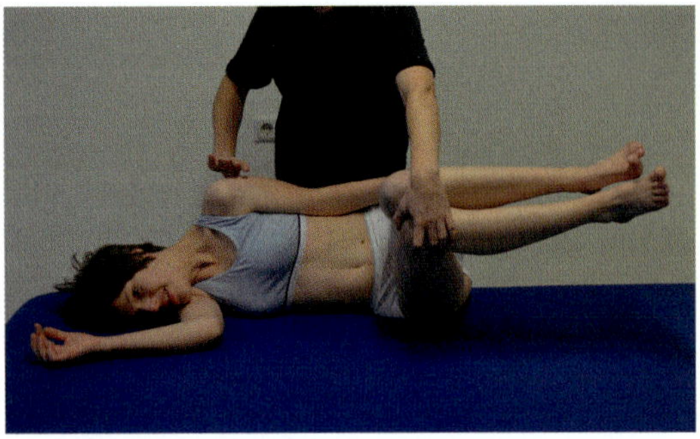

Abb. 11.3 Vojta-Therapie in Seitenlage [M1146]

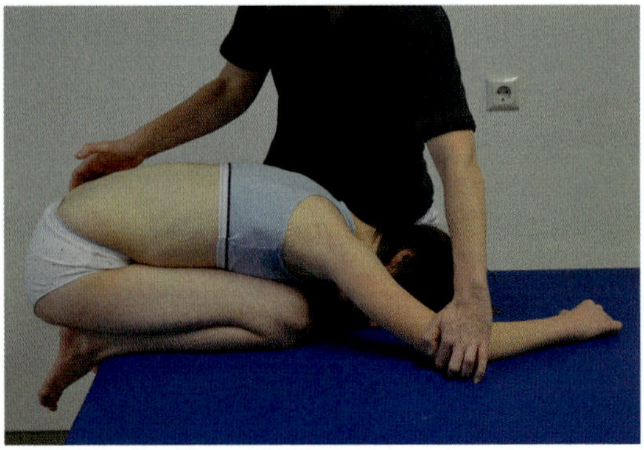

Abb. 11.4 Vojta-Therapie 1. Position [M1146]

Streckung der Wirbelsäule mit freier Kopfdrehung. Die Bauchmuskulatur wird konzentrisch asymmetrisch aktiviert mit Dorsalextension des Beckens sowie Außenrotation, Flexion und Abduktion in den Hüftgelenken. In diesem Zusammenhang werden die Beine aktiv gebeugt gegen die Schwerkraft gehalten. Über diese koordinierte Rumpf-Becken-Differenzierung wird die posturale Steuerung im globalen Muster in Verbindung mit der Stützfunktion auf dem unten liegenden Arm im Zusammenhang mit der phasischen Funktion der Beine und des oben liegenden Arms angesprochen.

Das Reflexumdrehen 3. Phase führt die Therapeutin auf beiden Seiten gleichermaßen durch.

1. Position

Die 1. Position beschreibt eine Figur in der Vojta-Therapie, die analog zur Körperhaltung des Kindes im Mutterleib ist (➤ Abb. 11.4). Hier kann die primitive Beckenbeugehaltung allein über die Ausgangsstellung am effektivsten beeinflusst werden. Der Unterschied zum Reflexkriechen besteht hauptsächlich in der Stellung der Beine und damit des Beckens und des lumbosakralen bzw. thorakolumbalen Übergangs mit entsprechend unterschiedlichen Reaktionen.

Der Vorteil in dieser Position liegt in der vielfältigeren Kombinationsmöglichkeit der Zonen aufgrund der verkürzten Hebelverhältnisse. Die Aktivierung kann über die sogenannte 1.–6. Position sowohl in Richtung Krabbelgang als auch direkt in den aufrechten Gang fazilitiert werden. Der Rumpf wird damit nicht nur nach vorne, sondern vor allem über drehende und streckende Kräfte im Raum nach oben bewegt. Am deutlichsten ist diese Streckung im Nacken zu erkennen, was der Reklination des Kopfes im Zusammenhang mit der Ventralkippung des Beckens entgegenwirkt. Die Bauchmuskulatur und die gesamte ventrale Muskulatur erfahren einen massiven Kontraktionsreiz, der sich neben der Schließung der Rektusdiastase vor allem auf die Saug-, Kau- und Schluckkoordination auswirkt. Durch das therapeutische Bremsen dieser Reaktion kommt es wiederum zur Verstärkung der Aktivation.

Auch die 1. Position wiederholt die Therapeutin auf der anderen Seite mit entsprechender Kopfdrehung in die andere Richtung.

Orofaziale Regulationstherapie nach Castillo Morales

Um die Anwendung der orofazialen Regulationstherapie überhaupt erst zu ermöglichen, muss die gesamte Haltung und Bewegung von Lucie berücksichtigt werden. Das Ziel dieser Therapie ist die Anbahnung physiologischer Bewegungsabläufe im Gesichtsbereich. Dazu sind drei Elemente besonders wichtig:

- Die Kenntnis über den Aufbau und Mechanismus des Kiefergelenks.
- Die Bedeutung der Kopf- und Kieferkontrolle: Es besteht eine direkte Abhängigkeit dieser Strukturen. Eine korrekte Körperhaltung ist Voraussetzung für eine gute Kopf- und Mandibulahaltung. Die aktive Aufrichtung von Rumpf und Kopf sollte somit fazilitiert und von Lucie so weit wie möglich selbstständig übernommen werden.

- Die manuellen Techniken der Therapie sind Berührung, Druck, Streichen, Zug und Vibration. Als sogenannte Verstärker nimmt man die Stimulation des Geschmacks- und Geruchssinns sowie des Hörens und Sehens hinzu.

Die Therapeutin leitet die Eltern in der Anwendung einiger Techniken an, vor dem Hintergrund, die Eltern und Lucie nicht zu überfordern, da die regelmäßige und konsequente Durchführung der Vojta-Therapie an erster Stelle stehen sollte. Außerdem übt sie mit Lucie das Trinken aus einem speziellen Becher, den sie auch zu Hause anstatt der Säuglingsflasche verwenden wird.

PRAKTISCHER TIPP

Orofaziale Regulationstherapie im Anschluss an Vojta-Therapie

Die Therapeutin wendet die orofaziale Regulationstherapie unmittelbar im Anschluss an eine Vojta-Behandlung an. So kann sie auch Ess- und Trinkversuche in die Therapie mit Lucie einbauen. Sie nutzt dabei den aktivierten Zustand der Vojta-Therapie, der durch die Bahnung von Mustern im ZNS über die Therapie hinaus anhält und die Spontanmotorik von Lucie positiv beeinflusst. Den Patient*innen steht nach der Aktivierung durch die Reflexlokomotion eine viel umfangreichere Körperhaltung im Sinne der posturalen Steuerung zur Verfügung. Die Therapeutin hat somit einen deutlich besseren Zugang in der orofazialen Regulationstherapie.

Elternanleitung

Während des zweiwöchigen Intensivaufenthalts finden pro Tag zwei Einheiten Vojta-Therapie mit Anleitung von Lucies Eltern statt. Die Anleitung erfolgt zum Teil auch an Puppen, da Lucies Kondition sehr eingeschränkt ist. Die dritte Einheit des Tages kann die Familie in einem Behandlungszimmer eigenständig durchführen. Am nächsten Tag melden die Eltern Unklarheiten oder Schwierigkeiten an die Therapeutin zurück, sodass diese Details spezifisch berücksichtigt werden können.

Entscheidend ist, dass Familie S. mit einem sicheren Gefühl in der Umsetzung der Therapie wieder zurück nach Irland fährt, da sie dort auf sich allein gestellt ist. Lucies Eltern dürfen sich aber in der Zwischenzeit per Mail oder Videochat an die Therapeutin wenden, falls Probleme auftreten.

Therapieplan

Die Vojta-Therapie wird Familie S. 3× täglich zu Hause durchführen, mit einem zeitlichen Umfang von ca. 15 Minuten pro Einheit. Eine Steigerung auf bis zu 30 Minuten ist wünschenswert, aufgrund von Lucies reduzierter Kondition momentan jedoch nicht möglich. Herr S. wird die Therapie abends und an den Wochenenden unterstützend übernehmen, sodass am Wochenende evtl. vier Einheiten in den Alltag zu integrieren sind. Dabei werden die oben beschriebenen Variation immer dahingehend kombiniert, dass beide Koordinationskomplexe in einer Therapieeinheit angewendet werden, um alle Muster der idealen motorischen Entwicklung im ZNS anzusprechen.

Die Techniken der orofazialen Regulationstherapie nach Castillo Morales möchte Frau S. zusätzlich in vertretbarem Rahmen anwenden, ebenso die bereits in Lucies Alltag integrierten Bobath-Elemente. Dabei ist wichtig, weder Lucie noch ihre Eltern mit Therapien zu überlasten, um möglichst viel Normalität und ein hohes Maß an Lebensqualität zu erhalten, bzw. zu ermöglichen.

Familie S. vereinbart mit der Therapeutin einen erneuten Termin zur Intensivtherapie nach Vojta für in drei Monaten.

Therapieverlauf und -abschluss

Nach den ersten zwei Wochen Vojta-Therapie sehen Lucies Eltern folgende Veränderungen:

- Lucie ist in der Lage, ausdauernder Kontakt mit Personen oder Gegenständen zu halten, dabei fixiert und verfolgt sie längerfristig.
- Vor allem in Bauchlage ist Lucie zufriedener, da sie eine gewisse Zeit dort verweilen kann, um Personen oder Gegenstände zu betrachten. In dem Zusammenhang nimmt sie einen Unterarmstütz ein, mit mehr Dorsalextension des Beckens und mehr Außenrotation der Schlüsselgelenke.
- In Rückenlage fällt Lucie beim Hantieren nicht mehr um, dabei hebt sie ihre Beine häufiger von der Unterlage ab und hält diese gegen die Schwerkraft. Ihre Rektusdiastase ist schmaler und der untere Rippenbogen steht weiter innen.

- Das Drehen gelingt Lucie jetzt auch von der Rückenlage über die linke Seite auf den Bauch, kombiniert mit dem Greifen der rechten Hand über die Mittellinie.

Vor dem nächsten Aufenthalt hat Familie S. sich einmal per Mail gemeldet, da Lucie nach einer knapp zweiwöchigen krankheitsbedingten Therapiepause Rückschritte gezeigt hat. Laut den Eltern habe Lucie die Stützfunktion in Bauchlage wieder verloren und ihre linke Hüfte stehe deutlich mehr innenrotiert.

Im Alter von 21 Monaten kommt Lucie mit ihren Eltern zur erneuten Vojta-Intensivtherapie nach Deutschland, dieses Mal nur für eine Woche. Herr und Frau S. berichten von folgender Entwicklung:

- Lucie hat gelernt, aus dem speziellen Becher anstatt der Flasche zu trinken.
- Sie toleriert jetzt gröberes Essen, ohne sich zu verschlucken oder zu würgen.
- Lucies Schlaf-Wach-Rhythmus hat sich stark verändert, sie wird nachts nur noch ein- bis zweimal wach, teilweise schläft sie sogar durch. Damit einhergehend ist somit eine Reduzierung, bzw. Eliminierung von eventuell auftretenden nächtlichen Schmerzen (Löwing, Gyllensvärd & Tedroff 2020).
- Ihre Kondition hat sich gesteigert, sodass eine Behandlungseinheit mit knapp 30 Minuten möglich ist.
- Das Verhältnis ihres Brust- zu Bauchumfangs ist annähernd normal.
- Die Hypersensibilität ist kaum noch vorhanden.
- Lucies gesamter Haltungs- und Bewegungshintergrund hat sich positiv verändert.
- In Bauchlage kann Lucie im Unterarmstütz den Kopf länger halten und wird immer zufriedener. Sie dreht sich häufiger aus eigenem Antrieb auf den Bauch, verweilt dort länger und findet Spaß daran, aus dieser Lage heraus Dinge zu beobachten.
- In Rückenlage kann sie ausdauernd spielen, ohne umzufallen.
- Der gastroösophageale Reflux ist weniger ausgeprägt.

Am Ende des zweiten Intensivblocks zeigt Lucie in Bauchlage einen symmetrischen Ellenbogenstütz und sie versucht, nach Gegenständen zu greifen, wobei sie jedoch ihr Gleichgewicht verliert und auf die Seite fällt. Damit hat sie trotzdem das Lokomotionsstadium 2 nach Vojta erreicht (➤ Tab. 11.2). Im Verlauf der Woche wird eine erneute GMFM-88-Testung mit einem Gesamtergebnis von 16,6 % durchgeführt. Somit hat sich das Ergebnis nach drei Monaten um 6,5 % verbessert.

Familie S. und die Therapeutin vereinbaren einen weiteren Aufenthalt zur intensiven Vojta-Therapie in Deutschland in ca. drei Monaten. Geplant werden eine dritte GMFM-Testung zur Verlaufsdokumentation und eine ärztliche Kontrolluntersuchung.

11.6 Evidenzbasierte Zusammenfassung

Evidenz

Folgende Evidenz liegt zur dyskinetischen Zerebralparese vor:

- Ein früher Behandlungsbeginn mit der Vojta-Therapie hat entscheidende Auswirkung auf den Effekt und die Gesamtdauer der Therapie (Vojta 2018).
- Die Vojta-Therapie gehört zu den empfohlenen Maßnahmen bei der Behandlung von Zerebralparesen (Novak et al. 2013).
- Die kognitive Leistung steht im Zusammenhang mit den motorischen Fähigkeiten eines Patienten mit dyskinetischer Zerebralparese (Ballester-Plané et al. 2018).
- Es treten gehäuft Schlafstörungen bei Patienten mit dyskinetischer Zerebralparese auf, die häufig im Zusammenhang mit Schmerzen stehen (Löwing, Gyllensvärd & Tedroff 2020).
- Die dyskinetische Form der Zerebralparese ist dominant bei Kindern, die termingerecht geboren wurden und später einen schweren Befund aufweisen (Himmelmann et al. 2007).

LITERATUR

Aksu F. Neuropädiatrie. 3. Aufl. Bremen: UNI-MED, 2008.

Ballester-Plané J et al. Cognitive functioning in dyskinetic cerebral palsy: Its relation to motor function, communication and epilepsy. Eur J Paediatr Neurol. 2018; 22(1): 102–112.

Castillo Morales R. Die Orofaciale Regulationstherapie. München: Pflaum Verlag, 1991.

Hammerschmidt U, Koch J (Hrsg.). Leitfaden Physiotherapie in der Pädiatrie. München: Elsevier, 2018.

Himmelmann K et al. Dyskinetic cerebral palsy: a population-based study of children born between 1991 and 1998. Dev Med Child Neurol. 2007; 49(4): 246–251.

Internationale Vojta Gesellschaft e. V. Reflexlokomotion – die Grundlage der Vojta-Therapie. www.vojta.com/de/vojta-prinzip/vojta-therapie (letzter Zugriff: 29. März 2022).

Löwing K, Gyllensvärd M, Tedroff K. Exploring sleep problems in young children with cerebral palsy – a population-based study. Eur J Paediatr Neurol. 2020; 28: 186–192.

Novak I et al. A systematic review of interventions for children with cerebral palsy: state of the evidence. Dev Med Child Neurol. 2013; 55(10): 885–910.

Schulz P, Jakobeit M. Videokompendium kinderneurologischer Untersuchungen. Analyse motorischer Funktionen bei Klein- und Schulkindern nach Vojta. Stuttgart: Thieme, 2013.

Tomatis Development S. A. Tomatis – Wissenschaftlicher Ansatz. www.tomatis.com/de/wissenschaftlicher-ansatz (letzter Zugriff: 29. März 2022).

Vojta, V. Die zerebralen Bewegungsstörungen im Säuglingsalter. Frühdiagnose und Frühtherapie. 10. Aufl. Siegen: Internationale Vojta Gesellschaft e. V., 2018.

Vojta, V. Zur Prognose der spät behandelten cerebralparetischen Kinder für die freie Fortbewegung bei Behandlung mit Mustern der Reflexfortbewegung. Kinderarzt 1987; 18(9): 1161–1172.

FALL

12 Bilaterale beinbetonte spastische Zerebralparese GMFCS Level V

Marlene Hager

Leitsymptome: Spastik – Epilepsie – Kontrakturen – Hüftluxation – neurogene Skoliose

schwer

12.1 Vorgeschichte

Tim wurde in der 38.+2 SSW nach einer unauffälligen Schwangerschaft spontan geboren. Am siebten Lebenstag wurde Tim krank und bekam Fieber. Im Verlauf zeigte sich eine schwere Meningitis durch eine Varizella-Zoster-Infektion (Windpocken). Tim wurde sofort in die Kinderklinik verlegt und auf der Neugeborenen-Intensivstation (NICU) betreut. Im Verlauf kam es zu Komplikationen und er musste beatmet werden. Die Klinik konnte er nach acht Wochen wieder verlassen.

In den folgenden Untersuchungen beim Kinderarzt wurde deutlich, dass Tim Entwicklungsverzögerungen aufzeigte. Der Tonus war nach der Meningitis deutlich erhöht, die Spontanbewegungen waren reduziert, die Nahrungsaufnahme war durch eine Saugschwäche und Schluckstörung erschwert, Meilensteine wurden nicht erreicht. Mit acht Monaten hatte Tim seinen ersten epileptischen Anfall. Mit 18 Monaten konnte Tim frei sitzen, begann zu krabbeln und erste Worte zu sprechen. Kurz darauf hatte er eine Phase mit sehr intensiven epileptischen Anfällen, die mehrere Krankenhausaufenthalte nach sich zogen. Danach hat er aufgehört zu krabbeln, die posturale Kontrolle hat sich zunehmend verschlechtert. Mit vier Jahren begann Tim mit Hilfe zu stehen und ein paar Schritte zu gehen, in der Wohnung bewegte er sich aber hauptsächlich durch Robben. Tim besuchte ein Frühförderzentrum und ist jetzt in einer Schule für Kinder mit geistiger und körperlicher Behinderung. Mit sieben Jahren luxierte die linke Hüfte, diese wurde operativ versorgt. Ein Jahr später erfolgten aufgrund rezidivierender Patellaluxationen beidseits Umstellungsosteotomien der Beine. Die Rehabilitation gestaltete sich sehr schwierig, da Tim sehr häufige und starke epileptische Anfälle erlitt, mehrmals in einen Status epilepticus geriet und viel Zeit in der Klink verbrachte. Mit neun Jahren erlitt er einen Darmverschluss mit Multiorganversagen, woraufhin ein Ileostoma gelegt wurde. Tim verbrachte aufgrund von Komplikationen mehrere Monate in der Klink.

Inzwischen ist Tim 12 Jahre alt. Er ist rollstuhlpflichtig, seinen Rollstuhl kann er für kurze Strecken eigenständig manuell antreiben (< 5 Meter), dann verlässt ihn die Kraft. Er kann nicht frei sitzen und sich nicht eigenständig drehen. Seine rechte Hüfte ist luxiert, die Eltern möchten ihn aktuell aber nicht operieren lassen, da Tim nach den vorangegangenen Operationen einen Status epilepticus erlitten hat und dadurch weitere Fähigkeiten verloren hat. Außerdem hat er eine neurogene Skoliose und trägt nachts ein Korsett. Die Eltern berichten, dass Tim seit drei Jahren nicht mehr gestanden ist und auch keine Stehbereitschaft hat. Laut den Orthopädietechniker*innen können keine Orthesen oder Schuhe angepasst werden, da die Füße zu stark verformt sind. Tim kommuniziert hauptsächlich über Gestik und Mimik, sprechen kann er nicht, sein Sprachverständnis ist ebenfalls sehr eingeschränkt. Aufgrund

Tab. 12.1 Einteilung in GMFCS, MACS, EDACS und CFCS (ausführliche Darstellung der Klassifikationssysteme im Anhang)

Einstufung	Fähigkeiten
GMFCS Level V	Tim wird hier in Level V eingeteilt, da seine Mobilität komplett von einem Rollstuhl abhängig ist, den er nur begrenzt eigenständig steuern kann.
MACS Level IV	Tim kann Gegenstände manipulieren. Die Manipulation der Gegenstände ist dabei teilweise eingeschränkt. Die Handhabung ist meist nicht zweckgemäß und die genutzten Gegenstände sind nicht altersgerecht.
EDACS Level V	Das Essen wird Tim in pürierter Form gereicht. Dazu bekommt er hochkalorische Nahrung, um einer Mangelversorgung entgegenzuwirken.
CFCS Level V	Tim ist weder ein wirksamer Sender noch ein wirksamer Empfänger. Sein Sprachverständnis ist stark eingeschränkt, auch vertraute Personen verstehen sein Lautieren, seine Gestik und Mimik nur begrenzt.

GMFCS = Gross Motor Function Classification System, MACS = Manual Ability Classification System, EDACS = Eating and Drinking Ability Classification System, CFCS = Communication Function Classification System

12.2.3 Evaluation des Gesundheitszustands nach ICF

Umweltbezogene Faktoren

Tim lebt zusammen mit seinem großen Bruder (15) und den Eltern in einem Haus mit Garten. Die Eltern versorgen Tim zuhause ohne zusätzliche Hilfe.

Neben der Physiotherapie wird er zweimal wöchentlich logopädisch und ergotherapeutisch betreut. Einmal im Monat kommt ein Musiktherapeut in die Schule, was Tim sehr zu genießen scheint.

Da Tim keine Stehbereitschaft hat, fällt den Eltern der Transfer zunehmend schwer. Momentan heben sie ihn aus dem Bett in den Rollstuhl und zurück und merken, dass das auf Dauer nicht klappt. Ein Transfer mithilfe eines Lifters ist aufgrund des sehr kleinen Zimmers nicht möglich.

Personenbezogene Faktoren

Tim hört gerne Musik, schaut sich Bilderbücher an und freut sich, wenn alle aus der Familie zusammen sind und er das Zentrum der Aufmerksamkeit ist.

Für ihn wäre es schön, wenn er genügend Ausdauer hätte, um seinen Rollstuhl in der Wohnung so zu nutzen, dass er eigenständig in das Spielzimmer oder sein Zimmer fahren kann, wenn er das möchte (Regale mit Spielsachen). Ein elektrischer Rollstuhl wurde ausprobiert, Tim kann diesen jedoch nicht besonders gut kontrollieren und fährt gegen Gegenstände und auf die Straße (hohe Unfallgefahr, da kein Gefahrenbewusstsein vorhanden).

In der Schule wird momentan eine gerätegestützte Kommunikation ausprobiert, bisher konnte jedoch noch kein passendes Gerät gefunden werden.

Funktions- und Strukturebene

Inspektion im Liegen: Sehr auffallend ist die Struktur der unteren Extremitäten (➤ Tab. 12.2). Es liegen Kontrakturen, Luxationen sowie Verformungen der Füße vor. Die Beine wirken insgesamt sehr dünn und sind im Vergleich zum Rest des Körpers proportional sehr kurz. Es ist wenig Muskulatur zu sehen und zu tasten. Die Kniegelenke wirken ebenfalls sehr instabil, die Kondylen sind tastbar, die Patellae luxieren bei Flexion.

ROM: An den oberen Extremitäten sind keine Kontrakturen vorhanden, passiv sind die Gelenke frei. Auch hier kommt es bei Erschrecken oder plötzlichen Bewegungen zu Spastiken der Flexoren. Deutlich zu sehen ist auch eine neurogene Skoliose. In Ruhe liegt eine Henkelstellung der Arme vor.

Inspektion im Sitzen im Rollstuhl: Im Sitz ist vor allem auffällig, dass der Kopf nicht an der Kopfstütze angelehnt wird, sondern die HWS fast konstant flektiert ist und das Kinn auf der Brust aufliegt. Die Kopfposition wird bei Ansprache kurz verändert, aber nicht lange gehalten. Die Position des Oberkörpers wird mit einem Gurt gesichert. Das Becken ist nach dorsal gekippt, es kommt nur zu wenig Aufrichtung. Der Schultergürtel ist protrahiert, die Hände liegen auf dem Schoß auf. Die Füße liegen in Inversionsstellung auf dem Fußbrett auf, da Tim keine Schuhe oder Orthesen trägt.

Tab. 12.2 Gelenkbeweglichkeit passives Bewegungsausmaß der unteren Extremitäten nach Neutral-Null-Methode

Gelenk		Links	Rechts
Hüfte	Extension/Flexion	−10°/0/120°	Rechte Hüfte nicht testbar aufgrund der Hüftluxation (darf nach ärztlicher Anweisung nur schmerzadaptiert bewegt werden)
	Abduktion/Adduktion	30°/0/5°	s. o.
	Innenrotation/Außenrotation	30°/0/20°	s. o.
Knie	Flexion/Extension	0/−10°/120°	0/−10°/130°
Oberes Sprunggelenk	Plantarflexion/dorsale Extension	0/−5°/30°	0/−10°/30°
Unteres Sprunggelenk	Pronation/Supination	Fuß stark in Supination eingestellt, kann nicht in Nullstellung gebracht werden	Fuß stark in Supination eingestellt, kann nicht in Nullstellung gebracht werden

Gelenkstabilität: Die Gelenkstabilität der unteren Extremitäten ist stark reduziert. Die rechte Hüfte ist luxiert, die Patellae beidseits luxieren bei Flexion. Beide Füße sind stark verformt, eine Schuh-/Orthesenversorgung ist nicht möglich.
Minussymptomatik: Fehlende Muskelkraft, fehlende Muskelausdauer, mangelnde Gelenkstabilität der unteren Extremitäten, veränderte Schmerzwahrnehmung.
Plussymptomatik: Erhöhter Muskeltonus, Kloni beidseits und positives Babinski-Zeichen.

KLINISCHER HINTERGRUND

Hüftgelenksluxation

Ca. 35 % der Kinder mit Zerebralparese (CP) sind von Hüftluxationen betroffen. Die Luxationshäufigkeit variiert je nach GMFCS-Level und mit steigendem GMFCS-Level steigt auch das Luxationsrisiko. Bei Kindern mit GMFCS V ist das Risiko einer Hüftluxation mit 90 % besonders hoch (Soo et al. 2006). Bei selbstständig gehfähigen Kindern liegt das Luxationsrisiko dagegen bei nur ca. 3 % (Hägglund, Lauge-Pedersen & Wagner 2007). Ursache für die Luxation ist die fehlende Einwirkung der Muskelgruppen, die beim Gehen beansprucht werden. Hierzu zählen die Hüftabduktoren und Außenrotatoren, die Hüftstrecker und die Kniestrecker. Durch die Spastik kommt es zu einem Muskelungleichgewicht, was zu Veränderungen des Hüftgelenks führt. Ein weiterer Faktor ist die fehlende posturale Kontrolle und mangelnde axiale Belastung des Hüftgelenks (Pountney & Green 2006).

Es gibt konservative und operative Möglichkeiten, die Luxationsgefahr einer Hüfte zu verringern. Zu den konservativen Optionen gehört die Muskelkräftigung der antagonistischen Muskulatur, um ein Gleichgewicht herzustellen. Möglich sind auch die Verringerung der Spastik durch Medikamente oder Injektionen von Botulinumtoxin, Hilfsmittelanpassungen (Lagerungsschienen, Orthesen, etc.), sowie muskelverlängernde Eingriffe (Singer, 2019).
Der häufigste Zeitpunkt für eine Hüftgelenksluxation ist bei Kindern mit CP zwischen dem 2. und dem 7. Lebensjahr (Heimkes, Stotz & Heid 1992).
Häufig führen Luxationen zu Problemen bei der Pflege und Körperhygiene. Außerdem kann es zu sekundären Schädigungen kommen, wie Fehlhaltungen, Hüftkopfnekrosen, Skoliosen, Kontrakturen, sowie zu Schmerzen und dadurch zu eingeschränkter Mobilität (Miller & Bagg 1995).
Das Luxationsrisiko kann mithilfe der Hüftampel (➤ Fall 1) bestimmt werden.

Aktivitätsebene

Tim kann seinen manuellen Rollstuhl für kurze Strecken (< 5 Meter) eigenständig antreiben, dann fehlt ihm die Muskelkraft und Kraftausdauer. Mit den Händen kann er gezielt nach Gegenständen greifen und diese bis zu einem gewissen Grad manipulieren. Im Liegen kann Tim sich nicht eigenständig drehen, Aufsetzen ist nicht möglich, ebenso wenig das freie Sitzen. Es liegt keine Stehbereitschaft vor.

PRAKTISCHER TIPP

Bei Kindern mit stark eingeschränkter Kognition ist es wichtig, eine Routine zu gestalten. Das schafft Sicherheit. Hier kann Musik ein hilfreiches Mittel sein. Musik hilft bei rhythmischer Arbeit und kann die Aufmerksamkeit steigern. So wird beispielsweise immer mit dem gleichen Begrüßungslied gestartet und mit einem Abschlusslied die Einheit beendet. Hier kann es auch sinnvoll sein, bestimmte Aktivitäten immer mit den gleichen Liedern/ Rhythmen zu kombinieren. So wird zum einen die Aufmerksamkeit gelenkt und zum anderen kann so zusätzlich ein Feedforward generiert werden.

Transfermöglichkeiten

Da Tim keine Stehbereitschaft hat und das Zimmer sehr klein ist, sind die Transfermöglichkeiten begrenzt. Der Transfer sollte immer so aktiv wie möglich gestaltet werden. Ebenso wichtig ist es aber auch, dass dieser für die Eltern auch im normalen Tagesablauf durchführbar ist und dass beim Transfer keine Schmerzen aufgrund der luxierten Hüfte auftreten. Den Eltern wird der kinästhetische Schoßtransfer gezeigt mit kleinen Variationen. Bei Tim ist es wichtig, darauf zu achten, dass der Hüftwinkel der rechten Hüfte nicht über 90° kommt, da dies Schmerzen verursacht. Mit dem Transfer kommen die Eltern gut zurecht.

Prophylaxen

Mit Zerebralparesen GMFCS V sind fast immer auch sekundäre Problematiken verbunden. Dazu gehören unter anderem ein verstärktes Pneumonierisiko und durch die Spastik ein erhöhtes Kontrakturrisiko.

Atemtherapie

Personen mit CP haben ein erhöhtes Risiko für pulmonale Erkrankungen, was nicht nur die Lebensqualität einschränkt, sondern auch das Sterberisiko erhöht. Bei CP GMFCS V ist das Risiko für eine Pneumonie aufgrund der eingeschränkten Mobilität und des erhöhten Aspirationsrisikos nochmals erhöht (Gibson et al. 2021). Empfohlen wird eine Verbesserung der Lungenbelüftung durch veränderte Lagerungen sowie manuelle Hustenunterstützung und Atemtherapie.

Tim ist häufig erkältet und bekommt schnell Pneumonien, da er Sekret nur schlecht abhusten kann. Zusätzlich liegt er am liebsten auf dem Rücken. Durch diese Position und durch die zusätzlich stark ausgeprägte Skoliose wird die Lunge nicht optimal belüftet. Durch die veränderten Positionen bei der Therapie und die Vertikalisierung wird Tims Lunge besser belüftet. Zusätzlich wird über reflektorische Atemtherapie gearbeitet und manuelle Hustenunterstützung geleistet. In Phasen von Infekten wird die Atemtherapie verstärkt.

Kontrakturprophylaxe

Durch den erhöhten Tonus in Kombination mit verminderter Bewegungsfähigkeit entstehen häufig Kontrakturen. Hier ist eine gute Hilfsmittelversorgung essenziell. Orthesen und angepasste Schuhe ermöglichen das Stehen ebenso wie Stehständer. Ferner können Nachtlagerungsschienen eine sinnvolle Ergänzung darstellen, hier ist eine möglichst frühe Versorgung anzustreben.

Dehnen und die Form des Dehnens als Therapie bei CP zur Verhinderung von Kontrakturen, zur Schmerzlinderung sowie zur Verbesserung des Bewegungsausmaßes und der Gehfähigkeit ist noch immer umstritten. So zeigten beispielswiese Theis et al. (2017), dass passives Dehnen die Muskellänge signifikant verändert. Andere Studien zeigen aber, dass Dehnen in Bezug auf die Gehfähigkeit, das Bewegungsausmaß und eine Senkung der Spastik nur unzureichend ist (Pin, Dyke & Chan 2006; Harvey et al. 2017).

Gorter et al. (2007) haben ein Flowchart zu Entscheidungsfindung erstellt, wann Dehnen bei CP eine sinnvolle Therapieergänzung darstellen kann (➤ Abb. 12.3).

Lagerung

Tim bewegt sich eigenständig nur wenig und kann sich z. B. im Rollstuhl nicht selber umsetzen, um Druckstellen zu vermeiden. Hier ist es ist es wichtig, verschiedene Lagerungsmöglichkeiten anzubieten. So kann die Sitzposition durch sogenannte Mikrolagerungen (z. B. Kanteln des Rollstuhls) verändert werden. Möglich sind auch unterschiedliche Lagerungspositionen im Liegen im Bett. Hier sind verschiedene Positionen sinnvoll, um Druckstellen zu vermeiden, Kontrakturen vorzubeugen und um die Lunge möglichst gleichmäßig zu belüften. Zum Lagern können beispielsweise zusammengerollte Decken oder spezielle Lagerungshilfen genutzt werden (➤ Abb. 12.4).

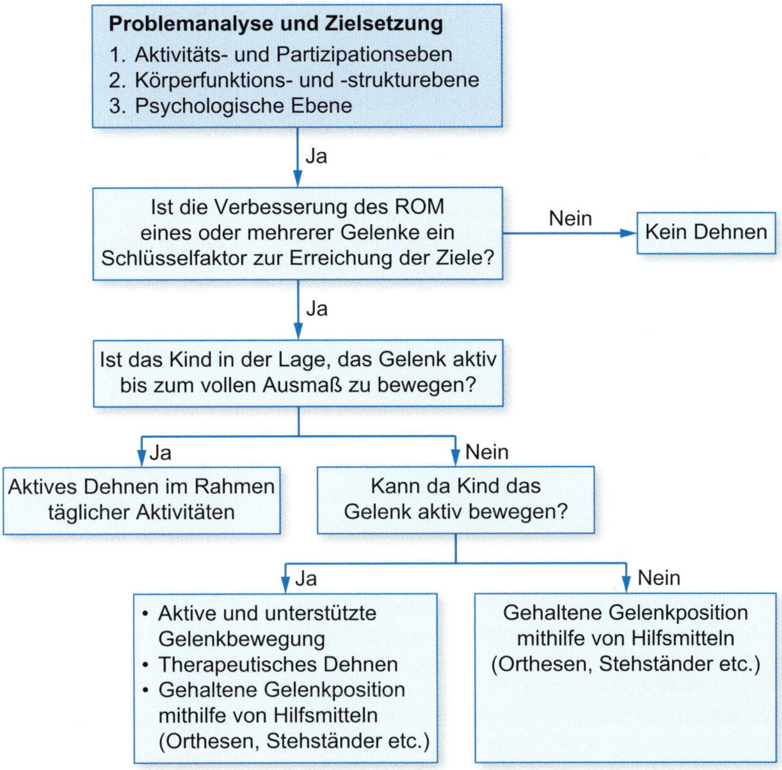

Abb. 12.3 Flowchart zum aktiven und passiven Dehnen bei Kindern mit Zerebralparese (adaptiert nach Gorter et al. 2007) [H139–005/L231]

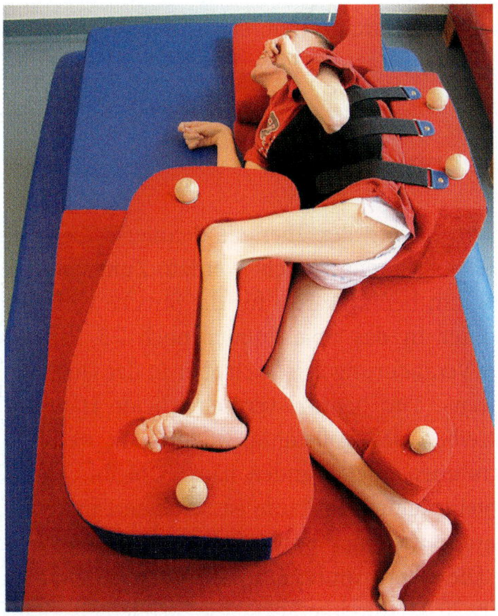

Abb. 12.4 Individuell gefertigtes Heidelberger Schaumstofflagerungssystem als Wechsellagerung für die linke und rechte Körperseite [T929–003]

Hilfsmittelversorgung

Das Ziel, die größtmögliche Eigenständigkeit der Patient*innen zu erreichen, ist ohne Hilfsmittel bei Betroffenen mit so schweren Einschränkungen nicht möglich. Sehr wichtig ist daher eine frühe und gute Hilfsmittelversorgung, die regelmäßig geprüft und angepasst werden muss. Relevant sind nicht nur Hilfsmittel zur Vermeidung von sekundären Problematiken, sondern vor allem das Ermöglichen der Teilhabe und größtmöglichen Eigenständigkeit, z. B. durch einen elektrischen Rollstuhl oder ein Kommunikationsgerät. Ohne passende Hilfsmittel und Teilhabemöglichkeiten wird die Gefahr der Deprivation weiter verstärkt. Mögliche Hilfsmittel sind:

- Orthesen
- Angepasste Schuhe
- Lagerungsschienen/Lagerungsunterstützung
- (Posterior-)Walker
- Therapieräder
- Manueller Rollstuhl/elektrischer Rollstuhl
- Kommunikationsunterstützung etc.

KLINISCHER HINTERGRUND

Deprivationssyndrom

Deprivation (Synonym: Hospitalismus) beschreibt den Zustand der fehlenden Befriedigung grundlegender Bedürfnisse und der Reizverarmung. Deprivation kann mehrere Ebenen betreffen. So unterschiedet man z. B. zwischen sozialer, sensorischer und emotionaler Deprivation.
Eine Person gilt als depriviert, wenn ihre objektiven und subjektiven Lebensumstände (Gesundheitszustand, sozioökonomischer Status; physischer bzw. psychischer Zustand, zwischenmenschliche Beziehungen) schlecht sind.
Bestimmte Personengruppen haben ein besonders starkes Risiko für Deprivation. Dazu gehören beispielsweise Personen mit Hör- und Sehschäden oder sensomotorischen Beeinträchtigungen, Personen, die Trennung oder räumliche Isolation von der Gesellschaft oder Familie oder auch den Verlust bzw. Liebesentzug einer Bezugsperson erfahren (Thieme 2015). Menschen mit Behinderung sind hier besonders stark gefährdet. Soziale, sensorische, aber auch motorische Deprivation kommen bei ihnen deutlich gehäufter vor.
Die Deprivationsprophylaxe sollte in der physiotherapeutischen Behandlung eine wichtige Rolle spielen. Betroffene von CP haben durch ihre Grunderkrankung ein erhöhtes Risiko für Deprivation. Hier ist es entscheidend, dass sensorische und motorische Erfahrungen gemacht werden können und eine Teilhabe am gesellschaftlichen Leben beispielsweise durch Hilfsmittel wie einen elektrischen Rollstuhl und Kommunikationsmedien ermöglicht wird. Wichtig ist auch die Gestaltung eines anregenden Umfelds *(enriched environment).*

Umfeldgestaltung

Der Umfeldgestaltung kommt bei CP eine bedeutende Rolle zu. Für Tim ist es z. B. essenziell, dass er mit seinem Rollstuhl durch die Wohnung fahren kann. Die Wohnung bzw. der Untergrund muss also so gestaltet sein, dass er mit seinem Rollstuhl ungehindert fahren kann (keine Teppiche, Türen breit genug etc.). Die Spielsachen, die er eigenständig nutzen kann, sollten so aufbewahrt werden, dass er Zugang dazu hat. In Tims Fall sind die Bücher und Spielsachen in einem offenen Schrank gelagert, auf einer Höhe, die er im Rollstuhl erreichen kann. Die Umfeldgestaltung spielt auch in der Therapie eine große Rolle.

Ebenso wichtig ist, das Umfeld möglichst *anregend* zu gestalten. Es sollte an das Alter und die Bedürfnisse des Kindes angepasst sein und stimulierend wirken, ohne das Kind mit Reizen zu überfluten.

Probleme während der Behandlungszeit

Die Behandlungen gestalteten sich sehr unterschiedlich. Es wurde eine Routine etabliert, mit der Tim gut zurechtkommt, und die Zielsetzung konnte teilweise erreicht werden. Das größte Problem zeigte sich durch die Epilepsie. So kam es immer wieder vor, dass Bewegungsabläufe, die bereits bekannt waren, nach einem starken epileptischen Anfall wieder neu erlernt werden mussten.

Elternanleitung

Die Einbeziehung der Eltern in die Zielsetzung und die Therapie ist von großer Bedeutung. Eine gute Compliance der Eltern leistet einen entscheidenden Beitrag zu einer erfolgreichen Therapie. Dabei ist es wichtig, dass die Eltern einerseits Tim genügend fordern und fördern, andererseits aber selbst nicht überfordert werden.

Mit den Eltern wurde der kinästhetische Transfer erarbeitet. Damit kommen sie gut zurecht. Bei der Pflege achten sie darauf, die Handlungsschritte verbal zu begleiten und nach Möglichkeit langsam zu arbeiten, um die Spastik der unteren Extremitäten zu verringern. Pflege an den unteren Extremitäten (z. B. Schneiden der Fußnägel) ist für sie deutlich leichter, wenn sie davor eine verkürzte Version der Körperbegrüßung durchführen. Danach lässt Tim sich viel bereitwilliger an den Füßen anfassen.

Ergebniskontrolle

Das zu Beginn der Therapie definierte Ziel konnte nicht vollständig erreicht werden. Zum definierten Zeitraum benötigt Tim für die Strecke von seinem Zimmer in das Spielzimmer noch 75 Sekunden. Eine Veränderung zeigt sich aber in der Qualität des Fahrens. Tim benutzt vermehrt beide Hände zum Antreiben des Rollstuhls, wodurch er weniger an Türrahmen oder Wänden hängen bleibt. Auch die Kopfeinstellung im Raum ist verbessert in neutraler Position, der Blick ist vermehrt nach vorne gerichtet. Die Überprüfung der Zielerreichung wurde am 12.09.2020 durchgeführt, die erreichten Schritte wurden in der GAS-Tabelle mit dem entsprechenden Datum versehen (➤ Tab. 12.4).

Tab. 12.4 Goal Attainment Scaling (GAS) zur Überprüfung der Ziele

Attainment-Level	Grobmotorische Funktionen und Körperhaltung	Bewältigung der Strecke	Zeitdauer
2 „viel mehr als erwartet"	• Der Kopf ist angehoben. • Der Blick ist nach vorne gerichtet. • Der Rollstuhl wird mit beiden Händen gleichermaßen angetrieben.	Durchfährt beide Türen selbstständig.	Die Strecke wird in < 1 Minute mit sehr wenig Anstrengung bewältigt.
1 „mehr als erwartet"	• Der Kopf ist angehoben. • Der Blick ist nach vorne gerichtet. • Der Rollstuhl wird mit beiden Händen gleichermaßen angetrieben.	Durchfährt beide Türen selbstständig.	Die Strecke wird innerhalb von 1 Minute mit wenig Anstrengung bewältigt.
0	**• Der Kopf ist angehoben.** **• Der Blick ist nach vorne gerichtet.** **• Der Rollstuhl wird mit beiden Händen gleichermaßen angetrieben.** **12.09.2020**	**Durchfährt beide Türen selbstständig.** **12.09.2020**	Die Strecke wird innerhalb von 1 Minute bewältigt.
−1 „weniger als erwartet"	• Der Kopf ist angehoben. • Der Blick ist nach vorne gerichtet. • Der Rollstuhl wird vermehrt mit rechter Hand angetrieben, bei Kurven wird der Rollstuhl mit beiden Händen angetrieben.	Kann beide Türen eigenständig durchfahren, benötigt aber Hilfe beim Anfahren, um Schwung aufzubauen.	**Die Strecke wird mit Anstrengung innerhalb von 2 Minuten bewältigt.** **12.09.2020**
−2 „viel weniger als erwartet"	• Der Kopf ist flektiert. • Der Blick ist auf den Boden gerichtet. • Der Rollstuhl wird den Großteil der Strecke mit der rechten Hand angetrieben, die linke Hand wird nur zum Umfahren von Kurven genutzt.	• Erste Tür kann eigenständig durchfahren werden. • Durchfahren der zweiten Tür ist nur mit Hilfe möglich, da die Kraft nicht ausreicht.	Dauer > 2 Minuten.

Um weiter an Tims Eigenständigkeit und seiner Möglichkeit zur Teilhabe zu arbeiten, ist es unbedingt erforderlich, dass die entsprechenden Hilfsmittel angepasst werden. Ein elektrischer Rollstuhl wäre für Tim eine Möglichkeit, mit viel weniger körperlicher Anstrengung Räume wechseln zu können, die Eltern möchten für Tim aber keinen elektrischen Rollstuhl, da sie dies als zu gefährlich einstufen.

Die Möglichkeit zur Kommunikation mithilfe von Techniken und Medien der unterstützten Kommunikation muss weiter getestet werden, da die Fähigkeit zu kommunizieren eine große Rolle für die Zufriedenheit und für die Teilhabe darstellt. Hierfür wird ein Fachberater für unterstützte Kommunikation herangezogen.

12.6 Evidenzbasierte Zusammenfassung

Die CP ist ein sehr komplexes Bild mit den unterschiedlichsten Ausprägungsformen. In der Behandlung der CP ist ein multiprofessioneller Ansatz sehr wichtig, um Betroffene optimal in ihren Lebenswelt zu unterstützen und zu fördern.

Zur Physiotherapie bei Kindern mit CP GMFCS Level V ist die Evidenz noch sehr gering und die vorhandenen Studien weisen eine niedrige bis moderate Qualität auf. Zu den in Deutschland bei CP verschriebenen Physiotherapieformen Vojta und Bobath gibt es nur wenig aussagekräftige Evidenz (Novak et al. 2013; Spittle et al. 2015).

Der frühen Diagnostik kommt bei CP eine besondere Bedeutung zu. Wenn sehr früh ein hohes Risiko für CP festgestellt werden kann, muss so früh wie möglich mit einer passenden Intervention gestartet werden (Novak et al. 2017; Morgan et al. 2021). In einem Systematic Review von Morgan et al. (2016) scheinen bei Interventionen bis zum zweiten Lebensjahr die aufgabenorientierte Therapie, Therapien auf Basis der Prinzipien des motorischen Lernens sowie Elternedukation und Umweltanpassung einen positiven Einfluss auf die motorische Entwicklung zu haben. Es hat sich auch gezeigt, dass eine gute Eltern-Kind-Interaktion von großer Bedeutung ist (Hadders-Algra et al. 2016; Novak et al. 2017; Morgan et al. 2016, vgl. auch ➤ Fall 19).

Sowohl Hadders-Algra et al. (2016) als auch Law et al. (2011) gehen davon aus, dass nicht nur die Art, sondern auch die Frequenz der Intervention eine Rolle spielt. Patient*innen, die eine höhere Therapiefrequenz haben, zeigen ein besseres Ergebnis als Patient*innen mit niedriger Therapiefrequenz.

Aufgrund der bei CP häufig auftretenden sekundären Problematiken sind auch diese in der Physiotherapie zu adressieren. Dazu gehören unter anderem die Atemtherapie, Spastikreduktion und Kontrakturprophylaxe. Hier gibt es Evidenz, dass Pferde-gestützte Therapie (Hippotherapie) bei Kindern mit CP GMFCS IV und V die Spastik reduzieren kann (Lucena-Antón, Rosety-Rodríguez & Moral-Munoz 2018).

Bei Patient*innen mit einer sehr schweren CP (GMFCS IV und V) nimmt die Hilfsmittelversorgung eine zentrale Rolle ein. Ohne Hilfsmittel ist die Entwicklung und die Teilhabe am gesellschaftlichen Leben praktisch nicht möglich. Hier sollte möglichst früh eine Versorgung stattfinden. Hilfsmittel können dazu beitragen, dass Betroffene ihre Umwelt entdecken und mit anderen in Kontakt treten können, was die persönliche- und kognitive Entwicklung unterstützen kann (Hadders-Algra et al. 2016).

Bei der Auswahl der Therapiemaßnahmen müssen zusätzlich zur Evidenz auch immer die individuellen Wünsche und Bedürfnisse der Patient*innen und der Eltern beachtet werden, da eine gute Compliance für den Therapieerfolg unerlässlich ist. Dabei ist eine Zielsetzung und die regelmäßige Überprüfung der Zielerreichung wichtig, um Therapiemaßnahmen zu evaluieren und bei Bedarf anzupassen.

Evidenz

- **Früher Therapiebeginn** (Early intervention): Novak et al. 2017; Morgan et al. 2016; Hadders-Algra et al. 2016
- **Hilfsmittelversorgung/Power mobility:** Angsupaisal, Maathuis & Hadders-Algra 2015; Livingstone & Field 2014
- **Atemtherapie:** Gibson et al. 2021
- **Kontrakturprophylaxe/Dehnen:** Pin, Dyke & Chan 2006; Harvey et al. 2017; Theis et al. 2017; Gorter et al. 2007

LITERATUR

Angsupaisal M, Maathuis CG, Hadders-Algra M. Adaptive seating systems in children with severe cerebral palsy across International Classification of Functioning, Disability and Health for Children and Youth version domains: a systematic review. Dev Med Child Neurol. 2015; 57(10): 919–930.

Brunner R. Die Rekonstruktion des luxierten Hüftgelenkes bei spastischer infantiler Zerebralparese. Operat Orthop Traumatol. 2000; 1(12): 24–39.

Conway JM. Epilepsy. J Am Coll Clin Pharm. 2019; 2(3):314–318.

Deutsche Epilepsievereinigung. Epilepsie und Erste Hilfe. Stand 01/2020. www.epilepsie-vereinigung.de/erste-hilfe/ (letzter Zugriff: 1. April 2022).

Gibson N et al. Prevention and management of respiratory disease in young people with cerebral palsy: consensus statement. Dev Med Child Neurol. 2021; 63(2): 172–182.

Gorter JW et al.To stretch or not to stretch in children with cerebral palsy. Dev Med Child Neurol. 2007; 49(10): 797–800; author reply 799.

Hadders-Algra M et al. Effect of early intervention in infants at very high risk of cerebral palsy: a systematic review. Dev Med Child Neurol. 2017; 59(3): 246–258.

Hammerschmidt U, Koch J (Hrsg.). Leitfaden Physiotherapie in der Pädiatrie. 1. Aufl. München: Elsevier, 2018.

Hägglund G, Lauge-Pedersen H, Wagner P. Characteristics of children with hip displacement in cerebral palsy. BMC Musculoskelet Disord. 2007;8: 101.

Harvey LA et al. Stretch for the treatment and prevention of contractures. Cochrane Database Syst Rev. 2017; 1(1): CD007455.

Heimkes B, Stotz S, Heid B. Pathogenese und Prävention der spastischen Hüftluxation. Z Orthop Ihre Grenzgeb. 1992; 130(5): 413–418.

Hüter-Becker A, Dölken M (Hrsg.). Physiotherapie in der Pädiatrie. 2. Aufl. Stuttgart: Thieme, 2010.

Law MC et al. Focus on function: a cluster, randomized controlled trial comparing child- versus context-focused intervention for young children with cerebral palsy. Dev Med Child Neurol. 2011; 53(7): 621–629.

Livingstone R, Field D. The child and family experience of power mobility: a qualitative synthesis. Dev Med Child Neurol. 2015; 57(4): 317–327.

Lucena-Antón D, Rosety-Rodríguez I, Moral-Munoz JA. Effects of a hippotherapy intervention on muscle spasticity in children with cerebral palsy: A randomized controlled trial. Complement Ther Clin Pract. 2018; 31: 188–192.

Miller F, Bagg MR. Age and migration percentage as risk factors for progression in spastic hip disease. Dev Med Child Neurol. 1995; 37(5): 449–455.

Morgan C et al. Early intervention for children aged 0 to 2 years with or at high risk of cerebral palsy: international clinical practice guideline based on systematic reviews. JAMA Pediatr. 2021; 175(8): 846–858.

Morgan C et al. Effectiveness of motor interventions in infants with cerebral palsy: a systematic review. Dev Med Child Neurol. 2016; 58(9): 900–990.

Neubauer B, Hahn A. S1-Leitlinie Diagnostische Prinzipien bei Epilepsien des Kindesalters (Stand: 12/2017). AWMF-Register-Nr. 022-007. www.awmf.org/leitlinien/detail/ll/022-007.html (letzter Zugriff: 1. April 2022).

Novak I et al. Early, accurate diagnosis and early intervention in cerebral palsy: advances in diagnosis and treatment. JAMA Pediatr. 2017; 171(9): 897–907. Erratum in: JAMA Pediatr. 2017; 171(9): 919.

Novak I et al. A systematic review of interventions for children with cerebral palsy: state of the evidence. Dev Med Child Neurol. 2013; 55(10): 885–910.

Pavone P et al. Cerebral palsy and epilepsy in children: clinical perspectives on a common comorbidity. Children (Basel). 2020; 8(1): 16.

Pin T, Dyke P, Chan M. The effectiveness of passive stretching in children with cerebral palsy. Dev Med Child Neurol. 2006; 48(10): 855–862.

Pountney T, Green EM. Hip dislocation in cerebral palsy. BMJ. 2006; 332(7544): 772–775.

Singer K. Gesundheitszustand von 92 Kindern mit spastischer Cerebralparese nach kombinierter Hüftrekonstruktion Operationsergebnis, Gelenkbeweglichkeit, Lebensqualität. Dissertation, Fachbereich Humanmedizin, Medizinischen Fakultät der Ludwig-Maximilians-Universität, München, 2019.

Soo B. et al. Hip displacement in cerebral palsy. *J Bone Joint Surg Am. 2006;* 88, Bd. 1, S. 121–9

Spittle A, Orton J, Anderson PJ, Boyd R, Doyle LW. Early developmental intervention programmes provided post hospital discharge to prevent motor and cognitive impairment in preterm infants. *Cochrane Database Syst Rev 2015;* CD005495.

Theis N, Korff T, Kairon H, Mohagheghi AA. Does acute passive stretching increase muscle length in children with cerebral palsy? *Clin Biomech (Bristol, Avon) 2013;* Nov-Dec;28(9–10):1061–7. doi: https://doi.org/10.1016/j.clinbiomech.2013.10.001. Epub 2013 Oct 10. PMID: 24210836.

Thieme (Hrsg.). Deprivationsprophylaxe. In: Thieme (Hrsg.). I Care Pflege. Stuttgart: Thieme, 2015.

Zalpour C (Hrsg.). Anatomie und Physiologie. Für die Physiotherapie. 4. Aufl. München: Elsevier Urban & Fischer, 2016.

Zanon MA et al. Neurodevelopmental treatment (Bobath) for children with cerebral palsy: a systematic review. J Child Neurol. 2019; 34(11): 679–686.

FALL

13 Ataxie im Kindesalter

Laura Sedlbauer, Lena Braun

Leitsymptome: Stand- und Gangunsicherheit – Störung der Koordination und des Gleichgewichts

mittel

Definition

Ataxie

Die Ataxie ist eine Störung der Koordination, bei der es zu unpräzisen Bewegungen und zu einer erhöhten Bewegungsvariabilität kommt (Synofzik & Ilg 2014). Die Ursachen, Erscheinungsformen und das Manifestationsalter der Ataxien sind sehr vielfältig.

Die zerebellären Ataxien zeichnen sich durch eine Störung von Gleichgewicht und Koordination aus, dabei sind Muskelkraft und Sensibilität weiter intakt (Wolf 2019). Wichtige klinische Zeichen einer zerebellären Ataxie sind Gleichgewichtsstörungen beim Einbeinstand sowie beim Seiltänzergang, Intentionstremor und Dysmetrie beim Finger-Nase-Versuch, eine gestörte Diadochokinese und sakkadische Folgebewegungen der Augen, zudem kann die Koordinationsstörung nicht visuell kompensiert werden. (Michaelis & Niemann 1999).

Für die hereditären spinozerebellären Ataxien (SCA) ist eine langsam progrediente Ataxie das Leitsymptom. Ursächlich sind meist autosomal-rezessiv vererbte Genveränderungen. Die Friedreich-Ataxie (FRDA) ist mit einer Prävalenz von 3:100.000 die häufigste Heredoataxie im Kindesalter (Wolf 2019). Die Erkrankung beginnt zwischen fünf und 16 Jahren und sie verläuft langsam progredient. Charakteristisch ist das gemeinsame Auftreten von Hinterstrangdegeneration, einer zunehmenden Stand- und Gangataxie sowie dem typischen Hohlfuß (auch Friedreich-Füße genannt) und einer im Verlauf entstehenden Skoliose. Außerdem zeigen sich extrazerebrale Symptome, vor allem die Kardiomyopathie, die bei der Hälfte der Patient*innen die Todesursache darstellt. Ursächlich liegt der FRDA eine rezessive Mutation des Gens FXN auf Chromosom 9 zugrunde (Wolf 2019).

13.1 Vorgeschichte

Emma ist sieben Jahre alt und lebt zusammen mit ihren zwei gesunden älteren Geschwistern bei ihren Eltern. Sie besucht im zweiten Schulbesuchsjahr das konduktive Förderzentrum der Phoenix-Schulen (zur konduktiven Förderung ➤ Fall 9 Zerebralparese GMFCS II). Sie ist ein hilfsbereites und fröhliches Mädchen, das sich aktiv am Unterricht beteiligt und bei ihren Mitschülern beliebt ist.

Das Mädchen kam per Kaiserschnitt zur Welt, wobei die Routineuntersuchungen keine Auffälligkeiten zeigte. Im Kleinkindalter fielen den Eltern eine verlangsamte motorische Entwicklung und eine Bewegungsarmut des Mädchens auf. Emmas Kinderarzt stellte eine starke Hypotonie und Areflexie der unteren und oberen Extremitäten fest, er verwies sie zur weiteren Abklärung an eine sozialpädiatrische Ambulanz. Dort wurden ataktische Bewegungsmuster in der Willkürmotorik festgestellt.

Emma zu Hause große Hilfestellung erfährt, auch bei Tätigkeiten, die sie an sich allein bewältigen kann z. B. beim An- und Ausziehen der Orthesen oder bei kleineren freien Transfers.

Funktions- und Strukturebene

Für die Verlaufsdokumentation einer Ataxie stehen verschiedene Assessments zur Verfügung (➤ Tab. 13.1).

Tab. 13.1 Mögliche Assessments zur Verlaufsdokumentation

Assessment	Wert
Muskelfunktionstest (MFT)	• Hüftbeuger: rechts 3 – links 4 • Hüftextensoren: rechts 3 – links 3 • Hüftabduktoren: rechts 3 – links 3 • Ischiokrurale Muskulatur: rechts 4 – links 3 • M. quadriceps femoris: rechts 4 – links 4 • M. triceps surae: rechts 3–4 – links 3–4 • M. tibilialis anterior: rechts 3–4 – links 3–4 Fazit: Im statischen/isoliertem Test der Muskelkraft sind keine erheblichen reduzierten Kraftwerte in der unteren Extremität festzustellen. Das heißt, die intramuskuläre Koordination ist intakt, nicht jedoch die intermuskuläre Koordination, welche für komplexe Bewegungen essenziell ist.
Timed up and go	• Mit Rollator: 13,53 Sekunden • Ohne Rollator: 12,15 Sekunden Fazit: Wie in ➤ Tab. 13.2 dargestellt, ist Emmas Ganggeschwindigkeit zügig, ohne Hilfsmittel kann sie diese nicht anpassen.
Scale for the Assessment and Rating of Ataxia (SARA)	Gesamtwert 17 (➤ Klinischer Hintergrund)
Unterberger-Tretversuch	Die Durchführung ist aufgrund Emmas eingeschränkter Fähigkeit, den Stand aufrecht zu erhalten, nicht möglich.
Romberg-Stehversuch	Positiv. Schließt Emma die Augen, nehmen die Ausgleichsbewegungen der Arme zu und sie verliert das Gleichgewicht innerhalb kürzester Zeit. Fazit: Ist der Test positiv, liegt nicht nur eine zentrale Störung, sondern auch eine sensible Störung der Bewegungskoordination vor, die jedoch durch eine optische Kontrolle der Bewegung etwas, aber nicht vollständig kompensiert werden kann.
Rebound-Phänomen	Beidseits im Seitenvergleich positiv. Fazit: gestörte Koordination zwischen Agonisten und Antagonisten bei homolateraler Kleinhirnschädigung
Test der Tiefensensibilität	Emma hat Schwierigkeiten, die eingestellten Gelenkstellungen an der anderen Körperseite nachzuahmen, es kommt zu deutlichen Abweichungen. Bei der Abduktion im Glenohumeralgelenk zeigt sich eine Abweichung um 40° zur anderen Seite. Bei der Einstellung des Kniegelenks in Flexion weicht die andere Seite um 30° ab. Fazit: Eine Einschränkung der Tiefensensibilität deutet auf eine sensible Ataxie hin, da hier die Weiterleitung und nicht die Verarbeitung im Kleinhirn betroffen ist (Masuhr et al. 2013). Eine gestörte Propriozeption führt bei den Betroffenen zu Gangunsicherheiten, da die Patient*innen kein oder nur ein fehlerhaftes Feedback über die Körperstellung und die Position der Extremitäten erhalten (Götz-Neumann 2016).
Test der Oberflächensensibilität (spitz-stumpf)	Emma zeigt eine eingeschränkte Sensibilität an den distalen Extremitäten. An den Unterarmen und Händen sowie Unterschenkeln und Füßen ist es ihr nicht möglich, spitze und stumpfe Reize konsequent zu unterscheiden. Fazit: Die eingeschränkte Sensibilität spricht für eine sensible Ataxie (Masuhr et al. 2013).

KLINISCHER HINTERGRUND

Scale for the Assessment and Rating of Ataxia (SARA)

Zur Beurteilung der Ataxie eignet sich die Scale for the Assessment and Rating of Ataxia (SARA), da sie mit nur acht Items schnell durchzuführen ist und eine gute Möglichkeit der Verlaufsdokumentation über die Schwere der Ataxie darstellt.

Untersucht werden, Stand, Gang, Sitz, Sprache, Finger-Nase- und Finger-Finger Test, schnelle alternierende Handbewegungen und der Knie-Hacke-Test. Die Beurteilung reicht von 0 Punkten (= normal, keine Auffälligkeiten) bis maximal 8 Punkte (Gang), 6 Punkte (Stand und Sprache) und 4 Punkte (für die restlichen Beurteilungspunkte). Die Elemente der Extremitätenkoordination werden separat für linke und rechte Seite untersucht und bewertet. Der Durchschnittswert von beiden Seiten ist im Gesamtscore enthalten. Dieser reicht von 0 Punkten (= keine Ataxie) bis 40 Punkte (= maximale Ataxie oder Durchführung nicht möglich) (Schmitz-Hübsch et al. 2006; Schmitz-Hübsch 2010).

Das Assessment eignet sich zur Verlaufsdokumentation bei der Therapie oder auch bei progredienten Verläufen einer Ataxie. Es gibt keine Einteilung nach Schweregrad.

Muskelfunktionstest (MFT)

Die Testung der Muskelkraft findet in sehr vielen Bereichen der Physiotherapie Anwendung. Auch in der Arbeit mit Kindern ist die Beurteilung der Kraft wichtig, um Kraftdefizite festzustellen. Wichtig ist hierbei die genaue und kindgerechte Anleitung.

Aktivitätsebene

Um sich ein Bild von Emmas motorischen Fähigkeiten zu machen, ist die Bewegungsbeobachtung ein wichtiges Mittel. Die Beurteilung der verschiedenen Positionen und Bewegungsübergänge ist in ➤ Tab. 13.2 dargestellt.

Tab. 13.2 Bewegungsübergänge

Position und Positionswechsel	Beurteilung Emma
Sitz	Emma kann frei sitzen, wenn sie mit den Füßen Bodenkontakt hat. Es zeigt sich eine dezente Rumpfataxie, wenn die Füße frei hängen, jedoch kann sie ihr Gleichgewicht im Sitz jederzeit aufrechterhalten.
Stand	Emma kann nur für wenige Sekunden (ca. 5 Sekunden) frei stehen, ehe sie das Gleichgewicht verliert und mehrere Ausfallschritte nach vorne macht, um nicht zu fallen. Fazit: Emmas Ausgleichsstrategie ist die Schrittstrategie. Es ist anzunehmen, dass ihr die Sprunggelenks- und Hüftstrategien schwerfallen. Nach Horak et al. (1990) spielen bei diesen Strategien kutane und gelenksomatosensorischen Informationen eine wichtige Rolle, um sicherzustellen, dass die Form der Haltungsanpassung für biomechanische Veränderungen der Oberfläche und des Fußes geeignet ist. Somit muss sich im weiteren Verlauf eine Testung der Sensibilität und der Propriozeption bei Emma anschließen.
Gang	Emma ist in ihrem Alltag mit einem Anterior-Rollator mobil. Sie schafft es, in der Pausenzeit von 50 Minuten im Pausenhof mobil zu sein, dabei legt sie immer wieder kurze Pausen ein, wobei sie sich auf ihren Rollator setzt. Kurze Strecken von ca. sieben Metern kann sie frei zurücklegen, dabei ist ihr Gang sehr variabel mit einer breiten Spurbreite und rudernden Armbewegungen. Um nicht zu fallen, stützt sie sich an Gegenständen in der Nähe ab. Die Ganggeschwindigkeit ist zügig und Emma kann diese nicht variieren.
Transfer Sitz–Stand	Der freie Transfer gelingt Emma nur mit verbaler Anleitung, dabei stützt sie sich mit ihren Händen auf den Oberschenkeln ab. Erreicht sie den Stand, macht sie sofort einen Ausfallschritt nach vorne. Fazit: Die Antagonistenhemmung fehlt (vgl. auch Befund des Rebound-Phänomens, ➤ Tab. 13.1)
Transfer Boden–Stand	Um vom Boden in den Stand zu gelangen, benötigt Emma die Hilfe einer Person, oder sie zieht sich an Gegenständen nach oben. Ein freier Transfer ist nicht möglich, sie verliert hierbei das Gleichgewicht nach hinten.
Treppe	Emma steigt die Treppe seitlich im Nachstellschritt mit dem rechten Bein voran nach oben und mit dem linken Bein zuerst nach unten. Dabei zieht sie sich mit beiden Armen am Geländer nach oben.
Fall- und Stützreaktionen	Wenn Emma mit ihrem Rollator unterwegs ist, stürzt sie immer wieder bei zunehmender Geschwindigkeit meist nach hinten und landet auf dem Po. Beim Freilaufen fällt Emma meist nach vorne und stützt sich dabei mit ihren beiden Händen auf.

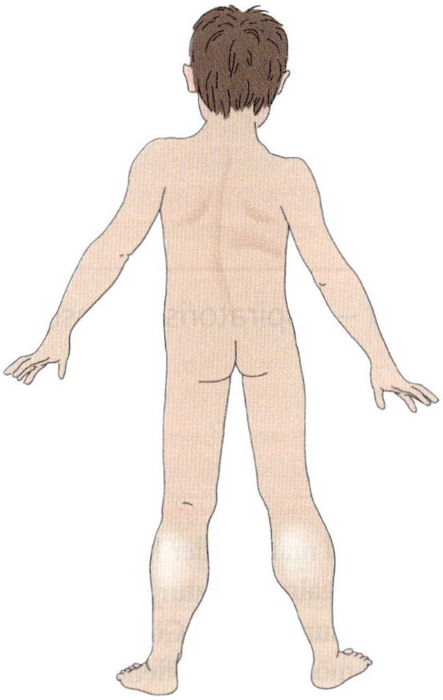

Abb. 14.1 Gnomenwaden [L190]

14.2 Untersuchungsbefunde

14.2.1 Medizinische Befunde

Markus' Mutter stellte ihn mit drei Jahren beim Kinderarzt aufgrund der veränderten Gangart und des häufigeren Fallens vor. Nach einem Anamnesegespräch und einer Beurteilung des Gangbilds wurden weitere medizinische Tests veranlasst (➤ Tab. 14.1). Nach der Auswertung der Tests wurde die Diagnose DMD bestätigt.

Markus wird seitdem regelmäßig in einem sozialpädiatrischen Zentrum (SPZ) vorstellig. Dabei wird sein Allgemeinzustand ausgewertet, außerdem wird er kardiologisch, pulmologisch und orthopädisch untersucht (➤ Tab. 14.2) und es werden laborchemische Untersuchungen durchgeführt.

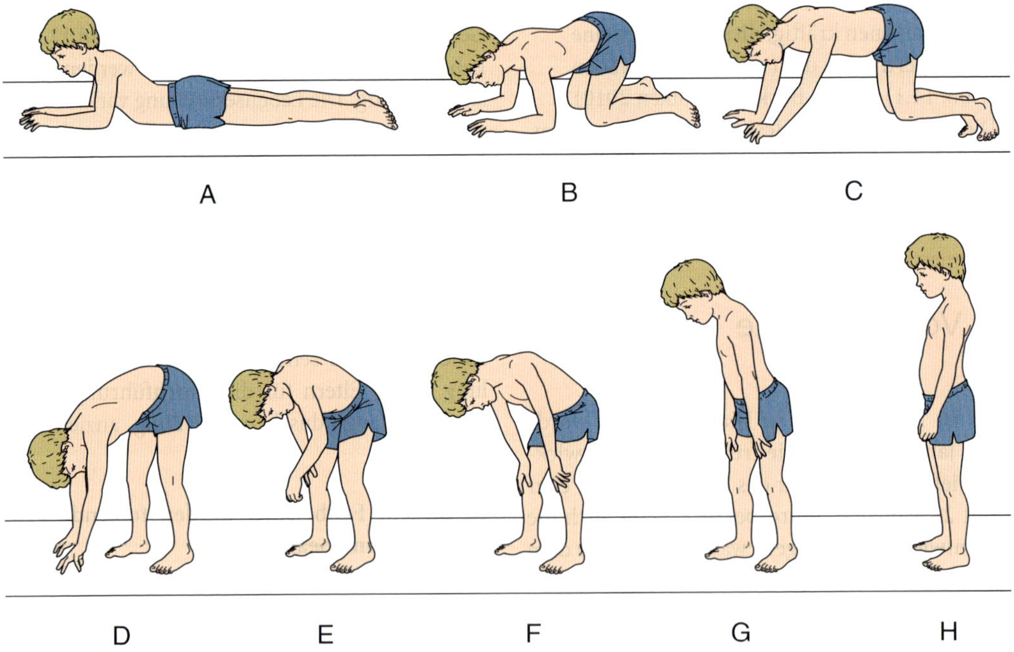

Abb. 14.2 Das Gowers-Manöver beschreibt die typische Art, wie sich Patienten mit Muskeldystrophie von der Bauchlage zum Stand aufrichten. Sie gehen dabei vom Vierfüßlerstand in den Bärenstand und wandern mit den Händen an den Beinen nach oben, um sich aufzurichten. [G550–003]

Tab. 14.1 Ärztliche Diagnostik zur Bestimmung der Duchenne-Muskeldystrophie (DMD)

Untersuchung	Verfahren	Beschreibung
Laboruntersuchung	Untersucht wird der CK-Wert (Kreatinkinase).	• Stark überhöhter Wert > 1.000 U/l
Elektromyografische-Untersuchung (EMG)	Neurologische Untersuchung, bei der die elektrische Aktivität der Muskeln gemessen wird. So kann festgestellt werden, ob eine Erkrankung der Muskulatur oder der Nerven vorliegt.	• Verminderte Amplitude und Verkürzung der Einzelaktionspotenziale • Amplitudenverminderung des Interferenzmusters • Erhöhte Spontanaktivität
Molekulargenetische Untersuchung	Nötig zur Diagnosesicherung und Abgrenzung anderer Erkrankungen	• Qualitative und quantitative Analyse des Dystrophin • Bei DMD-Patienten keine oder wenig Dystrophin-Gene vorhanden (< 5 % des normalen Dystrophin-Levels)
Muskelbiopsie (selten durchgeführt) des M. quadriceps femoris oder M. gastrocnemius	Es wird eine Muskelprobe entnommen, um Membranproteine darstellen zu können.	• Kaliberschwankungen der Faserdurchmesser entsprechend hypertrophischen und atrophischen Fasern • Hyperreaktive Fasern mit positiver Kalziumreaktion, Kernveränderungen, Fibrose bzw. Fettinfiltration um nekrotische Fasern, phagozytierende Zellen • Regenerative Veränderungen

Tab. 14.2 Ärztliche Untersuchungen zur Verlaufskontrolle (SPZ)

Untersuchung	Verfahren	Beschreibung
Untersuchung des Allgemeinzustands (AZ)	Während der Anamnese wird der AZ abgefragt. • Liegen Schmerzen vor? • Gibt es Probleme im Alltag? • Momentane Größe und Gewicht? (Häufig ein Problem von mangelnder Nährstoffaufnahme → Sind Nahrungsergänzungsmittel notwendig?)	• Es liegen keine Schmerzen vor, nur die Orthesen sind teilweise unangenehm nach langer Tragezeit (> 5 h). • Gewicht im unteren Bereich, es wird eine hochkalorische Diät empfohlen.
Pulmologische Untersuchung	Untersucht werden die Lungenfunktion und das momentane Lungenvolumen durch die Einsekundenkapazität (FEV_1).	• Liegt bei Markus leicht unter dem Normwert für sein Alter.
Kardiologische Untersuchung	Bei DMD kann es zu Kardiomyopathien kommen, die medikamentös eingestellt werden müssen.	• Bei Markus liegen Herzrhythmusstörungen vor. Diese wurden medikamentös eingestellt.
Orthopädische Untersuchung	Bei der orthopädischen Untersuchung werden die Gelenkbeweglichkeit und die Muskelfunktion getestet und es werden mögliche Operationsverfahren besprochen. Dazu zählen z. B. operative Stabilisierungen der Wirbelsäule, Korrektur auftretender Kontrakturen). DMD-Patienten haben ein stark erhöhtes Osteoporoserisiko, eine Knochendichtemessung ist hier ebenfalls indiziert.	• Verlaufskontrolle der Kontrakturen und Skoliose • Markus Eltern möchten im Moment keine Operationen an ihm durchführen lassen.
Radiologische Untersuchung	Es werden regelmäßige röntgenologische Untersuchungen durchgeführt, um eine Veränderung des Skelettsystems und der Knochendichte zu kontrollieren.	• Neurogene Skoliose

SPZ = sozialpädiatrisches Zentrum

Ärztliche Untersuchung

Medikation: Bisher gibt es keine ursächlichen Therapien für DMD, es wird symptomatisch behandelt. Häufig werden niedrig dosierte Glukokortikoide verabreicht. Aufgrund der auftretenden Kardiomyopathien werden ACE-Hemmer oder β-Blocker verabreicht. Gegen das erhöhte Osteoporoserisiko erhält Markus zusätzlich Vitamin D und Kalzium.

Markus hat an klinischen Studien zu Gentherapien und Exon-Skipping teilgenommen und wurde in den letzten Jahren mit diversen Medikamenten behandelt.

14.2.2 Physiotherapeutische Anamnese

Markus wird seit seinem dritten Lebensjahr physiotherapeutisch betreut. Je nach Zustand bekommt er 1–3× wöchentlich 45 Minuten Physiotherapie. Zeitweise bekommt er zusätzlich Ergotherapie und Logopädie. Momentan hat er zweimal pro Woche Physiotherapie und Ergotherapie. Bei der Ergotherapie werden Strategien für die Schule und die Nahrungsaufnahme erarbeitet.

Zu Beginn der Physiotherapie in der Frühphase der Erkrankung war das Ziel eine Förderung der motorischen Entwicklung, ein aktives Bewegen der Gelenke über das ganze Bewegungsausmaß und Freude an Bewegung.

Markus befindet sich gerade im Übergang von der Stehfähigkeit mit Hilfsperson zur kompletten Rollstuhlpflichtigkeit (frühe nicht gehfähige Phase der DMD, vgl. ➤ Tab. 14.3). Bis vor vier Monaten konnte er mit leichter Hilfe noch selbst aufstehen und mit einer Hilfsperson ein paar Schritte gehen. Inzwischen kann er zwar noch mit einer Hilfsperson für kurze Zeit stehen, Gehen ist aber auch mit Hilfe nicht mehr wirklich möglich.

Tab. 14.3 Stadien der Duchenne-Muskeldystrophie (DMD)

Phase	Klinisches Bild	Therapie
Präsymptomatische Phase	• Meist noch nicht diagnostiziert • Häufig keine spezifischen klinischen Zeichen • Manchmal verzögerter Beginn des Laufens • Teilweise verzögerter Sprachbeginn	Nicht erforderlich
Frühe gehfähige Phase (ca. 3 Jahre)	• Beginn erster Symptome • Trendelenburg-Zeichen • Hüpfen erschwert • Einbeinstand erschwert • Rennen erschwert • Fersengang deutlich erschwert	• Motorische Entwicklung fördern • Aktives Bewegen der Gelenke über das volle Bewegungsausmaß (aktives Dehnen) • Gehfähigkeit fördern
Späte gehfähige Phase (ca. 4–10 Jahre)	• Gehstrecke deutlich reduziert • Schnelles Ermüden • Treppensteigen nur mit Hilfe/Handlauf möglich • Teilweise Rollstuhl (manuell) für lange Strecken	• Hilfsmittelversorgung (Orthesen, Nachtlagerungsschiene, Stehbrett/Stehständer) • Handling manueller Rollstuhl
Frühe nicht gehfähige Phase (ca. 8–14 Jahre)	• Verlust der Gehfähigkeit • Rollstuhlpflichtigkeit (manueller Rollstuhl) • Antreiben des Rollstuhls meist noch möglich • Stabile Sitzhaltung kann eingenommen werden • Eingeschränktes Bewegungsausmaß der Gelenke • Beginn von Skoliosen	• Bewegungsübergänge üben • ADL-spezifisches Training • Rollstuhlhandling • Hilfsmittelversorgung • Vertikalisierung/Stehfähigkeit erhalten (Stehständer/Stehbrett) • Atemtherapie • Prophylaxen (Kontrakturen!)
Späte nicht gehfähige Phase (ab ca. 14 Jahren)	• Bewegungsfähigkeit stark eingeschränkt • Notwendigkeit eines elektrischen Rollstuhls • Verschlechterung der respiratorischen und/oder kardiologischen Parameter • Sekundäre Beschwerden	• Eigenständigkeit durch Hilfsmittelversorgung erhalten/erreichen • Prophylaxen • Atemunterstützung

ADL = Activities of daily living

Markus fällt inzwischen immer häufiger auf, was er alles nicht mehr kann und wobei er Hilfe benötigt. Das ist für ihn sehr schwer zu ertragen, da er gerne alles möglichst eigenständig macht. Vor einigen Wochen ist Markus beim Transfer vom Bett in den Rollstuhl gestürzt und konnte nicht mehr allein aufstehen, seitdem hat er große Angst, wieder zu fallen.

Seine Kopf- und Rumpfkontrolle haben nachgelassen und er bekommt vom langem Sitzen Schmerzen an den Rippen und Beckenknochen. Für dieses Problem wurde ihm eine Rumpforthese angepasst, damit kann er ca. vier Stunden schmerzfrei sitzen.

Auch für die Eltern ist die Situation gerade sehr schwierig. Sie sind zunehmend überfordert, wissen nicht, wie viel Hilfestellung sie Markus im Alltag geben sollen, und können sich nur sehr schwer damit abfinden, dass sich sein Zustand verschlechtert und er immer mehr Hilfe im Alltag benötigen wird.

PRAKTISCHER TIPP

Hilfsangebote

Ein gutes Familienleben mit einem Kind, das an einer progredienten Erkrankung leidet, stellt eine große Herausforderung dar. Umso wichtiger ist es, dass diese Familien alle Hilfsmöglichkeiten und Angebote kennen und diese auch nutzen (z. B. Hilfe bei der Pflege, Schulbegleitung, medizinische Betreuung). Auch eine **psychologische Betreuung** der Familien hat sich als sehr hilfreich herausgestellt, als Hilfestellung für den Umgang mit den Herausforderungen der Erkrankung.

Hilfsmittel: Markus hat im Moment folgende Hilfsmittel im Gebrauch: manueller Rollstuhl mit angepasster Sitzschale, Rumpforthese, Unterschenkelorthesen, Nachtlagerungsschienen, angepasster Schreibtischstuhl, Stehbrett, angepasster Autositz, Gravity Chair, Badewannenliege, erhöhter Toilettensitz, Fahrradsitzergometer mit elektrischer Unterstützung.

Beantragte/geplante Hilfsmittel: Elektrischer Rollstuhl (idealerweise mit Stehfunktion), angepasster Laptop, Schulbegleitung.

14.2.3 Evaluation des Gesundheitszustands nach ICF

Umwelt- und personenbezogene Faktoren

Markus wohnt mit seinen Eltern und einer gesunden neunjährigen Schwester im zweiten Stock eines Mehrfamilienhauses mit Aufzug. Er geht in die 7. Klasse des Gymnasiums in einer Schule für Kinder- und Jugendliche mit körperlichen Einschränkungen. Er geht sehr gerne in die Schule und schreibt gute Noten. In seiner Freizeit spielt Markus gerne Computerspiele und liest viel. Außerdem ist er viel bei seiner Oma, mit der er gerne malt.

Seine Eltern sind beide berufstätig und oft überfordert mit dem hohen Pflegeaufwand und den vielen Therapieterminen von Markus. Die Großeltern, die mit im Haus leben, helfen oft mit und sind für Markus wichtige Bezugspersonen, sie fühlen sich aber zunehmend weniger dazu in der Lage, bei pflegerischen Tätigkeiten zu helfen. Zuhause kommt es häufig zu großen Spannungen, da Markus' Schwester sich oft vernachlässigt fühlt und mehr Zeit mit ihren Eltern verbringen möchte.

Die Eltern nehmen Markus viel ab, Transfers und kleine Aufgaben (z. B. das Einräumen der Schultasche) werden übernommen, um Zeit zu sparen.

Körperfunktions- und Strukturebene

Körperliche Untersuchung

Inspektion im Sitz:

- Allgemeiner Eindruck
  - Sehr schmaler Körperbau
  - Geringe Muskelspannung im Rumpf, hohe Muskelspannung in den Extremitäten
- Thorax
  - Der Brustkorb zeigt eine Veränderung Richtung Fassthorax (Inspirationsstellung)
- Wirbelsäule
  - Es zeigt sich eine beginnende neuromuskuläre Skoliose mit einer rechtsthorakalen Abweichung
  - Vermehrte LWS-Lordose

- Schultergürtel
  - Protrahierte Schultern, viel Einsatz der Atemhilfsmuskulatur
- Arme
  - Henkelstellung der Arme
  - Kontrakturen der Ellbogen 0/80/120
- Hände
  - Schmale Hände und Finger
- Beinachse (ohne Orthesen):
  - Hüften sind in Außenrotationsstellung, re. < li. → breite Basis, um Rumpf kontrollieren zu können
  - Knie sind nach außen gekippt
  - Pseudohypertrophie der Wadenmuskulatur *(Gnomenwaden)*
  - Füße in Plantarflexion/Inversion und Innenrotation eingestellt
- Füße
  - Spitzfußstellung
  - Inversion

Funktionsprüfung: Bestimmung der Gelenkbeweglichkeit mit Goniometer nach Neutral-Null-Methode (➤ Tab. 14.4).

Aktivitäts- und Partizipationsebene (Teilhabe)

Aktive Arm- und Beinbewegung im Sitz

Durchgeführt auf angepasstem Schreibtischstuhl mit Fußbrett:

- Aktive Kniestreckung links: –15° Extension, 9 Wdh.
- Aktive Kniestreckung rechts: –10° Extension, 12 Wdh.
- Linke Hand zur Stirn führen: 8 Wdh., hilft dann mit rechter Hand am Ellbogen nach
- Rechte Hand zur Stirn führen: 12 Wdh., hilft dann mit linker Hand am Ellbogen nach

Activities of Daily Living (ADL)

Drehen im Bett: Markus dreht auf beide Seiten, indem er die Beine anstellt und dann en bloc dreht. Der Kopf wird erst am Ende der Bewegung über eine Extension und Rotation der Halswirbelsäule (HWS) mitgenommen. Dabei klagt er teilweise über ein ziehendes Gefühl in der HWS.
Aufsetzen: Um sich im Bett aufzusetzen, stellt Markus das Kopfteil seines Betts nach oben. Dann bringt er die Beine in einen Ringsitz. Durch die breite Basis fällt es ihm leichter, längere Zeit zu sitzen. Um die Position zu wechseln, bewegt er sich im Ringsitz durch kreisförmige Gewichtsverlagerungen und kann so seine Position verändern und z. B. an die Bettkante rutschen.
Aufstehen: Aufgrund der Angst zu stürzen steht Markus im Moment nur mit einer Hilfsperson auf. Er benötigt dabei Unterstützung am Becken beziehungsweise bei der Hüftstreckung. Er kann knapp acht Sekunden mit einer Hilfsperson stehen, dann muss er sich wieder setzen.

Tab. 14.4 Gelenkbeweglichkeit passives Bewegungsausmaß nach Neutral-Null-Methode

Gelenk		links	rechts
Hüfte	Extension/Flexion	0/–5°/100°	0/–10°/100°
	Abduktion/Adduktion	30°/0/20°	30°/0/20°
	Innenrotation/Außenrotation	20°/0°/45°	20°/0°/45°
Knie	Flexion/Extension	0/-5°/120°	0/-10°/120°
Oberes Sprunggelenk	Plantarflexion/ Dorsalextension	40°/–15°/0	35°/–15°/0
Unteres Sprunggelenk	Pronation/Supination	Inversion, keine komplette Nullstellung möglich	Inversion, keine komplette Nullstellung möglich
Ellbogen	Extension/Flexion	0/60°/130°	0/60°/130°
	Pronation/Supination	70°/0/70°	60°/0/80°

Das Endgefühl ist fest-elastisch. Beim Testen immer vorsichtig zum Endgefühl gehen und die Schmerzgrenze respektieren, um keine Gewebeschäden zu verursachen.

Assessments

Neben den standardisierten Assessments, wie 6-Minuten-Gehtest, Timed up and go, 10-Meter-Gehtest, North Star Ambulatory Assessment Worksheet, etc., eignen sich auch einfache Verlaufskontrollen, die eine relevante Aktivität darstellen. Dazu zählen z. B.:

- Wie viel Zeit wird benötigt, um aus der Rückenlage am Boden Position zum Stehen zu kommen *(rising up time)?*
- Wie oft ist es innerhalb von einer Minute möglich, vom Stuhl aufzustehen und sich wieder hinzusetzten *(sit to stand)?*
- Wie oft kann ein Ball über eine Schnur von 1,5 m Höhe befördert werden?
- Wie schnell komme ich von der Rückenlage im Bett zum Sitz an die Bettkante?

Für die Verlaufskontrolle wurden drei Aktivitäten ausgewählt:

- In einer Minute zurückgelegte Strecke mit manuellem Rollstuhl → 20 Meter
- Dauer des Stehens mit einer Hilfsperson (Unterstützung am Becken) → 8 Sekunden
- Wiederholungen beim Bridging innerhalb einer Minute → 13 Wiederholungen

14.3 Zusammenfassung der wichtigsten Befunde

Körperfunktion: Steh- und Gehfähigkeit stark reduziert, vermehrte Probleme bei eigenständigen Positionswechseln (Drehen im Bett, eigenständiges Aufsetzen etc.)
Körperstruktur: Reduzierte Range of Motion (ROM) der Ellbogen, Hüft-, Knie- und Sprunggelenke. Verminderte Muskelkraft und Ausdauer.
Yellow Flags: Angst zu fallen, Verarbeitung des Voranschreitens der Erkrankung. Stress der Eltern, wenig Zeit für Markus' Schwester und Spannungen im Familienalltag.
Red Flags: Zu hohe Muskelanstrengen, Dehnen über Schmerzgrenze, erhöhte Frakturneigung!

14.4 Physiotherapeutische Zielsetzung

Mittelfristig:

- Weitestmöglicher Erhalt der Stehfähigkeit
- Erhalt der Gelenkbeweglichkeit
- Erlernen von effizienteren Bewegungsübergängen und Transfermöglichkeiten
- Elternanleitung zur Unterstützung der Transfers

Langfristig:

- Größtmögliche Eigenständigkeit erhalten durch angepasste Hilfsmittel und Bewegungsstrategien
- Erhalt einer guten Lungenfunktion

Physiotherapeutische Ziele:

- Üben von Bewegungsübergängen/ADL-Training
- Kontrakturprophylaxe
- Verzögerung des Muskelabbaus
- Rollstuhltraining → effizienter und sicherer Umgang mit dem manuellen Rollstuhl
- Erhalt der kardiovaskulären Leistungsfähigkeit
- Atemtherapie zur Pneumonieprophylaxe und Erhalt der Lungenfunktion

14.5 Physiotherapeutische Maßnahmen/Therapieplan

ADL-spezifisches Üben

ADL werden regelmäßig geübt, um diese effizient und kraftsparend zu gestalten.

Da Markus Angst hat, beim Transfer zu stürzen, werden verschiedene **Transfermöglichkeiten** mit den Eltern/Hilfspersonen erarbeitet:

- Transfer über den Stand mit einer Hilfsperson
- Transfer mit Rutschbrett und einer Hilfsperson
- Kinästhetischer Schoßtransfer

Aufstehen und Hinsetzen wird aus erhöhtem Sitz und mit Abstützen auf der Therapieliege/am Schreibtisch etc. sowie mit Unterstützung einer Hilfsperson (Hilfestellung an Ellbogen/Becken, Knien) geübt.

Kontrakturprophylaxe

Kontrakturen können bei DMD nicht verhindert werden. Ziel ist es, die Gelenkbeweglichkeit und physiologische Stellung so lange wie möglich zu erhalten. Solange es möglich ist, werden aktive Dehnübungen angeleitet (z. B. für Spitzfußprophylaxe). Die Eltern müssen ebenfalls mit den Dehnübungen vertraut sein, um diese korrekt ausführen zu können. Hier sind auch Nachtlagerungsschienen eine sinnvolle Ergänzung.

- Aktives, dynamisches Dehnen:
  - Fuß über einen Fußball vor und zurück rollen
  - Im Sitz auf Erdnussball/Gymnastikball Gewichtsverlagerung auf die Fersen und Zehen
- Passives, statisches Dehnen: Elternanleitung zum passiven Dehnen im Sitzen und Liegen

⚠ VORSICHT

Durch Gewebetraumatisierungen entstehen Mikrofaserrisse im Gewebe und forcieren den Umbau des Bindegewebes. Diese müssen unbedingt verhindert werden. Deshalb muss die Schmerzgrenze beim (passiven) Dehnen immer respektiert werden!

Rumpfkräftigung/Übungen zur Stabilisation

Eine gute Rumpfstabilität ist wichtig für alle Bewegungen der Extremitäten und Voraussetzung für die Kopfkontrolle.

Zur Erarbeitung der Rumpfkontrolle eignet sich z. B. die **Bobath-Therapie** auf einem mobilen Medium wie dem großen Therapieball oder dem Erdnussball. Durch die minimalen Veränderungen der Unterstützungsfläche wird die Rumpfmuskulatur angesteuert und trainiert und Bewegungen werden spielerisch erarbeitet.

Eine weitere Therapiemöglichkeit stellt **propriozeptive neuromuskuläre Fazilitation (PNF)** dar. Dynamisches Üben scheint wirkungsvoller, vor allem im Hinblick auf den ROM der Gelenke, der Widerstand sollte hier als Führungswiderstand dienen. Es entsteht ein intra- und intermuskulärer Trainingseffekt auf die Muskulatur.

Weitere Übungen zur Rumpfkontrolle:

- Luftballon zuwerfen, je nach Schwierigkeitsgrad mit Handwechsel oder über ein gespanntes Seil etc.
- An einer Sprossenwand mit Haken auf verschiedenen Höhen Ringe abwechselnd mit der linken und rechten Hand über die Körpermittellinie an den Haken anbringen
- Wurf- und Fangspiele mit Bällen, Sandsäckchen, Luftballon
- Trommeln auf einem Pezziball mit wechselndem Rhythmus
- Hüpfen auf Gymnastikball/Erdnussball
- Stützübungen auf einem Ball, über den Erdnussball in verschiedenen Varianten (Unterarmstütz, Handstütz, seitliches Stützen etc.)

Atemtherapie

Um eine gute Lungenfunktion zu erhalten, wird schon früh atemtherapeutisch geübt. Wichtig sind hier atemvertiefende Maßnahmen, kraftsparender und effizienter Sekrettransport sowie Hustentechniken und Zwerchfellaktivierung.

Übungsmöglichkeiten:

- Atmen mit Phonationstechniken wie z. B. Summen
- Dosierte Lippenbremse
- Kontaktatmung/Atemlenkung mit Gewebemobilisierung (Packegriffe etc.) in Rücken-, Seit- und Bauchlage
- Wattebäusche über eine Ziellinie auf der Tischplatte pusten
- Seifenblasen machen
- Weitere Übungen ➤ Fall 16

Verbesserung/Erhalt der kardiovaskulären Leistungsfähigkeit

Mit dem Rückgang der Bewegungsfähigkeit baut auch zunehmend die kardiovaskuläre Ausdauer ab. Auch dieser Prozess soll hinausgezögert werden. Dabei ist es wichtig, die Ausdauer zu trainieren, ohne die Skelett- und Herzmuskulatur zu sehr zu beanspruchen.

Wassergymnastik eignet sich z. B. sehr gut (Wassertemperatur beachten! Nicht unter 32 °C, um ein Auskühlen zu vermeiden), ebenso wie ein Fahrrad-/Sitzergometer mit Unterstützungsantrieb für zuhause.

Es ist wichtig zu wissen, dass viele DMD-Patienten an Kardiomyopathien leiden. Dies muss beim Training beachtet werden. Die Patienten sollten dazu animiert werden, Pausen eigenständig zu wählen, um sich nicht zu überlasten.

Rollstuhltraining

Um längere Strecken mit dem manuellen Rollstuhl bewältigen zu können, ist ein effizienter und sicherer Umgang mit dem Rollstuhl entscheidend. Der Rollstuhl und die Radgröße müssen auf die Größe des Patienten angepasst sein. Wichtig ist auch eine angepasste Sitzschale, um die Wirbelsäule zu entlasten. Da viele DMD-Patienten taktil überempfindlich sind, bieten sich Handschuhe zum Fahren an.

- Effizientes, kraftsparendes Antreiben des Rollstuhls. Greifen auf Trochanterhöhe → Schub nach vorne geben
- Sicheres Greifen der Räder ohne Verletzungsgefahr
- Abbremsen des Rollstuhls (keine Vollbremsung! Verletzungsgefahr der Hände, schlechte Kontrolle des Rumpfes)
- Umfahren von Gegenständen
- Gewichtsverlagerung beim Bergauf- und Bergabfahren
- Anleiten von Hilfspersonen, z. B. um einen Bordstein zu überqueren (wie erkläre ich Fremden, wie sie mir am besten helfen können?)
  → Aufbauen eines kleinen Parcours, nachdem Grundfahrarten geübt wurden.

⚠ VORSICHT

DMD-Patienten dürfen in der Therapie nicht überfordert werden! Eine zu starke Belastung führt zu einer Schädigung der Muskulatur. Eine Zwei-Drittel-Belastung scheint optimal und eine Belastung sollte nur bei warmer und gut durchbluteter Muskulatur stattfinden. Starke Muskelschmerzen, die länger als 24 h nach Belastung andauern, sind ein klares Zeichen für Überlastung und mögliche Muskelschädigung → Intensität der Therapie anpassen.
Aufgrund frühzeitig einetzender Osteoporose muss eine erhöhte Frakturneigung beachtet werden!

Hilfsmittel

Die Hilfsmittel werden regelmäßig auf ihre Funktionsfähigkeit überprüft und ggf. von der Orthopädietechnik angepasst.

Momentan hat Markus folgende Hilfsmittel in Gebrauch:

- Manueller Rollstuhl mit angepasster Sitzschale und Kopfteil
- Angepasster Schreibtischstuhl
- Angepasster Autositz
- Stehbrett
- Gravity Chair
- Unterschenkelorthesen
- Nachtlagerungsschienen
- → Unterstützung in der Schule/Schreibhilfe, Aufnahmegerät, angepasster Laptop, etc.

PRAKTISCHER TIPP

Eine gute Hilfsmittelversorgung ist für Patienten mit DMD essenziell. Ziel der Hilfsmittelversorgung ist das Ermöglichen der größtmöglichen Eigenständigkeit. Des Weiteren sollen so die Steh- und Gehfähigkeit lange erhalten bleiben und Folgeerscheinungen wie Skoliose, Spitzfuß und Kontrakturen hinausgezögert werden.
Da es sich bei DMD um eine progressive Erkrankung handelt, ist es wichtig, bei der Hilfsmittelversorgung immer daran zu denken, welcher Schritt als Nächstes wichtig ist, um die Hilfsmittel rechtzeitig zu beantragen.

Probleme während der Behandlungszeit

Ein Problem während der Behandlungszeit war Markus‘ vorangegangener Sturz. So hatte er sich zwar nicht verletzt, das Erlebnis hat ihm aber einiges an Selbstsicherheit und Vertrauen in seine eigenen Fähigkeiten genommen. Die ersten zwei Wochen danach wollte er auch mit Hilfsperson nicht mehr stehen und hat für alle Bewegungsübergänge eine Hilfsperson/Sicherungsperson verlangt. Die Eltern haben ihn dann oft einfach passiv aufgesetzt oder zum Schreibtischstuhl getragen, da ihnen die Übergänge zu lange dauerten. Das war für Markus aber schwer zu ertragen, da es ihm ein Gefühl der Passivität und des Kontrollverlustes gegeben hat. Es wurde sehr viel an den Bewegungsübergängen gearbeitet. Diese wurden vorher genau miteinander durchgegangen, bevor sie Schritt für Schritt erarbeitet wurden, bis er sich damit wohl gefühlt hat.

WAS WÄRE, WENN …

… Markus sich bei dem Sturz verletzt hätte?

Am häufigsten bei DMD-Patienten sind Frakturen der langen Röhrenknochen.
Wenn eine Fraktur vorliegt, müssen alle umliegenden Gelenke weiterhin möglichst über den gesamt ROM bewegt werden, um sich entwickelnde Kontrakturen zu vermeiden. Gleichzeitig soll, solange ärztlich freigegeben, die restliche Muskulatur schmerzadaptiert weiterbewegt werden, um Atrophien zu vermeiden.

Markus geht inzwischen regelmäßig zu einer Psychologin, die ihm hilft, mit seiner Situation umzugehen. Außerdem sind er und seine Familie Mitglieder bei der DGM (Deutsche Gesellschaft für Muskelkranke e. V.). Hier erhalten sie Beratung und Unterstützung. Außerdem hat Markus hier andere Jungen in seinem Alter mit DMD kennengelernt und will mit diesen im kommenden Sommer eine Ferienfreizeit besuchen.

Elternanleitung

Mit den Eltern wurde vereinbart, dass eine Einheit in der Woche mit den Eltern stattfindet und eine Einheit ohne die Eltern. So können ADL, Dehnungen etc. mit den Eltern beübt und individuelle Probleme und Lösungsmöglichkeiten besprochen werden. Gleichzeitig wird in einer Einheit nur mit Markus gearbeitet, was ihm sehr wichtig ist, da er gerne auch Zeit und Aktivitäten ohne seine Eltern haben möchte.

Außerdem wurde mit den Eltern besprochen, dass es wichtig ist, Markus immer mit einzubeziehen. Auch wenn passive Transfers manchmal schneller gehen, sollen Transfers grundsätzlich aktiv gestalten werden. Dies ist wichtig, um Aktivität zu erhalten, aber auch, um Markus kein Gefühl der Passivität und des Kontrollverlustes zu geben.

Therapieverlauf und -abschluss

Auch wenn es bei DMD nicht zu einer Verbesserung des Zustands kommt, ist es wichtig, den momentanen körperliche Zustand regelmäßig zu erfassen. Nur so können Therapien und Hilfsmittel adäquat an den momentanen Zustand der Patienten angepasst werden. Dabei ist eine große Sensibilität auf Seiten der Physiotherapie gefragt, da vielen Patienten hier deutlich wird, was sie nicht mehr können.

Nach drei Monaten wurden die gewählten Aktivitäten zur Verlaufskontrolle wiederholt.

- In einer Minute zurückgelegte Strecke mit manuellem Rollstuhl → 25 Meter
- Dauer des Stehens mit einer Hilfsperson → 7 Sekunden
- Wiederholungen beim Bridging innerhalb einer Minute → 10 Wiederholungen

Markus hat sich beim Rollstuhlfahren verbessert, da er mit der erlernten Technik kraftsparender fahren kann. Bei den anderen Aktivitäten hat er sich leicht verschlechtert. Ein elektrischer Rollstuhl wurde inzwischen beantragt.

Die Eltern haben mittlerweile Hilfe im Haushalt und bei der Pflege, was den Familienalltag deutlich entspannt hat.

14.6 Evidenzbasierte Zusammenfassung

Da es für DMD keine ursächliche Therapie gibt, wird symptomatisch behandelt. Die Physiotherapie wird dabei als wichtiger Baustein zur Minderung orthopädischer und pulmologischer Probleme gesehen.

Die Evidenz für muskuläres Training wird noch immer kontrovers diskutiert, da ein zu hoher Trainingsreiz der Muskulatur schaden kann. Tierstudien zeigten, dass High-Intensity-Training (HIT), exzentrisches Training und Training mit hohen Gewichten der Muskulatur schaden (Kostek 2019). Um sekundäre Inaktivitätsatrophien durch Nichtgebrauch der Muskeln zu verhindern und Aktivität zu fördern, scheint moderates Training mit niedrigen Gewichten ein wichtiger und sicherer Baustein in der Behandlung von DMD (Jansen et al. 2010; Kostek 2019; Dorfner, Schupp & Jung 2015). Indiziert ist also leichtes Training, um Inaktivitätsatrophien zu vermeiden und das Beüben der Aktivitäten des täglichen Lebens um Bewegungsübergänge so sicher und effizient wie möglich zu gestalten. Dazu gehört auch, das Sturzrisiko zu minimieren, um Frakturen zu verhindern (Case et al. 2018).

Durch die immer bessere medizinische Versorgung der Patienten steigt auch die Lebenserwartung weiter an. So steigen mit dem Alter auch der Wunsch nach Eigenständigkeit und Unabhängigkeit, der Wunsch zu arbeiten und allein zu leben. Eigenständigkeit ist für viele DMD-Patienten ein zentraler Wunsch. Dabei ist die Versorgung mit Hilfsmitteln ein essenzieller Faktor, um Eigenständigkeit zu ermöglichen (Uttley et al. 2018; Hamdani, Mistry & Gibson, 2018).

DMD sollte immer phasen- und patientenspezifisch behandelt werden. Hierbei sind vor allem das Beüben der ADL und Prophylaxen wichtig sowie Schmerzfreiheit und eine größtmögliche Eigenständigkeit.

Evidenz

Verminderung sekundärer Probleme

Um die **Steh- und Gehfähigkeit** lange zu erhalten, sind Unterschenkelorthesen und weitere Hilfsmittel wie Stehständer/Stehbretter sinnvoll. Therapeutisches Gehen und Stehen ist relevant für die Verbesserung der kardiovaskulären Belastbarkeit, der Lungenfunktion und der psychischen Situation. Außerdem werden so sekundäre Probleme wie Kontrakturen, Skoliose und das Osteoporoserisiko vermindert bzw. hinausgezögert.

Um Kontrakturen zu vermeiden oder zu mindern, sollten 4–6 × wöchentlich **Dehnungen** durchgeführt werden (kombiniert mit manuellen Techniken). Zu Kontrakuren neigende Gelenke sind die Sprunggelenke, Kniegelenke, Hüftgelenke, die Ellbogen- und Handgelenke. Diese sollen ab der Frühphase gedehnt werden. In der Spätphase kann auch das Dehnen der Nackenmuskulatur indiziert sein. Unterstützend eignen sich Unterschenkelorthesen und Nachtlagerungsschienen. (Birnkrant et al. 2018)

Training

Moderates Training (Schwimmen, Radfahren/Ergometer) wird empfohlen, sollte aber immer im submaximalen Bereich stattfinden (Zwei-Drittel-Prinzip). Die Dauer und Pausen sollen dabei von den Patienten vorgegeben werden, um zu hohe Trainingsreize zu vermeiden. Exzentrische Übungen und Übungen mit hohen Widerständen müssen vermieden werden, um Schäden an der Muskulatur und Überlastungen der Herzmuskulatur zu verhindern. (Case et al. 2018)

Respiratorisches Management

Die respiratorische Insuffizienz ist der hauptsächliche Mortalitätsfaktor. Eine früh beginnende Atemtherapie ist indiziert. Aufgrund der schwachen Atemmuskulatur und der Problematik des erschwerten Hustens besteht ein erhöhtes Risiko für Pneumonien. Ein frühes Erlernen von verschiedenen Atemtechniken zur besseren Belüftung der Lunge sowie von Hustentechniken und der autogenen Drainage sind hier relevant. In der Spätphase wird häufig eine nächtliche Atemunterstützung und langfristig auch eine künstliche Beatmung notwendig. (Birnkrant et al. 2018)

LITERATUR

Birnkrant DJ et al., DMD Care Considerations Working Group. Diagnosis and management of Duchenne muscular dystrophy, part 2: respiratory, cardiac, bone health, and orthopaedic management. Lancet Neurol. 2018a; 17(4): 347–361.

Birnkrant DJ et al., DMD Care Considerations Working Group. Diagnosis and management of Duchenne muscular dystrophy, part 3: primary care, emergency management, psychosocial care, and transitions of care across the lifespan. Lancet Neurol. 2018b; 17(5): 445–455.

Bushby K et al., DMD Care Considerations Working Group. Diagnosis and management of Duchenne muscular dystrophy, part 2: implementation of multidisciplinary care. Lancet Neurol. 2010; 9(2): 177–189.

Case, LE et al. Rehabilitation management of the patient with Duchenne muscular dystrophy. Pediatrics. 2018; 142(Suppl 2): S17–S33.

Dorfner S, Schupp W, Jung M. Auswirkungen von Sporttherapie bei Erwachsenen mit Myopathien und Erkrankungen am neuromuskulären Übergang – Systematischer Literaturreview. Neurol Rehabil. 2015; 21(1): 5–12.

Hamdani Y, Mistry B, Gibson BE. Transitioning to adulthood with a progressive condition: best practice assumptions and individual experiences of young men with Duchenne muscular dystrophy. Disabil Rehabil. 2015; 37(13): 1144–1151.

Hammerschmidt U, Koch J (Hrsg.). Leitfaden Physiotherapie in der Pädiatrie. München: Elsevier, 2018.

Hüter-Becker A, Dölken, M. Physiotherapie in der Pädiatrie. 2-Aufl. Stuttgart: Thieme, 2010.

15.2 Untersuchungsbefunde

15.2.1 Medizinische Befunde

Ärztliche Untersuchung

Der Arzt führt bei Felix eine körperliche Untersuchung durch und macht eine genaue Anamnese. Der Patient ist 123 cm groß und wiegt 23 kg.

Es wird eine Perkussion und Auskultation der Lunge durchgeführt. Der Arzt fragt nach dem Krankheitsverlauf und dem momentanen Gesundheitszustand von Felix (➤ Tab. 15.1).

Die Mutter gibt an, dass Felix 39,5 °C Fieber hat und über Schmerzen im Brustkorb klagt. Sein Atem gehe sehr schnell, er habe keinen Appetit und schlafe nachts schlecht, weil er kaum durch die Nase atmen kann. Die ärztliche Untersuchung bestätigt die Dyspnoe und Tachypnoe.

Nach seiner Untersuchung überweist der Arzt Felix stationär in die Kinderklinik, um ein Röntgenbild (➤ Abb. 15.1) der Lunge anfertigen zu lassen und für eine weiterführende Therapie.

KLINISCHER HINTERGRUND

Differenzialdiagnostik der pCAP

Bei einer nicht-schweren pCAP werden nur die körperliche Untersuchung sowie die Anamnese als Grundlage für die Diagnose einer Pneumonie durchgeführt.
Beim Verdacht auf eine schwere pCAP ist das Röntgenbild der Goldstandard für die Diagnostik. Gleichzeitig kann damit differenzialdiagnostisch eine (Fremdkörper-) Aspiration oder ein Tumor in der Lunge ausgeschlossen werden.
Die Laboruntersuchungen sollen die Ätiologie der Pneumonie bestimmen. Es geht um den Ausschluss einer viralen Pneumonie. Auch diese Untersuchung wird nur bei einer schweren pCAP durchgeführt.
Erst bei einer therapieresistenten Pneumonie wird noch ein möglicher Pilzbefall der Lunge überprüft.
Tüzüner et al. (2016) zeigten in ihrer Stichprobe, dass bei akuten Atemweginfekten 27,9 % positive Proben mit humanem respiratorischem Synzytialvirus (RSV B) gefunden wurden, gefolgt von humanem Rhinovirus (HRV) mit 18,8% sowie RSV A. Während RSV B und RSV A am häufigsten im Winter und Frühjahr anzutreffen sind, wurde HRV zu allen Jahreszeiten als Infektionserreger festgestellt.

Tab. 15.1 Ärztliche Untersuchung

Untersuchung	Verfahren	Beschreibung
In der Arztpraxis		
Auskultation	Abhören der Lunge mithilfe eines Stethoskops (bei einer Pneumonie ist das Lungengewebe verdichtet, die Atemgeräusche sind in diesem Bereich nicht so deutlich zu hören)	Hier zeigt sich rechts basal ein dumpferes Geräusch.
Perkussion	Abklopfen des Brustkorbs durch den Arzt (durch die Verdichtung der Lunge werden die Vibrationen der Klopfungen nicht gut weitergeleitet)	Auch die Vibrationen sind im rechten, unteren Bereich der Lunge nicht gut zu spüren.
Im Krankenhaus		
Röntgen	Es wird ein Röntgenbild des Thorax in posterior-anteriorer Richtung (Thorax p. a.) angefertigt. Das betroffene Lungengewebe erscheint durch die Verdichtung des Gewebes im Röntgenbild heller.	Es zeigt sich bei Felix eine Verdichtung des Gewebes im rechten unteren Lungenlappen.
Labor	Auf eine Trägersubstanz werden Sputum oder Blut gegeben und Bakterien angezüchtet. Anschließend werden die Bakterien mikroskopisch bestimmt.	Das Ergebnis der Laboruntersuchung bestätigt eine bakterielle Infektion.
Blutuntersuchung	Anzahl der Leukozyten und Blutsenkungsgeschwindigkeit (BSG) werden bestimmt. Bei einer bakteriellen Pneumonie sind beide Werte erhöht, bei einer viralen Pneumonie liegen sie eher im Normbereich.	Die BSG und die Leukozytenzahl sind bei Felix erhöht.

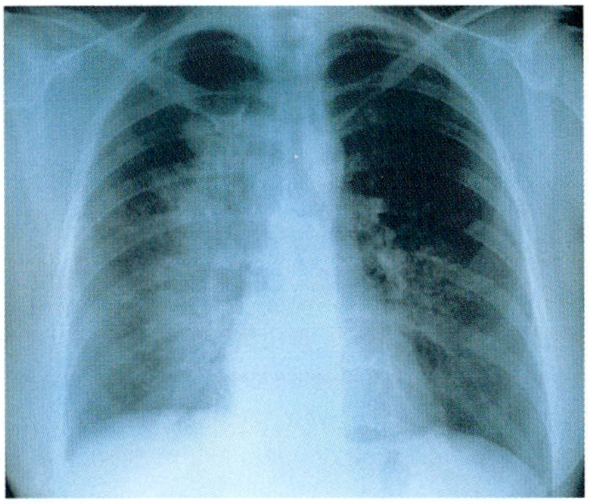

Abb. 15.1 Röntgenbild einer Pneumonie [M506]

15.2.2 Physiotherapeutische Anamnese

Die Eltern berichten, dass Felix normalerweise ein sehr aktiver und sportlicher Junge ist. Sie machen sich Sorgen, dass sich die Pneumonie noch verschlimmern könnte, obwohl Felix stationär im Krankenhaus ist. Auch haben sie die Sorge, dass sich die Erkrankung später wiederholen könnte.

Felix gibt Schmerzen bei der Atmung im gesamten Brustkorb an. Weiterhin hat er Probleme, genug Luft zu bekommen, vor allem wenn er aufstehen muss. Der ständige Husten lässt ihn nicht schlafen und manchmal kommt so viel Sekret hoch, dass er würgen muss. Außerdem hat er keinen Appetit und fühlt sich sehr müde und schlapp. Er möchte nur schlafen.

Yellow Flags: Felix wirkt unmotiviert und ist schlapp. Er möchte nur im Bett liegen und fernsehen.

15.2.3 Evaluation des Gesundheitszustands nach ICF

Personenbezogene Faktoren

Felix ist ein eutropher, normal entwickelter Junge mit altersüblichen Interessen. Seine freie Zeit verbringt er am liebsten im Freien. Bisher hatte Felix noch keine Probleme mit seiner Lunge. Bis auf eine normale Erkältung, etwa ein bis zweimal im Jahr (meist im Winter), ist er bisher nicht auffällig geworden.

Seit Beginn seiner Erkrankung möchte er jedoch am liebsten nur noch schlafen. Bei körperlicher Belastung kommt er schnell in Atemnot und muss eine Pause machen. Durch den starken Husten kann er nachts nicht schlafen und hat Schmerzen im Brustkorb. Daher versucht Felix jede Belastung zu vermeiden. Das wirkt sich auch auf seine Stimmung aus.

Umweltbezogene Faktoren

Felix lebt mit seinen Eltern, seinem drei Jahre älteren Bruder und seiner zwei Jahre jüngeren Schwester in einem Einfamilienhaus in einem kleinen Dorf mit 2500 Einwohnern. Mit seinem Bruder ist er im örtlichen Sportverein gut integriert.

Seine Familie ist sehr besorgt und besucht ihn täglich im 20 km entfernten Krankenhaus. Zusätzlich hat sich die Mutter ebenfalls stationär aufnehmen lassen, um bei ihrem Sohn zu sein.

Funktions- und Strukturebene

Atembefund

Die Ergebnisse des Atembefunds sind ➤ Tab. 15.2 zu entnehmen.

Körperfunktion

Felix kann aufgrund der Erkrankung bei leichter Belastung seinen Sauerstoffbedarf nicht mehr abdecken. Der produktiv ineffektive Husten führt zur vermehrten Anspannung der Interkostalmuskulatur mit Schmerzen bei der Atmung. Um die Schmerzen nicht zu verschlimmern, versucht Felix automatisch flach zu atmen und ein Auslösen des Hustens (wie z. B. durch lautes Reden, Lachen oder auch Bewegung) zu vermeiden. Daher nimmt er auch eine leichte Schonhaltung in einer BWS-Kyphose ein, um jeden möglichen Reiz auf seine Lunge zu vermeiden.

Das Fieber hat seinen Allgemeinzustand zusätzlich verschlechtert. Er ist appetitlos und schwer zu motivieren, was dazu führt, dass er seine normalen Tätigkeiten nicht ausführt.

Tab. 15.2 Atembefund

Befundung	Felix Ergebnisse
Anamnese: Welche Beschwerden kann der Patient angeben, wie lange besteht die Erkrankung schon, welche Maßnahmen wurden schon angewendet?	Felix hat die Pneumonie erst seit einigen Tagen. Zu Beginn zeigten sich typische Symptome einer Erkältung, die sich im Verlauf verschlechterten. Er hat Fieber, Husten und ist müde und appetitlos.
Atemweg: Durch die Nase oder durch den Mund oder wechselnd?	Wegen des Schnupfens und der Schleimhautschwellung atmet Felix fast ausschließlich durch den Mund.
Atemrichtung: Ist die Bewegung gleichmäßig in allen Bereichen des Thorax oder wird erst der Brustkorb angehoben und dann die Bauchdecke? Gibt es einen Seitenunterschied? Werden alle Bewegungs richtungen bei der Atmung gezeigt (sternal, kostal, lateral und abdominal)?	Felix zeigt eine insgesamt flache Atmung mit wenig Thoraxbewegung. Es wird hauptsächlich abdominal und nach lateral links eingeatmet. In die rechte Seite wird kaum geatmet.
Thoraxbeweglichkeit: Der Thoraxumfang wird an verschiedenen Stellen einmal nach der Einatmung und einmal nach der Ausatmung gemessen. Die Differenz zwischen beiden Werten ist das Maß für die Thoraxbeweglichkeit.	Aufgrund der Schmerzen in der Interkostalmuskulatur und der Müdigkeit von Felix konnte diese Untersuchung nicht durchgeführt werden. Es sollte zu einem späteren Zeitpunkt des Krankenhausaufenthalts und bei einer besseren Compliance von Felix erneut versucht werden.
Atemfrequenz – Normwerte nach Faller et al. 2016: Neugeborene 40–50/Min. Kleinkinder 30–40/Min. Kinder 20–30/Min. Erwachsene ca. 15/Min.	Felix hat eine Atemfrequenz in Ruhe von 24/Min. Bei Belastung steigert sie sich auf bis zu 54/Min.
Atemrhythmus: Der normale Atemrhythmus in Ruhe besteht aus der Einatmung, Ausatmung und der Atemruhelage. Bei körperlicher Belastung oder bei Atemwegserkrankungen kann die Atemruhelage verkürzt sein oder auch ganz wegfallen.	Durch die flache Atmung und die erhöhte Atemfrequenz hat Felix keine Atemruhelage zwischen Einatmung und Ausatmung.
Atem(neben)geräusche: Brodeln, Rasseln, Pfeifen o.Ä.	Es ist ein Brodeln zu hören und auch deutlich im Brustkorb spürbar.
Husten: Produktiv effektiv, produktiv ineffektiv (d.h., Sekret wird produziert, kann aber nicht abgehustet werden), ineffektiv (Reizhusten)? Da Kinder in der Regel das Sputum direkt herunterschlucken, ist es schwierig, die Menge zu bestimmen.	Felix hat einen produktiven Husten, der aber noch sehr festsitzt und nicht gut abgehustet werden kann. Der Schleim ist sehr zäh.
Atemhilfsmuskulatur: Wird eingesetzt, ist verspannt, schmerzhaft verspannt?	Bei der Einatmung bekommt die Atemmuskulatur Unterstützung vom M. sternocleidomastoideus und dem M. trapezius. Die Interkostalmuskulatur ist schmerzhaft verspannt.
Dyspnoe: Tachypnoe, Bradypnoe, in welchen Situationen?	Felix hat eine Tachypnoe. Bei Belastung (z.B. Toilettengang) erhöht sich die Atemfrequenz und Felix muss eine Pause machen, um wieder genügend Sauerstoff zu bekommen.
Zyanose: Blaufärbung von Fingerspitzen, Lippen und unterhalb der Augen.	Es zeigen sich bei Felix nur bei starker Belastung leicht bläulich verfärbte Lippen.
Wirbelsäulenbeweglichkeit: Eine Einschränkung ist bei einer akuten Pneumonie ohne weitere Erkrankung nicht zu erwarten.	Die Wirbelsäulenbeweglichkeit ist nicht eingeschränkt, aber Felix befindet sich meist in einer Schonhaltung mit BWS-Kyphose wegen der Schmerzen.

BWS = Brustwirbelsäule

Körperstruktur

Aktuell sind bei Felix hauptsächlich die Alveolen und auch das Interstitium des Lobus inferior dexter betroffen. Durch die Entzündung kommt es zu einer schlechteren Perfusion und Diffusion in diesem Bereich. Der Gasaustausch kann nicht normal stattfinden. Außerdem wird durch die flache Atmung und die eingeschränkte Bewegung auf der rechten Brustkorbseite auch die Atemmechanik eingeschränkt. Der Aufbau des Unterdrucks während der Einatmung ist erschwert, es strömt nicht so viel und schnell Sauerstoff in die Lungen ein.

PRAKTISCHER TIPP

Untersuchungen kindgerecht gestalten

Falls erkrankte Kinder die körperlichen Untersuchungen nur ungern mitmachen möchten, kann man mithilfe eines Kuscheltieres o.Ä. versuchen, eine Beziehung aufzubauen. Man legt das Kuscheltier auf den Bauch des Kindes und lässt es beobachten, was damit bei der Atmung passiert. Diese spielerische Art, den Atembefund bei Kindern durchzuführen, akzeptieren diese besser und sie sind dann eher bereit mitzuarbeiten.
Ansonsten können auch die Eltern bei den Untersuchungen unterstützend mithelfen.

Aktivitätsebene

Als aufgeweckter Junge hat Felix einen großen Freundeskreis und spielt meistens draußen, wenn es das Wetter zulässt. Mit seiner Familie versteht er sich gut, nur seine kleine Schwester stört ihn manchmal und dann kommt es zum Streit. Mit seinem großen Bruder versteht sich Felix sehr gut, auch durch das gemeinsame Hobby Fußball.

Partizipationsebene (Teilhabe)

Felix geht noch in den Kindergarten, wird aber dieses Jahr eingeschult. Er spielt zwei Mal in der Woche Fußball im Fußballverein seines Dorfes und ansonsten in jeder freien Minute im Garten. Außerdem besucht er einmal pro Woche die Musikschule, wo er Schlagzeug spielen lernt.

15.3 Zusammenfassung der wichtigsten Befunde

Bei Felix zeigt sich eine rechts-basale Pneumonie mit Schmerzen (6/10 Punkte auf der visuellen Analogskala VAS) und einer Dyspnoe bei leichter Belastung. Er nimmt eine Schonhaltung mit BWS-Kyphose ein und versucht durch möglichst wenig Bewegung das Husten zu verhindern. Er atmet flach, um weitere Schmerzen bei der Atmung zu vermeiden. Durch Fieber und Appetitlosigkeit ist er in seinem Allgemeinzustand geschwächt. Die Situation frustriert ihn und er ist sehr unmotiviert. Felix ist in seinen Aktivitäten stark eingeschränkt, weil er mit seiner Sauerstoffzufuhr den Sauerstoffbedarf bei Belastung nicht decken kann.

15.4 Physiotherapeutische Zielsetzung

Gemeinsam mit Felix und seinen Eltern wurden folgende Ziele für die Therapie vereinbart:

Kurzfristig:

- Akzeptanz der momentanen Situation und Bereitschaft, bei der Therapie mitzuwirken
- Aufklärung und Edukation der Eltern

Mittelfristig: Erlernen verschiedener atemtherapeutischer Maßnahmen durch die Eltern, damit sie im Krankenhaus bei der Behandlung von Felix mithelfen und eventuell später bei beginnenden Lungenerkrankungen zu Hause prophylaktisch arbeiten können.

Langfristig: Erreichen der normalen Funktionsfähigkeit der Lunge.

Physiotherapeutische Ziele:

- Verbessern der Ventilation und des Diffusions- und Perfusionsverhältnisses der Lunge, vor allem im Lobus inferior dexter
- Schmerzreduktion und Lösung von Gewebsverspannungen im Bereich der Interkostalmuskulatur
- Verbessern der Thoraxbeweglichkeit
- Verbessern der Belastbarkeit und Ausdauer

15

15.5 Physiotherapeutische Maßnahmen/Therapieplan

Aufgrund des klinischen Bilds von Felix wird eine Physiotherapie mit atemtherapeutischem Schwerpunkt durchgeführt. Da Felix mit seiner Mutter im Krankenhaus stationär aufgenommen worden ist, sollte die Mutter eng in die Behandlung miteinbezogen werden. So kann sie aktiv mithelfen und in Zukunft bei einer weiteren, beginnenden Atemwegserkrankung frühzeitig atemtherapeutisch eingreifen. Das wird sie beruhigen und die Angst vor einer erneuten Pneumonie reduzieren.

Die ärztliche Behandlung von Felix sieht eine Antibiotikagabe von fünf Tagen und eine regelmäßige Inhalation (2 × 20 Min./Tag) vor.

Die physiotherapeutische Behandlung wird so geplant, dass direkt nach der Inhalation therapiert wird. Dies verspricht einen größeren Erfolg der Interventionen (Felicio-Júnior et al. 2020).

Die Therapie findet einmal pro Tag für 30 Min. statt und sollte von der Mutter zusätzlich einmal am Tag durchgeführt werden. Wenn sich der Allgemeinzustand bessert, kann die Mutter auch zweimal täglich mit Felix üben.

In der ersten Therapieeinheit wird der Befund erhoben und Felix und seine Mutter werden über den Ablauf der Therapie aufgeklärt. Zusätzlich werden sie in der Technik der Kontaktatmung angeleitet.

Im weiteren Therapieverlauf werden immer neue Übungen hinzugefügt, sodass die Mutter viele verschiedene Übungen mit Felix durchführen kann und es für ihn nicht langweilig wird.

Evidenz

Auch wenn die Evidenz nicht für physiotherapeutische Maßnahmen am Thorax spricht, werden sie in der Praxis häufig angewandt. Ein Anstieg der Sauerstoffsättigung im peripheren Blut wird zumindest in einigen Studien beschrieben (Damiani & Adasme 2015; Corten, Jelsma & Morrow 2015; Chaves et al. 2019).

Allgemeine Atemtherapie

Tag 2 stationärer Aufenthalt

Felix hat noch leicht erhöhte Temperatur (37,6 °C) und ist immer noch müde und unmotiviert. Er hat vor der Therapie mit NaCl inhaliert und liegt in RL im Bett. Seine Mutter ist auch anwesend:

- Befunderhebung.
- Lippenbremse zum Weithalten der Bronchien und Vermeiden eines Hustenreizes.
- Kontaktatmung ohne Widerstand, der Therapeut beginnt mit der linken Seite. Wenn sich Felix an die Übung gewöhnt hat, wird aber hauptsächlich kostoabdominal rechts gearbeitet. Eventuell mit der Atmung mitgehen (d. h. bei der Atmung die Hände etwas lösen und bei der Ausatmung wieder leicht drücken). Dies gibt einen taktilen Reiz, vertieft zu atmen.
- Vorsichtige C-Dehnlage (➤ Kap. 17, ➤ Abb. 17.2), mit der linken Seite beginnen.
- Als Übung für den Tag soll die Mutter die Kontaktatmung für 10 Min. und die C-Dehnlage ebenfalls für 10 Min. durchführen.

PRAKTISCHER TIPP

Akzeptanz verbessern

Wenn Felix sich weigern sollte, bei der Therapie mitzumachen, ist es möglich, dass er selbst seine Hände bei der Kontaktatmung auflegt oder seine Mutter die Kontaktatmung durchführt. Der Therapeut gibt dann nur Anweisungen und hält sich etwas abseits.

Tag 3 stationärer Aufenthalt

Felix hat kein Fieber mehr und ist etwas aufgeweckter als am ersten Tag. Allerdings muss er jetzt viel husten. Der Husten ist produktiv, effektiv.

- Kurze Abfrage, wie die Therapie gestern verlaufen ist, ob es Probleme gegeben hat
- Kurzbefund (sind Veränderungen zu bemerken?)
- Kontaktatmung in Seitlage (kostoabdominal lateral), beide Seiten im Sinne der Drainagelagerung
- Klopfungen in Bauchlage (der Therapeut kann dabei den Rhythmus variieren, um es etwas interessanter zu gestalten)

- Interkostalausstreichungen (langsam und vorsichtig beginnend, da Felix eventuell noch sehr schmerzempfindlich ist)
- Ausatmen auf „S“ (Phonationstechniken, Geräusche wie eine Biene, eine Mücke etc. machen)

Evidenz

Forcierte Ausatmung wird in der Literatur ebenfalls als wenig effektiv beschrieben. Eine hierdurch verringerte Atemfrequenz bei Kindern mit akuter Bronchiolitis wird jedoch in Studien von moderater Qualität beschrieben (Jat, Dsouza & Mathew 2022)

Tag 4 stationärer Aufenthalt

Felix sitzt im Bett und spielt mit dem Handy, seine Mutter berichtet, dass er auch allein aufsteht und zur Toilette geht.

- Kurzbefund: Es zeigt sich, dass Felix mittlerweile keine Differenz mehr zwischen der rechten und linken Seite hat. Die Schmerzen im Brustkorb haben etwas nachgelassen (3–4/10 VAS).
- Kurze Wiederholung der bisher durchgeführten Übungen, Abfrage bei der Mutter, ob es Schwierigkeiten gab oder ob es noch Fragen gibt.
- Vorsichtige Interkostalausstreichungen (je langsamer, desto weniger schmerzhaft).
- Strohhalm und Wasserfarbe: Mit dem Strohhalm sehr flüssige Wasserfarbe auf einem Blatt Papier verteilen. Dabei ist auf eine gleichmäßige Ausatmung durch den Strohhalm zu achten.
- Einen aufgeblasenen Luftballon nicht auf den Boden fallen lassen. Mit den Händen in der Luft halten, mit den Füßen, mit den Knien usw. Die Übung kann je nach Zustand des Patienten in allen Ausgangsstellungen durchgeführt werden. Ziel ist es, den Luftballon so variabel zuzuspielen, dass das Kind eine Thoraxmobilisation in alle Bewegungsrichtungen durchführt.

Tag 5 stationärer Aufenthalt

Felix ist nicht auf seinem Zimmer, er ist mit seiner Mutter im Spielzimmer der Klinik. Die Mutter hofft bald mit Felix entlassen zu werden.

Kurzbefund: Felix kann das Sekret mittlerweile gut abgeben und hustet kaum noch unproduktiv. Die Schonhaltung in die BWS-Kyphose nimmt er nicht mehr ein. Beide Brustkorbhälften arbeiten gleichmäßig und die Atemfrequenz hat sich normalisiert.

- Drehdehnlage (➤ Abb. 17.1) mit Kontaktatmung auf der gedehnten Seite (das macht Felix selber)
- Übungen aus dem Yoga zur Verbesserung der Thoraxbeweglichkeit:
  - Kobra (aus der Bauchlage in den Handstütz kommen und die Position halten, ➤ Abb. 15.2)
  - Giraffe (Kniestand mit Händen an den Fersen)
  - Schraube (Langsitz, ein Bein überschlagen und den Oberkörper in die Gegenrichtung gedreht, ➤ Abb. 15.3)

Tag 6 stationärer Aufenthalt

Felix und seine Mutter werden heute entlassen und warten nur noch auf die Entlassungspapiere.

- Es werden noch einmal alle Übungen mit der Mutter und Felix wiederholt. Fragen können noch geklärt werden. So weiß die Mutter auch, was sie bei der nächsten Erkältung tun kann, um möglichst wirksam zu agieren.

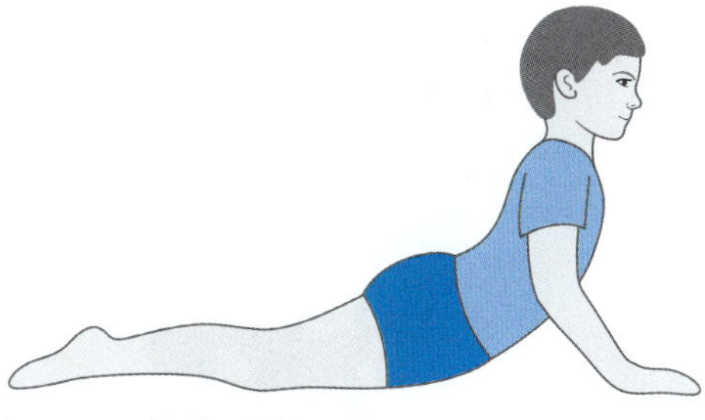

Abb. 15.2 Kobra [L231]

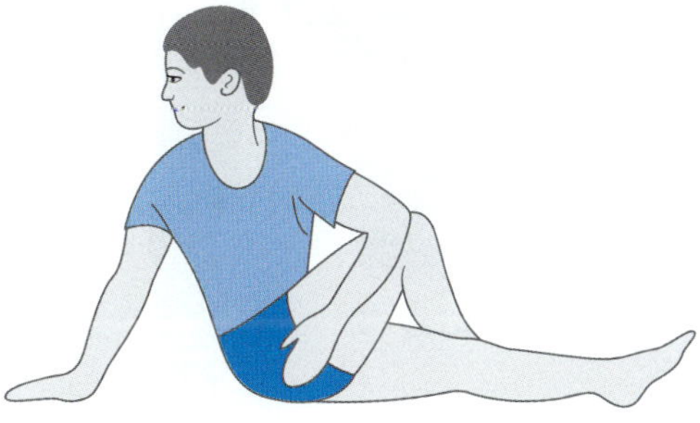

Abb. 15.3 Schraube [L231]

- Für sein Hobby *Fußball* wird Felix für zuhause noch die Torwartposition erklärt: Er steht im Tor und übt die Torwarthaltung, indem er sich mit beiden Händen auf seinen Oberschenkeln abstützt (➤ Abb. 15.4). Dies ist eine atemerleichternde Körperhaltung, die aus der Asthmatherapie kommt. Bei Anstrengung kann sie Felix auch im Training ab und zu einsetzen.

Elternanleitung

Da Felix mit einem akuten Krankheitsgeschehen stationär aufgenommen wurde, zeigen die Eltern eine hohe Bereitschaft, aktiv an der Behandlung mitzuarbeiten. Hier muss man eher die Eltern bremsen und genaue Angaben machen über die Dauer und Intensität der Behandlung. Vor allem solange Felix noch Fieber hat, sollte die Therapie nicht zu anstrengend sein und nicht zu lange dauern.

Wenn er kein Fieber mehr hat und sich besser fühlt, wird er auch mehr selbst machen und die Eltern müssen nur noch bei einigen Übungen unterstützen.

Abb. 15.4 Torwartposition [K115]

Mögliche Probleme während der Therapie

Falls die Schmerzen im Brustkorb länger andauern und Felix nicht die Kraft hat, das Sekret abzuhusten, kann man ihn mit einem beidseitigen Druck am Brustkorb beim Hustenstoß unterstützen (hustensynchrone Thoraxkompression). Dadurch muss er seine Interkostalmuskulatur und Bauchmuskulatur nicht so stark beanspruchen.

Therapieverlauf und -abschluss

Während des Aufenthalts sollten die Atemrichtung und Thoraxbeweglichkeit täglich überprüft werden. So kann eine Veränderung zu einer gleichmäßigen, beidseitigen Einatmungsbewegung beobachtet und die Therapie anschließend darauf angepasst werden.

In den fünf Tagen seines Krankenhausaufenthalts wurde Felix täglich einmal für 30 Min. behandelt. Die Eltern haben zusätzlich noch jeweils ein bis zwei Behandlungseinheiten pro Tag mit ihm durchgeführt.

Während Felix in der ersten Therapieeinheit sehr zurückhaltend und ängstlich war, hat er in den folgenden Behandlungen seine Übungen immer besser durchgeführt und an Tag vier und fünf auch eigenständig die Eltern gebeten, die Übungen mit ihm durchzuführen.

Am Tag der Entlassung hatte Felix kein Fieber mehr, er musste nur noch selten husten, hatte keine Schmerzen mehr im Brustkorb und er hat wieder normal gegessen. Die Perkussion und Auskultation durch den Arzt waren unauffällig.

Felix wurde mit der Empfehlung entlassen, er solle weiterhin noch seine Übungen zu Hause durchführen, bis er keinen Husten mehr hat.

PRAKTISCHER TIPP

Unterstützung für Heimübungen

Damit die Eltern und Felix auch nach der Entlassung weiterüben können, gibt man ihnen die Übungen schriftlich mit nach Hause oder auch als Fotos oder Film. Damit ist die Behandlung immer wieder nachvollziehbar und wiederholbar.

WAS WÄRE, WENN ...

... sich trotz der Antibiotikagabe und der Inhalation die Atemsituation nicht verbessern würde?

Wenn sich der Atembefund innerhalb der ersten 48–72 Stunden nicht verändert, kann man davon ausgehen, dass es sich nicht um eine bakterielle Infektion handelt. Dann müssten noch weitere differenzialdiagnostische Maßnahmen durchgeführt werden.

15.6 Evidenzbasierte Zusammenfassung

In der S2k-Leitlinie „*Management der ambulant erworbenen Pneumonie bei Kindern und Jugendlichen (pädiatrische ambulant erworbene Pneumonie, pCAP)*" (Stand: 31.03.2017) wird erklärt, dass Atemtherapie („*chest physiotherapy*") anhand der Studienlage keinen Einfluss auf die Dauer des stationären Aufenthalts, das Fieber und das Ausmaß der Veränderungen im Röntgenbild habe und daher nicht empfohlen werden kann (Adams et al. 2017). Ausnahmen stellen Kinder mit einer zusätzlichen Grunderkrankung dar.

Es wird allerdings in der Leitlinie eingeräumt, dass eventuell eine frühe Mobilisation der Kinder zu einer „Vermeidung von Belüftungsstörungen insbesondere der dorsalen Lungenanteile" (ebenda, S. 22) führen könnte. Die in der Leitlinie zitierten Studien sind jedoch teilweise 37–44 Jahre alt. Die Leitlinie war bei Redaktionsschluss in Überarbeitung.

Ähnlich dünn ist die Datenlage zu weiteren atemtherapeutischen Maßnahmen bei der nosokomialen Pneumonie (pCAP). Es existieren atemtherapeutische Maßnahmen bei anderen Erkrankungen der Atemwege, wie z. B. der Mukoviszidose (➤ Kap. 16) oder dem Asthma bronchiale mit deutlich mehr Evidenz.

In der Leitlinie zur Diagnostik und Therapie von Patienten mit chronisch obstruktiver Bronchitis und Lungenemphysem (COPD) wird eingeräumt, dass es einzelne Studien zur z. B. zur dosierten Lippenbremse oder auch zur Zwerchfellatmung gibt (Vogelmeier et al. 2018).

In einer randomisiert kontrollierten Studie von Felicio-Júnior et al. (2020) wurde untersucht, ob es bei Kindern mit Asthma bronchiale einen Unterschied macht, nur mit Kochsalz zu inhalieren, nur Physiotherapie zu erhalten oder ob eine Kombination von Inhalation mit Physiotherapie zur Sekretmobilisation führt. Die Studie kommt zu dem Schluss, dass die Kombination von Inhalation und Physiotherapie effektiver ist als die alleinige Inhalation.

Allerdings lässt sich das Ergebnis nicht mit Sicherheit auf Kinder mit einer Pneumonie übertragen. Bei zähem Sekret kann evtl. eine Übertragung auf Patienten mit Pneumonie gewagt werden.

Evidenz

Zu Interventionen bei Säuglingen und Kindern mit pCAP gibt es eine Studie, allerdings von einer mäßigen bis schlechten Qualität. Diese internationale, multizentrische Studie wurde mit 559 Kindern im Alter von 29 Tagen bis 12 Jahren durchgeführt. Dabei wurden die Erfolge von reiner Atemphysiotherapie, Beatmung mit CPAP, Bubble-CPAP und assistierter autogener Drainage untersucht. Trotz der Anzahl von Kindern, die an der Studie mitgewirkt haben, gibt es laut den Autoren keine gesicherten Erkenntnisse zur positiven Beeinflussung der Pneumonie durch Physiotherapie (Chaves et al. 2019).

Auch wenn Gajdos et al. (2010) resümieren, dass für stationär aufgenommene Säuglinge mit akuter Bronchiolitis eine forcierte Ausatmungstechnik und unterstütztes Husten keinen signifikanten Einfluss auf die Dauer des Klinikaufenthaltes hatten, wird Atemtherapie im stationären Bereich weiterhin verordnet.

Für Frühgeborene zeichnen Giannantonio et al. (2010) ein etwas anderes Bild: Unter der 1. Phase des Reflexumdrehens nach Vojta hatten die Frühgeborenen eine höhere Sauerstoffsättigung bei reduzierter Atemfrequenz. Diese Studie bestätigt die Ergebnisse einer vorangegangenen Arbeit von Böhme und Futschik aus dem Jahr 1995.

LITERATUR

Adams O et al., Deutschen Gesellschaft für pädiatrische Infektiologie (DGPI), Gesellschaft für Pädiatrische Pulmonologie(GPP). S2k-Leitlinie Management der ambulant erworbenen Pneumonie bei Kindern und Jugendlichen (pCAP) (Stand: 03/2017). AWMF-Register-Nr. 048–013. www.awmf.org/leitlinien/detail/ll/048-013.html (letzter Zugriff: 05.08.2022).

Arasteh K et al. Duale Reihe, Innere Medizin. Stuttgart: Thieme, 2018.

Böhme B, Futschik M. Verbesserte Lungenfunktion nach Vojta-Brustzonen-Reiz bei bronchopulmonaler Dysplasie. Monatsschrift Kinderheilkunde 1995; 143:1231–1234.

Chaves GS et al. Chest physiotherapy for pneumonia in children. The Cochrane database of systematic reviews. 2019; 1(1): CD010277.

Corten L, Jelsma J, Morrow BM. Chest physiotherapy in children with acute bacterial pneumonia. S Afr J Physiother. 2015; 71(1): 256.

Damiani F, Adasme R. What is the effect of chest physiotherapy in hospitalized children with pneumonia? Medwave 2015; 15(Suppl 2): e6287.

Faller A, Schünke M, Schünke G. Körper des Menschen. Stuttgart: Thieme, 2015.

Foglia E, Meier MD, Elward A. Ventilator-associated pneumonia in neonatal and pediatric intensive care unit patients. Clin Microbiol Rev. 2007; 20(3): 409–425.

Gajdos V et al. Effectiveness of chest physiotherapy in infants hospitalized with acute bronchiolitis: a multicenter, randomized, controlled trial. PLoS medicine 2010; 7(9): e1000345.

Giannantonio C et al. Chest physiotherapy in preterm infants with lung diseases. Italian Journal of Pediatrics 2010; 36:65

Felicio-Júnior EL et al. Randomized trial of physiotherapy and hypertonic saline techniques for sputum induction in asthmatic children and adolescents. Clinics (Sao Paulo). 2020; 24(75): e1512.

Jat KR, Dsouza JM, Mathew JL. Continuous positive airway pressure (CPAP) for acute bronchiolitis in children. The Cochrane database of systematic reviews 2022; 4(4): CD010473.

Steffers G, Credner S. Allgemeine Krankheitslehre und Innere Medizin für Physiotherapeuten. Stuttgart: Thieme, 2015.

Tüzüner U et al. Prevalence and concomitancy of respiratory viruses in children with acute respiratory tract infections. J Pediatr Infect Dis. 2016; 11: 1–5.

Vogelmeier C et al., Deutsche Gesellschaft für Pneumologie und Beatmungsmedizin e.V., Deutsche Atemwegsliga e. V. S2k-Leitlinie zur Diagnostik und Therapie von Patienten mit chronisch obstruktiver Bronchitis und Lungenemphysem (COPD) (Stand: 01/2018). AWMF Registernummer 020/006. www.awmf.org/leitlinien/detail/ll/020-006.html (letzter Zugriff: 05.08.2022).

Wanrooij VH et al. Exercise training in children with asthma: a systematic review. Br J Sports Med. 2014; 48(13): 1024–1031.

FALL

16 Mukoviszidose (Zystische Fibrose)

Nadine Thron, Ananda Wittiber

Leitsymptome: Obstruktion der Atemwege – chronisch produktiver Husten – zähflüssiges Sekret – Atemnot – Verdauungsprobleme – Einschränkungen bei täglichen Aktivitäten

mittel

Definition

Mukoviszidose

Mukoviszidose, auch zystische Fibrose (engl. Cystic Fibrosis, CF) genannt, ist eine der häufigsten Erbkrankheiten. Die Stoffwechselerkrankung wird autosomal-rezessiv vererbt und betrifft alle exokrinen Drüsen des Körpers. Die Ursache ist ein Defekt des CFTR-Gens auf Chromosom 7, welcher eine Störung der Chloridkanäle in den Zellmembranen verursacht. Dadurch kommt es zu einer Dehydrierung von epithelialen Flüssigkeiten; in allen Organen mit exokrinen Drüsen wird zähflüssiges Sekret ausgesondert. Typische Manifestationsorte sind die Becherzellen der Lunge, Bauchspeicheldrüse, Nieren, Dünndarm und Hoden.

Die typischen Symptome der Atemwege sind produktiver Husten mit zähem Sekret, rezidivierende Bronchitiden und Pneumonien. Im Verdauungstrakt gelangen die Verdauungsenzyme der Bauchspeicheldrüse und der Leber aufgrund des zähflüssigen Sekrets nicht bis in den Darm, sodass die Patient*innen unter Bauchschmerzen, Verstopfung, fettigen Stühlen und Untergewicht leiden.

Die Inzidenz der Mukoviszidose liegt in Deutschland bei 1:3.000 bis 1:4.000. Aktuell liegt die mittlere Lebenserwartung von CF-Patient*innen bei 40 Jahren (Hammermann et al. 2020, Müller et al. 2013). Jungen und Mädchen sind ungefähr gleich häufig betroffen (Helmholtz-Zentrum 2018).

16.1 Vorgeschichte

Bei der heute neunjährigen Lina wurde im Zuge des Neugeborenenscreenings die Diagnose Mukoviszidose gestellt. Als Säugling bis zum Kleinkindalter war sie häufiger krank als andere Kinder in ihrem Alter. Sie hatte immer wiederkehrende Pneumonien und bekam daher über die Jahre hin gesehen viele Antibiotika. Die Mutter von Lina berichtet, dass das Mädchen schon früh an Verdauungsstörungen in Form von fettigen Stühlen litt und immer kleiner und schmächtiger war als andere Kinder in ihrem Alter.

Die Mutter suchte sich in den ersten Monaten nach Linas Geburt eine Physiotherapeutin, die ihr die Durchführung von Drainagelagerungen zeigte. Bei dieser Maßnahme wird die Patientin in einem bestimmten Neigungswinkel gelagert, um den Abfluss von Sekret aus den Atemwegen zu erleichtern. In dieser Position können zusätzlich leichte Vibrationen, interkostale Ausstreichungen oder Packegriffe durchgeführt werden. Später, als Lina etwas älter wurde, waren auch die autogene Drainage zum Abtransport des Schleims und zur Reinigung der Lunge sowie der Einsatz eines Flutters und des Inhalationsgeräts Inhalt der Physiotherapie.

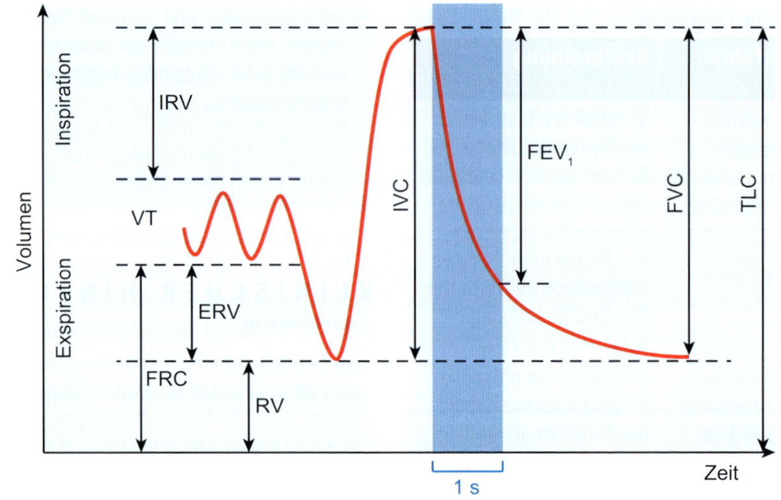

Abb. 16.1 Normalbefund einer Spirometrie. ERV = exspiratorisches Reservevolumen; FEV_1 = forciertes exspiratorisches Volumen; FRC = funktionelle Residualkapazität; FVC = forcierte exspiratorische Vitalkapazität; IRV = inspiratorisches Reservevolumen; IVC = inspiratorische Vitalkapazität; RV = Reservevolumen; TLC = totale Lungenkapazität; V_T = Atemzugvolumen [L231]

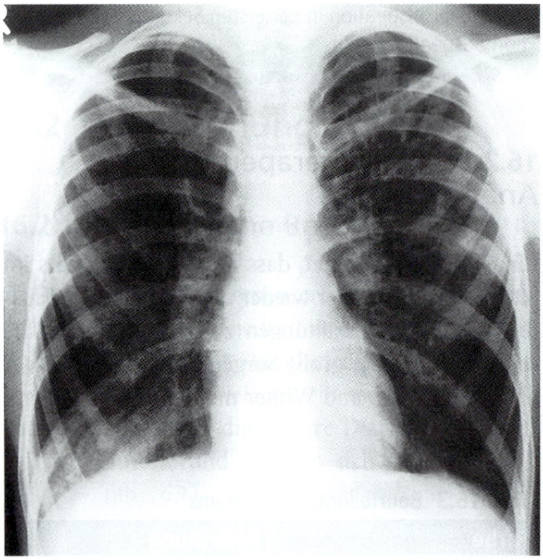

Abb. 16.2 Röntgenbild einer CF-Lunge [R473]

Lina aufpassen, dass sie sich nicht noch zusätzlich erkältet. Im Kleinkindalter war Lina immer schmächtiger als andere, ihre Hustenanfälle quälten sie sehr und sie musste immer häufiger immer mehr zähes Sekret abhusten. Lina spielt gerne mit anderen Kindern Fangen, ist aber immer sehr schnell aus der Puste. Auch das Klettern auf dem Spielplatz und das Kinderturnen fallen ihr deshalb sehr schwer.

Ihre Mutter macht sich große Sorgen, dass Lina bald nicht mehr mit ihren Freunden unbeschwert spielen kann, sondern nur noch Therapie machen muss.

Es fällt auf, dass Lina sehr klein und kachektisch ist. Sie sieht im Vergleich zu ihren Freundinnen sehr dünn und abgemagert aus. Ihre Gesichtsfarbe ist sehr blass und die Lippen sind zyanotisch. Ihre Nackenmuskulatur (M. sternocleidomastoideus und M. trapezius descendens) sind auffällig hyperton palpabel. Ihr Thorax formt sich in Richtung eines Fassthoraxes.

Beim Erzählen ist Lina sehr schnell außer Atem und muss ihre Sätze häufig unterbrechen, um einzuatmen. Ihre Einatemrichtung ist sehr stark nach sternal gerichtet und es fällt ein ausgeprägter Einsatz der Atemhilfsmuskeln auf. Lina betont häufig, dass sie traurig ist, wenn ihre Freunde Fangen spielen und sie immer gleich gefangen wird. Sie möchte nicht, dass die anderen Kinder „extra schlecht" spielen, damit sie eine Chance hat. Lina wünscht sich sehr, normal bei allen Spielen und im Sportunterricht mitmachen zu können.

Nebenerkrankungen: Fettstuhl

Hobbys: Kinderturnen

Yellow Flags: Große Angst der Mutter, dass Lina nur noch Therapie machen muss und nicht mehr unbeschwert mit ihren Freunden spielen kann.

Ebenso ist es Lina sehr unangenehm, in der Schule durch das laute Husten und Abhusten den Unterricht zu stören.

16.2.3 Evaluation des Gesundheitszustands nach ICF

Personenbezogene Faktoren

Lina ist ein für ihr Alter kleines und sehr dystrophes Mädchen. Sie ist sehr freundlich und offen.

Umweltbezogene Faktoren

Zusammen mit ihren Eltern und dem kleinen Bruder lebt Lina in einem Einfamilienhaus mit einem kleinen Garten. Ihre Mutter ist sehr darauf bedacht, dass sie weiterhin am Kinderturnen teilnehmen kann und möglichst unbeschwert mit ihren Freunden auf dem Spielplatz spielen kann.

Funktions- und Strukturebene

Körperliche Untersuchung

Inspektion im Stand: Bei der Untersuchung werden die Haltung und die Atmung im Stand von Lina beurteilt. Beobachtet und befundet wird von ventral, dorsal und lateral. Es zeigen sich folgende Ergebnisse:

- Muskelrelief
  - Hypertropher M. sternocleidomastoideus und M. trapezius descendens
  - Einziehungen der interkostalen Räume
  - Kachektischer Körperbau
- Thoraxform
  - Fassthorax
  - Schultern ausgeprägt protrahiert
- Wirbelsäule
  - Von dorsal
    - Leichte kostale Einziehungen
    - Breiter Thorax gegenüber sehr schmalem Beckenbereich
  - Von ventral
    - Deutliche juguläre Einziehung
  - Von lateral
    - Prominenter thorakozervikaler Übergang
    - Deutliche Kyphose im BWS-Bereich
    - Ausgeprägte Lordose im Lumbalbereich

Funktionsprüfung

Atmung und WS-Beweglichkeit im Stand:

- Atemwege: Nase/Nase
- Atemlage: Inspiration – Thorax aufgebläht, Sternum-Kinn-Abstand verkleinert im Sitz
- Atemfrequenz: schnell (25 ×/Min)
- Kurze endinspiratorische Atempause
- Atemhilfsmuskulatur: vorwiegend inspiratorischer Einsatz
- Abgehackte Sprache, gestörter Atem-Sprech-Rhythmus
- Unter Belastung z. B. beim Treppensteigen, deutliche Steigerung der Atemfrequenz und Kurzatmigkeit
- BWS-Beweglichkeit: Rotation und Lateralflexion rechts und links eingeschränkt

Lungenfunktionstest (Lufu)

Zur Beurteilung und Verlaufskontrolle muss Lina regelmäßig in die Mukoviszidose-Ambulanz der Klinik, wobei eine Reihe von Testungen durchgeführt wird. Bei Lina wird der Sauerstoffgehalt im Blut gemessen, welcher vor allem unter Belastung verringert ist (88–93 %). Auch der FEV_1 zeigt eine eingeschränkte Lungenfunktion und deutet auf eine Überblähung der Lunge hin (➤ Abb. 16.3).

Aktivitätsebene

Lina fährt gerne mit ihrer Familie kleine Radtouren und geht besonders gern zum Ballettunterricht.

Einschränkung der Aktivität: Lina kommt beim Fangenspielen mit den anderen Kindern nicht gut hinterher, sie muss öfters eine Pause machen, um wieder gut Luft zu bekommen. Zwischendurch überfällt sie ein produktiver Hustenanfall, wodurch sie zum Pausieren gezwungen wird.

16

bei einem Frühnachweis einer Pseudomonas-Besiedelung der Erreger eliminiert werden (Evidenzgrad 1a). Mit einem Empfehlungsgrad A wird zur Optimierung der pulmonalen Deposition die Inhalation über ein Mundstück empfohlen (➤ Abb. 16.5), bei Säuglingen kann eine Inhalationsmaske verwendet werden.

Besteht eine akute Exazerbation oder erzielt die Eradikation von *Pseudomonas aeruginosa* mit inhalativen Antibiotika keinen Erfolg, ist eine intravenöse Therapie empfohlen.

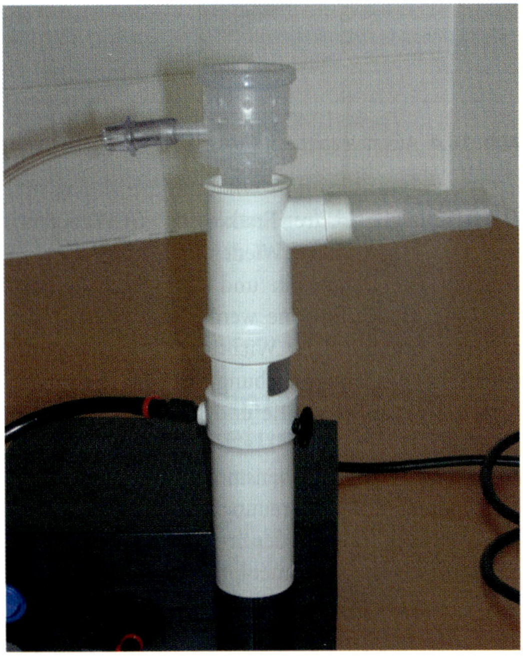

Abb. 16.5 Inhalationsgerät [M544]

Airway-Clearance-Techniken nach Jean Chevallier

Jean Chevallier entwickelte 1967 die Atemtechnik **autogene Drainage** für Patienten mit Lungenerkrankungen, die vermehrt Sekret (vor allem zähes Sekret) abhusten müssen.

In drei Phasen wird das Sekret gelöst, im Anschluss gesammelt und dann abgehustet. Ein positiver Aspekt der Technik ist, dass sie sehr schonend für die Atemwege ist, jedoch zu Beginn sehr viel Konzentration und Übung von dem Durchführenden verlangt (➤ Abb. 16.6).

Die Technik sollte bevorzugt im Sitzen durchgeführt werden. Das Sekret wird gesammelt, indem vermehrt eine aktive Bauchatmung forciert wird. Nach der Inspiration wird die Luft 3–5 Sekunden angehalten (endinspiratorische Pause) und anschließend wird eine Exspiration durch den Mund zugelassen. Daraufhin folgt erneut eine aktive Inspiration mit dem Ziel, so viel Luft wie möglich einzuatmen. Um dann einen ausreichenden Druck bei der erneuten Ausatmung zu gewährleisten und einen Kollaps der Bronchien zu vermeiden, wird empfohlen, Atemtherapiegeräte wie die PEP-Maske oder den Flutter, mindestens aber die dosierte Lippenbremse einzusetzen. Der Atemvorgang wird mehrmals hintereinander wiederholt, bis ausreichend Sekret von den kleineren zu den größeren Atemwegen transportiert wurde auch (*Ketchup Bottle Method* genannt). Dann kann mit wenigen Hustenstößen viel Sekret eliminiert werden.

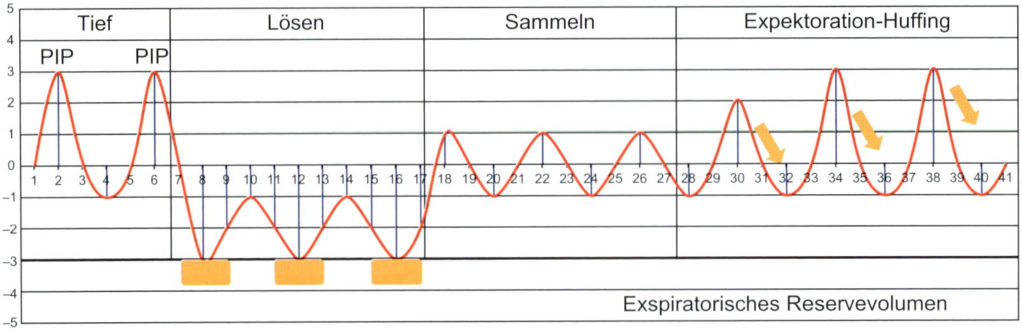

Abb. 16.6 Phasen der autogenen Drainage. PIP = postinspiratorische Pause von 3–4 Sekunden [G226–001/L231]

PRAKTISCHER TIPP

Reihenfolge der einzelnen Therapiemaßnahmen

Nachdem in der ersten Sitzung eine ausführliche Befunderhebung stattgefunden hat, wird empfohlen, die darauffolgenden Therapieeinheiten mit einer Inhalation zu beginnen. Ziel ist es, die Lungenbelüftung zu optimieren, die einzelnen Lungenabschnitte zu belüften und das Sekret flüssiger und damit mobiler zu machen.
Welches Medikament während der Inhalation bevorzugt verwendet werden sollte, muss mit dem betreuenden Lungenfacharzt oder Kinderarzt besprochen werden.
Im Anschluss an die Inhalation wird die reflektorische Atemtherapie (RAT) angewandt mit dem Ziel, den peripheren Gewebedruck zu senken, um dadurch eine dreidimensionale Atmung zu ermöglichen. Bei der RAT werden starke Haut- und Gewebereize in festgelegten Abläufen gesetzt, welche über eine Sympathikus- und Parasympathikus-Aktivierung die Stärke und Richtung der Atmung verändern sollen.
Danach kann mit der autogenen Drainage begonnen werden, diese wird ab dem fünften Lebensjahr empfohlen. Mit Hilfe eines Atemtherapiegeräts (zum Beispiel der PEP-Maske), kann nun das mobilisierte Sekret möglichst ohne viel Krafteinsatz von den kleinen in die größeren Atemwege transportiert beziehungsweise „geatmet" werden, sodass es dann mit wenigen produktiven Hustenstößen eliminiert werden kann.
Es bietet sich an, den weiterführenden Sitzungen kurz vor der Behandlung in der Physiotherapie-Praxis zu Hause die Inhalation durchzuführen, sodass in der Praxis noch weitere Maßnahmen wie Kräftigungs- und Mobilisationsübungen durchgeführt werden können.

Mobilisationsübungen

Bei den verschiedenen Mobilisationsübungen für die Wirbelsäule steht die Optimierung der Rippen- und Facettenbeweglichkeit im Vordergrund. Mit einem gutem Bewegungsausmaß vor allem in der Brustwirbelsäule ist es für die CF-Patient*innen leichter, produktiv das Sekret zu eliminieren und somit langfristig ihre Werte in der Lungenfunktion stabil zu halten.

Rumpfkräftigung

Übungen zur Kräftigung des Rumpfes und der Atempumpe müssen Teil der Therapie bei CF-Patient*innen sein. Die Kraft der Rumpfmuskulatur ermöglicht einen effektiven Hustenstoß und vor allem bei Belastung einen effizienten Einsatz der Atemhilfsmuskulatur. Daher ist das Training dieser Muskulatur immens wichtig, um präventiv die Notwendigkeit des Einsatzes von Beatmungsgeräten zu verhindern oder zumindest so lange wie möglich hinauszuzögern. In ➤ Tab. 16.4 wird beispielhaft der Aufbau eines Therapieplans der ersten sechs Einheiten dargestellt.

Elternanleitung

Ein sehr wichtiger Grundbaustein der Therapie ist das Anleiten der Eltern, vor allem bei jüngeren Kindern. Es ist wichtig, den Eltern Hilfestellung zu leisten, die Übungen zu kontrollieren und bei Schwierigkeiten zu unterstützen. Es ist ebenso von großer Bedeutung, die Eltern darin zu bestärken, dass für Kinder jede Form von körperlicher Aktivität sinnvoll ist und diese auch weiterhin gefördert werden soll.

Probleme während der Behandlungszeit

- Hustenanfall: Es muss unterschieden werden zwischen unproduktivem Husten ohne Sekret und produktivem Husten mit Sekret. Bei unproduktivem Husten gilt es die Unterdrückung des Hustenreflexes zu trainieren. Dies ist möglich durch eine Beruhigung der Hustenrezeptoren unter anderem durch das Lutschen von Bonbons, Trinken von warmen Getränken oder Atmen in Intervallen mit dem Ziel, die Atmung zu verlangsamen.
- Zu wenig Sekret wird von den kleinen in die großen Atemwege befördert: Hier ist es notwendig, das Sekret neu zu lokalisieren und wenn möglich die Atemtechnik in einer veränderten Ausgangsstellung durchzuführen
- Zu wenig Kraft für einen effizienten Hustenstoß: Hier kann versucht werden, über eine Erhöhung des abdominalen Drucks den Hustenstoß zu unterstützen und zu verbessern. Eigenständig kann der Patient mithilfe eines Handtuchs um den Brustkorb den Hustenstoß von außen verstärken.

Tab. 16.4 Therapieplan

Ziel	Maßnahmen	Variation
Befund: • Atemrichtung • Sekretlokalisation • Thoraxbeweglichkeit • Kraft des Rumpfes	• Inspektion im Stand und in Rückenlage • Bewegungsausmaß der BWS • Palpation des Thorax während Atmung (Sekretverhalten) • Palpation und Einsatz der Atemhilfsmuskulatur	• Einsatz der Atemhilfsmuskulatur • Husten – produktiv/unproduktiv
Erlernen der autogenen Drainage	• Lokalisation des Sekrets mithilfe von Watte (unterschiedlich stark anpusten, wegpusten) • Hustenunterdrückung üben, z. B. Luft anhalten beim Versteckenspiel, um nicht gehört zu werden • Autogene Drainage (AD)	• Aufzeichnen des Atemrhythmus bei der AD als „Ozeanwelle" (Patientin ist das Schiff auf den Wellen)
Optimierung der Sekretelimination	• Inhalation • AD („Ozeanwelle") • Mobilisationsübungen für Brustwirbelsäule, z. B. Superman oder Bogenschießen • Abschluss mittels Hautrollung auf Sitzsack	• Gegebenenfalls kann die AD erneut zum Abschluss der Therapieeinheit durchgeführt werden • Hautrollung in drainageähnlicher Position, z. B. in Bauchlage auf Sitzsack oder Raketenposition
Beweglichkeit und Kraft	• Mobilisationsübungen der BWS im Vierfüßlerstand und in Seitlage • Kräftigungsübungen für Schultergürtel und Rücken mit einem Theraband • Beweglichkeit und Ausdauer verbessern, z. B. Trampolinspringen mit Sandsäckchen auf Trampolin, welche „mithüpfen" sollen • Abschluss auf Sitzsack	• Im Vierfüßlerstand können Flexion und Extension, sowie Rotation durchgeführt werden • In Seitenlage wird dominant die Rotation der BWS verbessert • Thoraxstreckung auch über Pezziball „als Rakete" möglich – Kind rollt über Pezziball in Dorsal- oder Frontalstütz
Verbesserung des Hustens	• Inhalation • Kräftigung der Atem- und Hustenhilfsmuskulatur (Watte weit pusten, Luftballons hin und her pusten, Vorhang flattern lassen) • AD als Zoobesuch (Phonationsübungen und Nachahmen von verschiedenen Tieren) • „Hoppe Reiter" als Abschlusslied auf Pezziball	• Training des M. latissimus dorsi in Rückenlage, Vierfüßlerstand oder Stand • Lieblingstiere der Patientin für verschiedene Atemaktionen (z. B. Bärengebrüll für Exspiration, Elefant sammelt Wasser bei tiefer Inspiration)
Spielen mit der Atmung	• Inhalation • Aktive Veränderungen der Atemrichtung z. B. leises oder lautes Atmen, Töne, Atmen mit Phonationstechniken, Atmen über Strohhalm in ein Glas und dort Wasser sprudeln lassen • AD • Hautrollung und Packegriffe als Abschluss	• Ein- bis dreidimensionale Atmung üben, betonte abdominale, kostale oder sternale Atmung
Als Wiederbefundzeichen werden die im Befund ermittelten Parameter nach jeder Behandlung überprüft: Es wird die dominante Atemrichtung angeschaut, das Bewegungsausmaß der Brustwirbelsäule geprüft und das Sekretverhalten palpiert, indem mit zwei bis drei Fingern am Thorax bei tiefer In- und Exspiration nach Rasseln gespürt wird.		

KLINISCHER HINTERGRUND

Wie funktioniert der Reflex des Hustens?

- Tiefe Inspiration – es können bis zu 2,5 l Luft eingeatmet werden.
- Es folgt eine kurze Atempause, in der sich die Luft in der Lunge verteilt.
- Der Verschluss des Kehlkopfdeckels führt zu einem Druckanstieg im Brustkorb und in den Alveolen, zusätzlich kommt es zur Kontraktion der Atemhilfsmuskulatur.
- Expulsionsphase – schlagartiges Öffnen des Kehlkopfdeckels macht Druckverlust möglich und beschleunigt dadurch die Luft in den Atemwegen. Mit der beschleunigten Luft wird das Sekret mobilisiert und eliminiert.

Therapieverlauf und -abschluss

Zur objektiven Erfolgskontrolle der Therapiemaßnahmen soll regelmäßig ein Assessment durchgeführt werden. So können Veränderungen schneller objektiv wahrgenommen werden und Maßnahmen angepasst werden.

Innerhalb des viermonatigen Behandlungszeitraums erhielt Lina dreimal pro Woche für 60 Minuten Physiotherapie in Form von CF-spezifischen Übungen. Vor allem das Erlernen der autogenen Drainage nach Jean Chevallier sowie allgemeine Übungen zur körperlichen Fitness und die Inhalationstherapie standen dabei im Vordergrund. Das Heimprogramm hat Lina sehr zuverlässig täglich durchgeführt. Durch wiederholtes Training, Physiotherapie und der Zusammenarbeit mit ihrer Mutter konnte Lina die autogene Drainage gut umsetzen. Sie weiß mittlerweile, wie sie das Sekret lokalisieren kann bzw. wie sie es ohne viel Aufwand oralwärts transportieren und abschließend relativ leicht abhusten kann.

Im Therapieverlauf konnten die Werte der Lungenfunktion von Lina verbessert werden, und es traten weniger Exazerbationen auf. Die Physiotherapeutin sieht, dass sich die Statik von Lina verbessert hat und die erlernte Dreidimensionalität der Atemrichtung ausgeprägter zu beobachten ist. Lina berichtet, dass ihr das Spielen mit den anderen Kindern wieder viel leichter fällt, sie nicht mehr so schnell aus der Puste ist. Linas betreuender Lungenfacharzt ist mit dem momentanen Stand der Therapie sehr zufrieden und empfiehlt, weiterhin dreimal pro Woche zur Physiotherapie zu gehen und alle drei Monate eine Röntgenkontrolle sowie eine Lungenfunktionsprüfung durchzuführen.

16.6 Evidenzbasierte Zusammenfassung

Studien zeigen bisher, dass keine bestimmte Atemtechnik (Airway Clearance Techniques, ACT´s) (McCormack, Burnham & Southern 2017) besonders effektiver ist als eine andere. Die Auswahl der Techniken muss nach Möglichkeit gemeinsam mit den Patient*innen getroffen werden, dies verspricht den größten Erfolg. Es konnte jedoch gezeigt werden, dass ACT´s kurzfristig den Transport und die Elimination von Sputum beschleunigen können und vor allem bei Patient*innen mit Mukoviszidose eine effektive Sputum-Expektoration in den peripheren bronchopulmonalen Segmenten fördern kann. Während kurzfristige positive Effekte mit dieser Atemtherapietechnik oder dem Einsatz einer Flutters erzielt werden konnten, ist die Evidenz langfristiger Auswirkungen noch nicht aussagekräftig.

Zusätzlich ist die Rolle von körperlicher Belastung und Aktivitäten sehr zu betonen, um langfristig den Gesundheitszustand von CF-Patient*innen bestmöglich zu erhalten. Hier beeinflussen die Dauer und die Art des körperlichen Trainings die positiven Auswirkungen auf die Patient*innen.

WAS WÄRE, WENN …

… es zu einem akuten Infekt während der Betreuung der Patientin kommen würde?

Die Therapie sollte weiterhin stattfinden, angepasst an die Schwere des Infekts. Das heißt, die AD sollte weiter durchgeführt werden, zudem können in dieser Zeit vermehrt passive Techniken eingesetzt werden wie zum Beispiel Packegriffe, interkostale Ausstreichungen oder eine heiße Rolle. Sobald der Infekt abgeklungen ist, wird die Therapie wie gewohnt fortgesetzt.

16

Als Alternative zu Nusinersen steht eine tägliche orale Applikation mit der Substanz Risdiplam (Evrysdi®) seit März 2021 zur Verfügung.

Im Mai 2020 wurde von der EU-Kommission eine Gentherapie mit der Substanz Onasemnogen-Abepavrovec (Zolgensma®) zur Behandlung von Patient*innen unter zwei Lebensjahren zugelassen. Das Präparat wird als Einmalgabe intravenös verabreicht. Bisher ist unklar, ob die SMN1-Genkopie für einige Jahre oder lebenslang in den Alpha-Motoneuronen verbleibt (Johannsen 2020).

17.1 Vorgeschichte

Damian ist jetzt 2,5 Jahre alt. Er kam in der 37. SSW durch eine geplante Sectio aufgrund einer angeborenen fetalen Zwerchfellhernie zur Welt. Die Zwerchfellhernie links wurde drei Tage nach der Geburt operiert (Laparotomie mit Defektverschluss). Wegen der früh auffallenden globalen Muskelhypotonie wurde im Alter von zehn Wochen durch molekulargenetische Diagnostik die Diagnose SMA 1 gestellt. Anfänglich konnte Damian aus der Flasche trinken, im Alter von wenigen Wochen verlor er schrittweise diese Fähigkeit und muss seitdem über Sonden ernährt werden.

Damians Grunderkrankung SMA 1 hat bei ihm bereits im Alter von acht Wochen dazu geführt, dass durch die fortschreitende Belastung der Atempumpe eine ventilatorische Insuffizienz entstanden ist und zunächst eine nichtinvasive Beatmung über eine Nasenmaske etabliert wurde.

Die aufgrund der angeborenen Zwerchfellhernie entstandene Lungenhypoplasie (verminderte fetale Entwicklung der Lunge) beeinträchtigte die Atmung zusätzlich. Darüber hinaus hatte Damian eine starke Sekretproduktion und eine Dysphagie (Schluckstörung) entwickelt. Er konnte das Sekret nicht schlucken und musste zum Teil mehrfach pro Stunde oral abgesaugt werden.

Mit 11 Monaten war es durch den hohen Beatmungsbedarf und die Sekretproblematik nicht mehr möglich, die Beatmung nichtinvasiv durchzuführen, und es fiel die Entscheidung, ein Tracheostoma als Beatmungszugang anzulegen.

Hauptdiagnose: Spinale Muskelatrophie Typ 1 (unter Nusinersen-Therapie, bisher neun Gaben).

Weitere Diagnosen:

- Rezidivierende pulmonale Infekte
- Chronische respiratorische Insuffizienz: nichtinvasive Beatmung seit dem Alter von acht Wochen, Anlage Tracheostoma im Alter von 11 Monaten, Beatmung über Tracheostoma für 24 Stunden, Weaning (Beatmungspausen) zweimal täglich 30–45 Minuten
- Z. n. echter Zwerchfellhernie links, Lungenhypoplasie
- Dysphagie
- Z. n. Gastrostoma-Anlage im Alter von vier Monaten, seit dem Alter von 13 Monaten Ernährung über eine PEJ (perkutane endoskopische Jejunostomie)

In diesem Fallbeispiel werden folgende Fragen analysiert und beantwortet:

- Wie kann eine Kombination von Atemphysiotherapie mit Inhalation und maschinellen Hustenhilfen gestaltet werden?
- Welche Aspekte sind dabei zu berücksichtigen?

17.2 Untersuchungsbefunde

17.2.1 Medizinische Befunde

Damians Allgemeinzustand ist sehr wechselhaft von Tag zu Tag: Es gibt durchschnittlich vier bis fünf aufeinander folgende Tage im Monat mit Fieberanstieg über 38,5 °C, sehr viel oronasalem Sekret und Hämatin-haltigen Magenresten sowie starker Schmerzsymptomatik. Damian hat eine sehr schmerzhafte chronische Ösophagitis, dadurch kommt es zu Blutbeimengungen des Magensafts. Der Magen musste operativ stark verkleinert werden, und eine Spezialnahrung wird unter Umgehung des Magens direkt in das Jejunum sondiert. Eine medikamentöse Analgesie ist fest angesetzt, dazu können Bedarfsmedikamente gegeben werden.

Pneumologischer Befund

Damians Brustkorb ist insgesamt verkleinert und restriktiv. Die Beweglichkeit ist in alle Richtungen vermindert. Im Röntgen-Thorax zeigen sich eine leichte rechtskonvexe Skoliose im BWS-Bereich, hochstehende Zwerchfelle und diffuse peribronchiale Verdichtungen.

Aufgrund der ehemaligen Zwerchfellhernie ist die linke Lunge hypoplastisch und die Gasaustauschfläche ist verkleinert. Durch die maschinelle Beatmung wird der Thorax regelmäßig bewegt, während der Weaning-Phasen steigt die Atemfrequenz und es treten zum Ende hin Zeichen erhöhter Atemarbeit auf (interkostale Einziehungen, flachere Thoraxexkursionen).

Bei langzeitbeatmeten Patient*innen, die nicht dauerhaft von der Beatmung entwöhnt werden können, werden – wenn möglich – regelmäßige Weaning-Zeiten durchgeführt, um eine Zwerchfellatrophie zu verhindern. Dies ist bei Damian der Fall.

Damian hat fast ständig eine vermehrte Produktion von Bronchialsekret, das mehrmals pro Stunde abgesaugt werden muss.

KLINISCHER HINTERGRUND

Weaning

Weaning (engl. *to wean* = entwöhnen) bezeichnet die Entwöhnung oder das Absetzen einer maschinellen Beatmungsform. Diese Entwöhnung beatmeter Patient*innen von der maschinellen Atemunterstützung wird im stationären Bereich in definierten Phasen mit steigenden Zeiteinheiten durchgeführt. (Deutsche Gesellschaft für Pneumologie und Beatmungsmedizin et al. 2020 und 2019)

17.2.2 Physiotherapeutische Anamnese

Die Ausprägung von Damians magenbedingter Schmerzsymptomatik wird mittels visueller Analogskala (VAS) oder numerischer Rating-Skala (NRS) bestimmt. Seine (zunehmenden) Restriktionen der Atemwegsexkursionen können mittels Maßband (Umfangsmaße des Thorax bei Ein- und Ausatmung) gemessen werden.

Im Sichtbefund wird seine Atemfrequenz gezählt und die Zeichen erhöhter Atemarbeit, wie Einziehungen der Interkostalräume und flachere Thoraxexkursionen, können beobachtet und vermerkt werden.

Interprofessionelles Arbeiten: Ggf. kann in Kooperation mit der Pflege die Menge, Farbe und Konsistenz des abgesaugten Bronchialsekrets vor und nach der Physiotherapie mit Damian notiert werden (→ Wirksamkeitsnachweise).

Damians Muskelschwäche wird soweit möglich in regelmäßigen Abständen mit der Medical-Research-Council(MRC)-Skala, modifiziert nach Noreau (Pfeffer, 2007), getestet werden. Seine Gelenkkontrakturen werden mit dem ROM (Neutral-Null-Methode) bestimmt.

17.2.3 Evaluation des Gesundheitszustands nach ICF

Personenbezogene und Umweltfaktoren

Im Bereich der Sozialanamnese zeigt sich ein großes Spannungsfeld. Damians Eltern kamen vor einigen Jahren als syrisch-kurdische Asylbewerber nach Deutschland. Hier wurden auch seine beiden älteren gesunden Geschwister geboren, sein Bruder ist sechs und seine Schwester vier Jahre alt. Die Kinder gehen beide in die Kita. Der Vater arbeitet im Drei-Schicht-System in einer Druckerei, die Mutter ist Hausfrau.

Eine Versorgung zuhause ist aufgrund des Schweregrads der Pflegebedürftigkeit nur mit der Unterstützung durch einen Pflegedienst für 24 Stunden täglich möglich. Dieser konnte nicht gefunden werden, daher lebt Damian seit dem Alter von zehn Monaten in einem Wohnheim für langzeitbeatmete Kinder und Jugendliche. Davor war er stationär auf der pädiatrischen Beatmungsstation aufgenommen. Die Familie besucht ihn regelmäßig ein- bis dreimal pro Woche.

Funktions- und Strukturebene

Bei Damian besteht eine sehr ausgeprägte Muskelhypotonie, insbesondere im Bereich der Rumpfmuskulatur, was seine sensomotorische Entwicklung deutlich beeinträchtigt. Er kann keine aktiven Bewegungsübergänge in die Aufrichtung gegen die Schwerkraft durchführen und er hat keine Kopfkontrolle.

Kontrakturen der Gelenke sind überwiegend nicht vorhanden, lediglich beide Füße sind in der Beweglichkeit eingeschränkt und können nicht weiter als in 90° Dorsalextension gebracht werden.

Da Damian sehr viel oronasales Sekret produziert, das er nicht schlucken kann, ist seine Trachealkanüle „geblockt“, also mit einer aufblasbaren Manschette (Cuff) versehen, die an der Trachea anliegt. Dieser Cuff minimiert die Gefahr, dass Sekret in die Lunge gelangt, verhindert jedoch die Möglichkeit zu lautieren.

Aktivitätsebene

Damian hat viel Freude an Bewegung und ist motiviert, z. B. zu Spielzeug zu gelangen.

In der Rückenlage kann sich Damian zu Mittellinie hin stabilisieren. Er streckt die Arme nach oben, nimmt die Hände zum Mund, greift nach Spielzeug, transferiert und hantiert mit etwas reduzierter Muskelkraft. Sehr typisch für Kinder mit SMA 1 ist die Haltung der Unterarme in vermehrter Pronation und Ulnardeviation der Hände bei verminderter Dorsalflexion der Handgelenke. Auch Damian weist diese Besonderheit auf, kann jedoch bei Aktivität die Arme supinieren und greift kräftig mit den Händen.

Die Beine können gegen die Schwerkraft gehoben werden und symmetrisch strampeln. Mit Hilfe kann Damian zu den Knien und Füßen greifen. Die Füße sind spontan in vermehrter Spitzfußstellung, können aber passiv in die Neutralstellung gebracht werden, auch dies zeigt sich häufig bei Kindern mit SMA 1.

Damian kann sich aktiv zu beiden Seiten drehen und will in die Bauchlage gelangen, schafft es jedoch nicht eigenständig aufgrund des Kraftmangels im Bereich des Schultergürtels und des Kopfes. Erschwerend für diese Position sind dabei auch die Trachealkanüle und der Beatmungsschlauch.

Die Bauchlage kann mit Stabilisation des Unterarmstützes durch die Physiotherapeutin für ca. eine Minute toleriert werden, der Kopf muss dabei ebenfalls vollständig gehalten werden.

Weitere höhere Positionen wie der gehaltene Sitz sind meistens nur kurzfristig möglich, da durch den Druck auf die Bauchorgane schnell Übelkeit entsteht.

Im Säuglingsalter konnte Damian im gehaltenen Vierfüßlerstand mit Unterstützung durch Position des Bauchs auf dem Bein der Therapeutin und Halten des Kopfs für einige Minuten mit viel Freude bleiben, mittlerweile ist diese Position zu anstrengend für ihn.

Partizipationsebene (Teilhabe)

Damian ist sehr aufmerksam, fröhlich und freundlich und nimmt gerne Kontakt zu anderen Menschen auf, z. B. auch durch Winken. Er beschäftigt sich ausdauernd mit altersentsprechenden Spielen; er liebt es, Dinge zu untersuchen, zu stapeln, ineinanderzustecken und zu werfen, und will Spielzeuge mit den anderen Kindern teilen.

Insbesondere liebt Damian Musik, er trommelt, „spielt“ Kinderklavier, und bewegt sich zu Musik. Im Morgenkreis der Wohngruppe kann er so auch gemeinsam mit den anderen Kindern musizieren.

Da das Lautieren mit der geblockten Kanüle nicht möglich ist, deutet er mit dem Zeigefinger auf Dinge, die er haben will, und auf Orte, zu denen er gebracht werden möchte. Außerdem beginnt er einige Gebärden zu benutzen („noch mal“, „Auto“, „waschen“, „spielen“). Damit kann er sowohl mit den Erwachsenen als auch mit den anderen Kindern kommunizieren.

Aktuelle und geplante Hilfsmittel:

- Respiratorisch: ein Beatmungsgerät mit Gerät zur Atemgaskonditionierung (Anfeuchtung und Erwärmung), ein zweites mobiles Beatmungsgerät mit HME-Filter (Wärme- und Feuchtigkeitsaustausch-Filter), Überwachungsmonitor, Absauggerät, mechanischer In- und Exsufflator, Inhaliergerät zur Feuchtinhalation
- Sonstige: Rollstuhl mit angepasster Sitzschale und Tisch, Lagerungsorthesen (oberschenkelhoch für die Nacht, sprunggelenkübergreifend für den Tag)
- Geplant: Gravity Chair, Therapiestuhl, Stehgerät

17.3 Zusammenfassung der wichtigsten Befunde

Aufgrund der neuromuskulären Erkrankung ist Damians Brustkorb nicht ausreichend entfaltet und in allen Bewegungsrichtungen eingeschränkt. Zusätzlich kommt es zu vermehrtem Sekretstau mit nachfolgenden Bronchitiden bis hin zu Pneumonie.

Die SMA-bedingte muskuläre Hypotonie erschwert Damian jegliche Bewegung gegen die Schwerkraft und bedingt das Risiko zunehmender Gelenkkontrakturen. Hierdurch ist er in seiner sensomotorischen Entwicklung deutlich verzögert.

Diese Bedingungen führen insgesamt zu einem sehr hohen Pflegeaufwand.

17.4 Atemphysiotherapeutische Zielsetzung

Die Atemphysiotherapie bei Damian verfolgt mehrere Ziele, die jeweils entsprechend dem aktuellen Befund in unterschiedlichen Schwerpunkten zur Anwendung kommen:

- Fördern der Sekretmobilisation
- Unterstützen der Ventilation, besonders in den Weaning-Phasen
- Thoraxmobilisation
- Herabsetzen elastischer Widerstände
- Entlastung der Atempumpe während des Weanings

17.5 Physiotherapeutische Maßnahmen

Der physiotherapeutische Therapieplan sieht wie folgt aus: Die Behandlungen finden drei- bis fünfmal wöchentlich statt. Neben der **Atemphysiotherapie** wird eine Behandlung auf neurophysiologischer Basis nach dem **Bobath-Konzept** zur Förderung der sensomotorischen Entwicklung und Tonusregulation durchgeführt. Diese beinhaltet auch eine Dehnbehandlung der Beine zur **Kontrakturprophylaxe.**

Aufgrund des jungen Alters und der reduzierten muskulären Kraft bei respiratorischer Insuffizienz können bei Damian nur *passive Atemtechniken* zur Anwendung kommen:

- **Kontaktatmung:** Bei der Kontaktatmung werden durch Handkontakt auf den unterschiedlichen Bereichen des Thorax vertiefte Ein- und Ausatembewegungen stimuliert. Durch die Intensivierung der atemsynchronen Bronchialkaliberschwankungen kommt es zu einer Verbesserung der Ventilation und Sekretablösung in den kleinen Atemwegen sowie durch eine Erhöhung des Ausatemflows zu einem effektiveren Sekrettransport oralwärts.
- **Dehnlagen und Umlagerungen:** Dehnlagen unterstützen die Thoraxmobilität in alle Richtungen, insbesondere auch in die Rotation und Lateralflexion. Umlagerungen und Lagewechsel wirken sich positiv auf das Ventilations-/Perfusionsverhältnis in der Lunge aus und vermindern die Gefahr des Entstehens nichtoxygenierter Bezirke durch Hypostase.
- **Packegriffe und Ausstreichungen der Interkostalräume:** Diese dienen dem Herabsetzen des elastischen Widerstands der Strukturen des Thorax (Haut, Muskulatur, Bindegewebe) und der angrenzenden Gelenke.
- **Atemerleichternde Körperstellungen:** Hierbei handelt es sich um Positionen, in denen die auf dem Thorax lastenden Gewichte der Arme und des Kopfs z. B. durch Ablegen reduziert werden, was der Atemmuskulatur mehr Kapazität ermöglicht. Wenn zusätzlich der Bauch nicht eingeengt ist, kann auch das Zwerchfell leichter arbeiten.
- **Kombination mit neurophysiologischen Behandlungstechniken** zur Bewegungsanregung, auch mit dem Fokus auf Förderung der Thoraxmobilität.

Bestandteil der physiotherapeutischen Behandlung ist auch die Anleitung neuer Pflegepersonen in den Techniken, die von ihnen mit übernommen werden können.

Beispiel für eine Behandlungseinheit Atemphysiotherapie

Damian ist zunächst an der Beatmung, er hat viel lockeres Sekret, das während der gesamten Behandlung zwischendurch immer wieder abgesaugt werden muss.

Unter laufender Beatmung wird zum Erweitern der Bronchien zunächst ein Hub Salbutamol als Dosieraerosol gegeben, dann beginnt die Feuchtinhalation mit NaCl 0,9 % zur Anfeuchtung der Atemwege.

Um die Deposition zu unterstützen und die Thoraxmobilisation zu fördern, wird Damian dabei in therapeutische Körperstellungen gebracht: **Rückendrehdehnlage** („*Schraube*", ➤ Abb. 17.1) für die Rotation des Thoraxes, **C-Dehnlage** („*Halbmond*", ➤ Abb. 17.2) für die Lateralflexion.

Nach der Inhalation beginnt eine Beatmungspause. Zum Entlasten seiner Atemarbeit wird Damian in atemerleichternde Körperstellungen gebracht: Rückenlage mit leicht elevierten Armen (dadurch wird der Thorax in Einatemstellung gebracht) oder Bauchlage mit Abpolstern von Kopf und Oberkörper, um den Beatmungszugang nicht abzuklemmen. Die Bauchlage ermöglicht eine homogenere Belüftung der Lunge, weil die Mediastinalorgane unten liegen.

In den atemerleichternden Körperstellungen kann die Kontaktatmung auf verschiedenen Arealen der Lunge die atemsynchronen Bronchialkaliberschwankungen intensivieren und somit die Belüftung und Sekretmobilisation unterstützen. Umlagerungen beeinflussen das Perfusions-/Ventilationsverhältnis der Lunge zusätzlich positiv.

Zum Herabsetzen elastischer Widerstände werden leichte interkostale Ausstreichungen und Packegriffe angewendet, die Weichteilstrukturen des Thorax können dadurch gelöst und mehr Thoraxexkursionen ermöglicht werden.

Insbesondere während der Weaning-Phase ist ein Monitoring von Sauerstoffsättigung und Herzfrequenz wichtig, damit eine zu starke Anstrengung rechtzeitig bemerkt werden kann.

Abb. 17.1 Beispiel einer Rückendrehdehnlage [P498]

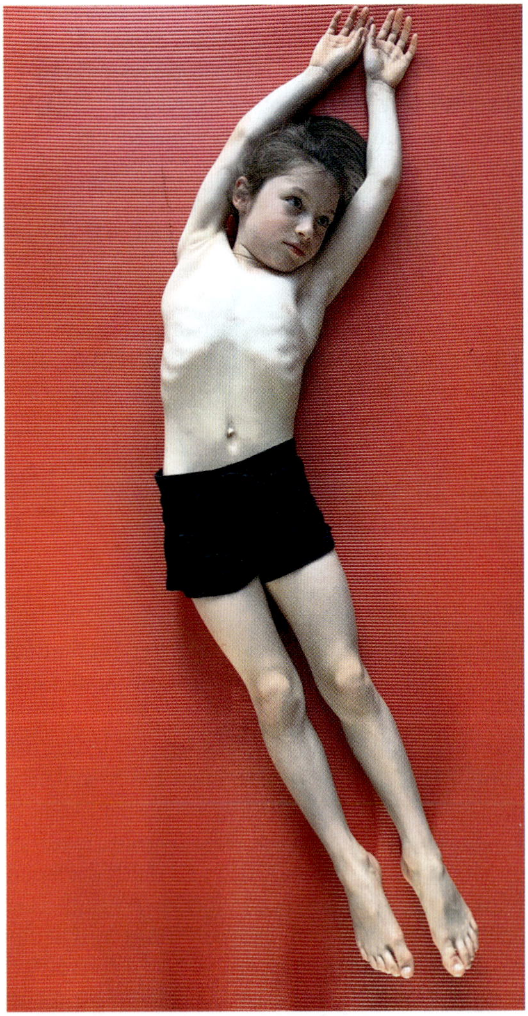

Abb. 17.2 Beispiel einer C-Dehnlage [P498]

Bevor Damian wieder an das Beatmungsgerät geht, wird der CoughAssist angewendet, um vertiefte Atemzüge durchzuführen, die die Lunge öffnen und den Sekrettransport aus den großen Atemwegen oralwärts fördern.

Wenn eine neue Pflegekraft eingearbeitet wird, ist sie bei der Behandlung dabei, um die Wirkprinzipien und die Durchführung der Inhalation und des CooughAssist bei Damian zu erlernen.

Kombination Physiotherapie/Inhalation/CoughAssist, Integration in den Tagesplan

Zur Behandlung der pulmonalen Folgen von Damians Grunderkrankung SMA 1 und der Langzeitbeatmung sind Inhalationstherapie, physiotherapeutische Atemtherapie und die Anwendung maschineller Hustenhilfen ärztlich verordnet worden. Die Frequenz der täglichen Maßnahmen ist unterschiedlich, wenn mehrere direkt nacheinander durchgeführt werden, ist es wichtig, eine Reihenfolge einzuhalten, die für die Gesamtwirkung sinnvoll ist:

1. **Inhalation NaCl 0,9 % mit Salbutamol** (viermal täglich). Damian inhaliert mit der Feuchtinhalation NaCl 0,9 % zum Anfeuchten der Atemwege. Davor wird zur Bronchienerweiterung Salbutamol via Dosieraerosol mit Spacer verabreicht.
2. **Atemtherapie mit Maßnahmen zur Sekretmobilisation und Thoraxmobilisation** (dreimal pro Woche, bei Bedarf öfter). Kontaktatmung und Dehnlagen können auf den erweiterten Atemwegen noch besser dazu beitragen, die Ventilation zu unterstützen und Sekret zu mobilisieren.
3. **Anwendung des CoughAssist** (dreimal täglich). Maschinell unterstützte vertiefte Atemzüge mit negativem Ausatemdruck fördern den Sekrettransport aus den großen Atemwegen bis in die Trachea, wo das Sekret dann über die Trachealkanüle abgesaugt werden kann.
4. **Inhalation Salmeterol/Fluticason Kombipräparat** (zweimal täglich). Auf die möglichst von Sekreten gereinigte Lunge werden das langwirksame Beta-2-Mimetikum und das Kortisonpräparat inhaliert. Diese Substanzen sollen auf den Bronchialwänden deponieren und zur Wirkung kommen, also nicht wieder herausmobilisiert werden.

Damians Beatmungseinstellungen:

- Beatmungsgerät: Astral 150® mit Atemgaskonditionierer AIRcon®
- Schlauchsystem: 15 mm Einschlauch-Leckagesystem
- Beatmungsmodus: APCV (Assisted Pressure Control Ventilation) IPAP 10 hPa, PEEP 5 hPa, Ti 0,6 Sek., Atemfrequenz 30/Min., Kurve/Anstieg 120
- Meist Raumluft, selten zusätzliche O_2-Einleitung zwischen 0,1 und 1 l/Min.

KLINISCHER HINTERGRUND

Außerklinische Langzeitbeatmung (Heimbeatmung)

- Es gibt in der Pädiatrie eine große Variabilität an Krankheitsbildern, die langfristig die Atemarbeit so stark beeinträchtigen, dass sie maschinell unterstützt werden muss.
- Eine neuromuskuläre Erkrankung wie die SMA führt aufgrund der Progredienz in aller Regel zu einer Insuffizienz der Atemmuskulatur. Als Marker steigt hierbei der CO_2-Gehalt im Blut an, was die Notwendigkeit einer maschinellen Atemunterstützung anzeigt. Eine respiratorische Insuffizienz entsteht entweder durch gesteigerte Atemarbeit, Schwäche der Atemmuskulatur oder eine zentrale Atemregulationsstörung. Klinische Zeichen sind verstärkter Einsatz der Atemhilfsmuskulatur, interkostale Einziehungen und das vermehrte Auftreten von Lungeninfekten aufgrund der entstehenden Hypoventilation und Sekretretention.
- Bei Kindern mit einer SMA legt eine Untersuchung im Schlaflabor anhand bestimmter Kriterien (z. B. ein gesteigerter CO_2-Wert und nächtliche Hypoventilation) den Beginn der maschinellen Beatmungstherapie fest.
- Die tägliche Beatmungsdauer kann je nach Ausprägung der Symptomatik auf die Nacht beschränkt sein oder bis zu 24 Stunden betragen. Bei dauerhaft beatmeten Kindern ist es häufig das Bestreben, Beatmungspausen (Weaning) in den Tagesablauf einzubauen, um die Zwerchfellaktivität anzuregen und die Gefahr des Entstehens einer Zwerchfellatrophie zu minimieren.
- Der Beatmungszugang kann entweder als nichtinvasive Ventilation (NIV) über eine Maske (meist Nasenmaske) oder invasiv über eine Trachealkanüle erfolgen.
- Für die außerklinische Beatmung stehen verschiedene Beatmungsgeräte mehrerer Hersteller zur Verfügung. In diesen Respiratoren können unterschiedliche Beatmungsmodi eingestellt werden, in der Regel gewährleisten sie eine assistierte druckunterstützte und flussgesteuerte Atemunterstützung.

- Das Beatmungsgas muss angefeuchtet und erwärmt werden, um die Atemwege zu schonen. Dazu wird dem Respirator ein spezielles Gerät (Atemgaskonditionierer) hinzugefügt oder es wird ein sogenannter HME-Filter („Heat and Moisture Exchanger") eingesetzt.

(Deutsche Gesellschaft für Pneumologie und Beatmungsmedizin e.V. (DGP) et al. 2020)

Maschinelle Hustenhilfen

Als Folge des Verlusts der Atemmuskelkraft bei Kindern mit SMA entstehen zusätzlich eine sekundäre Restriktion und eine Husteninsuffizienz: Die Kraft zum Abhusten von Sekreten ist vermindert und es kann gehäuft zu Lungeninfekten kommen.

Die Kraft des Hustenstoßes kann durch das Husten in ein Peak-Flow-Meter gemessen werden oder auch in der Lungenfunktionsprüfung. Bei Erwachsenen ist der sogenannte Peak Cough Flow (PCF) effektiv, wenn er mehr als 360 l/min. beträgt, bei einem Wert unter 160 l/min. besteht eine manifeste Husteninsuffizienz. Für Kinder wird als unterer Grenzwert 120–140 l/min. vermutet.

Maschinelle Hustenhilfen stehen in Form von druckkontrollierten mechanischen In- und Exsufflatoren von mehreren Firmen zur Verfügung, z. B. CoughAssist E70®, Pegaso Cough®, Comfort Cough®, Nippy Clearway®.

Die Wirkung besteht darin, die kleinen Atemwege durch vertiefte Atemzüge regelmäßig zu öffnen, dadurch die Ventilation zu verbessern, Sekretretention und Keimbesiedlung zu verhindern und das Abhusten von Sekreten zu unterstützen.

Zusätzlich wird die Thoraxbeweglichkeit durch die intensivierte Ventilation „von innen" erhalten oder verbessert.

In der Ausatemphase (Exsufflation) kann ein negativer Druck angewendet werden, um Sekrete, die sich in den großen Atemwegen befinden, leichter mundwärts zu befördern.

Die Atemzüge können über eine Mund-Nasen-Maske oder bei Menschen mit Trachealkanüle über das Tracheostoma durchgeführt werden.

Maschinelle Hustenhilfen sollen zur Infektprophylaxe regelmäßig zwei- bis dreimal täglich über mehrere Atemzüge angewendet werden. Bei vermehrtem Sekret kann die Anwendung auch häufiger stattfinden. Die Einstellungen müssen so gewählt werden, dass sie vom Kind als angenehm empfunden werden, damit die Atemwege sich gut dabei öffnen. Sie werden etwa halbjährlich überprüft und angepasst, da aufgrund des Lungenwachstums die Drücke gesteigert und die Dauer der Atemzüge verlängert werden.

Anwendung bei Damian:

- Gerät: CoughAssist E70® (➤ Abb. 17.3)
- Anwendung: als Routine dreimal täglich fünf Atemzüge, jeweils drei Durchläufe, bei Bedarf (vermehrtes Sekret) auch häufiger
- Einstellungen: Anwendung über Trachealkanüle, Modus automatisch, Flow hoch, Insufflationsdruck +18 cm H_2O, Exsufflationsdruck −10 cm H_2O, Einatemzeit 1,2 Sek., Ausatemzeit 1,2 Sek., Pause 0 Sek., Oszillationen aus

Damian kann sich gut auf die Atemzüge einstellen, Sekret wird mobilisiert und dann abgesaugt.

Inhalationstherapie

Die Inhalationstherapie ermöglicht das Einbringen von Gasen, Dämpfen oder Aerosolen in die Atemwege zu therapeutischen Zwecken.

Medikamente, die in den Atemwegen wirken sollen, werden also direkt an den Ort gebracht, an dem Krankheitsprozesse stattfinden. Im Vergleich zu oral eingenommenen oder über die Blutwege injizierten Präparaten wird eine geringere Gesamtdosis benötigt und der Organismus weniger durch systemische Nebenwirkungen belastet.

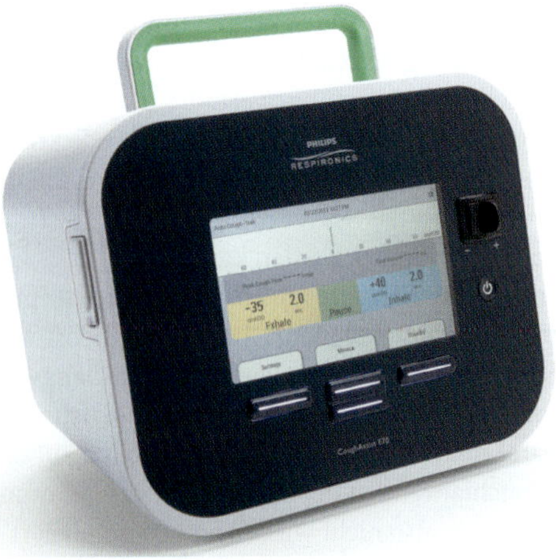

Abb. 17.3 CoughAssist E70® (Philips) [V148]

Je nach Teilchengröße des Inhalats gelangen die Partikel in die großen Atemwege oder weiter bis in die peripheren Bronchien und Bronchiolen.

Die sogenannte Deposition beschreibt die Medikamentenmenge, die sich in einem bestimmten Lungenareal ablagert und nicht wieder exhaliert wird, also zur Wirkung kommen kann.

KLINISCHER HINTERGRUND

Für die Inhalation stehen unterschiedliche Systeme zur Verfügung:

- Feuchtinhalation: das Medikament ist in einer Flüssigkeit gelöst und wird mit einem Vernebler entweder durch Kompressionsluft, Ultraschall oder Mesh-Technologie in ein Aerosol umgewandelt.
- Dosieraerosol: Für eine optimale intrathorakale Deposition ist die Anwendung mit einer Vorschaltkammer (Spacer) empfohlen.
- Trockenpulverinhalation: Diese ist nicht geeignet für beatmete Patient*innen.

Patient*innen, die kognitiv und physisch in der Lage sind, aktive Atemzüge durchzuführen, können mit Atemtechniken ihre Inhalation selbst effektiv gestalten. In der Regel verbessern vor allem vertiefte und langsame Einatemzüge die Depositionsrate.

Für beatmete Patient*innen stehen Systeme für die Feuchtinhalation zur Verfügung, die in das Beatmungssystem eingefügt werden können.

Ebenso besteht die Möglichkeit, Dosieraerosole durch ein spezielles Zwischenstück in den Beatmungsschlauch zu geben. Wenn Beatmungspausen möglich sind, können die Dosieraerosole mit dem Spacer auf die Trachealkanüle gesetzt und mittels eines Ambubeutels in die Atemwege gebracht werden.

Inhalationsplan für Damian – applizierte Medikamente

- NaCl 0,9 % 2 ml + Salbutamol (kurzwirksames Antiobstruktivum) drei Tropfen viermal täglich.
- Kombinationspräparat langwirksames Antiobstruktivum und Kortikosteroid (Salmeterol/Fluticason, Handelsname „Viani mite®“) 25 µg/50 µg-Dosieraerosol, zweimal täglich ein Hub.

Damian verwendet für die Feuchtinhalation das Inhaliergerät Aerogen® Solo (➤ Abb. 17.4). Es handelt sich um ein Mesh-System mit einem Schwingmembranvernebler, der zwischen Gänsegurgel und Beatmungsschlauch eingefügt werden kann und das

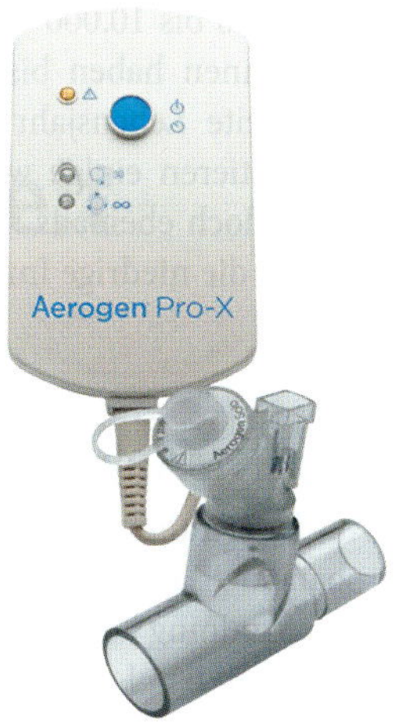

Abb. 17.4 Inhaliergerät Aerogen® Solo mit Steuereinheit Aerogen® Pro-X [V822]

Medikament während der laufenden Beatmung vernebelt.

Das Dosieraerosol wird über eine Vorschaltkammer (Spirale DDS®), die auf die Trachealkanüle gesetzt wird, und mithilfe eines Ambubeutels verabreicht.

Weitere regelmäßige, wöchentliche Therapien

- Ergotherapie dreimal
- Logopädie einmal
- Musiktherapie einmal
- Täglich Spielangebote durch Pädagogen

17.6 Evidenzbasierte Zusammenfassung

In der Atemtherapie für Kinder gibt es einige Studien im Bereich Mukoviszidose (meist auf niedrigem Evidenzniveau), die sich fast alle mit aktiven Techniken und kooperationsfähigen Patient*innen beschäftigen. Für Kinder mit SMA Typ 1 und überhaupt für Kinder mit neuromuskulären Erkrankungen existieren kaum Studien. Es handelt sich bei der SMA Typ 1 ja um eine sehr kleine Patientengruppe (weltweites

Intensivstation des Perinatalzentrums Level 1 verlegt (➤ Abb. 18.1).

Nun beginnt für Familie S. eine lange Zeit des Wartens, Hoffens und Bangens. Frau S. selbst erholt sich körperlich schnell von der Geburt und kann schon bald die Klinik verlassen. Zu Hause übernimmt eine Hebamme die Nachsorge.

In diesem Fallbeispiel werden folgende Fragen analysiert und beantwortet:

- Wie verläuft die Entwicklung eines frühgeborenen Kindes und welche (motorischen) Besonderheiten können auftreten?
- Wie wichtig ist die interprofessionelle Zusammenarbeit auf einer neonatologischen (Intensiv-) Station?
- Wie wichtig sind die häuslichen Übungen und damit der Einbezug der Eltern in die Therapie?
- Welche Therapiemaßnahmen haben wissenschaftliche Evidenz?
- Welche möglichen (orthopädischen) Probleme können im Entwicklungsverlauf auftreten?
- Welche Nachsorge ist sinnvoll?

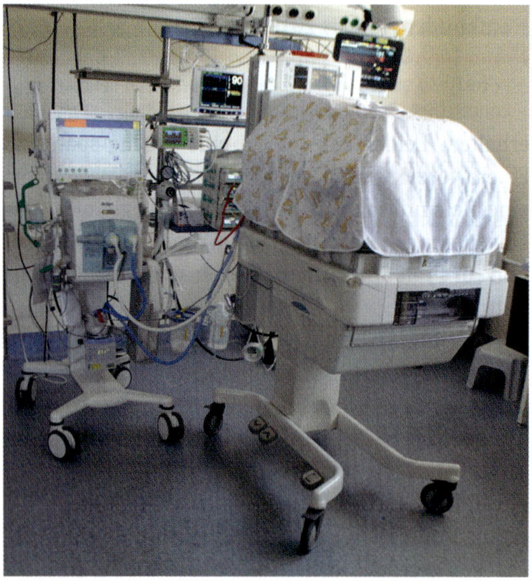

Abb. 18.1 Inkubator auf einer neonatologischen Intensivstation eines Perinatalzentrums Level 1 (Kinderintensivstation Neo-KITS Aschaffenburg). Um extrem frühgeborene Kinder vor Umgebungsgeräuschen und hellem Licht zu schützen, wird der Inkubator mit einem Tuch abgedeckt. [M1172]

18.2 Untersuchungsbefunde

18.2.1 Medizinische Befunde

Je früher ein Kind geboren wird, desto größer ist die Unreife der Organe. Deshalb benötigen im Falle von Paul Atmung, Herz-Kreislauf-System, Verdauung, zentrales Nervensystem, Nieren und das Immunsystem eine besondere Beachtung. Diese Organsysteme spielen für die physiotherapeutische Behandlung eine große Rolle.

Atmung, Herz-Kreislauf-System, Verdauung und das ZNS bilden neben der motorischen Entwicklung Schwerpunkte der Therapie. Auf das Immunsystem und die Nieren hat die physiotherapeutische Behandlung zwar keinen direkten Einfluss; dennoch ist es wichtig, über deren Entwicklung und Beeinträchtigungen informiert zu sein, um ein ganzheitliches Bild des Kindes zu haben.

Atmung

Die Lunge eines Ungeborenen unterliegt im Vergleich zu anderen Organen einer besonderen Entwicklung. Intrauterin arbeitet sie noch nicht in ihrer eigentlichen Bestimmung und entwickelt sich erst im Laufe der letzten Schwangerschaftswochen zu einem voll funktionsfähigen Organ. Ist die Lunge aufgrund der Frühgeburtlichkeit noch nicht ausgereift, wird ihre Entwicklung durch die Gabe von Surfactant unterstützt, einem Gemisch aus Fetten und Eiweiß, das zur Entfaltung der Lunge benötigt wird und physiologisch erst etwa ab der 35. SSW gebildet wird. Die Surfactant-Gabe erfolgt entweder bei Intubation über den Tubus oder, bei Kindern, die unter nasaler CPAP-Therapie (Continuous Positive Airway Pressure) spontan atmen, über einen dünnen Katheter in die Luftröhre. (Göpel et al. 2011). Letztere Methode nennt sich „less invasive surfactant administration" (LISA, gering invasive Surfactant-Gabe) und ist für das Frühgeborene deutlich schonender.

Herz-Kreislauf-System

Das vorgeburtliche Herz-Kreislauf-System ist noch nicht vollständig ausgereift. Das kindliche Blut wird noch nicht über die Lunge, sondern über die Plazenta der Mutter mit Sauerstoff versorgt. Diese übernimmt die Funktionen von Lunge und Leber. Der fetale Kreislauf kann deshalb nur durch zwei Shunt-Verbindungen funktionieren: einerseits durch das offene Foramen ovale zwischen rechtem und linkem Vorhof und andererseits durch den Ductus arteriosus Botalli, die Verbindung zwischen Truncus pulmonalis und Aorta (Aumüller 2020).

Bei reif geborenen Kindern verschließen sich die Shunt-Verbindungen durch die veränderten Strömungswiderstände und Druckverhältnisse nach der Geburt spontan. Bei Frühgeborenen muss genau überwacht werden, ob dieser Vorgang gelingt. Unter Umständen muss dies durch eine Medikamentengabe unterstützt werden (Fegeler o. J.).

Verdauung

Auch das Verdauungssystem bedarf bei Frühgeborenen einer großen Aufmerksamkeit. Es ist zum Zeitpunkt der Geburt noch nicht vollständig ausgereift. Der Magen besitzt noch ein sehr kleines Volumen und der Darm muss sich in seiner Funktion noch entwickeln. Deshalb kann die Verträglichkeit der Nahrung noch sehr eingeschränkt sein. Die Folge sind meist Bauchschmerzen und Blähungen. Zudem haben die Kinder einen noch nicht ausreichenden Saug-Schluck-Reflex und können Atmen, Saugen und Schlucken noch nicht gut koordinieren. Oft können sie selbstständig nur wenig Nahrung aufnehmen. Deshalb werden sie häufig über eine Nahrungssonde, die durch Nase oder Mund in den Magen führt, ernährt (Stavis 2019).

Nieren

Sämtliche Abbauprodukte des ungeborenen Kindes treten während der Schwangerschaft durch die Plazenta hindurch und werden von den Nieren der Mutter gefiltert und ausgeschieden. Postpartal müssen die kindlichen Nieren diese Funktion übernehmen. Durch eine Frühgeburtlichkeit sind diese oft noch nicht reif genug. So können z. B. Salzgehalt und andere Elektrolyte sowie der Wasserhaushalt noch nicht gut reguliert werden (Lattari Balest 2021). Um eine Gefahr durch eine metabolische Azidose und/oder einer Gedeihstörung zu vermeiden, werden die Elektrolyte frühgeborener Kinder engmaschig kontrolliert und gegebenenfalls über einen venösen oder zentralen Zugang substituiert.

Immunsystem

Das Immunsystem unreif geborener Kinder benötigt besondere Beachtung. Frühgeborene sind deutlich anfälliger für Infektionen als reif geborene Babys. Deshalb werden auf Frühgeborenen-Stationen deutlich höhere Hygienestandards gefordert. Oberstes Ziel ist es, Infektionen zu vermeiden oder diese ggf. sehr frühzeitig zu erkennen. (Fegeler o. J.)

Zentrales Nervensystem (ZNS)

Durch die Unreife des zentralen Nervensystems können verschiedene Probleme auftreten. Diese sind z. B. schlechte Saug- und Schluckreflexe, Apnoen, Blutungen, motorische und/oder kognitive Entwicklungsverzögerung. Die Koordination des Saug- und Schluckreflexes, die Herzfrequenz und die Atmung stabilisieren sich in den ersten Lebenswochen, sodass die Kinder meist mit 36 SSW, spätestens zum errechneten Geburtstermin die Klinik verlassen können.

Besondere Aufmerksamkeit brauchen jedoch das Wachstum, die sensomotorische Entwicklung, Sprachvermögen, Muskeltonus und die Entwicklungsmeilensteine (Stavis, 2019).

Motorische Entwicklung

Durch die Unreife des Gehirns und die deutlich verkürzte Schwangerschaft zeigen frühgeborene Kinder eine erschwerte sensomotorische Entwicklung. Dies wird durch die regelmäßigen ärztlichen Untersuchungen im Rahmen der U1–U6-Vorsorgen kontrolliert und beobachtet.

Schon frühzeitig wird bei Bedarf im Rahmen der klinischen Versorgung durch die behandelnden Neuropädiater eine physiotherapeutische Betreuung hinzugezogen.

Zu beachten ist, dass das tatsächliche Alter häufig nicht den angegebenen Entwicklungstabellen entspricht. Auch ein frühgeborenes Kind benötigt (mindestens) 40 Wochen, bis es reif ist. Deshalb ist es wichtig, bis zum zweiten Lebensjahr stets die motorische Entwicklung anhand des korrigierten

Übergeordnete Ziele:
- Größtmögliche Selbstständigkeit und Handlungsfähigkeit von Patient*innen im Alltag
- Vermeidung von Sekundärveränderungen, z. B. Gelenkkontrakturen

Familie S. bekommt von der Physiotherapeutin eine ausführliche Anleitung für das Üben in der Klinik und zu Hause, bis die ambulante Therapie begonnen werden kann.

Direkt nach Entlassung übernimmt eine niedergelassene Kindertherapeutin die weitere Therapie. Diese findet einmal pro Woche in einer Praxis statt.

Je nach Entwicklungsstand überlegen Therapeutin, Ärzt*innen und Eltern, welche Therapie den bestmöglichen Nutzen für Paul bringt und ob der bisherige Behandlungsweg beibehalten werden kann/soll.

Alle Übungen werden immer wieder neu auf Pauls aktuellen Entwicklungsstand angepasst und mit den Eltern besprochen. Hierbei stehen vor allem Pauls derzeitige körperliche Entwicklung und die Einbindung der Übungen in den familiären Alltag im Vordergrund.

18

18.2.3 Evaluation des Gesundheitszustands nach ICF-CY

Personenbezogene Faktoren

Paul ist ein aufgeschlossenes, interessiertes Kind. Im korrigierten Alter von acht Wochen betrachtet er schon neugierig seine Umwelt. Das ihm angebotene Spielzeug fixiert er visuell interessiert und ausdauernd. Er beginnt immer mehr, sich für seine Umwelt zu interessieren.

Umweltbezogene Faktoren

Familie S. versucht, ihren Alltag mit Paul zu Hause soweit es geht zu genießen. Glücklicherweise benötigt Paul außer der üblichen Vitamin-D-Einnahme keine weiteren Medikamente oder Hilfsmittel.

Beide Elternteile haben jedoch immer noch mit den Erlebnissen und Erfahrungen, den Ängsten und Sorgen der ersten Wochen zu kämpfen. Deshalb fällt es ihnen aus Angst um Pauls Gesundheit oft schwer, Freunde zu besuchen oder neue Kontakte zu knüpfen. Sie ziehen sich in den ersten Wochen weitgehend aus dem sozialen Leben zurück und treffen sich nur mit den engsten Verwandten.

Für Pauls regelmäßige Arztbesuche benötigt Familie S. manchmal Unterstützung durch die Großeltern. Sie helfen, wenn Herr S. beruflich verhindert ist, und fahren mit Frau S. zu den Terminen oder unterstützen sie im Alltag.

Nach Pauls Entlassung hat Familie S. in regelmäßigen Abständen einen Termin in einem sozialpädiatrischen Zentrum (SPZ). Hier wird Pauls Entwicklung von mehreren Professionen und aus deren jeweiligem Blickwinkel genau betrachtet und beurteilt, um einen Therapieplan zu erstellen oder den bisherigen bei Bedarf zu verändern. Die Evaluation des Gesundheitszustands wird nach ICF-CY (International Classification of Functioning, Disability and Health – Children and Youth) durchgeführt (DGSPJ o. J.).

Pauls Geburt war vor 22 Wochen mit einem Alter von ca. 26 SSW, er wurde mit ca. 36 SSW entlassen. Der erste Termin im SPZ findet drei Monate nach Entlassung aus der Klinik statt. Paul ist jetzt korrigiert acht Wochen alt.

Funktions- und Strukturebene

Körperstruktur

Diagnosen nach ICD-10:
- P29.3 Persistierender Ductus arteriosus (PDA)
- P22.0 Atemnotsyndrom des Neugeborenen (hier: RDS Grad I)
- K42.9 Hernia umbilicalis (Nabelhernie) ohne Einklemmung, ohne Gangrän

Körperfunktionen

In Rückenlage zeigt sich bei Paul noch ein weit ausladender Bauch. Eine Rektusdiastase ist sichtbar. Wenn Paul starke Bauchschmerzen hat, so berichtet die Mutter, ist sein Bauch sehr aufgebläht und dick.

In Bauchlage zeigt sich eine gerade, noch nicht altersentsprechend aufgerichtete Wirbelsäule und

Stützfunktion. Pauls Kopf zeigt eine schmale, längliche Form. Auffällig sind noch eine deutlich verminderte Aufrichtung der Wirbelsäule und eine allg. reduzierte Muskelspannung.

Aktivitätsebene

Geprüft wird, welche Aktivitäten Paul durchführen kann und ob es Schwierigkeiten oder Unmöglichkeiten in der Durchführung der Aktivitäten gibt. Pauls Bewegungsmuster werden in der Aktivität immer wieder neu betrachtet, bewertet und bilden den wichtigsten Baustein für die Therapiegestaltung.

In Rückenlage zeigt Paul einen sicheren Hand-Hand- und Hand-Mund-Kontakt. Die Beine können nur kurz im Raum gegen die Schwerkraft angehoben werden. Im Moment kann sich Paul in Bauchlage schon auf die Mitte seiner Unterarme abstützen, es bildet sich eine erste dreieckige Stützbasis. Paul kann sich bereits optisch im Raum orientieren, sein Kopf wird beginnend mit Nackenstreckung angehoben. Paul lautiert und kommuniziert altersgerecht.

Partizipationsebene (Teilhabe)

Für Familie S. stehen im Moment noch viele reguläre Kontrolltermine bei Kinderarzt, Augenarzt und SPZ an. Zudem kommen noch die wöchentlichen Termine bei der Physiotherapeutin.

Durch die vielen regelmäßigen Termine hat Familie S. einen recht vollen Terminkalender. Hinzu kommt nach all der Zeit des Bangens und Hoffens in der Klinik die Sorge, Paul könne zu sehr belastet sein oder krank werden. Eine richtige Entspannung mit ihrem acht Wochen alten Säugling konnte noch nicht stattfinden.

Eigentlich hatte Frau S. geplant, mit Paul zur nahegelegenen Krabbelgruppe zu gehen. Durch die Frühgeburt und die lange Zeit in der Klinik fühlt sie sich nun unsicher. Sie hat große Sorge, Paul könne sich erkälten oder sei durch den Trubel zu sehr belastet. Da Paul noch sehr zierlich ist und motorisch noch nicht altersentsprechend entwickelt, hat Frau S. auch Angst vor Vergleichen mit den anderen Kindern und den Fragen der Mütter.

18.3 Zusammenfassung der wichtigsten Befunde

Atmung und Kreislauf

In der Klinik ist Pauls Lunge zu Beginn noch sehr unreif, weshalb in den ersten 62 Tagen eine Atemunterstützung durch CPAP durchgeführt wurde. Die Diagnosen nach ICD-10 für Paul sind:

- P22.8 Sonstige Atemnot bei Neugeborenen (hier: respiratorische Anpassungsstörung)
- P22.0 Atemnotsyndrom des Neugeborenen (hier: RDS Grad I, Surfactantgabe via LISA)
- P28.4 Sonstige Apnoe bei Neugeborenen (hier: Apnoe-Bradykardie-Syndrom)
- P29.3 Persistierender Ductus arteriosus (PDA)

Bis zur Entlassung haben sich Pauls Atemwege gut entwickelt, sodass keine weiteren Maßnahmen mehr notwendig sind.

Nahrungsaufnahme

Der orale Nahrungsaufbau mit Frühgeborenennahrung und Muttermilch wurde bereits am ersten Lebenstag begonnen. Bis zum 16. Lebenstag wurde Paul unterstützend teilparenteral, d. h. über einen venösen Zugang, ernährt. Eine Teilsondierung wurde bis zum 60. Lebenstag über eine nasale Magensonde durchgeführt, danach trank Paul selbstständig ad libitum aus der Flasche.

Die Entwicklung des Trinkverhaltens zeigte sich insgesamt Frühgeborenen-typisch ohne pathologische Befunde.

(Senso-)Motorik

Paul zeigt in der Klinik für Frühgeborene typische Besonderheiten:

- Allgemeine muskuläre Hypotonie
  - Weit ausladender Bauch
  - Beine in sog. Froschhaltung mit starker Außenrotation und Abduktion
  - Arme in sog. Henkelstellung meist neben dem Oberkörper abgelegt
  - Weit ausfahrende Bewegungen der Extremitäten, die noch in der Variabilität und im Bewegungsfluss reduziert sind
- Unreife des ZNS: Hyperexzitabilität

18.4 Physiotherapeutische Zielsetzung

Gemeinsam mit Eltern werden folgende Ziele in der Physiotherapie vereinbart:

Mittelfristig:

- Atmung:
  - Verbesserung des Atemzugvolumens
  - Regulation des Muskeltonus der Atem(hilfs-)muskulatur
  - Lösen und Abhusten von Sekret
- Sensomotorik
  - Unterstützung der physiologischen Entwicklung
  - Verbesserung der Körperwahrnehmung
  - Förderung physiologischer Bewegungsmuster
  - Hemmung pathologischer Bewegungsmuster
- Kopf
  - Unterstützung einer physiologischen Kopfform
  - Regulation des Muskeltonus im HWS-/Schulter-/Nackenbereichs
  - Förderung einer physiologischen Kopfbewegung

Langfristig: Altersentsprechende sensomotorische, grob- und feinmotorische Entwicklung.

18.5 Physiotherapeutische Maßnahmen

KLINISCHER HINTERGRUND

Clinical Pathway

- Schon in der neonatologischen Intensivstation beginnt möglichst frühzeitig die physiotherapeutische Behandlung und Begleitung der Familie. Die Therapeutin ist täglich vor Ort und arbeitet eng in einem interdisziplinären Team mit Ärzt*innen und Pflege.
- Auch wenn das frühgeborene Kind die Intensivstation verlassen kann, wird die physiotherapeutische Behandlung während des gesamten klinischen Aufenthalts fortgesetzt, die Eltern werden begleitet und nach dem Entwicklungsstand des Kindes angeleitet.
- Nach Entlassung geht die Familie weiterhin mindestens einmal pro Woche in eine niedergelassene Praxis eines/einer spezialisierten Kinder-Physiotherapeut*in. So kann die motorische Entwicklung engmaschig begleitet werden.
- Zusätzlich findet nach der Entlassung engmaschige Besuche beim Kinderarzt sowie eine sozialmedizinische Nachsorge durch den „Bunten Kreis" und eine sozialpädiatrische Betreuung durch das nahegelegene Sozialpädiatrische Zentrum (SPZ) statt.
- Hier werden weitere Therapiemöglichkeiten (Ergotherapie, Logopädie, Motopädie u. a.) nach Bedarf verordnet.

Da Paul mit seinen 28 SSW noch wenig belastbar ist, richten sich der Zeitpunkt der Therapie sowie die Dauer jeden Tag neu nach seinem aktuellen Gesundheitszustand. Die Therapeutin erfragt jeden Morgen bei der behandelnden Pflegekraft, wie es Paul geht und ob es eine Veränderung seit der letzten Behandlung gegeben hat. Sie erfährt, wann am jeweiligen Tag der passende Zeitpunkt für die Therapie ist. Eine **genaue und tägliche Absprache** mit der Pflege und den Ärzt*innen ist auf der neonatologischen Station unabdingbar.

Zunächst wird Paul alle zwei Stunden eine kleine Menge Muttermilch gefüttert, da sein Magen noch sehr klein ist. Für Paul bedeutet die Nahrungsaufnahme eine große Anstrengung. Eine gesamte Mahlzeit von zunächst nur wenigen Millilitern selbstständig zu trinken, erschöpft ihn so sehr, dass seine kardiorespiratorischen Werte sehr instabil werden. Sowohl die Sauerstoffsättigung als auch die Herzfrequenz zeigen schnell Abfälle. Für ein Frühgeborenes in Pauls Alter ist dies noch völlig normal, schließlich müsste er sich unter normalen Umständen noch nicht mit Nahrungsaufnahme, Atmen oder Verdauen beschäftigen.

Das Team der neonatologischen Intensivstation gibt deshalb zunächst jede zweite Mahlzeit über eine nasal liegende Magensonde. Paul kann diese Mahlzeit verschlafen und Kräfte sammeln. Zwei Stunden später wird er, sofern es ihm gut geht, wieder zu einer neuen Mahlzeit geweckt.

Für die Physiotherapeutin bedeutet dies, dass auch sie nur alle vier Stunden die Möglichkeit hat, zu einer Behandlung zu kommen. Am besten geschieht dies vor der Mahlzeit, damit Paul noch nicht durch das Trinken so sehr erschöpft ist. Denn nur so kann sein Bewegungsverhalten beurteilt werden.

18

Atmung

Zu Beginn liegt der Schwerpunkt der physiotherapeutischen Behandlung auf der Unterstützung der Atmung. Paul wird noch mit CPAP-Atemhilfe mit einem PEEP von 6,5–7 mbar unterstützt. Das heißt, er kann schon selbstständig atmen, doch würde eine fehlende Unterstützung ihn so sehr erschöpfen, dass sein Kreislauf dies voraussichtlich noch nicht schaffen würde. Die Atemtherapie verfolgt folgende Ziele:
- Atemerleichterung
- Stabilisierung und Vertiefung der Atemzüge
- Sekretmobilisation

Es werden hierbei verschiedene Techniken verwendet:
- Lagerung und Lagewechsel mit atemerleichternden und atemunterstützenden therapeutischen Körperstellungen
- Unterstützung und Stimulation der Atembewegung durch Handkontakt (Kontaktatmung)
- Vorsichtige, minimale manuelle Vibration in die Ausatembewegung
- Vojta-Therapie (v. a. 1. Phase Reflexumdrehen, Brustzone)

Der Zustand von Pauls Lunge verbessert sich glücklicherweise im Laufe der ersten Lebenswochen schnell. Schon kurz vor Entlassung zeigte sich dauerhaft eine stabile Sauerstoffsättigung, sodass die Atemtherapie zuhause beendet werden kann.

Die Eltern werden während des Klinikaufenthalts gut durch die Physiotherapeutin angeleitet. Sollte Paul nach seinem Klinikaufenthalt einen bronchopulmonalen Infekt bekommen und sehr verschleimt sein, können sie das Erlernte auch später noch anwenden.

Nahrungsaufnahme

Durch die sehr frühe Geburt hat Paul noch nicht die Möglichkeit, selbstständig ausreichend Muttermilch zu trinken. Zwar ist der Fetus schon ca. ab der 18. SSW in der Lage, am Daumen zu saugen. Die Kraft, eine Mahlzeit selbstständig zu trinken, fehlt jedoch meist noch einige Wochen.

Um Paul hierbei zu unterstützten, wird schon auf der Frühgeborenen-Intensivstation durch die Physiotherapeutin eine behutsame orofaziale Stimulation mit folgenden Zielen begonnen:
- Verbesserung der allg. Sensomotorik
- Verbesserung der Sensorik des orofazialen Bereichs
- Verbesserung der Saugbewegung
- Verbesserung von Saugkraft und Ausdauer

Folgende Therapiemethoden kommen zum Einsatz:
- Sensomotorische Therapie nach Bobath
- Orofaziale Regulationstherapie nach Castillo-Morales
- Vojta-Therapie

Verdauung

Unter normalen Umständen kommt der kindliche Verdauungstrakt erst post partum mit ca. 40 Wochen mit Nahrung in Berührung. Bis dahin sind Magen und Darm ausgereift und voll funktionsfähig. Bei Paul beginnt die Nahrungsaufnahme schon in der 26. SSW. Folgende Schwierigkeiten entstehen:
- Saug-/Schluckreflex und -koordination noch nicht ausreichend ausgebildet
- Schwache Darmperistaltik
- Geringes Magenvolumen
- Reduzierter Muskeltonus im Rumpfbereich, weit ausladender „Frühchenbauch"

Ziele der Physiotherapie:
- Verbesserung der Mundmotorik
- Verbesserung der Darmmotilität
- Verbesserung des Muskeltonus im Rumpfbereich zur Unterstützung der Darmtätigkeit

Folgende Therapiemethoden werden angewandt:
- Orofaziale Stimulation (s. o.)
- Vorsichtige Darmmassage
- Fußreflexzonenmassage zur Unterstützung des Darms
- Bobath-Konzept
- Vojta-Therapie

Wichtig ist der Therapeutin auch hier eine regelmäßige Anleitung und Beratung der Eltern.

Sensomotorik

Durch die frühe Geburt konnte Pauls intrauterine sensomotorische Entwicklung nicht abgeschlossen werden. Außerhalb des schützenden Mutterleibs ist er nun viel zu früh mit externen Reizen konfrontiert.

Unter physiologischen Umständen liegt das Kind ca. 40 Wochen eng gehalten und geschützt in der Fruchthöhle der Mutter. Hier kann es über die gesamte Zeit seine Bewegungen nah am eigenen Körper ausführen, auch wenn die Entwicklung der Muskulatur noch nicht ausreicht, um den Körper eigenständig zu stabilisieren. Es lernt so nicht nur Bewegungsmuster, sondern auch seinen eigenen Körper und seine Begrenzungen kennen. In dieser Umgebung reift und entwickelt sich die Muskulatur, bis das Kind ausgetragen ist und in seiner typischen, flektierten Körperhaltung zur Welt kommt.

Wird ein Kind zu früh entbunden, fehlt ihm diese Bewegungserfahrung. Die Muskulatur ist noch nicht ausgebildet und kann sich nur schwer ohne Unterstützung gegen die Schwerkraft halten. Das Zusammenspiel von Muskeltonus, zentralem Nervensystem, Reizaufnahme (Sensorik) und Reizverarbeitung (Motorik) ist in diesem Fall noch nicht ausreichend entwickelt.

Schon sehr früh beginnt die Physiotherapeutin in der Klinik, die sensomotorische Entwicklung zu unterstützen und die Eltern diesbezüglich anzuleiten und zu beraten. Sie hat sich für ein Schulungskonzept zur sensomotorischen Förderung nach dem Bobath-Konzept entschieden. Hauptziele dieser Schulung sind:

- Verbesserung der Körperwahrnehmung
- Anbahnung und Förderung von altersentsprechenden physiologischen Bewegungsmustern
- Hemmung pathologischer Bewegungsmuster
- Förderung der Bewegungsmotivation
- Unterstützung der Eltern, ihr Kind mit Freude zu versorgen und zu fördern

Durch eine strukturierte, intensive Schulung und Beratung lernen die Eltern, ihr Kind im Alltag entwicklungsfördernd zu versorgen, physiologische Bewegungsmuster anzubahnen und pathologische zu vermeiden.

Den Eltern soll vermittelt werden, wie sie sowohl im Klinikalltag als auch später im häuslichen Umfeld die sensomotorische Entwicklung ihres zu früh geborenen Kindes bestmöglich unterstützen und verbessern können. Sie werden angeleitet, die Übungen selbstständig durchzuführen. Dies wird in mehreren Therapieeinheiten geübt, um sie so weit zu unterstützen, dass sie dieses Konzept selbstständig und sicher anwenden können.

PRAKTISCHER TIPP

Lagerung während der Wach- und Schlafenszeiten

Eine einfache und sehr wichtige Möglichkeit, die sensomotorische Entwicklung zu unterstützen und zu fördern, ist die Lagerung des Säuglings während der Wachzeiten.

Lagerung in Rückenlage (➤ Abb. 18.3)

Um ein muskulär hypotones Kind zu unterstützen, kann eine Begrenzung des Körpers („Nest") helfen. Hierbei wird ein Handtuch/Decke/Stillkissen o.Ä. von kaudal um das Kind gelegt. Dies hat folgende Wirkungen:

- Begrenzung des Körpers
- Kopfhaltung in lockerer Mittelstellung
- Anheben der Beine → erleichterter Fuß-Fuß-Kontakt
- Anheben der Arme → erleichterter Hand-Hand-/Hand-Mund-Kontakt

So kann der Säugling spielerisch seine physiologischen Bewegungen üben und festigen. Vor allem die ventrale Muskelkette wird nun genutzt und sorgt für eine Verbesserung der posturalen Stabilität.

Lagerung in Bauchlage (➤ Abb. 18.4)

Im Mittelpunkt der Lagerung in Bauchlage steht eine gute Abstützmöglichkeit des Schultergürtels. Durch das Anheben des Oberkörpers wandert der Schwerpunkt nach kaudal → leichteres Kopfanheben und Abstützen auf die Unterarme. Die Lagerung kann auf einem Keilkissen oder einem gefalteten Handtuch erfolgen.

Lagerung in Seitenlage (➤ Abb. 18.5)

Auch hier sollte dem Kind eine Begrenzung gegeben werden. Sie Seitenlage bietet nur eine kleine Unterstützungsfläche und kann so eine große Unsicherheit bewirken.

- Begrenzung mit einem großen Handtuch/einer Decke/einem Lagerungskissen, um dem Kind an Rücken, Po und Bauch Halt zu geben.

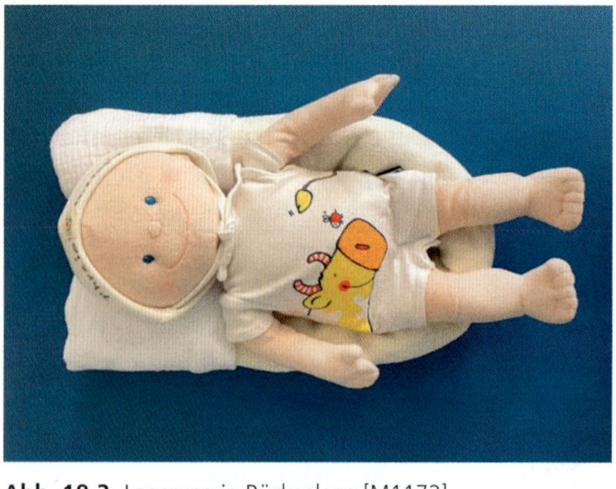

Abb. 18.3 Lagerung in Rückenlage [M1172]

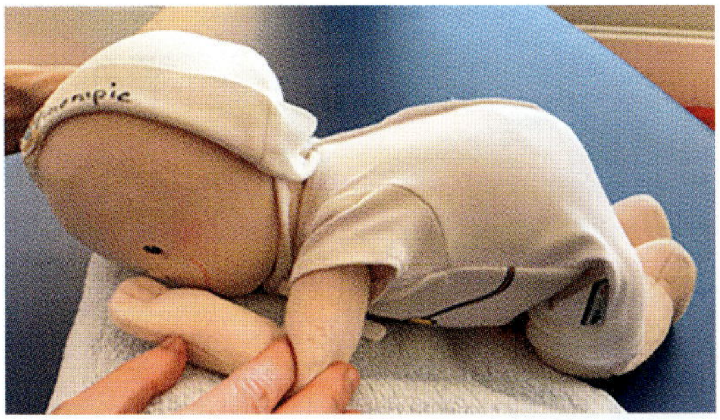

Abb. 18.4 Lagerung auf dem Brustkorb der Eltern bei leicht erhöhter Liege-Sitzposition [M1172]

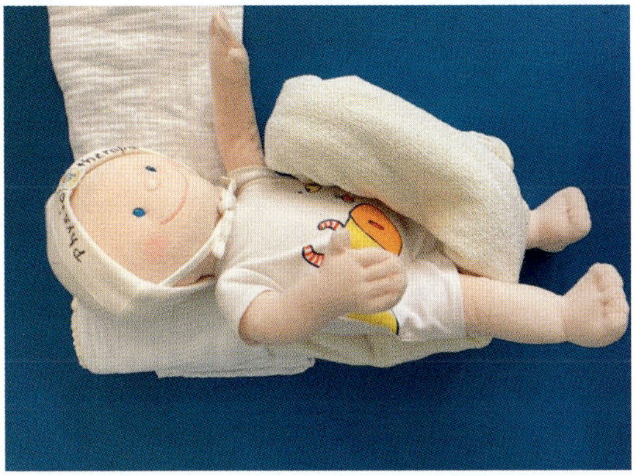

Abb. 18.5 Beispiel für eine Lagerung in Seitenlage [M1172]

- Das Lagerungsmaterial wird zwischen den Beinen nach vorne gelegt, um eine Adduktion des oben liegenden Beins zu vermeiden.
- Beide Beine liegen in Flexion, beide Arme sind nach vorne ausgerichtet, sodass auch hier ein Hand-Hand-Kontakt möglich ist.
- Der Körperschwerpunkt wird leicht nach dorsal verlagert, um den Druck auf die unten liegende Schulter zu verringern.

⚠ **VORSICHT**

Risiko des plötzlichen Kindstods

Die Bauchlage wird aufgrund gehäufter Fälle von plötzlichem Kindstod (SID) als *Schlafposition* nicht eingenommen! Die deutsche Gesellschaft für Kinder- und Jugendmedizin (DGKJ o. J.) empfiehlt zur Vermeidung des plötzlichen Kindstodes ausdrücklich:

- das Kind zum Schlafen immer auf den Rücken zu legen,
- das Kind in einem Schlafsack schlafen zu lassen,
- das Kind im Elternschlafzimmer, aber immer im eigenen Bett schlafen zu lassen,
- möglichst 4 bis 6 Monate zu stillen,
- alle Regelimpfungen durchführen zu lassen.

„Seit den frühen 90er Jahren weisen Kinder- und Jugendärztinnen und -ärzte auf das Risiko der Bauchlage hin. Mit überwältigendem Erfolg: In der Bundesrepublik sank die Kindstodrate von über 1300 auf unter 140 Fälle pro Jahr (Statistisches Bundesamt, Daten für 2016 [Abruf 1/2019]). Dies zeigt, dass der Risikofaktor ‚Bauchlage' für die meisten Todesfälle mitverantwortlich war. Die meisten Todesfälle ereignen sich zwischen dem 2.–5. Lebensmonat, während sich das Risiko ab etwa 10 Monaten auf wenige Einzelfälle beschränkt." (DGKJ o. J.)

Orthopädische Befunde

Nach einigen Wochen zeigt Paul rechts okzipital einen Plagiozephalus. Am liebsten dreht er den Kopf auf die rechte Seite und schläft auch gerne so ein. Schnell fällt der Therapeutin und der Pflege auf, dass Paul auch beim Füttern den Kopf immer wieder leicht nach rechts drehen will. Auch beim Wickeln, Versorgen und der täglichen ärztlichen Untersuchung zeigt er diese Vorzugshaltung.

Pauls Muskeltonus ist vor allem im HWS-Bereich noch sehr hypoton. Deshalb kann er den Kopf noch nicht selbstständig in Mittelstellung halten. Eine Drehung findet meist als ganzkörperliche Bewegung statt. Diese sehr ausgeprägte – für Frühgeborene physiologische – muskuläre Hypotonie und die noch sehr weichen Knochen und Gewebestrukturen können zu einer Abflachung des Kopfs schon nach wenigen Tagen führen.

In der neonatologischen Abteilung findet die Versorgung der Kinder meist von der rechten Seite der Inkubatoren oder Wärmebettchen statt. Auch sämtliche medizinische Geräte stehen vorzugsweise auf der rechten Seite, genau wie die Sitzplätze der Eltern. Dies hat zur Folge, dass die meisten Kinder nach kurzer Zeit vermehrt nach rechts schauen. Dadurch kommt es sehr schnell zu einer Vorzugshaltung mit HWS-Rotation nach rechts und einer rechtsseitigen Abflachung des Hinterkopfs.

Zum Glück ist Pauls Vorzugshaltung der Therapeutin und der Pflege schnell aufgefallen. Durch eine Lagerung des Kopfs in lockerer Mittelstellung, eine gute Absprache mit der Pflege und eine ausführliche Anleitung der Eltern kann dies schnell und problemlos innerhalb weniger Tage gebessert werde.

Pauls Kopf wird nun tagsüber in lockerer Kopfmittelstellung gehalten. So kann er den Kopf noch leicht zu beiden Seiten drehen, aber nicht mehr auf seiner Lieblingsseite flach ablegen. Handelsübliche Kopflagerungskissen können bei sehr kleinen oder hypotonen Säuglingen eine Inklination des Kopfs verursachen. Besser ist es, den Kopf zunächst mit einer seitlich straff aufgerollten Stoffwindel in der Mittelstellung zu lagern (➤ Abb. 18.6). Diese Lagerung erleichtert Paul die Rotation des Kopfes, weshalb er ihn nun in seinen Wachphasen viel häufiger bewegt und so seine Muskulatur stärken kann.

Sollte Paul seine Vorzughaltung auch zu Hause noch beibehalten und für eine Lagerung durch Moltonwindeln zu groß sein, kann tagsüber auch ein Baby-Lagerungskissen verwendet werden.

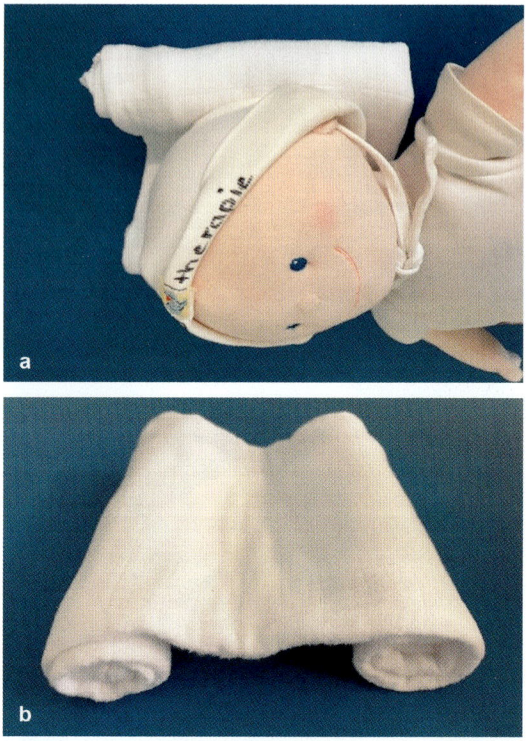

Abb. 18.6 Beispiel für eine Frühgeborenenlagerung in Kopfmittelstellung: Lagerungsmöglichkeit mit einer aufgerollten Stoffwindel [M1172]

Therapieverlauf

PRAKTISCHER TIPP

Nach dem Sozialgesetzbuch haben Kinder und Jugendliche mit schweren Beeinträchtigungen der Funktionsfähigkeit Anspruch auf eine sozialmedizinische Nachsorge bzw. ein entsprechendes Betreuungsangebot. Bei bestehender oder drohender Behinderung eines Kindes können die Eltern darüber hinaus Maßnahmen der Früherkennung und Frühförderung in Anspruch nehmen (Näheres s. ➤ Anhang).

Schon auf der neonatologischen Intensivstation findet eine enge Zusammenarbeit zwischen Ärzten, Physiotherapeutin, Pflege und Eltern statt. So können für Pauls Entwicklung alle Aspekte berücksichtig werden.

Durch eine gute und intensive Elternarbeit können auch Herr und Frau S. schon von Beginn an mit einbezogen werden. Sie verlieren schnell ihre anfängliche Unsicherheit und fühlen sich von Tag zu Tag sicherer im Umgang mit ihrem Kind. So können sie auch trotz dieser emotional sehr belastenden Situation den Kontakt mit Paul genießen und fördern ihn in seiner sensomotorischen Entwicklung. Sie lernen therapeutische Maßnahmen aus dem Bobath-Konzept und dem Castillo-Morales-Konzept und die Bedeutung einer entwicklungsfördernden Lagerung.

Nach der Entlassung beginnt gleich die ambulante physiotherapeutische Behandlung. Diese findet einmal wöchentlich in einer nahegelegenen physiotherapeutischen Praxis durch eine auf Kinderbehandlung spezialisierte Bobath- und Vojta-Therapeutin statt. In jeder Behandlung wird Familie S. intensiv angeleitet, um bis zum nächsten Termin eigenständig mit Paul zu üben.

Damit Familie S. einen guten Start zu Hause hat, kommt in der Anfangszeit einmal wöchentlich eine Kinderkrankenschwester des „Bunten Kreises“ zur sozialmedizinischen Nachsorge. Hier können die Eltern alle Fragen stellen, die sich im Alltag ergeben. Die Krankenschwester schaut nach Pauls Entwicklung und berät die Eltern.

Im Alter von drei Jahren wechselt Paul mit seiner Familie in eine nahegelegene Frühförderstelle, damit auch die Bereiche Sprach- und sozioemotionale Entwicklung neben der Sensomotorik gefördert werden können.

Auch von ärztlicher Seite wird Paul im ersten Jahr regelmäßig und engmaschig untersucht und begleitet. Nach 3, 6, 12, 24 und 36 Monaten steht jeweils ein Termin im Sozialpädiatrischen Zentrum an, um die Entwicklung von Paul durch verschiedene Fachdisziplinen gut zu beobachten und die Familie nach Bedarf zu beraten und zu betreuen.

PRAKTISCHER TIPP

Follow-up: Kontrollen im sozialpädiatrischen Zentrum (SPZ)

Die Untersuchungen in einem sozialpädiatrischen Zentrum (SPZ) finden nach Klinikentlassung als Erstuntersuchung, nach 6, 12, 24, 36 Lebensmonaten und vor Einschulung mit 5 Jahren statt (DGSPJ et al. 2018).
Eine weitere individuelle Nachsorge auch nach dem Schuleintritt ist empfehlenswert, um die Notwendigkeit unterstützender Maßnahmen regelmäßig zu überprüfen (DGSPJ et al. 2018). Sie ermöglicht eine mehrdimensionale Diagnostik in folgenden Fachbereichen:

- Medizin
- Psychologie
- Physiotherapie
- Ergotherapie
- Logopädie

Hierbei werden die Kinder in folgenden Bereichen untersucht:

- Allgemeine Anamnese und Entwicklung
- Körperlicher Befund
- Neurologisch-orthopädischer Befund
- Entwicklungsneurologischer Befund
- Sozio-emotionaler Befund
- Prävention

Wichtig bei diesen Kontrollterminen ist immer die ganzheitliche Betrachtung und eine gute Beratung und Begleitung der gesamten Familie.

18.6 Evidenzbasierte Zusammenfassung

Die physiotherapeutische Behandlung kleinster VLBW-Frühgeborener erfordert viel Erfahrung und ganzheitliche Betrachtung der kleinen Patient*innen und deren Eltern. Eine intensive Zusammenarbeit mit Pädiater*innen, Pflegepersonal und Psycholog*innen ist unabdingbar.

In der AWMF-Leitlinie „Empfehlung für die strukturellen Voraussetzungen der perinatalen Versorgung in Deutschland" vom 31. März 2021 wird die Bedeutung einer entwicklungsfördernden Pflege dargestellt, „da dies für die Entwicklung und die Eltern-Kind-Bindung fördernd ist" (DGSPJ et al. 2021).

Ein systematisches Review von Álvarez et al. (2017) konnte in einer umfassenden Recherche mit 23 Artikeln von 2004 bis 2013 darlegen, dass verschiedenste Formen der therapeutischen Massage einen positiven Einfluss auf Faktoren in Zusammenhang mit dem Wachstum von Frühgeborenen ausübten. Weitere nachgewiesene Vorteile waren eine bessere neurologische Entwicklung, eine positive Wirkung auf die Gehirnentwicklung, ein verringertes Risiko einer neonatalen Sepsis, eine kürzere Krankenhausaufenthaltsdauer und ein geringerer neonataler Stress. (Álvarez et al. 2017)

Wie bedeutsam die frühe Anleitung und das Mitarbeiten der Eltern in der Therapie ist, konnte eine randomisiert-kontrollierte Studie von Ustadt et al. zeigen. Die motorische Entwicklung der Interventionsgruppe zeigte eine deutliche Verbesserung (Ustadt et al. 2016).

LITERATUR

Álvarez MJ et al. The effects of massage therapy in hospitalized preterm neonates: A systematic review. Int J Nurs Stud. 2017; 69: 119–136.

Aumüller G et al. Duale Reihe Anatomie. 5. Aufl. Stuttgart: Thieme, 2020.

Bundesamt für Strahlenschutz. Röntgendiagnostik – das Verfahren. Stand: 03.12.2021. www.bfs.de/DE/themen/ion/anwendung-medizin/diagnostik/roentgen/roentgenverfahren.html (letzter Zugriff: 12. Dezember 2021)

DGKJ (Deutsche Gesellschaft für Kinder- und Jugendmedizin e. V.) (o. J.). Sicherer Schlaf für mein Baby. www.dgkj.de/eltern/dgkj-elterninformationen/elterninfo-sicherer-schlaf (letzter Zugriff: 31.Oktober 2021).

DGSPJ (Deutsche Gesellschaft für Sozialpädiatrie und Jugendmedizin e. V.) (o. J.). Checklisten für die ICF-CY. www.dgspj.de/service/icf-cy/ (letzter Zugriff: 30. Oktober 2021a).

DGSPJ (Deutsche Gesellschaft für Sozialpädiatrie und Jugendmedizin e. V.) et al. S2k-Leitlinie Empfehlungen für die strukturellen Voraussetzungen der perinatologischen Versorgung in Deutschland. AWMF-Register-Nr. 087-001 (Stand: 31.03.2021b). www.awmf.org/leitlinien/detail/ll/087-001.html (letzter Zugriff: 27. April 2022).

DGSPJ (Deutsche Gesellschaft für Sozialpädiatrie und Jugendmedizin e. V.) et al. S2k-Leitlinie Sozialpädiatrische Nachsorge extrem unreifer Frühgeborener. AWMF-Register-Nr. 071-013 (Stand: 12/2018). www.awmf.org/leitlinien/detail/ll/071-013.html (letzter Zugriff: 31.Oktober 2021).

Einhaus F, Greim CA. Allgemeine Grundlagen der Sonografie. Teil 1. Physikalisches Prinzip, bildgebende und Dopplerverfahren. Anaesthesist 2015; 64: 795–809.

Einspieler C, Marschik PB, Prechtl HF. Was erzählen uns frühkindliche Bewegungen? Kinderkrankenschwester 2010; 29: 389–392.

Fegeler U (o. J.). Unreif geboren – Welche gesundheitlichen Risiken bestehen. www.kinderaerzte-im-netz.de/altersgruppen/das-erste-jahr/fruehgeborene/unreif-geboren-welche-gesundheitlichen-risiken-bestehen/ (letzter Zugriff: 1. August 2021).

Göpel W et al. Avoidance of mechanical ventilation by surfactant treatment of spontaneously breathing preterm infants (AMV): an open-label, randomized, controlled trial. Lancet 2011: 379(9803): 1627–1634.

Jung M, Thomae U. Die Lagereaktionen, modifiziert nach Vojta. Ein Assessmentverfahren in der Entwicklungskinesiologie, dargestellt am Fallbericht eines Säuglings mit Dysmelie. Pt-Zeitschrift für Physiotherapeuten 2016; 8: 21–31.

Lattari Balest A. Frühgeborenes. MSD Manual (Stand: April 2021). www.msdmanuals.com/de-de/heim/gesundheitsprobleme-von-kindern/allgemeine-beschwerden-bei-neugeborenen/frühgeborenes (letzter Zugriff: 1. November 2021).

Lawrenz, B. (o. J.). Vorsorgeuntersuchungen für Kinder und Jugendliche. www.kinderaerzte-im-netz.de/vorsorge/ (letzter Zugriff: 1. November 2021.

Nidcap Federation International (o. J.). NIDCAP Newborn Individualized Developmental Care and Assessment Program. https://nidcap.org/professionals/supports-for-nursery-change/nidcap/ (letzter Zugriff: 1. November 2021).

Stavis RL (2019). Frühchen. www.msdmanuals.com/de-de/profi/pädiatrie/probleme-der-perinatalperiode/frühchen (letzter Zugriff: 1. November 2021).

Ustadt T et al. Early parent-administered physical therapy for preterm infants: a randomized controlled trial. Pediatrics 2016; 138(2): e20160271.

Vereinigungen der Bobath-Therapeuten Deutschlands e. V. (o. J.) Das Bobath-Konzept. www.bobath-vereinigung.de/das-bobath-konzept (letzter Zugriff: 31. Oktober 2021).

Internationale Vojta Gesellschaft e. V. (o. J.). Die Lagereaktionen in der Entwicklungskinesiologie. https://www.vojta.com/de/vojta-prinzip/vojta-diagnostik/lagereaktionen (letzter Zugriff: 30. Oktober 2021).

FALL

19

Schirin Akhbari Ziegler, Mijna Hadders-Algra

Familienzentrierte Frühintervention bei Säuglingen mit motorischen Entwicklungsstörungen (COPCA)

Leitsymptome: Schwere Beeinträchtigung von Haltung, Bewegung und motorischen Fähigkeiten des ganzen Körpers – Stereotypien und Störungen des Muskeltonus – Komorbiditäten (kognitive Beeinträchtigung, Schluck- oder Essprobleme, Sprachprobleme, hohes Risiko für Kontrakturen und Deformitäten wie Hüftluxation und Skoliose, Sehstörungen)

schwer

Definition

Motorische Entwicklungsstörung

Motorische Entwicklungsstörungen sind Störungen, die zu einer limitierten Mobilität führen und ihren Ursprung in einer veränderten Organisation des Gehirns haben. Mobilität ist ein Begriff der *International Classification of Functioning, Disability and Health, Children and Youth Version* (ICF-CY; WHO 2007). Er beschreibt die Fähigkeiten, Haltungen zu ändern, sich in der Umwelt fortzubewegen und mit Objekten zu hantieren. Die motorischen Entwicklungsstörungen haben ihren Ursprung im frühen Leben und sind die Folge von angeborenen Fehlbildungen des Gehirns, prä-, peri- oder neonatal entstandenen Läsionen des Gehirns oder dezenteren ungünstigen Umständen, welche sich auf die Entwicklungsprozesse im Gehirn auswirken (Hadders-Algra 2021a).

Der Begriff motorische Entwicklungsstörung ist ein Überbegriff für sehr unterschiedliche Diagnosen wie z. B. Zerebralparese (CP) oder Umschriebene Entwicklungsstörung der motorischen Funktionen (UEMF). Motorische Entwicklungsstörungen können von leicht bis sehr schwer ausgeprägt sein.

Motorische Entwicklungsstörungen lassen sich aufgrund substanzieller Veränderungen des jungen sich entwickelnden Gehirns meist nicht so früh im Leben eines Kindes diagnostizieren. Sie entwickeln sich bei einem Teil von Säuglingen mit genetischen oder erworbenen Entwicklungsrisiken. Mögliche Entwicklungsrisiken und damit auch Ursachen von motorischen Entwicklungsstörungen sind Frühgeburtlichkeit, intraventrikuläre Blutungen (IVH), periventrikuläre Leukomalazie (PVL), hypoxisch-ischämische Enzephalopathie oder Hirninfarkt (Michaelis & Niemann 2010).

Motorische Entwicklungsstörungen treten häufig mit Beeinträchtigungen in anderen Entwicklungsbereichen, z. B. der kognitiven Entwicklung und/oder Sprachentwicklung, auf.

Physiotherapeutische Frühintervention bei Säuglingen mit motorischen Funktionsstörungen bedeutet in der Regel, dass der Säugling ein Entwicklungsrisiko, aber noch keine Diagnose hat.

einer Zerebralparese und mit niedrigen IQ Werten im Alter von vier Jahren assoziiert (Hadders-Algra & Heineman 2021; Hadders-Algra 2021b). Weiter konnten Studien zeigen (Hielkema et al. 2011; Akhbari Ziegler et al. 2020), dass das IMP ein empfindliches Instrument darstellt, um Effekte einer frühen physiotherapeutischen Intervention zu evaluieren (➤ Abb. 19.2).

Der Kernpunkt des IMP ist sein Profil. Das Profil kann helfen, den Entwicklungsverlauf des Kindes vorherzusagen. Das trifft insbesondere auf die Domänen Variation und Performance zu (Hadders-Algra & Heineman 2021). Noch wichtiger ist, dass das Profil den Fachleuten Hinweise für die Intervention bietet. Vorschläge für die Intervention sind in ➤ Tab. 19.1 zusammengefasst (für Details vgl. Akhbari Ziegler et al. 2019 und Hadders-Algra & Heineman 2021).

19.2.3 Evaluation des Gesundheitszustands nach ICF-CY

Personenbezogene Faktoren

Max war trotz seiner Beeinträchtigungen ein fröhlicher und freundlicher Knabe. Er freute sich sehr an der Interaktion mit seinen Eltern und Brüdern.

Umweltbezogene Faktoren

Max wurde im Alter von korrigiert neun Monaten mit einer speziellen Sitzunterstützung und Power Mobility versorgt. Im Alter von 12 Monaten erhielt er seinen ersten Rollstuhl. Der Rollstuhl wurde so ausgestattet, dass er der drohenden Hüftluxation entgegenwirkte (➤ Abb. 19.3). Max ist in seiner Familie

Tab. 19.1 IMP: Profil und Vorschläge für Intervention (Hadders-Algra & Heineman 2021)

Domäne	Vorschläge für die Intervention
Variation	• Zu wenig Variation (Score < P15): Es ist wichtig, die Familie über das Thema Variation zu informieren, d. h. darüber, wie wichtig es ist, dass das Kind in verschiedenen Situationen Bewegungserfahrungen machen kann, z. B. sitzend auf dem Schoss, in Rückenlage, in Bauchlage usw. • Sehr limitiertes Repertoire (Score sehr deutlich < P5): Die Wahrscheinlichkeit, ein sehr limitiertes Bewegungsrepertoire zu vergrößern, ist sehr gering. Daher empfiehlt sich in dieser Situation, Hilfsmittel wie adaptierte Sitzsysteme oder ‚Power Mobility' frühzeitig einzusetzen und nicht damit zu zögern.
Adaptabilität	Keine oder deutlich verminderte adaptive Selektion (Score < P15): In dieser Situation benötigen Säuglinge und Kleinkinder viele zusätzliche Versuch-und-Irrtum-Aktivitäten. Die Familie soll über die Wichtigkeit, dem Kind solche Gelegenheiten anzubieten, informiert werden. Das junge Kind entdeckt seine eigene beste Strategie durch das Ausprobieren eigener Aktivitäten. Die Strategie, die das Kind wählt, kann sich von der Strategie eines sich typisch entwickelnden Kindes unterscheiden. Wenn die alternativen Strategien nicht mit großer Wahrscheinlichkeit zu Kontrakturen oder Deformitäten führen, schlagen wir vor, diese zu akzeptieren.
Symmetrie	Asymmetrie (Score < P15): In diesem Fall soll die Familie angehalten werden, der schlechter funktionierenden Körperseite des Kindes besonders viel Aufmerksamkeit zu widmen. Stimulierung von Aktivitäten, die bilaterale Arm-Hand Bewegungen fördern, und/oder die Anwendung der Constraint Induced Movement Therapy (Baby-CIMT) werden empfohlen (Hadders-Algra et al. 2017).
Bewegungsfluss	Nicht flüssige Bewegungen sind zwar nicht optimal, aber sie erfordern keine spezifische Aufmerksamkeit in der Intervention.
Performance	Die Domäne der Performance beschreibt die Fortschritte des jungen Kindes in der Entwicklung genau. Daher ist diese Domäne geeignet, um Ziele für die Intervention zu setzen.

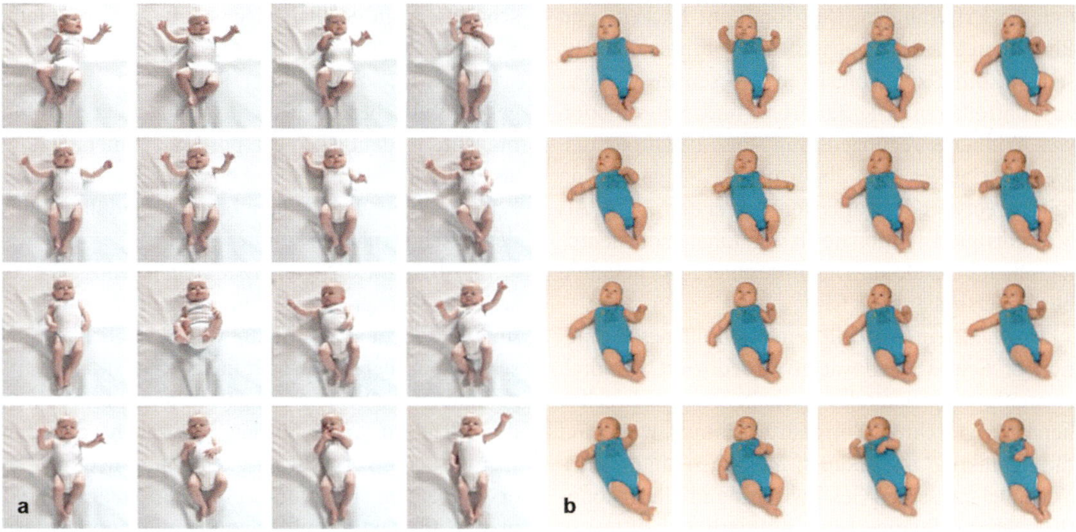

Abb. 19.2 Beispiele für ein Infant Motor Profile (IMP) [E1119–001]
a) Genügend Variation Arm- und Fingerbewegungen
b) Limitiertes Repertoire Arm- und Fingerbewegungen

Abb. 19.3 Max im Rollstuhl [G1189/K434]

sehr gut aufgehoben und unterstützt. Herr und Frau K. sind offene Menschen, die es verstehen, sich im erweiterten Familienkreis oder in der Nachbarschaft Hilfe zu holen, wenn sie etwas nicht allein schaffen. Neben der Begleitung durch die Physiotherapeutin wurde Max ab dem Alter von neun Monaten auch vom Kinderrehabilitationszentrum begleitet. Ab dem Alter von 12 Monaten nahm er dort zweimal wöchentlich an einer Spielgruppe für Kleinkinder teil.

Funktions- und Strukturebene

Die zystische PVL, welche die hinteren und mittleren Teile der periventrikulären weißen Substanz betraf, führte zu einer Schädigung des kortikospinalen Trakts und der Sehbahnen. Die rechte Seite war stärker betroffen als die linke Seite. Aufgrund der Tonusverhältnisse und der eingeschränkten Bewegungsmöglichleiten hatte Max auch ein hohes Risiko, Muskelkontrakturen zu entwickeln. Bis zum Alter von korrigiert 18 Monaten zeigte er aber keine Einschränkungen in der Gelenkbeweglichkeit.

Wie schon oben beschrieben hatte Max im Alter von korrigiert drei Monaten deutlich abnormale GMs und keine Fidgety-Bewegungen. Die neurologische Skala von SINDA zeigte sehr stereotype Bewegungsmuster, eine milde Hypertonie in Armen und Beinen und eine deutliche Hypotonie in Nacken und Rumpf. Der Neuroscore von Max im SINDA veränderte sich im Verlauf seiner Entwicklung kaum, er blieb immer deutlich im auffälligen Bereich.

Seine Bewegungsmuster blieben sehr variationsarm, der Tonus in den Extremitäten war wechselnd, wurde aber immer hypertoner, v. a. in den distalen unteren Extremitäten. Der Tonus im Nacken- und Rumpfbereich war niedrig, was es ihm erschwerte, seinen Rumpf zu stabilisieren und seinen Kopf gut zu kontrollieren. Die Kontrolle und Koordination von Willkürbewegungen war stark beeinträchtigt. Weiter zeigte er eine abnorme Fußsohlenreaktion mit stereotyper Dorsalflexion der ersten Zehe. Als Max korrigiert 12 Monate alt war, führten die neurologischen Befunde zur Diagnose einer links betonten bilateralen spastischen CP.

Max hatte ein ausgeglichenes und offenes Temperament. Sein Antrieb war etwas reduziert, wodurch er wenig explorierendes Verhalten aus sich selbst heraus zeigte. Um explorieren zu können, war er auf die Interaktion mit anderen Menschen angewiesen. Von Spiel mit seinen Geschwistern und Eltern konnte er sehr profitieren. Seine Aufmerksamkeit war in Ordnung, und zum Glück litt er nicht unter Schmerzen.

Aktivitätsebene

Im Alter von korrigiert drei Monaten fixierte Max das Gesicht seine Mutter kurz, lächelte sie aber nicht an. Gegenstände visuell zu verfolgen gelang ihm nicht. Frau K. freute sich, dass sich Max durch Lieder, die sie ihm vorsang, gut beruhigen ließ. Max lag, wenn er wach war, auch in Bauchlage und konnte seinen Kopf durch kurzes Anheben von einer auf die andere Seite drehen. Max hatte inzwischen gelernt, mit einem speziellen Trinksauger Milch aus der Flasche zu trinken. Da seine Saugbewegungen aber immer noch nicht optimal koordiniert waren, brauchte er immer noch ergänzend Nahrung durch die Sonde.

Im korrigierten Alter von einem halben Jahr konnte Max, wenn er sich in einer gut unterstützten Position befand, Gegenstände visuell verfolgen und Personen beobachten. Er lachte häufig, besonders wenn jemand mit ihm spielte. Dann produzierte er auch kommunikative Laute, aber noch keine Lautverbindungen. Manchmal gelang es Max, einen Gegenstand zu greifen, zum Mund zu führen und oral zu explorieren. Einfach war das für ihn aber nicht. Die Einschränkungen beim Manipulieren mit den Händen machten auch das elementare Lernen schwieriger. In der Bauchlage konnte er nun seinen Kopf für 10–20 Sekunden heben und etwas herumschauen. Das Drehen von Rücken- in Bauchlage gelang ihm aber noch nicht. In sitzender Position brauchte er deutlich mehr posturale Unterstützung als Gabriel. Frau K. war sehr glücklich, dass Max nun keine Sondennahrung mehr brauchte und sie ihn mit der Flasche ernähren konnte.

Im Alter von korrigiert 12 Monaten genoss es Max sehr, in sozialer Interaktion mit seinen Familienmitgliedern zu sein. Er hatte wenig Möglichkeit, sie selbst zu initiieren, war aber in der Lage, sie aufrechtzuerhalten. Er liebte es, Musik zu hören und seinen drei Brüdern beim Spielen zuzusehen, dennoch wurden seine Lernschwierigkeiten nun deutlich, da er in seinem Handlungsspielraum eingeschränkt war. In Interaktion mit seinen Familienmitgliedern produzierte er präverbale Äußerungen in Form von verbundenen Drei-Silben-Ketten und non-verbale Botschaften durch seinen Gesichtsausdruck. Max hatte gelernt, sich von der Rückenlage in die Seitenlage zu drehen. In der Bauchlage konnte er sich mit dem rechten Arm etwas abstützen, um seinen Brustkorb etwas anzuheben, ein symmetrischer Unterarmstütz gelang ihm aber nicht. Sitzen war nach wie vor nur mit viel Unterstützung möglich. Er hatte gelernt, gut nach einem Gegenstand zu greifen, tat dies mit der rechten Hand aber deutlich mehr als mit der linken. Frau K. stellte fest, dass ihm das Greifen in visuell wenig komplexen Situationen deutlich besser gelang.

Im Bereich Aktivitäten zeigte Max mit korrigiert 18 Monaten nur geringe Veränderung im Vergleich zur Situation vor sechs Monaten. Seine Lernschwierigkeiten wurden eher noch deutlicher, da der Unterschied im Handlungsspielraum zwischen ihm und Gabriel zunehmend größer wurde. Frau K. berichtet, dass Max neu in der Lage war, einfache gesprochene Mitteilungen zu verstehen, und auch versuchte, sich mit Bewegungen des ganzen Körpers verständlich zu machen. In Bauchlage war er nun in der Lage, sich kurz auf Ellbogen und Unterarme abzustützen, sein Gewicht war zur rechten Seite verschoben. Das Greifen hatte sich kaum verändert, und auch im Sitzen brauchte Max eine gute Unterstützung. Er hatte keine Möglichkeit, sich selbstständig fortzubewegen.

Partizipationsebene (Teilhabe)

Max war in seiner fünfköpfigen Familie gut integriert, seine Eltern hatten gelernt, seine Bedürfnisse zu erkennen und sensibel darauf zu regieren.

Als Max korrigiert sechs Monate alt war, fiel Frau K. auf, dass Hannes und Silvan, die beiden großen Brüder, sich lieber mit Gabriel beschäftigten als mit Max, da man mit Gabriel schon besser spielen konnte.

Als Max korrigiert 12 Monate alt, war hatte die Kinderärztin mit den Eltern besprochen, dass die Probleme von Max nun so deutlich waren, dass eine Diagnose gestellt werden konnte, d. h., die Diagnose links betonte bilaterale spastische CP (GMFCS IV) wurde gestellt. Dazu kam, dass Max ein hohes Risiko für zerebrale visuelle Wahrnehmungsstörungen hatte. Das bedeutete, dass Max wahrscheinlich Schwierigkeiten hatte, komplexe Situationen gut wahrzunehmen. Die Eltern waren auf der einen Seite froh, dass sie nun eine Diagnose und damit mehr Klarheit hatten, es wurde ihnen aber auch bewusst, dass Max sein ganzes Leben lang auf Hilfe angewiesen sein würde, um in seinem Lebensalltag optimal teilhaben zu können.

Um Max in die Lage zu versetzen, an den täglichen Routinen der Familie teilhaben zu können, wurde er mit diversen Hilfsmitteln versorgt.

19.3 Zusammenfassung der wichtigsten Befunde

Max entwickelte aufgrund einer zystischen PVL eine links betonte bilateral spastische CP vom Schweregrad GMFCS IV mit Lernschwierigkeiten und einem hohen Risiko für zerebrale visuelle Wahrnehmungsstörungen. Als Folge davon war er kaum in der Lage, aktive Bewegungsübergänge zu vollziehen oder frei zu sitzen und zu gehen. Er konnte greifen und nonverbal kommunizieren. Sein Bewegungsrepertoire war sehr eingeschränkt und seine Willkürbewegung stark beeinträchtigt. Das bedeutete auch, dass er ein hohes Risiko für Kontrakturen und Deformitäten hatte. Dank seiner unterstützenden Familie und geeigneter Hilfsmittel konnte er dennoch als offener und fröhlicher Knabe in seinem Lebensalltag teilhaben.

19.4 Physiotherapeutische Zielsetzung

Da die Physiotherapeutin mit der Familie K. das familienzentrierte Frühinterventionsprogramm COPCA anwendete, vereinbarte sie mit den Eltern sowohl mobilitätsbezogene Ziele für Max als auch partizipationsorientierte Familienziele. Die Zielvereinbarung wurde mithilfe der *„Goal Attainment Scale"* (GAS) und der *„GOALed App"* (Gaffney et al. 2019) durchgeführt. GAS-Ziele werden immer nach den *SMART*-Kriterien (**s**pezifisch, **m**essbar, **a**ngemessen, **r**ealistisch, **t**erminiert) formuliert.

Die unten beschriebenen Familienziele sind Zielbereiche, aus denen die Physiotherapeutin mit der Familie SMART-Ziele formuliert hat.

Nahziele (Zeitraum 4 Wochen, von Beginn der Intervention mit Max und seiner Familie):

- Familie K. etabliert zu Hause einen Familienalltag in der neuen Konstellation, in der sich alle wohl fühlen.
- Die Familienmitglieder spielen mit Max mehrmals täglich in Bauch- und Seitenlage und in gut unterstütztem Sitz. Dabei ist es wichtig zu betonen, dass ein gut unterstützter Sitz nicht gefährlich ist (eben weil man gut unterstützt) und dass dies die Aufmerksamkeit des Kindes und damit auch die sozialen Interaktionen fördert.
- Die Familienmitglieder spielen mit Max mehrmals täglich so, dass er seine rechte Körperseite optimal wahrnehmen kann.

Mittelfristige Ziele (Zeitraum korrigiert 2. Monat bis 18 Monate):

- Familie K. kennt mehrere Möglichkeiten, Freizeit und Erholung sowie gesellschaftliches Leben für alle Familienmitglieder optimal zu gestalten.
- Max lernt Zuschauen, Beobachten.
- Max kann als Sender und Empfänger kommunizieren.
- Max erlangt eine gute Kopfkontrolle in unterstützter Sitzposition und in Bauchlage.

- Max erhält eine Sitzhilfe, die ihm eine optimal unterstützte Sitzposition ermöglicht.
- Max kann in definierten Körperpositionen verbleiben und definierte elementare Körperpositionen wechseln.
- Max kann Gegenstände ergreifen und manipulieren.
- Max kann ein Transportmittel benutzen und ein Fahrzeug fahren.

Langfristige Ziele:

- Optimale Partizipation der ganzen Familie am sozialen Leben in der Gemeinschaft ihres Lebensraums
- Vermeiden von Deformitäten und Kontrakturen so gut als möglich
- Optimaler Gebrauch der vorhandenen bewegungsbezogenen Funktionen
- Erreichen der maximal möglichen Mobilität mit Unterstützung durch Hilfsmittel
- Versorgung mit Hilfsmitteln, die eine möglichst große Selbstständigkeit und Partizipationsfähigkeit ermöglichen

19.5 Physiotherapeutische Maßnahmen

COPCA richtet sich an die Familie als Einheit und findet im Lebensraum der Familie, im Rahmen von Alltagshandlungen, statt. Sowohl die Stärken als auch die Bedürfnisse aller Familienmitglieder werden berücksichtigt. Die Physiotherapeutin heißt in COPCA „COPCA Coach". Mithilfe unterschiedlicher Coachingstrategien begleitet sie die Familie, damit diese ihre eigenen Strategien, Kapazitäten und Kompetenzen entdecken kann, um das Kind im Rahmen von Alltagsaktivitäten möglichst autonom zu fördern. Folgende Coachingstrategien werden in COPCA eingesetzt: Austausch von Informationen, aktives Zuhören, aktives Beobachten, Illustrieren als Beispiel, Stellen offener Fragen, Reflexion und Feedback.

In einer ersten COPCA-Intervention geht es darum, Informationen auszutauschen und die Basis für eine vertrauensvollen Beziehung zu schaffen. Die Rollen werden geklärt und die Bedürfnisse und Wünsche der Familie abgeholt. Der COPCA-Coach führt, wenn schon möglich, das IMP durch oder erhebt einen anderen Befund. Dann folgt die gemeinsame Zielvereinbarung. In dieser Phase informiert der Coach über die Möglichkeiten und Herausforderungen des Kindes und diskutiert diese mit den Familienmitgliedern. Im Rahmen der Nahziele zeigen die Familienmitglieder, wie sie das Kind diesbezüglich unterstützen. Der Coach beobachtet sie dabei, und über Reflexion und Feedback versuchen alle Beteiligten gute Strategien zur Zielerreichung zu finden. Der COPCA-Coach sucht mit der Familie Möglichkeiten in ihrem Alltag, wie sie die Strategien autonom bis zur nächsten Intervention möglichst oft anwenden kann.

Der Ablauf der folgenden Intervention sieht in etwa so aus: Zu Beginn tauschen die Familienmitglieder und der Coach Erfahrungen aus, welche die Familie in der Zwischenzeit gemacht hat. Sie berichten, was gut gelaufen ist und was noch nicht so optimal läuft. Ein spezifisches Ziel für die jeweilige Intervention wird vereinbart. Die Familienmitglieder sind in Interaktion mit dem Kind und wenden ihre eigenen Strategien an, um das Kind mit besonderen Bedürfnissen zu motorischer Eigenaktivität bezogen auf das Ziel herauszufordern. Der Coach beobachtet die Interaktion und wendet weitere oben beschriebene Coachingstrategien an. Eine Intervention endet in der Regel mit Reflexion und Feedback und der Vereinbarung neuer Aktivitäten, welche die Familie mit dem Kind bis zur nächsten Intervention durchführt.

Zu Beginn der Frühförderung finden COPCA-Interventionen in der Regel einmal pro Woche statt. Im Verlauf der Zeit kann die Frequenz üblicherweise auf ein- bis zweimal monatlich reduziert werden, da die Familie immer besser lernt, das Kind autonom zu fördern. Das IMP ist das wichtigste Instrument zur Verlaufsdokumentation. Der COPCA-Coach sucht in Absprache mit den Eltern auch einen Austausch mit anderen involvierten Fachkräften wie z. B. Kinderärzt*in, Neurolog*in, Rehaklinik, Ergotherapeut*in, Heilpädagog*in, Logopäd*in, Orthopäd*in und Orthopädietechniker*in.

Physiotherapeutische Ansätze

COPCA unterscheidet sich von traditionellen Ansätzen in der Frühintervention, wie z. B. dem Bobath-Konzept, in verschiedenen Aspekten. Der Fokus der Intervention liegt bei COPCA nicht primär auf der Optimierung der kindlichen Entwicklung, sondern auf der Befähigung der Familienmitglieder, das Kind im Rahmen von Alltagsaktivitäten autonom zu fördern, und auf der Förderung der Partizipation der Familie als Ganzes. Das hat auch Auswirkungen auf die Rolle der Beteiligten. Die Familienmitglieder sind als aktive und gleichwertige Partner in den Interventionsprozess integriert, sie sind diejenigen, welche die entwicklungsfördernden Maßnahmen in ihren Alltag integrieren und umsetzen. Die Therapeutin ist in der Rolle als Coach und wendet die beschriebenen Coachingstrategien an. Damit die Familienmitglieder ihre eigene beste Strategie der Entwicklungsförderung herausfinden können, werden sie beraten und unterstützt, aber nicht instruiert.

Coaching und Instruktion sind zwei unterschiedliche Strategien mit unterschiedlichen Vorgehensweisen und Zielen (Akhbari Ziegler & Hadders-Algra 2020b). Das Ziel einer Instruktion ist, die Familienmitglieder zu befähigen, eine vorgegebene Behandlungsmaßnahme so korrekt wie möglich umzusetzen. Eine Instruktion ist eine klare Anweisung, dies zu tun. Ziel von Coaching ist dagegen, die Familienmitglieder zu befähigen, ihre eigene Strategie in der Förderung des Kindes zu finden. Die Orientierung von COPCA an der *„Neuronal Group Selection Theory"* (NGST) hat zur Folge, dass die Herausforderung des Kindes zur motorischen Eigenaktivität die wichtigste Interventionsstrategie in Interaktion mit dem Kind darstellt. Auf Hands-on-Techniken wird in COPCA weitgehend verzichtet. Minimal werden diese Techniken bei schwer beeinträchtigten Kindern zur Unterstützung der posturalen Kontrolle eingesetzt. In diesem Sinne stellt COPCA auch einen Paradigmenwechsel dar.

KLINISCHER HINTERGRUND

Die Theorie der Selektion neuronaler Gruppen (Neuronal Group Selection Theory, NGST)

Die Theorie der Selektion neuronaler Gruppen (Akhbari Ziegler & Hadders-Algra 2018) stellt eine passende handlungsleitende Theorie für die moderne kinderphysiotherapeutische Frühintervention dar. In dieser Theorie, die von Gerald Edelmann entwickelt und von Hadders-Algra auf die kindliche Entwicklung adaptiert wurde, wird sowohl der genetischen Ausstattung des Gehirns als auch den epigenetischen Faktoren (Erfahrung und Umwelt) eine wichtige Rolle in der Entwicklung zugesprochen.

Die typische motorische Entwicklung zeichnet sich durch Variation, das Vorhandensein eines reichhaltigen Repertoires an Strategien für motorische Funktionen und das Entwickeln von adaptivem Verhalten aus. Der Entwicklung von adaptivem Verhalten liegt ein Selektionsprozess zugrunde, der auf Versuch-und-Irrtum-Erfahrungen und den dazugehörigen sensorischen Erfahrungen beruht. Selbstproduzierte sensorische Erfahrungen, explorierendes und variationsreiches motorisches Verhalten spielen in der motorischen Entwicklung eine zentrale Rolle.

Eine atypische motorische Entwicklung durch eine frühe Läsion des Gehirns ist durch eine eingeschränkte Variation (reduziertes Repertoire an motorischen Strategien) und durch eine limitiere Adaptationsfähigkeit charakterisiert. Aufgrund des limitierten Repertoires ist die beste Strategie, die normalerweise im Repertoire vorhanden ist, in der Regel verschwunden. Das Kind mit einer frühen Hirnschädigung muss daher eine motorische Lösung suchen, die sich von der eines Kindes mit einer typischen motorischen Entwicklung unterscheidet. Die NGST impliziert, dass die alternative Strategie nicht primär als pathologisch anzusehen ist, sondern als beste Strategie, die dem Kind mit atypischer Entwicklung zu Verfügung steht. Diese Implikation gilt aber nur, wenn die alternative Strategie zu funktionellen Lösungen führt und nicht zu Kontrakturen und Deformitäten. Um aber überhaupt zu einer alternativen Strategie zu kommen, benötigt das Kind sehr viele aktive Versuch-und-Irrtum-Erfahrungen.

PRAKTISCHER TIPP

Umsetzung von NGST-Prinzipien im Rahmen von COPCA

Die Familienmitglieder werden vom COPCA-Coach begleitet, damit sie das Kind im Rahmen von Alltagshandlungen wie z. B. Spielen, Baden oder Essen zu selbstproduziertem, explorierendem motorischem Verhalten mit Versuch-und-Irrtum-Erfahrungen herausfordern können. Die Anregung des aktiven Explorationsverhaltens des Kindes in unterschiedlichen, angereicherten Umgebungen gibt dem Kind die Gelegenheit, selbstproduzierte sensorische und motorische Erfahrungen zu machen und aus seinem vorhandenen Repertoire seine bestmögliche adaptive Strategie zu finden. Die Interaktion mit Geschwistern ist oft eine gute Möglichkeit, sensomotorische Aktivität des betroffenen Kindes zu fördern. Die spielerischen Aktivitäten mit den Familienmitgliedern fördern nicht nur die Mobilität des Kindes, sondern auch seine Lern- und Kommunikationsfähigkeiten. Bei Kindern mit schweren Beeinträchtigungen (GMFCS Level III-V) ist die minimale Anwendung von Hands-on-Techniken zur Unterstützung der posturalen Kontrolle in Kombination mit Eigenaktivität zu empfehlen.

Weiterer Therapieverlauf und -abschluss

Die Physiotherapeutin besuchte die Familie K. im ersten halben Jahr einmal wöchentlich für etwa eineinhalb Stunden und begleitete sie in der Entwicklungsunterstützung von Max und Gabriel. Alle zwei Wochen fand die Intervention am Vormittag statt, wenn nur Frau K. und die Zwillinge anwesend waren, in den anderen Wochen fand sie am späteren Nachmittag statt, wenn auch Herr K. und die beiden größeren Brüder Hannes und Silvan zu Hause waren. In der Regel war je die Hälfte der Zeit für die Entwicklungsunterstützung eines der beiden Zwillinge vorgesehen. Da in COPCA die Anliegen der ganzen Familie berücksichtigt werden, wurde die Zeiteinteilung aber flexibel und den Bedürfnissen der Familienmitglieder entsprechend gehandhabt. Ab dem korrigierten Alter der Zwillinge von sieben Monaten brauchte die Familie nur noch für Max die Frühintervention und diese wurde auf einmal alle 14 Tage reduziert.

Im Alter von korrigiert neun Monaten war klar, dass Max, um sitzen können, auch langfristig viel posturale Unterstützung benötigen würde. Da die sitzende Position für viele Aktivitäten im Alltag, aber auch für die Partizipation äußerst wichtig ist, wurde Max mit einer adaptierten Sitzunterstützung versorgt. Diese Versorgung wurde in Zusammenarbeit mit dem Orthopädietechniker des Kinderrehabilitationszentrums vorgenommen. Damit die Familie mit Max Ausflüge machen konnte und er sich zu Hause sitzend fortbewegen konnte, wurde er im Alter von korrigiert 12 Monaten mit einem Rollstuhl versorgt. Der Rollstuhl wurde so angepasst, dass er auch der drohenden Hüftluxation und den Kontrakturen in den Sprunggelenken entgegenwirken sollte.

Familie K. wurde ab dem Alter von korrigiert neun Monaten der Zwillinge von der ambulanten Abteilung des Kinderrehabilitationszentrums begleitet. Diese koordinierte die Versorgung von Max. Max erhielt neben der Physiotherapie auch Logopädie. Ab dem Alter von 12 Monaten besuchte er zweimal pro Woche die Kleinkinderspielgruppe im Zentrum. Diese wurde von einer Heilpädagogin und einer Ergotherapeutin geleitet.

Therapieergebnisse

Das IMP-Profil zeigte deutlich, dass Max aufgrund seiner Hirnläsion eine stark eingeschränkte Variation hatte. Die niedrigen Werte im Bereich der Performance waren Ausdruck seiner starken motorischen Entwicklungsstörung. Da er durch seine Familie viel Versuch-und-Irrtum-Erfahrung machen konnte, waren seine Werte in der Domäne Adaptabilität relativ gesehen etwas besser als die Werte in den anderen Domänen (➤ Tab. 19.2).

Tab. 19.2 IMP Profil im Verlauf

Korrigiertes Alter in Monaten	Variation	Adaptabilität	Symmetrie	Bewegungsfluss	Performance	Total IMP Score
3	61 (P < 5)	-	67 (P < 5)	67 P < 5)	30 (P < 5)	57 (P < 1)
6	63 (P < 5)	-	67 (P < 5)	75 (P < 15 > 5)	34 (P < 5)	59 (P < 1)
12	72 (P < 5)	79 (P < 5)	67 (P < 5)	75 (P < 15 > 5)	55 (P < 5)	70 (P < 1)
18	72 (P < 5)	93 (P < 5)	71 (P < 5)	75 (P < 15 > 5)	67 (P < 55)	76 (P < 1)

Die mittelfristigen Ziele wurden mit der GAS evaluiert und bis zum korrigierten Alter von 18 Monaten von Max erreicht. Familie K. konnte einen Familienalltag etablieren, in dem sich alle wohl fühlten. Wenn sie etwas nicht allein schafften, waren sie in der Lage, sich im erweiterten Familienkreis, in der Nachbarschaft oder im Kinderrehabilitationszentrums Hilfe zu holen. Sie kannten viele Möglichkeiten, Freizeit und Erholung sowie gesellschaftliches Leben für alle Familienmitglieder gut zu gestalten. Herr und Frau K. waren in der Lage, Max in ihrem Familienalltag autonom in seiner Entwicklung zu unterstützen.

Das Fallbeispiel von Max und seiner Familie wird hier mit seinem Alter von korrigiert 18 Monaten abgeschlossen. Die Physiotherapeutin hat die Familie aber bis zum Eintritt von Max in den Kindergarten der Sonderschule weiter begleitet. Sie haben gemeinsam die langfristigen Ziele verfolgt.

19.6 Evidenzbasierte Zusammenfassung

Es gibt viel Evidenz über die Effekte von Frühintervention bei Säuglingen mit einem mäßig gesteigerten Risiko für motorische Entwicklungsstörungen, z. B. bei Frühgeborenen ohne ernsthafte Hirnläsionen wie PVL oder intraventrikuläre Blutungen Grad III-IV. Bei diesen Kindern ist Frühintervention mittels allgemeiner Förderung und Stimulation ohne Hands-on-Techniken verbunden mit a) einer deutlich besseren kognitiven Entwicklung bis zum Kleinkindalter und b) einem mäßig positiven Effekt auf die motorische Entwicklung im Säuglingsalter. Es gibt keine Evidenz, dass das Bobath-Konzept (*NeuroDevelopmental Treatment*) oder die Vojta Therapie mit einem günstigen Effekt auf die Kindesentwicklung verbunden sind (Spittle et al. 2015; Hadders-Algra 2021a, b).

Über den Effekt von Frühintervention bei Säuglingen mit einem hohen Risiko für motorische Entwicklungsstörungen oder Säuglinge, die schon die Diagnose CP haben, wissen wir viel weniger. Trotzdem gibt es immer mehr Studien, die zeigen, dass auch bei diesen Kindern die Herausforderung zur Eigenaktivität – welche auch durch eine angereicherte Alltagsumgebung erreicht werden kann – zu einer besseren kognitiven und motorischen Entwicklung führt (Hadders-Algra 2021a, b; Morgan et al. 2021). Unklar, aber denkbar ist, dass die minimale Anwendung von Hands-on-Techniken zur Unterstützung der posturalen Kontrolle bei den Kindern mit den stärksten Beeinträchtigungen – im Gegensatz zu den Kindern mit einem mäßig gesteigerten Risiko – eine positive Rolle spielen kann. Weiterhin gibt es einige Evidenz, dass bei Kindern mit einer starken Asymmetrie, die auf die Entwicklung einer unilateralen CP hindeuten könnte, die *Constraint Induced Movement Therapie* (CIMT) oder Förderung von bilateralen Arm-Hand-Aktivitäten zu einer Abnahme der Asymmetrie und einer besseren Handfähigkeit führt (Hadders-Algra 2021a).

Im Allgemeinen betont die Frühinterventionsliteratur die Redewendung: „Je mehr, desto besser“. Das heißt, dass der Effekt der Intervention auch von der Dosierung abhängt. Theoretisch und abgeleitet aus Tierexperimenten stimmt dies komplett. Wenn aber Gesundheitsfachkräfte diese Botschaft so den Familien mit einem Kind mit einem sehr hohen Risiko kommuniziert, ist die Chance, dass sie sich schnell überbelastet und schuldig fühlen, groß. Denn sie werden beobachten, dass ihr großer Einsatz häufig nicht in schnellen Entwicklungssprüngen des Kindes resultiert. Zur Begleitung der Familien mit einem Kind mit einem hohen Risiko für Entwicklungsstörungen gehört somit auch, dass man dieses Dilemma diskutiert. Jede Familie sollte ihre eigene optimale Dosierung herausfinden, eine Dosierung, die verbunden ist mit der Förderung der Entwicklung des Kindes, die aber auch langfristig mit dem Alltagsleben und Wohlbefinden der Familie kompatibel ist (Hadders-Algra 2021a, b).

LITERATUR

Akhbari Ziegler S, Hadders-Algra M. Die Theorie der Selektion neuronaler Gruppen als handlungsleitende Theorie in der pädiatrischen Physiotherapie. Physiotherapie. 2018; 18(5): 22–24.

Akhbari Ziegler S, Dirks T, Hadders-Algra M. Coaching in early physical therapy intervention: the COPCA program as an example of translation of theory into practice. Disabil Rehabil. 2019; 41: 1846–1854.

Akhbari Ziegler S, Hadders-Algra M. Das „Infant Motor Profile“: eine Methode zur Entwicklungsbeurteilung, Planung der Frühintervention und Vorhersage der Entwicklung. Pädiatrische Praxis. 2020a; 94 (1):39–49.

Die Mutter arbeitet in Teilzeit, um für die Kinder genug Zeit zu haben. Elias lebt in sehr guten sozialen Verhältnissen.

Personenbezogene Faktoren

Elias soll sich selbstständig anziehen, auch wenn dies im Alltag schwierig ist, weil er mehr Zeit benötigt.

Tab. 20.1 Quantitative und qualitative Leistungen innerhalb der normalen motorischen Entwicklung von Kindern von vier bis zehn Jahren

Alter (Jahre)	Quantitative Leistungen	Qualitative Leistungen
4	• 40-Meter-Lauf bei Jungen im Durchschnitt in 16,6 Sekunden • Weitsprung aus dem Stand bei Jungen durchschnittlich 47,8 cm • Jungen werfen durchschnittlich 3,79 m weit[1]	
5	• Alternierendes Treppe-Auf- und Absteigen[1] ohne Festhalten am Geländer. • Schaukeln[2] • Klettern[2] • Beidbeinig Hüpfen[2] • Spitzen- und Fersengang[3] • Fuß vor Fuß auf einer Linie gehen[2] • Springen und Hüpfen beidbeinig und mit einem Bein[4] • 5–10[1] oder 30[5] Sekunden auf einem Bein stehen • Größere Bälle von etwa 20 cm Durchmesser auf 2 m Entfernung mit beiden Händen fangen[1] • Sprünge durchschnittlich 60 cm weit und 15 m hoch[6]	• Diadochokinese[2] • „Hampelmann"[2]
5–6	Mit einer Schere einen Kreis ausschneiden[2]	• Repetitives Handklopfen[2] • Gute Strichführung mit Kraftanpassung[2]
7	• 40-Meter-Lauf bei Jungen im Durchschnitt in 9,8 Sekunden • Weitsprung aus dem Stand bei Jungen durchschnittlich 116,7 cm • Jungen werfen durchschnittlich 12,09 m weit[1]	
7–10	Rhythmus, Umfang und Tempo der Ausführung verbessern sich deutlich[3]	• Haltungskontrolle mit der von Erwachsenen vergleichbar[6] • Mitbewegungen nehmen in Frequenz und Intensität deutlich ab[3] • Fingertrommeln[3] • Fingerklopfen[3] • Sequenzielle Finger-Daumen-Opposition möglich[3] • Verknüpfung und Differenzierung von motorischen Fähigkeiten nehmen weiter zu[1]

[1] Winter & Roth 1994, S. 223;
[2] Steding-Albrecht 2015, S. 31;
[3] Baumann 2002, S. 235;
[4] Burns 1999, S. 31;
[5] Petermann 2011, S. 70;
[6] Watter 1999, S. 36

Tab. 20.2 Items des M-ABC-2 bei einem 5-jährigen Kind (3,0 bis 6 Jahre und 11 Monate) (adaptiert nach Petermann 2011)

Handgeschicklichkeit			
Taler einwerfen (dominante Hand)	Taler einwerfen (nicht dominante Hand)	Perlen aufziehen	Schnur nachzeichnen
Ballfertigkeit			
Bohnensäckchen fangen		Bohnensäckchen werfen	
Balance			
Einbeinstand (besseres Bein)	Einbeinstand (anderes Bein)	Laufen mit abgehobenen Fersen	Mattenhüpfen

Körperfunktions- und Strukturebene

Minussymptomatik: Ausweichbewegungen beim Gehen als Einwärtsgang. Hypotone Haltung. Koordinationsprobleme in der Balance, Feinmotorik und bei Ballfertigkeiten.
Plussymptomatik: Erhöhte Kraftanstrengung für einfache Aktivitäten erforderlich, sodass Elias nach einfachen Anstrengungen, auch nach leichten Spaziergängen, Muskelkater bekommt.
Adaptive Phänomene: Vermeidung von Anstrengungen. Entwicklung von Knick-Plattfüßen und einer Skoliose.

Aktivitätsebene

Aus der Rückenlage kann Elias den Kopf nicht abheben. Wenn er aus der Rückenlage die Knie oder Füße greifen möchte, kippt er zur Seite um. Er schafft es nicht, sich aus der Rückenlage in den Vierfüßlerstand zu drehen. Auch der freie Kniestand ist ihm nicht möglich. Um aus dem Kniestand aufzustehen, muss er sich festhalten. Elias sitzt mit Rundrücken. Im Langsitz kann er entweder die Beine strecken oder sitzt mit einem verstärkten Rundrücken. Er kann keine fünf Sekunden auf einem Bein stehen, weder rechts noch links, nicht mit beiden Beinen gleichzeitig hüpfen und nicht rückwärts laufen. Zum Treppensteigen muss er sich auf- und abwärts festhalten. Nach dem beidbeinigen Springen von einer Stufe kann er nicht stehen bleiben und landet nicht auf beiden Füßen gleichzeitig. Kreuz-, Dreh- und Scherensprünge sind ebenfalls nicht möglich. Auch kann Elias nicht Fuß vor Fuß gehen.

Partizipationsebene (Teilhabe)

Elias schafft auch leichte Spaziergänge mit der Familie nicht. Er muss noch getragen oder gefahren werden und kann nur kurzzeitig aktiv selbstständig gehen.

20.3 Zusammenfassung der wichtigsten Befunde

Die motorische Entwicklung der Grobmotorik ist bei Elias verzögert und die Haltungskontrolle ist eingeschränkt. Beim Gehen zeigt Elias einen Einwärtsgang. Insgesamt ist er ungeschickt, stolpert häufig und hat eine erhöhte Unfallgefahr.

20.4 Physiotherapeutische Zielsetzung

Gemeinsam mit seinen Eltern werden folgende Ziele in der Physiotherapie vereinbart:
Mittelfristig:
- Verbesserung der motorischen Kompetenzen und der dadurch entstehenden Zufriedenheit von Elias. Er möchte selbst weniger fallen und schneller rennen können.
- Es soll ein besserer Haltungshintergrund erarbeitet werden.

Langfristig:
- Elias soll eine altersentsprechende motorische Entwicklung erreichen.
- Halten des Therapieergebnisses auch bei Wachstumsschüben und nach Beendigung der Therapie. Gegebenenfalls sollte eine physiotherapeutische Kontrolle nach einem halben und nach einem Jahr erfolgen.

- Sekundär- bzw. Folgeprobleme sollen vermieden werden.
- Eine Verbesserung der Partizipation wird angestrebt.

20.5 Physiotherapeutische Maßnahmen/Therapieplan

Die Mutter von Elias ist sehr engagiert. Sie möchte nichts versäumen und kommt zuverlässig zu jedem vereinbartem Termin einmal pro Woche. Zu Hause übt sie mit ihrem Sohn und ermutigt ihn.

Die Physiotherapeutin erklärt der Mutter, welche motorischen Entwicklungsschritte Elias jetzt nachholen kann, die er im ersten Lebensjahr nicht erreicht hatte: von der stabilen symmetrischen Rückenlage zum Lagewechsel in den Vierfüßlerstand und weiter bis zur Aufrichtung. Da die Haltungskontrolle von Elias zu schwach ist, gelingen ihm die weiteren motorischen Kompetenzen ebenfalls nur schwach.

In den ersten beiden Sitzungen zeigt die Physiotherapeutin Elias und seiner Mutter, wie sie entwicklungsfördernd arbeiten können.

Um die Zielsetzung, eine normale motorische Entwicklung, zu erreichen, wird innerhalb der physiotherapeutischen Behandlungen mit Elias zuerst an einer symmetrischen und stabilen Rückenlage, dann Bauch- und Seitenlage und an der Symmetrie in allen Ausgangsstellungen gearbeitet. In Seitenlage lernt Elias bald einen Stütz mit weniger Ausweichbewegungen. Der Plan ist, dass Elias die übersprungenen motorischen Entwicklungsschritte aus dem ersten Lebensjahr neu lernt, wie das Anheben des Kopfs in Rückenlage, die stabile Bauch- und Rückenlage und flüssige Bewegungsübergänge. Folgende Tipps für den Alltag bekommt die Mutter:

- Elias so wenig wie möglich tragen, für kürzere Strecken möglichst keinen „Buggy“ mitnehmen
- Mit Elias vielfältige Bewegungsspiele machen, Rennen und Rückwärtsgehen üben

Physiotherapeutische Ansätze

Für die Kinder im Alter ab zwei Jahren bevorzugen viele Physiotherapeuten einen Parcours. Hier möchte man spielerisch mit dem Kind arbeiten. Leider werden dabei sehr häufig sehr viele Ausweichbewegungen zugelassen. So können die Funktionseinschränkungen kaum verbessert werden, es sei denn, der Parcours dient als spielerischer Ausklang der Therapieeinheit oder einzelne Sequenzen des Parcours werden gezielt eingesetzt. Auch im psychomotorischen Konzept (Fischer 2019) werden diese Parcours gezielt benutzt, um mit Bewegungsfreude auch in Kleinstgruppen die Funktionsstörungen zu verbessern.

Das Konzept der Sensorischen Integration (SI) nach Ayres (2013) ist ebenfalls für Kinder mit UEMF entwickelt worden. Es wird heute sowohl von Physiotherapeuten als auch von Ergotherapeuten angewendet. Die sensorische Integration und die Physiotherapie auf neurophysiologischer Basis gehören zu den prozessorientierten Konzepten, auch wenn in beiden Konzepten innerhalb der Therapien den Kindern Aufgaben vermittelt werden. Der Fokus in diesen beiden Therapien liegt auf die Verbesserung der Funktionsstörungen, das Ziel der Therapien ist die bestmögliche Partizipation. Die Academy of Pediatric Physical Therapy der American Physical Therapy Association (APPT der APTA) und die European Academy for Childhood Disability (EACD) raten den Physiotherapeut*innen heute, aufgabenorientierte Ansätze mit prozessorientierten Interventionen zu kombinieren (Dannemiller et al. 2020).

Ein neuer Behandlungsansatz ist das familienzentriertes Frühinterventionsprogramm COPCA (Akhbari Ziegler & Hadders-Algra 2021, ➤ Fall 19). Es handelt sich hierbei um ein Hands-off-Konzept. COPCA möchte auch die Kinder mit dem Risiko einer UEMF bereits im Säuglingsalter erreichen und wurde bereits erfolgreich evaluiert (Akhbari Ziegler et al. 2020).

Zu der Frage, ob Hilfsmittel die Therapie unterstützen, gibt es noch keine Evidenz. Klinische Erfahrungen zeigen, dass bei Fußfehlstellungen Fußbandagen oder Tapes die Fußstellung korrigieren können, sodass sich das Kind an die korrigierte Fußstellung gewöhnen kann und dadurch Ausweichbewegungen verhindert werden.

Wichtig in allen Konzepten ist es, die Bewegungsfreude bei den Kindern zu erhalten und weiter zu fördern oder wieder zu gewinnen, damit auch im Alltag die neuen Bewegungsmuster angewendet und neue

Bewegungsräume erobert werden können. Dadurch sind Hausprogramme kein Pflichtprogramm mehr, sondern eine Kür.

PRAKTISCHER TIPP

Physiotherapeutische Möglichkeiten, die UEMF zu behandeln:

- Neuromotor Task Training (NTT) (Schoemaker et al. 2003)
- Neurophysiologische Entwicklungstherapie (NET) (Seeländer & Fricke 2021)
- Psychomotorisches Konzept nach Kiphard (Zimmer 2019; Fischer 2019)
- Sensorische Integration (Ayres 2013)

In jedem Fall wäre eine Behandlung auch mit anderen Therapieformen einer Nicht-Behandlung vorzuziehen (Hillier 2007).

Vom Abwarten des Spontanheilungsverlaufs über mehrere Monate („*wait and see*") ist aufgrund der physischen (weitere Verfestigung der Ausweichbewegungen und der falschen Bewegungsmuster) und möglicher psychischer Folgen abzuraten. Die klinische Entscheidungsfindung sollte so früh wie möglich erfolgen.

⚠ VORSICHT

Clinical Pathway

Die UEMF ist eine Ausschlussdiagnose. Hier gilt es, die ärztliche Diagnostik und Verordnung der Therapie abzuwarten und nicht in zu frühen Aktionismus zu verfallen. Aber auch aufgrund der Symptomatik kann die Therapie ärztlich verordnet werden (Blank & Vinçon 2020). Die Therapie ist umso erfolgreicher, je besser die interdisziplinäre Zusammenarbeit erfolgt.

Es besteht eine Lücke in der Versorgung von UEMF-Betroffenen mit Physiotherapie. Laut Hillier (2007) wird empfohlen, lieber zu behandeln als nicht zu behandeln. Physiotherapie hat die Funktionsverbesserung der schwachen beziehungsweise pathologischen Bewegungsmuster bei Kindern mit UEMF zum Ziel und fördert die genetisch verankerten Bewegungsmuster. Davon ausgehend, dass gesunde Bewegungsmuster von Geburt an angelegt sind und aktiviert werden können, werden bei der Therapie auf neurophysiologischer Grundlage alle spontanen Bewegungen aktiviert. Physiotherapeut*innen gehen in zwei Schritten vor. Zunächst wird die Bewegung angebahnt. Dazu wird passiv, passiv-aktiv oder aktiv die Bewegung initiiert; dies geschieht zunächst unbewusst. Der zweite Schritt ist die Aktivierung. Nach erfolgreicher Aktivierung der Bewegungsmuster können diese Muskelfunktionen auch bewusst eingesetzt werden. Die Grenzen des Therapieerfolgs werden vor allem durch die Stärke der Pathologie gesetzt.

Folgende zehn Grundsätze der Behandlung auf neurophysiologischer Basis (Neurophysiologische Entwicklungstherapie NET) werden für Kinder mit UEMF empfohlen (Seeländer 2018):

1. **Geschlossene Kette:** Für eine höhere Effizienz und bessere Effekte soll bei Bewegungsaufgaben nach Möglichkeit in geschlossener Kette gearbeitet werden. Die Bewegungen in einer geschlossenen Bewegungskette sind immer dann gegeben, wenn das terminale Segment fixiert ist. Die offene Kette bezeichnet die Muskelaktivität, bei der am Ende der Extremität kein peripherer Kontakt mit einem Widerstand besteht bzw. wenn das distale Ende (Segment) eine freie Bewegung durchführen kann. Für die Kinder mit UEMF sollen Stützpunkte erarbeitet werden, damit sich das Kind in jeder Bewegung daran orientieren kann.
2. **Funktionsdifferenzierung:** Basis dieser Intervention ist die neurophysiologische Entwicklung. Das bedeutet, dass die normalen Bewegungsmuster aktiviert werden. Diese Bewegungsmuster sind Inhalt der Ontogenese. Die Behandlung wird entsprechend der motorischen Entwicklung aufgebaut. Es soll zu einer dreidimensionalen Funktionsdifferenzierung kommen. Diese Funktionsdifferenzierung der einzelnen Muskeln bewirkt eine größere Variabilität von exzentrischer, konzentrischer, isometrischer und phasischer Kontraktionsfähigkeit. Sie ermöglicht eine Umkehr der Kontraktionsrichtung und ist die Voraussetzung für die Umkehr von Punctum fixum und Punctum mobile in den verschiedenen Funktionszusammenhängen, die für jede höhere motorische Leistung erforderlich ist. Dadurch werden einzelne Bewegungen differenziert und ohne Mitbewegungen möglich.

Koordinationsstörungen Probleme entstehen können. Regelmäßige Kontrollen in der Kinderorthopädie sind also unbedingt empfehlenswert.

(2) Sportempfehlung
Gerade Kinder mit Koordinationsstörungen können schnell im Vergleich mit anderen Kindern in Sportgruppen frustriert sein und dadurch Sport ganz ablehnen. Um solchen Vermeidungsstrategien entgegen zu wirken, ist es wichtig, dass die Sportgruppen nicht zu groß sind und der Trainer/die Trainerin sensibel mit diesem Thema umgeht. Ebenfalls wichtig ist es, eine Sportart zu wählen, die die Koordination und symmetrische Bewegungen gut fördert und an der Elias Spaß hat. Hier wären neben Schwimmen auch Rudern oder Judo zu empfehlen

20.6 Evidenzbasierte Zusammenfassung

Es gibt verschiedene Maßnahmen, die weitgehend auf empirischen Erkenntnissen beruhen, doch werden therapeutische Behandlungsmöglichkeiten der UEMF mehr und mehr durch Studien untersucht. Hierzu gehören Studien zu NTT (Neuromotor Task Training), NET (Neurophysiologische Entwicklungstherapie), physiotherapeutische Konzepte und CO-OP (Cognitive Orientation to Daily Occupational Performance). CO-OP ist ein ergotherapeutisches Konzept. Diese Studien sind von moderater Qualität. Studien mit größeren Fallzahlen gibt es noch nicht. Weitere therapeutische Ansätze sind in den Leitlinien für die UEMF (Blank & Vinçon, 2020) zu finden.

In vielen Ländern wird auch das Bobath-Konzept (Neurodevelopmental Treatment, kurz NDT) zur Behandlung der UEMF eingesetzt, obwohl hierzu wenig Evidenz vorliegt. Eine gute evidenzbasierte Empfehlung ist die klinische Praxisrichtlinie der American Pediatric Physical Therapy Association (APTA) (Kaplan et al. 2013). Hierin wird die Kombination von aufgabenorientierter mit prozessorientierter Therapie empfohlen (➤ 20.4).

20

Evidenz

Zu folgenden physiotherapeutischen Maßnahmen liegt bereits moderate Evidenz vor:

- NTT (Schoemaker et al. 2003; Niemeijer et al. 2007)
- NET (Seeländer & Fricke 2021)

LITERATUR

Akhbari Ziegler S, Hadders-Algra M. Familienzentrierte Praxis in der Pädiatrie. PT-Frühintervention bei Säuglingen mit neuromotorischen Funktionsstörungen. PT Zeitschrift für Physiotherapie. 2021 (9): 46–50.

Akhbari Ziegler S, Hadders-Algra M. Coaching approaches in early intervention and paediatric rehabilitation. Dev Med Child Neurol. 2020; 62(5): 569–574.

Ayres J. Bausteine der kindlichen Entwicklung. 5. Aufl. Berlin-Heidelberg: Springer, 2013.

Baumann T. Atlas der Entwicklungsdiagnostik. Stuttgart: Thieme, 2002.

Bayley N. Bayley Scales of Infant and Toddler Development (3rd ed.). Technical Manual. San Antonio: Psychological Corporation, 2006.

Blank R, Vinçon S. Deutsch-österreichisch-schweizerische (DACH) Versorgungsleitlinie zu Definition, Diagnostik, Behandlung und psychosozialen Aspekten bei Umschriebenen Entwicklungsstörungen motorischer Funktionen (UEMF). AWMF-Register-Nr. 022-017 (Stand: 05/2020). www.awmf.org/leitlinien/detail/ll/022-017.html (letzter Zugriff: 27. August 2021).

Blank R et al. European Academy for Childhood Disability (EACD): Recommendations on the definition, diagnosis and intervention of developmental coordination disorder. Dev Med Child Neurol. 2012; 54(1): 54–93.

Burns Y. Motorische Entwicklung – Vom zweiten bis zum sechsten Lebensjahr. In: Burns Y, MacDonald J (Hrsg.). Arbeitsfeld Pädiatrie – Physiotherapie mit Kindern und Jugendlichen. Stuttgart: Thieme, 1999. S. 29–34.

Dannemiller L et al. Physical therapy management of children with developmental coordination disorder: an evidence-based clinical practice guideline from the Academy of Pediatric Physical Therapy of the American Physical Therapy Association. Pediatr Phys Ther. 2020; 32(4): 278–313.

Fischer K. Einführung in die Psychomotorik. 4. Auflage. München: Ernst Reinhardt, 2019.

Flehmig I et al. Denver Entwicklungsskalen. Testanweisung. Hamburg: Harburger Spastikerverein, 1973.

Hillier S. Intervention for children with developmental coordination disorder: A systematic review. Int J Allied Health Sci Pract. 2007; 5(3): 1–11.

Jenni O, Calfisch J. Das motorisch ungeschickte Kind. Therapeutische Umschau 2012; 69(8): 459–465.

Kaplan SL, Coulter C, Fetters L. Physical therapy management of congenital muscular torticollis: an evidence-based clinical practice guideline: from the Section on Pediatrics of the American Physical Therapy Association. Pediatr Phys Ther. 2013; 25(4): 348–394.

Kastner-Koller U & Deimann P. Der Wiener Entwicklungstest (3. überarbeitete und erweiterte Auflage). Göttingen: Hogrefe, 2013.

Lehmkuhl G. Umschriebene Entwicklungsstörungen – Einleitung. In: Lehmkuhl G et al. Lehrbuch der Kinder- und Jugendpsychiatrie – Band 2: Störungsbilder (1285–1287). Göttingen: Hogrefe, 2013. S. 1285–1287.

Macha T, Petermann F. Zürcher Neuromotorik. Zeitschrift für Psychiatrie, Psychologie und Psychotherapie 2011; 59(2): 167–172.

Neuner B et al. Die Assoziation von depressiven Symptomen und soziökonomischen Wohnumfeldindikatoren mit Bewegungsmangel: eine populationsbezogene kleinräumige Analyse in der Stadt Dortmund. Gesundheitswesen 2010; 72: V148.

Niemeijer AS, Smits-Engelsman BC, Schoemaker MM. Neuromotor task training for children with developmental coordination disorder: A controlled trial. Dev Med Child Neurol. 2007; 49(6): 406–411.

Petermann F. Movement Assessment Battery for Children-2 (M-ABC-2). 3. Aufl. Frankfurt/M.: Pearson Assessment, 2011.

Petermann F, Macha T. Entwicklungstest von sechs Monaten bis sechs Jahren Frankfurt/M.: Pearson Assessment, 2013.

Purcell C, Wilmut K, Wann JP. The use of visually guided behaviour in children with Developmental Coordination Disorder (DCD) when crossing a virtual road. Hum Mov Sci. 2017; 53: 37–44.

Ruploh B, Keßel P. Die Neuauflage des MOT 4–6: Weiterentwicklung, Testgüte und praktische Erfahrungen im Überblick. Motorik. 2015; 4: 156–163.

Schoemaker MM et al. Effectiveness of neuromotor task training for children with developmental coordination disorder: A pilot study. Neural Plast. 2003; 10(1–2): 155–163.

Seeländer J, Fricke O. Ein neurophysiologischer Ansatz in der Physiotherapie zur Behandlung von Developmental Coordination Disorder (DCD) – Ergebnisse einer retrospektiven Studie. Physioscience. 2021; 17(03): 130–136.

Seeländer J. Motorische Entwicklungsstörungen. Z. Physiotherapie. 2018; 70: 45–51.

Seeländer J, Fidler V, Hadders-Algra M. (2013). Increase in impaired motor coordination in six- year- old German children between 1990 and 2007. Acta Paediatr. 2013; 102(1): e44-e48.

Steding-Albrecht U. Vorschulkinder. In: Becker H, Steding-Albrecht U (Hrsg.). Ergotherapie im Arbeitsfeld Pädiatrie. Stuttgart: Thieme, 2015. 31–33.

Tacke U, Korinthenberg R. Entwicklungsstörungen der motorischen Funktionen. In: Lehmkuhl G, Poustka F, Holtmann M, Steiner H (Hrsg.), Lehrbuch der Kinder- und Jugendpsychiatrie – Band 2: Störungsbilder. Göttingen: Hogrefe, 2013. 1287–1304.

Watter P. Motorische Entwicklung – Vom Grundschulalter bis zum Jugendalter. In: Burns Y, MacDonald J (Hrsg.). Arbeitsfeld Pädiatrie: Physiotherapie mit Kindern und Jugendlichen. Stuttgart: Thieme, 1999. 34–39.

Winter R, Roth K. Entwicklung motorischer Fertigkeiten, In: Baur J, Bös K, Singer R (Hrsg.). Motorische Entwicklung – Ein Handbuch. Schorndorf: Hofmann, 1994. 217–238.

Zimmer R. Handbuch Psychomotorik. Theorie und Praxis der psychomotorischen Förderung von Kindern. Freiburg-Basel-Wien: Herder, 2019.

FALL

21

Susanne Gerold

Trisomie 21

Leitsymptome: muskuläre Hypotonie – Patellaluxation – Extensionsdefizit im Kniegelenk

mittel

Definition

Trisomie 21

Die Trisomie 21 (ICD-10: Q90.9), auch Down-Syndrom genannt, stellt die häufigste Form einer Chromosomenaberration dar. Dabei handelt es sich um einen genetischen Defekt, der dazu führt, dass das 21. Chromosom oder Teile davon dreimal statt zweimal vorhanden sind.

Damit es zu einer Verdreifachung des Chromosoms kommt, muss entweder das Spermium des Vaters oder die Eizelle der Mutter ein überzähliges Chromosom 21 aufweisen. Bei der Befruchtung der Eizelle kommt es dann zu der genannten Verdreifachung. Da bei der weiteren Entwicklung des Kindes alle Zellen von dieser Keimzelle ausgehen, ist der gesamte Organismus des Kindes von der Anomalie betroffen (Bird & Buckley 2000).

Aus Untersuchungen weiß man, dass in 90 % der Fälle die Mutter Trägerin des überschüssigen Chromosoms ist (Kraemer & Schöni 2007). Die Wahrscheinlichkeit einer Trisomie 21 steigt mit zunehmendem Alter der Mutter an (➤ Abb. 21.1). Ob des Weiteren noch äußere Einflüsse, wie z. B. radioaktive Strahlung, Medikamente, Toxine oder andere physikalische Einwirkungen, die Entstehung einer Trisomie 21 begünstigen, ist aktuell noch unklar.

Je nachdem, wie die mütterliche Altersstruktur in einer Bevölkerung verteilt ist, liegt die Inzidenz einer Trisomie 21 bei 1:500 bis 1:800. Datenerhebungen aus dem Jahr 2006 ergaben für Deutschland eine Inzidenz von 1:500 (entspricht 0,2 %). Die Lebenserwartung bei einer Trisomie 21 ist durch die Fortschritte in der Medizin deutlich gestiegen, aber ca. 50 % der Betroffenen sterben bis zum 20. Lebensjahr. Mit einem Verhältnis von 54:46 (Daten aus dem Jahr 2000) sind Jungen häufiger betroffen als Mädchen (Wilken 2003).

Im Rahmen der pränatalen Diagnostik kann eine Untersuchung der fötalen Chromosomen durchgeführt werden. Seit 2012 steht neben der Entnahme von Fruchtwasser mittels Amniozentese oder Chorionzottenbiopsie auch ein Bluttest der Mutter zu Verfügung. Hierbei kann fötales Erbmaterial, welches sich im mütterlichen Blut befindet, entnommen und untersucht werden. Aus statistischen Erhebungen weiß man, dass nach Diagnosestellung und Beratung ca. 90 % der Betroffenen die Schwangerschaft abbrechen (Zerres 2015), weshalb in vielen europäischen Ländern kaum mehr Kinder mit einer Trisomie 21 geboren werden.

KLINISCHER HINTERGRUND

Formen der Trisomie 21

Bei der Trisomie 21 werden mehrere Formen unterschieden:

- Freie Trisomie (ICD-10: Q90.0)
- Mosaiktrisomie (ICD-10: Q90.1)
- Translokationstrisomie (ICD-10: Q90.2)

Mit einer Wahrscheinlichkeit von 95 % tritt die *freie Trisomie* (➤ Abb. 21.2a) am häufigsten auf. Hierbei liegt das zusätzliche Chromosom ungebunden vor. Bei der *Translokationstrisomie* (➤ Abb. 21.2b) hingegen ist das überschüssige Chromosom an einem anderen angelagert. In nur sehr wenigen Fällen tritt die so genannte *Mosaiktrisomie* auf, bei der das Chromosom nicht in allen Körperzellen nachgewiesen werden kann, sodass es Körperzellen gibt, die das Chromosom 21 triploid aufweisen, und andere, in denen es nur diploid vorkommt.

Die verschiedenen Formen entstehen entweder spontan oder können vererbt werden. Welche Form im Einzelfall vorliegt, kann durch eine Chromosomenuntersuchung geklärt werden.

Klinische Manifestation der Trisomie 21

Die Trisomie 21 ist bereits durch äußere Auffälligkeiten zu erkennen (➤ Abb. 21.3). So haben die Kinder typische Gesichtszüge mit nach oben außen hin geschrägten Lidachsen, einem etwas größeren Augenabstand, kleinen Ohren und oftmals einen offenen Mund mit vorstehender Zunge. Ein bestehender Mikrozephalus führt bei den Kindern zu einer schweren allgemeinen Entwicklungsverzögerung (Strassburg, Dacheneder & Kress 2003). Dies kann neben der Intelligenz auch die Motorik, die Sprachentwicklung sowie die Psyche und das Sozialverhalten betreffen. Im Allgemeinen ist eine leichte bis mittlere Intelligenzminderung zu beobachten. Des Weiteren kann es bei den Kindern auch zu angeborenen Fehlbildungen und einhergehenden Funktionsstörungen von Organsystemen kommen, die entweder direkt bei Geburt auffällig werden oder im späteren Verlauf entstehen (➤ Tab. 21.1).

Bereits direkt nach der Geburt kann aufgrund der verschiedenen Dysmorphie-Zeichen die Verdachtsdiagnose Trisomie 21 gestellt werden. Im Einzelnen sind das:

- **Brushfield-Spots:** Es zeigen sich weiße, hellgraue oder hellgelbe Sprenkel an der Außenseite der Regenbogenhaut der Augen.
- **Epikanthus medialis:** An den inneren Augenwinkeln ist eine kleine sichelförmige Hautfalte sichtbar.
- **Dritte Fontanelle:** Auf der Naht zwischen kleiner und grosser Fontanelle haben einige Neugeborene eine zusätzliche dritte Fontanelle.
- **Vierfingerfurche:** Eine Beugefalte palmar verläuft senkrecht zu den Längsachsen der Finger und reicht vom Kleinfinger bis zum Zeigefinger.
- **Sandalenlücke/Sandalenfurche:** Der Abstand zwischen der ersten und zweiten Zehe ist vergrößert.
- **Muskelhypotonie:** Die Muskelspannung ist anfangs deutlich vermindert, sodass die meisten Babys Schwierigkeiten beim Saugen haben, schneller ermüden oder weniger schreien.

21.1 Vorgeschichte

Juan wurde vor 7 Jahren in Südamerika geboren. Für seine Eltern, die zu diesem Zeitpunkt 37 (Vater) und 34 (Mutter) Jahre alt waren, war Juan ein Wunschkind und vervollständigte die Familie, zu der noch eine damals dreijährige Schwester gehörte.

Nach der Geburt war aufgrund der klinischen Manifestation schnell klar, dass Juan unter einer Trisomie 21 leidet. Eine familiäre Prädisposition lag nicht vor, weshalb die Eltern in den Voruntersuchungen der Schwangerschaft keine weiterführende pränatale Diagnostik vorgenommen hatten.

Nach erfolgter Differenzialdiagnostik mit Chromosomendarstellung wurde bei Juan die Diagnose einer freien Trisomie 21 (ICD-10: Q90.0) gestellt. Es wurden verschiedenste Untersuchungen sämtlicher Organe vorgenommen, aber keine schwerwiegenden Komplikationen festgestellt.

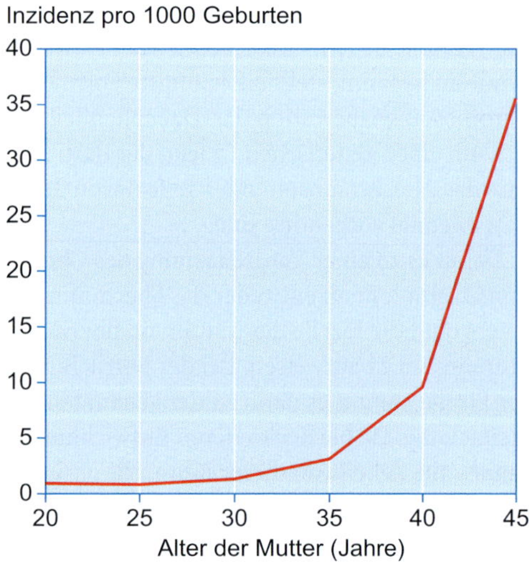

Abb. 21.1 Risiko für die Entstehung einer Trisomie 21 [G773/L231]

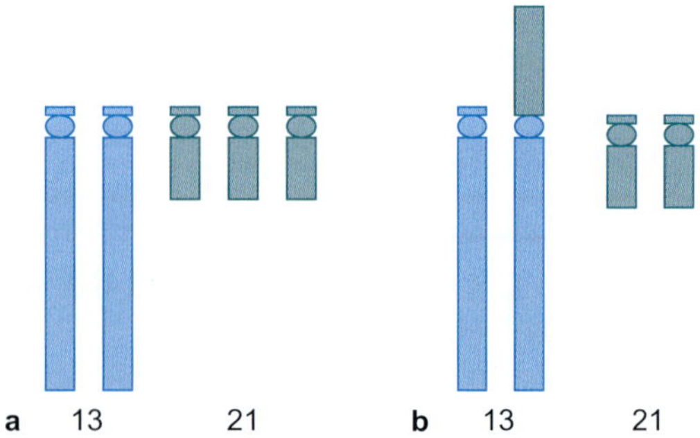

Abb. 21.2 Chromosomenabweichung bei Trisomie 21
a) Freie Trisomie, b) Translokationstrisomie – das dritte Chromosom 21 ist hier an Chromosom 13 angelagert. [L231]

Tab. 21.1 Medizinische Komplikationen/Besonderheiten bei einer Trisomie 21 (Storm 1995)

Körperstrukturen	Störungen
Herz-Kreislauf-System	• Endokardkissendefekt • Ventrikelseptumdefekt • Atriumseptumdefekt • Ductus arteriosus apertus • Fallot-Tetralogie → **pulmonale Hypertonie**
Magen-Darm-Trakt	• Obstruktion im Bereich des Duodenums • Aganglionäres Megakolon • Hypertrophe Pylorusstenose • Nabelhernie • Funktionsstörungen des Ösophagus • Malabsorptionssyndrome • Entzündliche Darmerkrankungen → **Essstörungen, Ernährungsprobleme, Adipositas**
Hals-Nasen-Ohren Bereich	• Hörstörungen (Schallleitungsstörung, Schallempfindungsstörung) • Rhinitis/Sinusitis • Obstruktive Schlafapnoen
Bewegungsapparat	• Allgemeine Bindegewebsnachgiebigkeit • Atlanto-okzipitale Instabilität • Skoliose • Erkrankungen der Hüftgelenke • Patellainstabilität • Fußdeformitäten • Arthritis/Arthropathie • Kleine Extremitäten → **Gangstörungen**
Orofazialer Trakt	• Störungen der Nahrungsaufnahme • Sprachstörungen • Schluckstörungen
Hämatologie – Onkologie – Immunologie	• Hämatologische Besonderheiten • Onkologische Besonderheiten, Leukämien • Immunologische Besonderheiten
Auge	• Blepharitis und Blepharokonjunktivitis • Strabismus • Myopie • Astigmatismus • Katarakt • Linsentrübung • Nystagmus • Ablatio retinae • Infantiles Glaukom → **Erblindung bei komplexen Augenveränderungen**
Hormonelles System	• Dysfunktion der Schilddrüse • Wachstumshormonmangel • Diabetes mellitus
Urogenitaltrakt	• Männliche Geschlechtsorgane: Maldescensus testis, Mikropenis, kleines Skrotum, Hypospadie • Nierenprobleme
Haut	• Dermatosen • Xerosis • Cheilitis • Feines, dünnes Haar

WAS WÄRE, WENN…

… bei Juan ein Herzfehler diagnostiziert worden wäre?

Etwa die Hälfte der mit Trisomie 21 geborenen Kinder weist bei Geburt einen angeborenen Herzfehler auf. Der häufigste Herzfehler bildet bei den Neugeborenen mit einer Trisomie 21 der atrioventrikuläre Septumdefekt (AVSD), bei dem es zu einer Fehlbildung von Vorhof, Kammer und Scheidewand kommt. Durch ein Loch in der Vorhofscheidewand (Atriumseptum), ein Loch in der Kammerscheidewand (Ventrikelseptum) und eine Fehlbildung von Mitral- und Trikuspidalklappe kommt es unbehandelt und je nach Ausprägung zu einer pulmonalen Hypertonie, die letal endet.
Diagnostiziert wird ein solcher Herzfehler über die Echokardiografie, die bei Neugeborenen mit einer Trisomie 21 standardmäßig durchgeführt wird. Die anschließende operative Versorgung des Herzens sollte je nach Ausmaß des Herzfehlers innerhalb des ersten Lebenshalbjahrs erfolgen. Eine postoperative Betreuung der muskulären Hypotonie und der damit verbundenen geringeren Thoraxbewegungen sollte ebenso durchgeführt werden wie eine Endokarditis-Prophylaxe und lebenslange kinderkardiologische bzw. kardiologische Verlaufskontrollen.
Weitere häufige angeborene Herzfehler bei Neugeborenen mit einer Trisomie 21 sind:

- Ventrikelseptumdefekt; bei ca. 30 % der Kinder
- Vorhofseptumdefekt; bei unter 10 % der Kinder
- Persistierender Ductus arteriosus; bei unter 10 % der Kinder (DGKJ 2016)

21

Juan ist während des Gesprächs und der anschließenden Untersuchung sehr zugänglich, er ist neugierig und will alle Gegenstände im Therapieraum ausprobieren, bleibt allerdings nie länger als 2–3 Minuten an einem Gegenstand.

Die zu Beginn durchgeführten Assessments zur Verlaufsdokumentation sind in ➤ Tab. 21.2 zusammengefasst.

21.2.3 Evaluation des Gesundheitszustands nach ICF

Personenbezogene Faktoren

Fördernd: stabile Beziehung zu seinen Eltern, sehr gute und liebevolle Unterstützung hier, Lehrperson und behandelnder Physiotherapeut sprechen Spanisch. Juan ist ein fröhlicher Junge, der schnell Kontakt mit anderen Kindern aufnimmt; Interessen: Paw Patrol, Rutschen, mit Puppen spielen, Klettern, Spielplatz.
Hemmend: Juan kann impulsiv sein. Wenn er etwas nicht machen will, verweigert er sich und zeigt herausforderndes Verhalten.

Umweltbezogene Faktoren

Fördernd: Juan lebt mit seinen Eltern und einer älteren Schwester in einer Vier-Zimmer-Wohnung im zweiten Stock, die Treppen bewältigt er ohne Probleme.
Hemmend: Aufgrund der Sprachbarriere versteht Juan aktuell sein Umfeld nur wenig; Eltern haben kein Auto und müssen daher sämtliche Besorgungen zu Fuß oder mit öffentlichen Verkehrsmitteln erledigen.

Funktions- und Strukturebene

Minussymptomatik: Muskelkraft insgesamt herabgesetzt, distal > proximal. Im Muskelfunktionstest (MFT) Kraft untere Extremität im Seitenvergleich unauffällig, MFT-Werte von 4; Kraft obere Extremität im Seitenvergleich unauffällig, MFT-Werte von 4.
Plussymptomatik: Es besteht eine erhöhte Muskelspannung im M. gastrocnemius, M. soleus und der ischiokruralen Muskulatur beidseits.
Adaptive Phänomene: Eingeschränkte Gelenkbeweglichkeit in beiden Kniegelenken in die Extension (➤ Tab. 21.2), die übrigen Gelenke, vor allem an der oberen Extremität, sind eher hypermobil. Im Palpationsbefund ergibt sich eine nach lateral luxierte Patella rechts, eine passive Reposition ist nicht möglich. Linksseitiger Patellahochstand (Patella alta), beim passiven Strecken des Kniegelenks links luxiert hierbei ebenfalls die Patella, passive Reposition ist hier möglich.
Körperwahrnehmung: Juan zeigt Einschränkungen im Bereich der Körperwahrnehmung, so stolpert er im Schulgebäude über herumliegende Schuhe am Boden, zeigt Mühe bei vestibulären Reizen (kann nicht lange schaukeln) und benötigt Unterstützung beim Finden der Wege im Schulgebäude.

Tab. 21.2 Assessments zu Beginn der Therapie

Assessments	Wert		
M-ABC-2	Nicht durchführbar aufgrund sprachlicher Barrieren		
10-Meter-Gehtest	32 Schritte/45 Sek.		
6-Minuten-Gehtest	65 m		
pROM	Hüftgelenk	Flexion/Extension	re.: 130/0/10 li.: 130/0/10
		Abduktion/Adduktion	re.: 30/0/20 li.: 30/0/25
		Innenrotation/Außenrotation	re.: 25/0/40 li.: 25/0/40
	Kniegelenk	Flexion/Extension	re.: 125/35/0 li.: 130/20/0
	OSG	Dorsalextension/Plantarflexion	re.: 20/0/30 li.: 20/0/35
MFT	Kniegelenk	Extension	re.: 3,5 li.: 4
		Flexion	re.: 4 li.: 4

M-ABC-2 = Movement Assessment Battery for Children, pROM = passive Range of Motion, MFT = Muskelfunktionstest, OSG = oberes Sprunggelenk

21

KLINISCHER HINTERGRUND

Körperwahrnehmung

Unter Körperwahrnehmung (sog. *body awareness*) versteht man die Einschätzung des eigenen Körpers inklusive seiner Bewegungsmöglichkeiten und das Wahrnehmen aller Sinne. Hierzu zählen nicht nur Bewegungsqualitäten und propriozeptive Informationen, sondern auch visuelle, akustische und taktile Reize. Die Körperwahrnehmung ist abhängig von kommunikativen und geistigen Prozessen, aber auch emotionale und soziale Erfahrungen fließen hinein (Fröhlich 2005). In der Entwicklung der Körperwahrnehmung wird das Handeln mittels Informationen und Rückmeldungen aus der Umwelt zu zweckmäßigem und zielgerichtetem Handeln verarbeitet. Dabei werden alle Informationen im Gehirn gespeichert, was ein gewisses Maß an Kognition voraussetzt (Fischer 2003). Menschen mit einer geistigen Beeinträchtigung haben per se Schwierigkeiten in der Körperwahrnehmung. Aber nicht nur die wechselseitige Verbindung von Wahrnehmung und Denken beeinflusst die Qualität der Körperwahrnehmung, sondern auch die bereits durchgemachte Erfahrung (Havemann 2007). Je mehr Bewegungs- und Sinnesangebote erfolgen, desto mehr Variationen können abgespeichert und bei Bewegungen abgerufen werden. Auch hier haben Menschen mit Beeinträchtigungen einen Nachteil im Vergleich zu Gesunden.
Zur Förderung der Wahrnehmung, wie beispielsweise im Rahmen der *Psychomotorik*, des *SI-Konzepts nach Ayes* oder auch der *Basalen Stimulation®*, sollen die Sinnesorgane Reizen aus der unmittelbaren Umgebung ausgesetzt werden. Umfang, Art und Dauer werden individuell abgestimmt und unter Berücksichtigung der Interessen des jeweiligen Menschen entsprechend angepasst. Durch die Sinnesanregung wird gelernt, Reize bewusst wahrzunehmen, sie später wiederzuerkennen und einordnen zu können.
Ziele sind dabei das Verstehen der erlebbaren Welt, die aktive Teilhabe daran und somit die Stärkung der eigenen Sicherheit und Selbstwirksamkeit.

Aktivitätsebene

Juan ist ein sicherer Fußgänger, der auch Treppen im Wechselschritt geht. Die Gangausdauer ist reduziert (➤ Tab. 21.2) und das Gangbild ist auffällig. Juan geht in einem starken Genu valgum mit beidseits vermehrter Knieflexion während der gesamten Standbeinphase (rechts > links). Die Füße setzt Juan beim Gehen in einer vermehrten Außenrotation auf, seine Gangbasis ist deutlich verbreitert.

Der Einbeinstand ist beidseits nicht möglich, rennen und springen kann Juan ebenfalls nicht.

Im Bereich der Feinmotorik zeigen sich noch Schwierigkeiten beim Schneiden und Kleben, das Essen mit Besteck beherrscht er gut.

KLINISCHER HINTERGRUND

Motorische Entwicklung bei Kindern mit einer Trisomie 21

Aus Studien weiß man, dass die motorische Entwicklung beim Kind in ihren Basisstrukturen zwar genetisch angelegt ist, jedoch individuell und adaptiv auf Umweltbedingungen reagiert. Somit unterscheiden sich die Entwicklungsschritte der Kinder sowohl im Beginn als auch im Tempo (Michaelis & Niemann 2004). Grundlegend für die motorische Entwicklung ist die Regulation des Tonus beziehungsweise die posturale Kontrolle, bei der es einer Kombination aus Stabilität und Mobilität bedarf und die eine motorische Kontrolle der einzelnen Körpersegmente voraussetzt (Bader-Johannson 2000). Hierbei bildet die Haltung eine Grundvoraussetzung für jegliche Bewegung (Vojta & Schweizer 2009).
Die motorische Entwicklung bei Kindern mit Down-Syndrom verläuft in der Regel verzögert (➤ Tab. 21.3). Eine Hauptursache für diese Abweichung ist die muskuläre Hypotonie, die bei allen Menschen mit einer Trisomie 21 auftritt und häufig bis ins Erwachsenenalter festgestellt werden kann (Lauteslager 2004). Da es an Muskelkraft und -tonus mangelt, werden Bewegungen unökonomisch. Bereits in den ersten Monaten kann eine verzögerte Entwicklung beobachtet werden. So treten beispielsweise Reflexe verspätet auf, Neugeborene bewegen sich weniger, die Beine sind in Bauch- und Rückenlage weit abgespreizt und der Kopf kann nicht lange angehoben werden. Auch in der weiteren Entwicklung sind Kinder mit einer Trisomie 21 verzögert, sodass sie erst im Alter von 9–10 Monaten sitzen und Schwierigkeiten haben, in die Fortbewegung zu kommen (➤ Tab. 21.3). Häufig sieht man, dass Kinder mit einer Trisomie 21 sich rutschend auf dem Gesäß fortbewegen.

Tab. 21.3 Motorische Entwicklung von Kindern mit und ohne Trisomie 21

Entwicklungsschritte	Nicht betroffene Kinder	Kinder mit Trisomie 21
Gute Kopfkontrolle	3 Monate*	5 Monate
Umdrehen	5 Monate	8 Monate
Sitzen	7 Monate	9 Monate
Stehen	11 Monate	18 Monate
Gehen	12 Monate	19 Monate

* jeweils Durchschnittswerte

21

nach Hause entlassen wurde. Nach der Entlassung wurde sie medizinisch und physiotherapeutisch weiterbetreut, da sich eine Verzögerung in der sensomotorischen Entwicklung (Rollen im Alter von ca. einem Jahr; Sitzen, Stehen und erste Schritte zwischen 2 und 2½ Jahren) und eine Hypotonie des Rumpfes zeigten. Im Alter von einem Jahr wurden zudem eine beginnende lumbale Kyphose und eine abnormale Krümmung der Finger festgestellt, woraufhin weiterführende Untersuchungen eingeleitet wurden. Im Alter von zwei Jahren wurde bei Lotta dann, basierend auf einer Urinanalyse, Röntgenbildern von Händen und Becken sowie einer DNA-Analyse das seltene metabolische Syndrom Morquio A diagnostiziert (➤ Abb. 22.1).

Inzwischen wurden bei Lotta einige Operationen durchgeführt. Im Alter von drei Jahren ist sie beim Spielen gestürzt und erlitt eine Prellung der Halswirbelsäule mit Kompression des Rückenmarks. In der Folge kam es zu einer Tetraplegie und die obere Halswirbelsäule (Okziput bis C_4) wurde versteift. Die Tetraplegie war fast vollständig rückläufig, sodass die einzige noch verbliebene neurologische Einschränkung ein Kraftdefizit (links > rechts) ist. Im Alter von 4½ Jahren wurden zur Verbesserung der Femurposition für das Krabbeln, Stehen und Gehen eine femorale Derotationsosteotomie und Varuskorrektur beidseits durchgeführt. Zudem wurde zwei Monate vor der jetzt kommenden Einschulung bei Lotta eine Mandelentfernung durchgeführt, um Lungeninfektionen und nächtliches Schnarchen zu reduzieren.

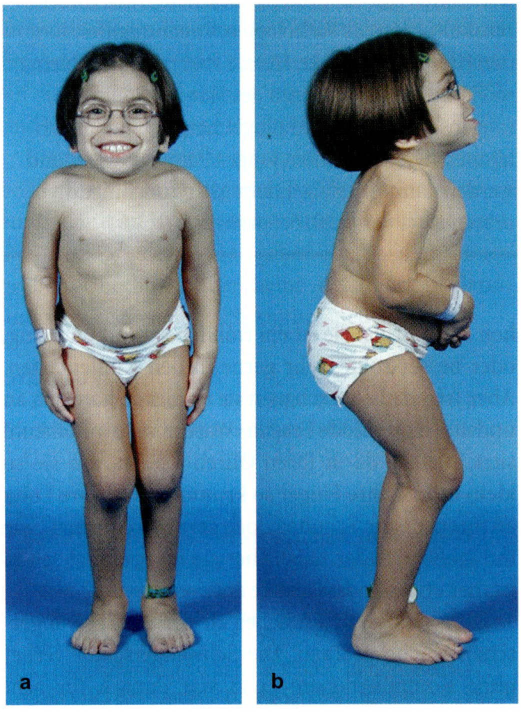

Abb. 22.1 Mädchen mit Morquio A [E1110]

In diesem Fallbeispiel werden folgende Fragen analysiert und beantwortet:

- Wie kann das physiotherapeutische Vorgehen bei Patient*innen mit einem seltenen Krankheitsbild wie Morquio A gestaltet werden?
- Wie kann, bei fehlender Evidenz aufgrund von selten auftretenden Krankheitsbildern, Evidenz aus anderen Bereichen übertragen werden?
- Wie kann Muskelkräftigung in der Therapie spielerisch gestaltet werden?

22.2 Untersuchungsbefunde

22.2.1 Medizinische Befunde

Lotta befindet sich seit der Diagnosestellung in regelmäßiger ärztlicher Kontrolle. Typische klinische Manifestationen bei Patient*innen mit Morquio A sowie die entsprechenden ärztlichen Untersuchungen sind in ➤ Tab. 22.1 dargestellt.

PRAKTISCHER TIPP

Das Wissen über typische klinische Manifestationen ist insbesondere bei seltenen Krankheitsbildern essenziell, um einen systematischen Ansatzpunkt für die Evaluation der Patient*innen und ihrer möglichen Beeinträchtigungen zu haben. Zudem werden die medizinischen Befunde benötigt, um eventuelle Kontraindikationen zu berücksichtigen. Bei progressiven Erkrankungen, wie es bei Lotta der Fall ist, sollte dies in regelmäßigen Abständen kontrolliert werden.

Die mit Morquio A assoziierten muskuloskelettalen Veränderungen können zu Schmerzen und Arthritis führen, wodurch die Durchführung alltäglicher Aktivitäten beeinträchtigt und die Ausdauerfähig-

Tab. 22.1 Klinische Manifestationen und ärztliche Untersuchungen bei Morquio A

Problembereich	Typische klinische Manifestationen*	Ausprägung bei Lotta sowie ärztliche Untersuchungen
Knöcherne Deformitäten	Hauptcharakteristik von Morquio A sind starke knöcherne Deformitäten: • Kurzer kyphoskoliotischer Rumpf • Kielbrust • Skelettale Dysplasie (Fehl-/Unterentwicklung, insb. Hüftdysplasie oder Subluxation und Valgus-Deformität) • Kleinwuchs	• Kurzer kyphoskoliotischer Rumpf mit einer Malformation der Wirbelkörper und resultierender Instabilität der Wirbelsäule → Versteifung obere HWS (Okziput bis C_4) im Alter von drei Jahren nach Sturz • Kielbrust • Hüftdysplasie, femorale Anteversion und leichtes Genu valgum beidseits → femorale Derotationsosteotomie und Varus-Korrektur im Alter von 4½ Jahren • Nach radial abweichende Fingerbiegung • Kleinwuchs; aktuelle Größe: 91 cm; voraussichtliche Körpergröße (gemäß Morquio A Wachstumskurve): 95–110 cm → Regelmäßige Röntgen- und MRT-Kontrollen (1–3 jährlich bzw. nach klinischer Indikation)
Weitere muskuloskelettale Veränderungen	• Überbeweglichkeit (durch hyperlaxe Bänder) und Degeneration der Gelenke • Vermindertes Bewegungsausmaß in großen Gelenken (z. B. Hüfte, Knie, Ellenbogen) • Muskuläre Schwäche, insbesondere verminderte Handkraft • Spinalkanalstenose	• Hypermobilität in Fingern, Handgelenken und Sprunggelenken • Vermindertes Bewegungsausmaß im Kniegelenk • Verminderte Muskelkraft und Kraftausdauer in den oberen und unteren Extremitäten; Handkraft stark vermindert Es ist unklar, inwiefern das Kraftdefizit bei Lotta ein primäres Symptom des Morquio A oder eine Sekundärfolge durch die zurückliegende HWS-Verletzung mit Beteiligung des Rückenmarks ist.
Respiratorische Probleme	Atemprobleme durch: • Thoraxdeformitäten • Ablagerung von GAG in den Atemwegen	• Herabgesetzter Sekrettransport • Hatte rezidivierende Pneumonien, aktuell gut unter Kontrolle → Termin im Schlaflabor geplant, um die nächtliche Sauerstoffsättigung zu evaluieren
Herzprobleme	• Verdickung der Aorten-/Mitralklappe • Vermindertes Herzschlagvolumen • Erhöhte Herzfrequenz durch verkleinerte linke Herzkammer • Verdickung und Verengung von Arterien	• Keine Herzprobleme → 1 × jährlich Vorsorgeuntersuchung beim Kardiologen, um eventuell entstehende Herzprobleme frühzeitig erkennen und behandeln zu können
Leberprobleme	• Hepatomegalie	• Keine Leberprobleme
Visuelle Probleme	• Hornhauttrübung • Photophobie (Lichtempfindlichkeit)	• Hornhautverkrümmung und Kurzsichtigkeit (–1,5), aktuell mit Brille versorgt, gutes Sehvermögen → Regelmäßige augenärztliche Kontrolle zur Früherkennung einer möglichen Hornhauttrübung und Photophobie
Auditive Probleme	• Schwerhörigkeit • Häufige Mittelohrentzündungen	• Schwerhörigkeit; aktuell mit Hörgeräten versorgt, gutes Hörvermögen → Jährliche HNO-Kontrolle
Zahnprobleme	• Kleine Zähne • Dünner Zahnschmelz und gehäuftes Auftreten von Karies	• Kleine Zähne • Bisher kein vermehrtes Kariesaufkommen durch gründliche Mundhygiene und regelmäßige zahnärztliche Kontrolle

* Pyeritz 2016; Montaño et al. 2007; Regier, Oetgen & Tanpaiboon 2013 (updated 2021); Hendriksz et al. 2013)

Tab. 22.2 Zusammenfassung der Anamnese anhand der ICF

Körperstruktur & -funktion	Aktivitäten	Partizipation
• Knöcherne Deformitäten (Genu valgum; Radialabduktion der Finger; kurzer, kyphoskoliotischer Rumpf; Kielbrunst) • Extensionsdefizit Kniegelenk • Fusion der HWS (Okziput bis C_4) • Kraftdefizit allgemein, insb. Handkraft↓ • Kraftausdauer ↓ • Gleichgewicht ↓ • Herabgesetzter Sekrettransport	Selbstständig: • Liegen, Rollen, Sitzen, Krabbeln & Bewegungsübergänge am Boden • Rollstuhlfahren (kurze Strecken auf ebenem Untergrund) • Malen (wenig Druck) • Essen (mit angepasstem Besteck) • Jacke an-/ausziehen	• Spielen zuhause: möglich auf dem Boden • Spielen draußen: beschränkt auf betonierte Flächen, kein Rennen und Klettern möglich • Einschulung in reguläre Grundschule mit Integrationshelfer
	Unter Supervision: • Freier Stand • Bewegungsübergang Sitz-Stand • Gehen (ohne Hilfsmittel auf ebenem Untergrund/mit Rollator im Außengelände)	
	Mit Hilfestellung: • Gehen (ohne Hilfsmittel im Außengelände) • Rollstuhlfahren (weitere Strecken, unebener Untergrund) • Transfer in den/aus dem Rollstuhl • Öffnen der Brotdose • An-/Ausziehen von Hose, T-Shirt, Korsett, Orthesen, Schuhen etc. • Auf die Toilette gehen, Baden, Zähneputzen	

Persönliche Faktoren	Umweltfaktoren
• Größe: 91 cm, Gewicht: 12 kg • IQ: 102 • Persönlichkeit: fröhlich, verspielt, motiviert in der Therapie, viel Fantasie, sehr sozial • Hobbys: Spielen mit Freunden, Playmobil, Puzzeln • Auswirkungen der Erkrankung noch nicht realisiert • Keine Sturzangst	• Rollstuhlgerechte Wohnung, unterstützende Familie (Eltern, großer Bruder) • Hilfsmittel: Korsett, Talus-Ring-Orthesen, Orthesenschuhe, Rollstuhl, Stehständer, Posterior-Rollator, angepasstes Besteck, Brille, Hörgeräte, Cough Assist • Gute medizinische Anbindung, Physiotherapie: 2 × 45 min/Woche; tägliche Durchführung eines Hausübungsprogramms

Funktions- und Strukturebene

Gelenkbeweglichkeit

Die Gelenkbeweglichkeit wurde durch aktives und passives Bewegen der einzelnen Gelenke geprüft und mithilfe des Goniometers gemessen. Das Extensionsdefizit im Kniegelenk beträgt bei Lotta beidseits aktiv sowie passiv 10°.

Muskelkraft

Der Muskelfunktionstest nach Janda zeigte eine herabgesetzte Muskelkraft aller großen Muskelgruppen der oberen und unteren Extremität. Dabei waren die Kraftwerte rechts (überwiegend Kraftstufe 4) etwas höher als links (Kraftstufe 3 bis 4).

Assessment: Griffkraft – Jamar® Dynamometer

Da bei Lotta insbesondere die verminderte Griffkraft zu Einschränkungen im Alltag führt (wie z. B. Öffnen der Brotdose, Hose hochziehen), wurde diese zusätzlich mittels des Jamar® Dynamometers gemessen. Eine herabgesetzte Griffkraft ist ein Indikator für ein allgemeines Kraftdefizit.

KLINISCHER HINTERGRUND

Griffkraftmessung mit dem Jamar® Dynamometer

Der hydraulische Jamar® Hand-Dynamometer ist ein standardisiertes Gerät zur Messung der Griffkraft. Aktuelle Normwerte unter anderem für Kinder (6–19 Jahre) sind vorhanden (McQuiddy et al. 2015).

Bei der Durchführung sollte auf eine standardisierte Ausgangsposition geachtet werden und jeder Test sollte 3× wiederholt werden.
Die optimale Einstellung der Griffweite sollte anhand der Handspannweite berechnet werden (España-Romero et al. 2008).

In Lottas Fall wurde bei einer Handspannweite von 14 cm die kleinste Position am Jamar® Dynamometer (Position 1 = 3,5 cm) eingestellt. Lottas maximale Griffkraft beider Hände liegt mehr als zwei Standardabweichungen unterhalb des Mittelwertes und unterhalb des 1. Perzentils der alters- und geschlechtsspezifischen Normwerte (➤ Tab. 22.3). Dies bestätigt, dass Lottas Griffkraft deutlich herabgesetzt ist.

Aktivitätsebene

Neben einer Inspektion von alltagsrelevanten Handlungen wurde bei Lotta je einen Test zur Evaluation der fein- und grobmotorischen Fähigkeiten auf Aktivitätsebene durchgeführt.

Assessment: Aktivitäten der oberen Extremitäten – Jebsen-Taylor Hand Function Test

Zur Evaluation der oberen Extremitäten auf Aktivitätsebene werden bei Kindern mit Morquio A der *Nine Hole Peg Test* und der *Functual Dexterity Test* empfohlen (White et al. 2014). Da diese beiden Tests jedoch lediglich eine Aktivität beurteilen (Stifte in ein Steckbrett stecken), liefern sie nur eingeschränkte Informationen über die Funktionalität der oberen Extremitäten im Alltag (Aslam et al. 2015).

In einem aktuellen Review (Aslam et al. 2015) werden der *Jebsen-Taylor Hand Function Test* (JTHFT) und der *Assessment of Children's Hand Skills Test* (ACHS) als nicht krankheitsspezifische Assessments der Feinmotorik auf Aktivitätsebene empfohlen. Die beiden Tests liefern einander ergänzende Informationen, da der JTHFT die einhändige Leistungsfähigkeit misst, während der ACHS den tatsächlichen Handgebrauch im Alltagsgeschehen *(real-life hand skill performance)* beurteilt. Da der ACHS in einem Alltagssetting (z. B. zu Hause/in der Schule) durchgeführt wird, ist er jedoch nur schwer in dem Praxisalltag zu integrieren. Daher wurde für Lotta der JTHFT ausgewählt.

Tab. 22.3 Lottas Griffkraft gemessen mit dem Jamar Dynamometer

	Lottas Kraftwert (in kg) (Durchschnitt aus drei Versuchen)	Normwerte (in kg) Mittelwert (SD)*	Perzentile (P)
Rechte Hand	1,9	8,0 (2,0)	< P1
Linke Hand	1,6	7,3 (2,1)	< P1

kg = Kilogramm, SD = Standardabweichung; P= Perzentile
* Normwert für gesunde 6-jährige Mädchen (McQuiddy et al. 2015)

KLINISCHER HINTERGRUND

Jebsen-Taylor Hand Function Test (JTHFT)

Der JTHFT ist ein standardisiertes Assessment zur Evaluation der Leistungsfähigkeit in sieben unilateralen Handaktivitäten bei alltagsrelevanten Tätigkeiten:
1. Schreiben
2. Karten umdrehen
3. Kleine Alltagsobjekte in eine Dose legen
4. Simuliertes Füttern
5. Taler stapeln
6. Große leichte Objekte hochheben
7. Große schwere Objekte hochheben

Der Test kann bei Kindern ab sechs Jahren sowie bei Erwachsenen angewandt werden. Bei Kindern unter acht Jahren wird die erste Aufgabe (Schreiben) weggelassen. Die Zeit zur Ausführung der vorgegebenen Aufgaben mit standardisiertem Material wird gestoppt und mit Normwerten verglichen. (Taylor, Sand & Jebsen 1973) Aktuelle Normwerte sind vorhanden (Beagley et al. 2015).

Lottas Zeiten in den sechs durchgeführten Aufgaben des JTHFT sind in ➤ Tab. 22.4 dargestellt.

Lotta benötigte deutlich mehr Zeit für alle Aufgaben, im Vergleich zu den alters- und geschlechtsspezifischen Normwerten. Für Aufgabe 7 (große schwere Objekte hochheben) benötigt sie, insbesondere mit der linken Hand, im Vergleich zu den Normwerten die meiste Zeit. Dies könnte auf ihr Kraftdefizit sowie auf ihre relativ kleinen Hände (Handspannweite: 14 cm) zurückzuführen sein.

Tab. 22.4 Lottas Ergebnisse des Jebsen-Taylor Hand Function Test

	Dominante (rechte) Hand		**Nicht-Dominante (linke) Hand**	
	Lottas Wert (sec)	Normwert Mittelwert (SD) (sec)*	Lottas Wert (sec)	Normwert Mittelwert (SD) (sec)*
1. Schreiben**	/	/	/	/
2. Karten umdrehen	6,5	4,44 (1,13)	8,0	5,16 (1,60)
3. Kleine Objekte in Dose legen	8,3	6,67 (0,86)	8,9	7,56 (0,94)
4. Simuliertes Füttern	19,3	9,23 (0,80)	27,6	10,26 (1,67)
5. Taler Stapeln	9,8	3,93 (0,69)	12,5	4,35 (0,64)
6. Große leichte Objekte hochheben	6,6	3,26 (0,54)	6,8	3,63 (0,71)
7. Große schwere Objekte hochheben	12,4	3,56 (0,48)	17,2	3,67 (0,37)
Gesamtzeit	62,9	31,08 (2,79)	81,0	34,62 (3,22)

SD = Standardabweichung
* Normwert für gesunde 6-jährige Mädchen (Beagley et al. 2015)
** Nicht anwendbar bei Kindern unter 8 Jahren (Taylor, Sand & Jebsen 1973)

Alle feinmotorischen Aufgaben, außer dem simulierten Füttern, führte Lotta mit einem adäquaten Griff aus. Lotta hat den Löffel zwischen ihrem Zeige- und Mittelfinger gehalten. Dies könnte eine Kompensation zur Stabilisation des Löffels trotz des bestehenden Kraftdefizits ihrer Hände sein. Ein generell herabgesetzter Muskeltonus der Hände konnte bei allen Aufgaben beobachtet werden. Zudem konnte eine herabgesetzte proximale Gelenkstabilität und Kraft beobachtet werden, wodurch Lotta mehr Zeit für Aufgaben benötigte, in denen präzises Arbeiten gefordert wird (simuliertes Füttern und Taler stapeln).

Assessment: Freier Stand – videobasierte Analyse & Zeit

Zur Evaluation relevanter Aspekte aus dem Bereich Mobilität und Gang wird für Patient*innen mit Morquio A eine direkte Observation oder eine Videoanalyse empfohlen (White et al. 2014). In Lottas Fall sind relevante Aspekte der Mobilität aktuell unter anderem: Aufstehen von einem Stuhl, freier Stand und Gang unter Supervision sowie die Mobilität im Rollstuhl.

Da sich der freie Stand in der Anamnese sowohl von Lotta als auch von ihren Eltern als besonders wichtig herauskristallisiert hat (z. B. zum Hochziehen der Hose auf der Toilette), wurde dieser Aspekt für die Videoanalyse ausgewählt. Zusätzlich wurde die aktuell mögliche freie Stehzeit als Verlaufskontrolle gestoppt (➤ Tab. 22.5).

Bei der Videoanalyse konnten folgende Aspekte beobachtet werden:

- Leichte Hüft- und Knieflexion beider Beine, zunehmend von ca. 10° zu Beginn auf ca. 20° nach 60 Sekunden
- Konstantes leichtes Schwanken (nach vorne und hinten, sowie nach rechts und links); ausgeglichen durch Gleichgewichtsreaktionen der Sprunggelenke und des Rumpfes; keine Gleichgewichtsreaktionen der Arme
- Freie Stehzeit in allen drei Versuchen durch Ermüdung limitiert

Partizipationsebene (Teilhabe)

Um einen Überblick über Lottas Verhalten im Alltag zu erhalten, wurde der *Pediatric Outcome Data Collection Instrument (PODCI)* (Daltroy et al. 1998) von Lottas Eltern ausgefüllt.

Der Fragebogen zeigte, dass Lottas funktionelle Einschränkungen auch Auswirkungen auf ihren Alltag haben. Einschränkungen zeigten sich insbesondere in der Dimension physische Funktionsfähigkeit

Tab. 22.5 Freier Stand

	1. Versuch	**2. Versuch**	**3. Versuch**
Zeit freier Stand	67 Sekunden	63 Sekunden	66 Sekunden

und Sport. In diesem Bereich erzielte Lotta die niedrigsten Werte des Fragebogens, da sie bei Freizeitaktivitäten im Freien und Sport mit Gleichaltrigen nur sehr begrenzt teilhaben kann.

Der Fragebogen zeigte auch, dass trotz der bestehenden Einschränkungen Lottas Wert in der Dimension Fröhlichkeit und Zufriedenheit mit einem Wert von 80 nur knapp unter dem alters- und geschlechtsspezifischen Normwert von 86,8 (SD: 19,6) liegt (Haynes & Sullivan 2001). Der einzige Aspekt, der Lotta aktuell in dieser Dimension des Fragebogens beeinträchtigt, ist, dass sie nicht alles wie ihre Spielkameraden machen kann.

22.3 Zusammenfassung der wichtigsten Befunde

Lottas Muskelkraft ist im gesamten Körper herabgesetzt, wobei ihre rechte Körperseite etwas stärker ist als die linke. Insbesondere ihre Griffkraft ist sehr gering. Dadurch hat sie im Alltag Schwierigkeiten unter anderem beim Öffnen von Gefäßen, dem Hochziehen der Hose und beim Hochheben schwerer Gegenstände (z. B. Trinken aus einem vollen Glas, Bücher halten). Auch ihre Kraftausdauer und ihr Gleichgewicht sind vermindert, was sich unter anderem in einer limitierten Stehzeit zeigt. Den Großteil ihres Alltags bewältigt Lotta in ihrem Rollstuhl. Kurze Strecken fährt sie selbstständig, bei längeren Strecken und Unebenheiten benötigt sie Hilfe. Sie kann kurze Strecken unter enger Supervision gehen. Bei Transfers benötigt sie manuelle Hilfestellung.

22.4 Physiotherapeutische Zielsetzung

Lottas Ziel ist es, mehr Zeit außerhalb ihres Rollstuhls zu verbringen. Ihre Eltern möchten, dass Lotta so selbstständig wie möglich wird. Aktuell wünschen sie sich insbesondere mehr Selbstständigkeit beim Toilettengang. Als Ziele für die Physiotherapie wurde gemeinsam folgendes vereinbart:

Mittelfristig:
- Steigerung von Lottas Handkraft rechts auf 2,5 kg und links auf 2 kg gemessen mit dem Jamar® Dynamometer
- Verbesserung der Handfunktion (Reduktion der Gesamtzeit im JTHFT um 15 %)
- Steigerung der freien Stehzeit auf zwei Minuten bei verbesserter Stabilität (Reduktion des Schwankens, sodass Lotta keine Gleichgewichtsreaktionen des Rumpfes mehr benötigt)

Langfristig:
- Genügend Hand- und Armkraft, um selbstständig ihre Brotdose öffnen, schwerere Gegenstände hochheben und die Hose hochziehen zu können
- Freier Stand bei gleichzeitiger Armaktivität möglich → selbstständige Bewältigung des Toilettengangs

Physiotherapeutische Ziele:
- Kräftigung des M. quadriceps femoris und der Glutealmuskulatur sowie der Arm- und Handmuskulatur
- Erhalt der Gelenkbeweglichkeit sowie Reduktion des Streckdefizits im Kniegelenk
- Verbesserung der Gleichgewichtsfähigkeit
- Übertragung neu erlernter Fähigkeiten auf Alltagsaktivitäten

Eine Reevaluation der Fähigkeiten anhand der ausgewählten Assessments erfolgt halbjährlich.

22.5 Physiotherapeutische Maßnahmen/Therapieplan

Lotta geht aktuell 2 × pro Woche für je 45 Minuten zur Physiotherapie.

Bis jetzt ist die Evidenzlage zu physiotherapeutischen Maßnahmen bei Patient*innen mit Morquio A sehr gering. Nach den Internationalen Guidelines zur Behandlung des Morquio-A-Syndroms sollte die Physiotherapie symptombasiert und individuell an die Patient*innen angepasst sein. Die klinische Entscheidungsfindung legt folgende Behandlungsoptionen auf Körperstruktur und Funktionsebene nahe:

- Kräftigung und Steigerung der Kraftausdauer – durch Krafttraining, allgemein gesteigerte Körperaktivität

- Erhalt/Verbesserung der Gelenkbeweglichkeit (insbesondere Extension im Kniegelenk) – durch Dehnung, Mobilisation, Orthesen, Stehständer
- Verbesserung der Gleichgewichtsfähigkeit – durch Stehen und Gehen auf unterschiedlichen Untergründen, Förderung der Propriozeption, Krafttraining, Verwendung von elektronischen Druckmessplatten für direktes Feedback (z. B. E-Link)

Da das Kraftdefizit als Hauptursache für Lottas Einschränkungen in ihrer Selbstständigkeit identifiziert werden konnte, stellt das Krafttraining einen Hauptbestandteil der Behandlung dar. Der Aufbau des Krafttrainings orientiert sich an den in der Literatur beschriebenen Prinzipien für Krafttraining bei Kindern. Lottas Krafttraining beinhaltet neben analytischen auch funktionelle Übungen, um die Übertragung zwischen der Therapie und Alltagsaktivitäten zu verbessern.

Evidenz

Prinzipien für Krafttraining bei Kindern (McCambridge & Stricker, 2008; Lloyd et al. 2014; Faigenbaum & Myer 2010):

- Individualisiertes Krafttraining, angepasst an die Entwicklung, Fähigkeiten und Ziele, geeignet und förderlich für Kinder ab einem Alter von 5–6 Jahren
- Trainingshäufigkeit: 2–3 × pro Woche an nicht aufeinanderfolgenden Tagen
- Auf- und Abwärmen für 10–15 Minuten (dynamische Aktivitäten und Dehnung)
- Trainingseinheiten à 20–30 Minuten
- 2–3 Sätze je Übung, mit je 6–12 Wiederholungen
- 1-minütige Pausen zwischen den Sätzen
- Kein/wenig Widerstand, bis die Ausführung korrekt ist, dann Bestimmung der Intensität anhand der Maximalkraft (mindestens 60 % des Eine-Wiederholungs-Maximums)
- Steigerung der Intensität um 10 %, wenn 8–15 Wiederholungen ausgeführt werden können
- Weniger Widerstand und höhere Wiederholungszahl wählen, um die Kraftausdauer zu verbessern
- Reihenfolge: größere vor kleineren Muskelgruppen, mehrgelenkige vor eingelenkigen Übungen
- Einbezug von konzentrischen und exzentrischen Übungen empfohlen, Evidenz für funktionelle isometrische Übungen ist kontrovers
- Durchführung des Krafttrainings unter Supervision, um eine korrekte Technik und Haltung während des gesamten Trainings zu gewährleisten
- Abwechslungsreiche Übungen zur Verbesserung von die Motivation und Trainingseffekt
- Um Erfolge zu erzielen: mindestens acht Wochen Training, vorzugsweise lebenslang

Während der Therapie trägt Lotta ihr Korsett und ihre Talus-Ring-Orthesen. Das Korsett muss getragen werden, um Rückenmarkverletzungen vorzubeugen, und die Ring-Orthesen schützen die Sprunggelenke vor Überlastung und damit einhergehenden Gelenkverletzungen.

PRAKTISCHER TIPP

Eine gute Hilfsmittelversorgung ist für Patienten wie Lotta essenziell. Lotta hat, neben dem Korsett und den Talus-Ring-Orthesen, aktuell noch folgende Hilfsmittel: Rollstuhl, Stehständer, Posterior-Rollator, angepasstes Besteck, Cough Assist, Brille, Hörgeräte.
Alle Hilfsmittel sollten regelmäßige kontrolliert werden, um sicherzustellen, dass sie weiterhin passen und zweckmäßig sind!

Die Therapieinhalte werden spielerisch gestaltet, um Lottas Motivation zu steigern und eine langfristige Compliance aufrechtzuerhalten.

Beispiel einer Therapieeinheit

Im Folgenden wird exemplarisch eine Behandlungseinheit für Lotta mit dem Fokus auf ein kinderfreundliches Krafttraining dargestellt. In dieser Therapieeinheit wird ein Schloss aus Legosteinen zusammengebaut. Vor Beginn der Therapie wurden die Legoteile in 20 Dosen bereitgestellt.

Aufwärmen (10 Minuten)

Aufbau der Therapie unter Einbezug folgender funktioneller Aktivität: Bewegungsübergang Sitz (im Rollstuhl) – Stand, Gehen auf unterschiedlichen Untergründen sowie Gehen auf ebenem Untergrund und etwas tragen. Dabei werden die bereitgestellten Gegenstände für die Therapie zum Tisch gebracht.

Krafttraining (20 Minuten)

Entsprechend der Zielsetzung liegt der Fokus des Krafttrainings auf folgenden Muskelgruppen: Fingerbeuger, Handgelenksextensoren, Schulterabduktoren und -flexoren, Hüftextensoren und -abduktoren, Knieextensoren (➤ Tab. 22.6). Lottas Rumpfmuskulatur wird nicht spezifisch trainiert, da sie auch während der Therapie das Korsett tragen muss. Das Training beinhaltet aber Positionen, die die Rumpfmuskulatur aktivieren. Die 1-minütigen Pausen zwischen den Sätzen werden genutzt, um die Gelenkbeweglichkeit zu steigern (insbesondere Knieextension), sowie für spielerische Aspekte.

Funktionelles Training – Abwärmen (15 Minuten)

1. Aktivität: Dosen öffnen, um die Legoteile herauszuholen
2. Aktivität: Freier Stand – dabei das Legoschloss zusammenbauen
3. Aktivität: Im Stand ein um die Beine gebundenes Theraband nach oben ziehen (nachgeahmte Hose hochziehen)
4. Aktivität: Aufräumen – verwendete Gegenstände zurück zum Schrank tragen

Tab. 22.6 Beispiel für Lottas Krafttraining

	Spielerische Durchführung	Achtung	Pause (je eine Minute zwischen den Sätzen)
1. Übung – Aufstehen/ Hinsetzen	Dosen aufheben, aufstehen, Dose auf den Tisch stellen, hinsetzen 2 Sätze à 10 Dosen	Schwungholen und Armeinsatz beim Aufstehen vermeiden, korrektes Alignment	Dehnung der ischiokruralen Muskulatur → dabei raten lassen, was in den Dosen sein könnte
2. Übung – Klebebänder abziehen	Tape, welches in unterschiedlichen Richtungen auf dem Tisch klebt, abziehen (Tape wird dann verwendet, um ein großes Blatt Papier am Tisch zu befestigen als Unterlage für das Schloss) 2 Sätze à 6 Tapes	Zangengriff verwenden, neutrale/leicht extendierte Handgelenksposition, keine Kompensationsbewegung mit dem Rumpf	Passive Mobilisation des Kniegelenks in Extension → dabei aufklären, dass in Dosen Legoteile für ein Schloss sind
3. Übung – auf einem Bein stehen	Auf einem Bein stehen, mit dem anderen Bein Buchstaben schreiben (dadurch 4 Farben zum Bemalen des Schlossuntergrunds auswählen) 2 Sätze à 6–12 Buchstaben (pro Bein)	Korrektes Alignment des Standbeins (insbesondere stabile Hüfte und Rumpf sowie maximale Knieextension)	Absprechen, wie der Schlossuntergrund aussehen soll
4. Übung – Knieextension	Im Sitzen ein Knie maximal strecken, sodass die Zehenspitzen die vom Therapeuten gehaltene Farbflasche berühren (jede Farbe muss 10-mal berührt werden) 2 Sätze à 10 Wiederholungen (pro Bein)	Maximale Knieextension, keine Kompensationsbewegung mit dem Rumpf	Grobe Formen für den Schlossuntergrund auf dem Blatt vorzeichnen
5. Übung – Flasche zusammendrücken	Die Farbflasche in beiden Händen halten, mit beiden Händen die Flasche zusammendrücken, sodass etwas Farbe herausgedrückt wird 2 Sätze à 10 kleine Farbklekse	Gleichstarker Druck beider Hände, kein Abstützen auf dem Tisch, keine Kompensationsbewegungen	Die Farbe mit einem Pinsel verteilen (dabei auf korrekte Pinselhaltung achten)

FALL

23

Marlene Hager

Fetales Alkoholsyndrom (FAS)

Leitsymptome: Tonusstörungen – Aufmerksamkeitsstörung – motorische Entwicklungsverzögerung

schwer

Definition

Fetales Alkoholsyndrom (FAS)
Das fetale Alkoholsyndrom *(fetal alcohol disorder, fetal alcohol spectrum disorder)* und seine Auswirkungen wurden erstmals in den 1970er Jahren beschrieben (Jones & Smith 1973).

Die fetale Alkoholspektrumstörung (FASD) ist ein Überbegriff für Schädigungen, die durch intrauterine Alkoholexposition auftreten. Zu den fetalen Alkoholspektrumstörungen werden laut S3-Leitlinie „Diagnose der fetealen Alkoholspektrumstörung“ vier Krankheitsbilder gezählt (Landgraf & Heinen 2016):

1. Das Vollbild fetales Alkoholsyndrom (10 % der Betroffenen) *(FAS – fetal alcohol syndrome)*
2. Das partielle fetale Alkoholsyndrom *(pFAS – partial fetal alcohol syndrome)*
3. Die alkoholbedingte entwicklungsneurologische Störung *(ARND – alcohol-related neurodevelopmental disorder)*
4. Die alkoholbedingten angeborenen Malformationen *(ARBD – alcohol-related birth defects)*

Die Einteilung der Stadien wird noch diskutiert, da fließende Übergänge zwischen den Stadien vorliegen.

Bei dem Vollbild des fetalen Alkoholsyndroms zeigen sich kraniofasziale Veränderungen, darunter eine kurze Lidspalte, ein verstrichenes Philtrum, eine schmale Oberlippe und eine Mikrozephalie (➤ Abb. 23.1).

Zu den motorischen Auffälligkeiten gehören eine verminderte Balance, Koordination und Ballfähigkeit sowie Störungen in der Fein- und Graphomotorik (Landgraf & Heinen 2016).

Durch die hirnorganischen Schäden kommt es zu Konzentrationsschwäche, verminderter Merkfähigkeit, emotionalen Störungen und Verhaltensauffälligkeiten. Sinnzusammenhänge können nur schwer erfasst werden, Regeln sind oft nicht verständlich und häufig liegt ein geringes Distanzgefühl vor (schwer abzugrenzen von ADS). Die meisten Betroffenen benötigen lebenslange Unterstützung (Spohr & Steinhausen 2008). Die Schädigungen sind nicht reversibel, für die soziale und emotionale Entwicklung ist eine frühe Diagnostik aber essenziell (Alex & Feldmann, 2012).

FAS betrifft 0,77 % der Weltbevölkerung und 2,0–5·0 % in Europa (Wozniak, Riley & Charness 2019). Somit kommt FASD häufiger vor als Down-Syndrom, Zerebralparese oder die Autismus-Spektrums-Störung. Dabei werden nur 0,3 bis höchstens 16,9 % aller jährlich auftretenden FAS- bzw. FASD-Fälle diagnostiziert. Es wird davon ausgegangen, dass bei Pflegekindern und Kindern, die im Heim aufwachsen, bei ca. 25 % eine FASD vorliegt (Paditz & Ipsiroglu 2012). 80 % der Betroffenen leben nicht bei ihren biologischen Eltern (Freunscht & Feldmann 2011).

FAS ist die einzige Form von Behinderungen von Kindern, die komplett zu verhindern ist. Da nicht eindeutig geklärt werden kann, welche Alkoholmenge in welcher Schwangerschaftsphase sicher ist, lautet die klare Empfehlung für Schwangere und die, die es werden möchten, komplett auf Alkohol zu verzichten (Shelton et al. 2018).

Tab. 23.1 Kinderärztliche Untersuchung (3 Monate)

Untersuchung	Beschreibung	Fall
Anamnese	Befragung der Mutter zu Schwangerschaft, Geburtsverlauf und -modus, bisherigem Verlauf.	• Angaben zur Schwangerschaft und Geburt nur aus Jugendamt-Berichten bekannt • Schlechte Gewichtszunahme • Viel Schreien • Lässt sich schlecht beruhigen • Niedriger Grundtonus
Sichtbefund der Spontan- und Reaktivmotorik	Bei der Betrachtung der Spontanmotorik wird der Säugling nicht manipuliert. Zur Beobachtung der Reaktivmotorik wird opto-akustisch stimuliert, um altersentsprechende Antworten zu erhalten.	• Deutliche Plagiozephalie • Mikrozephalie • Gesichtsauffälligkeiten (kurze Lidspalte, verstrichenes Philtrum, schmale Oberlippe) • Sehr unruhig • Erschreckt schnell mit verlängertem Moro-Reflex • Folgt keinen optischen Reizen, beginnt zu schreien • Reagiert auf akustische Stimulation mit Schreien
Testung der primären Reaktionen und der Lagereaktionen nach Vojta		• Keine Auffälligkeiten

Um eine FAS zu diagnostizieren, wird der Algorithmus der S3-Leitlinie zur Diagnose der FASD genutzt (Landgraf & Heinen 2016, ➢ Abb. 23.2).

Im FASD-Zentrum fand eine ausführliche Diagnostik mit folgenden Punkten statt:

- Anamnesegespräch → Ausführliche Besprechung zur Vorgeschichte, Verhaltensweisen etc.
- Fetal Alcohol Syndrome Questionnaire (FASQ)
- „4-Digit Diagnostic Code“

Nachdem die Testungen ausgewertet wurden, wurde Mara mit dem Vollbild des FAS diagnostiziert.

KLINISCHER HINTERGRUND

4-Digit Diagnostic Code

Der 4-Digit Diagnostic Code wurde von Astley und Clarren 1997 entwickelt. Zur Diagnose des FAS bzw. von FASD werden die vier diagnostischen Hauptkriterien genutzt:

- Wachstumsdefizit
- Charakteristische Gesichtsanomalien
- ZNS-Schädigung
- Pränatale Alkoholexposition

Das Ausmaß der Ausprägung jedes Merkmals wird jeweils auf einer vierstufigen Skala wiedergegeben. Dabei steht die 1 für einen unauffälligen Befund und die 4 für einen stark ausgeprägten FAS-Befund. Am Ende erhält man einen vierstelligen Code. Hier steht der Code „4444" für ein stark ausgeprägtes FAS (Wachstumsdefizit, Vorhandensein der drei untersuchten Gesichtsmerkmale, der strukturelle oder neurologische Nachweis einer ZNS- Schädigung sowie eine bestätigte pränatale Alkoholexposition auf hohem Level) und der Code „1111" für einen unauffälligen Befund. Daraus ergeben sich 256 mögliche 4-Digit-Codes, die jeweils einer von 22 klinischen Diagnosekategorien zugeordnet werden können (Astley 2004).

KLINISCHER HINTERGRUND

Störungsfelder bei FAS

Neurobiologische und epigenetische Untersuchungen weisen darauf hin, dass die alkoholbedingten Schäden nahezu alle bekannten Strukturen des Nervensystems betreffen (Paditz & Ipsiroglu 2012).

Die FAS kann sich in sehr unterschiedlichen Formen und unterschiedlich starken Ausprägungen darstellen, dazu gehören unter anderem körperliche Symptome und neurologisch-kognitive Störungen.

Körperliche Symptome

- Ein- und Durchschlafstörungen (Alkohol stört nachweislich die Entwicklung der inneren Uhr [Nucleus suprachiasmaticus, SCN] und die Entwicklung des Melatoninsystems)
- Hör- und Sehstörungen
- Herzfehler
- Minderwuchs
- Störungen der Grapho-, Fein- und Grobmotorik
- Essstörungen
- Wahrnehmungsstörungen
- Verzögerter Wortschatzerwerb

- Verminderte Schmerzwahrnehmung
- Verminderte Kälte- und Wärmewahrnehmung
- Vermindertes Hunger- und Sättigungsgefühl

Neurologisch-kognitiver Bereich

- Intellektuelle Fähigkeiten schwankend zwischen geistiger Behinderung, Lernbehinderung und normaler Intelligenz
- Lern- und Verhaltensauffälligkeiten
- Bindungsstörungen
- Störungen des Sozialverhaltens
- Fehlendes Distanzgefühl (setzen sich Fremden auf den Schoß, umarmen Unbekannte etc.)
- Beeinträchtigungen der Exekutivfunktionen (Tagesablauf kann nicht eigenständig gestaltet werden)
- Hyperaktivität
- Gestörtes Kurz- und Langzeitgedächtnis
- Leichte Ablenkbarkeit/Reizüberflutung
- Gedächtnisprobleme
- Schwierigkeiten beim Erlernen von Regeln
- Unfähigkeit, adäquat mit Geld umgehen
- Gutgläubigkeit/Naivität (werden oft ausgenutzt)
- Fehlendes Erkennen von Kausalzusammenhängen (Verbindung zwischen Ursache und Wirkung wird nicht erkannt)
- Mangelnde Selbstständigkeit
- Wutanfälle/Aggressionen
- Emotionale Instabilität
- Verzerrte Gefahrenwahrnehmung
- Unfähigkeit, soziale Regeln „abzuspeichern"

(Thomsen et al. 2014)

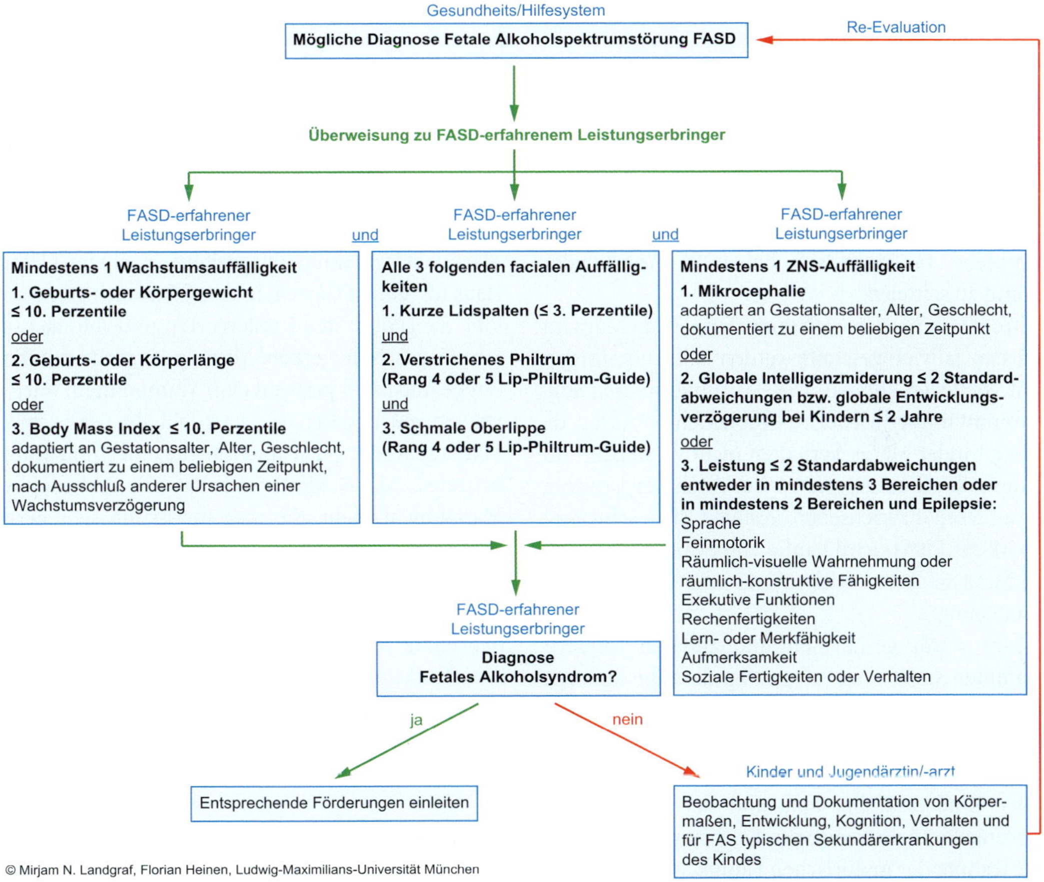

Abb. 23.2 Algorithmus zur Diagnose des fetalen Alkoholsyndroms. Zur genaueren Differenzierung der FASD (partielle FASD, alkoholbedingte entwicklungsneurologische Störung) führt die Leitlinie noch zwei weitere Algorithmen auf. [W1074–001/L231]

23.2.2 Physiotherapeutische Anamnese

Inzwischen ist Mara fünf Jahre alt und lebt seit drei Jahren in einer festen Pflegefamilie. Mara wirkt für ihr Alter klein und schmächtig. Sie ist ein tollpatschiges und sehr umtriebiges Kind. Sie kann nicht lange still sitzen, wirkt ruhelos und ist ständig in Bewegung, wobei sie häufig während der Ausführung von Tätigkeiten vergisst, was sie tun wollte. Sie fällt oft hin, wirft Sachen um und verletzt sich sehr oft. Im Kindergarten gibt es immer wieder Probleme, da die gleichaltrigen Kinder sie nicht mitspielen lassen wollen, dann reagiert sie oft wütend und aggressiv. Den Eltern fällt auch auf dem Spielplatz häufig auf, dass Maras motorische Fähigkeiten deutlich hinter denen der gleichaltrigen Kinder liegen.

Es hat auch eine Weile gedauert, bis die Erziehrinnen Maras Verhaltensweisen verstehen konnten und sie nicht mehr als trotziges und schlecht erzogenes Kind abgestempelt wurde, das nicht hören will.

Mara kann leichte oder unangekündigte Berührungen nur schlecht ertragen. Sie reagiert darauf abwehrend bis aggressiv, bekommt Angst oder beginnt zu schreien.

Ihre Eltern machen sich große Sorgen, da Mara im nächsten Jahr eingeschult werden soll und sie sich nicht vorstellen können, wie das funktionieren soll. Es kommt immer wieder zu Problemen im Alltag, da andere Kinder Maras Verhalten nicht verstehen und sie deshalb oft ausgegrenzt wird. Auch der Umgang mit anderen Erwachsenen gestaltet sich schwierig und Maras Eltern wird häufig vorgeworfen, sie würden Mara schlecht erziehen und seien nicht konsequent genug.

Mara würde gerne mehr mit anderen Kindern zusammen spielen, sie ist traurig, dass die anderen Kinder sie nicht gerne mitspielen lassen. Außerdem tanzt sie sehr gerne und möchte einer Tanzgruppe beitreten.

Der Kinderarzt hat aufgrund der motorischen Probleme Physiotherapie verschrieben und bittet um eine Testung der motorischen Fähigkeiten. Mara soll vor dem Eintritt in die Schule nochmals in einem Zentrum für FAS vorgestellt werden, wobei weitere Testungen vorgesehen sind, um die geeignete Schulform für Mara zu finden.

Die Eltern sind in einer Selbsthilfegruppe für FAS-Betroffene, was ihnen sehr im Umgang mit Mara und dem täglichen Leben hilft.

WAS WÄRE, WENN...

... Mara in eine Tanzgruppe käme und dort nicht mit den gleichaltrigen Kindern mithalten könnte?

Tanzen ist sehr komplex, vor allem das Merken der einzelnen Tanzschritte und der Choreografien. Daher kann es hilfreich sein, Gruppen zu finden, die keine Leistungsgruppen sind, oder spezielle Kurse für Kinder mit motorischen Entwicklungsverzögerungen. Hier können sich Kinder ohne Leistungsdruck ausprobieren und Freude an Bewegung lernen.

23.2.3 Evaluation des Gesundheitszustands nach ICF

Umwelt- und personenbezogene Faktoren

Mara lebt mit ihren Pflegeeltern in einem kleinen Haus mit einem Garten, in dem Mara sich gerne austobt. Sie geht in den Kindergarten und soll nächstes Jahr eingeschult werden. Mara spielt gerne mit ihrer Puppe und hüpft gern auf dem Trampolin im Garten. Spielen mit anderen Kindern fällt ihr sehr schwer. Mara tanzt sehr gerne und möchte einer Tanzgruppe beitreten. Maras Mutter arbeitet seit der Adoption Maras nicht mehr. Sie mag ihrem Job sehr gerne, aber Maras Betreuung ist zu intensiv, um weiterhin arbeiten gehen zu können.

Yellow Flags: Verminderte Aufnahmefähigkeit, begrenzte Aufmerksamkeit, eingeschränkte Exekutivfunktionen (eigenständiges Anziehen, Aufgaben umsetzten etc.), emotionale Instabilität, Sorge der Eltern vor wechselnder Situation.

Körperfunktions- und Strukturebene

Körperfunktion: Verminderte Hand-Augen-Koordination, verminderte Tiefen- und Oberflächensensibilität, verminderte Vorstellung des Körpers im Raum.

Körperstruktur: Kopfgröße vermindert, vermindertes Körperwachstum, Plagiozephalus, Veränderungen/Schädigungen des Nervensystems.

Assessment

Zur Erfassung der sensomotorischen Entwicklung im Säuglings- und Kleinkinderalter eignet sich die Bayley Scales of Infant and Toddler Development III (1 bis 42 Monate) sehr gut.

Zur Erfassung der motorischen Leistungsfähigkeit im Kindes- und Jugendalter wurde das M-ABC-2 Movement Screening ausgewählt. Dieser Test ist ein valides und reliables Assessment, um zu testen, ob die motorische Leistungsfähigkeit altersentsprechend ist. In einer Studie von Johnston et al. (2019) konnte gezeigt werden, dass das M-ABC-2 ein geeignetes Assessment ist, um motorische Einschränkungen bei FAS darstellen zu können.
Aufgrund von Maras mangelnder Aufmerksamkeit wurde die Testdurchführung auf mehrere Sitzungen verteilt. Die Testung zeigte, dass Mara Probleme in allen drei Unterkategorien hat und mit einem Prozentrang von 0,1 % (Gesamttestwert) im therapiebedürftigen Bereich liegt.

Aufgrund der komplexen Problematik erhält Mara einmal wöchentlich Physiotherapie und Ergotherapie (Graphomotorik und Feinmotorik). Dazu erhält sie zweimal wöchentlich Verhaltenstherapie bzw. Konzentrationstraining.

Da Mara noch immer große Probleme mit der Nahrungsaufnahme hat, wird die Familie auch von einer Diätassistentin unterstützt, die auf FAS spezialisiert ist.

KLINISCHER HINTERGRUND

Movement Assessment Battery for Children (M-ABC-2)

Movement Assessment-Battery for Children Second Edition (Petermann et al. 2015) testet die motorische Leistungsfähigkeit von Kindern und Jugendlichen (➤ Abb. 23.3). Der Test ist in drei Altersgruppen unterteilt:

- Gruppe I: 3–6 Jahre
- Gruppe II: 7–10 Jahre
- Gruppe III: 11–16 Jahre

Getestet wird in den Unterkategorien **Handgeschicklichkeit, Balance** und **Ballfertigkeit.** (➤ Abb. 23.4, ➤ Tab. 23.2).
Dabei werden sowohl die einzelnen Unterkategorien ausgewertet als auch der gesamte Test. Die Ergebnisse werden eingeteilt in normalen, kritischen oder therapiebedürftigen Bereich.

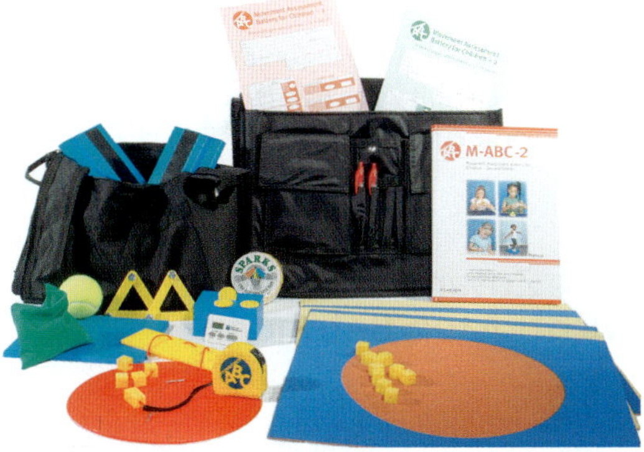

Abb. 23.3 Das M-ABC-2 Movement-Screen-Test-Kit [V993/G1190]

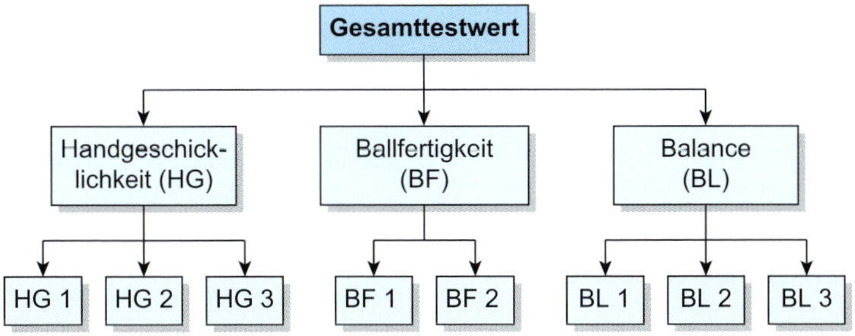

Abb. 23.4 Struktur des M-ABC-2 Movement Screen-Tests (nach Petermann et al. 2015). HG = Handgeschicklichkeit, BF = Ballfertigkeit, BL = Balance [L231]

Tab. 23.2 M-ABC-2 Aufgabenstellung in Altersgruppe I

Handgeschicklichkeit	Ballfertigkeit	Balance
• Taler einwerfen • Perlen aufziehen • Spur nachzeichnen	• Bohnensäckchen fangen • Bohnensäckchen werfen	• Ein-Bein-Stand • Laufen mit abgehobenen Fersen (auf einer Linie) • Mattenhüpfen (Beidbeiniges hüpfen)

Aktivitätsebene

Deutlich verminderte Fein- und Grobmotorik. Ballspielen erschwert, Balance vermindert, Koordination eingeschränkt.

Partizipationsebene (Teilhabe)

Eingeschränkt im Umgang mit gleichaltrigen Kindern, Spielen mit Gleichaltrigen erschwert. Mara möchte gerne einer Tanzgruppe beitreten.

23.3 Zusammenfassung der wichtigsten Befunde

Zusammengefasst liegt ein sehr komplexes Bild vor. Mara leidet an einem Vollbild des FAS. Sie zeigt Auffälligkeiten im Verhalten, in Exekutivfunktionen, der Fein-, Grapho- und Grobmotorik sowie der Balance und Ballfertigkeit. Auch im sensorischen Bereich gibt es Einschränkungen. So erträgt Mara keine leichten oder plötzlichen Berührungen und reagiert darauf mit Abwehr, Aggression oder Schreien. Ihre Wärme- und Kältewahrnehmung ist ebenfalls vermindert.

23.4 Physiotherapeutische Zielsetzung

Mit Mara und ihrer Mutter wurden folgende Ziele festgelegt:

Nahziel: Verbesserung der Körper-/Eigenwahrnehmung, Verbesserung der Balance und der Ballfertigkeit.

Fernziel: Teilnahme an einem Sportkurs mit anderen Kindern, vorzugsweise einer Tanzgruppe.

23.5 Physiotherapeutische Maßnahmen/Therapieplan

Verbesserung der Körperwahrnehmung

Die Verbesserung der Körperwahrnehmung ist ein wichtiger Baustein in der Behandlung von FAS. Viele der Betroffenen haben eine deutlich verminderte Körperwahrnehmung, wodurch auch andere Bereiche wie die Hand-Augen-Koordination und Balance eingeschränkt sein können. Ebenfalls betroffen ist häufig die Wahrnehmung des eigenen Körpers im Raum. Hier eignet sich z. B. die sensorische Integration:

- Lineare Bewegungen (Rollbrett, Brettschaukel, Rutschbrett, etc.)
- Starke propriozeptive Reize (pucken, fest in eine Decke einrollen, durch einen Tunnel krabbeln, der mit Kissen ausgelegt ist, etc.)
- Propriozeptive Reize über Krabbeln, Schieben, Ziehen, Drücken und Vibrationsreize, Aufstampfen mit den Füßen etc.

PRAKTISCHER TIPP

Verstärkte Propriozeption zur Eigenregulierung

Eine verstärkte Propriozeption durch einen starken propriozeptiven Reiz (*Deep Touch Pressure,* DTP) kann hilfreich sein, um Reizüberflutungen, Angstattacken etc. zu regulieren (Chen et al. 2013). Durch die propriozeptiven Reize wie Halten, Umarmen, Drücken, festes flächiges Streichen oder Pucken kommt es zu einer Reduzierung von Angstgefühlen und Steigerung von Ruhe durch eine Regulierung des Nervensystems. So kann z. B. für Kinder nachts eine Gewichtsdecke helfen, um zur Ruhe zu kommen.

Wenn Betroffene einen Wutanfall oder eine Angstattacke/Panikattacke haben, kann ebenfalls verstärkte Propriozeption in Form einer festen Umarmung helfen, bis das Kind sich beruhigt hat. Dabei ist auf einen konstanten, möglichst großflächigen Druck zu achten.

Zur Eigenregulation und Aufmerksamkeitslenkung kann auch im Sitzen fester Druck über die Füße in den Boden und mit den Händen auf den Stuhl gegeben werden.

Dabei wird der Druck kurz gehalten und dann langsam wieder gelöst. Eine weitere Möglichkeit ist die Vorstellung, im Stehen mit den Händen die Wand zu verschieben.

Verbesserung der Balance

Eine gute Balance ist die Grundlage für weitere motorische Anforderungen wie z. B. die Hand-Augen-Koordination (Werfen und Fangen). Außerdem vermindert eine gute Balance das Verletzungsrisiko. Übungen zur Verbesserung der Balance können beispielsweise als Aufgabenteile in einem Parcours eingearbeitet werden. Eine ganze Einheit zur Balance kann häufig nicht durchgeführt werden, da Balance eine hohe Aufmerksamkeit erfordert, was bei FAS meist eingeschränkt ist. Deshalb eigenen sich hier kürzere Aufgabenabschnitte besser.

Folgende Möglichkeiten bieten sich zur Verbesserung der Balance an:

- Seiltänzer auf einer Linie
- Balancieren auf Flusssteinen
- Balancieren auf einem Wackelbrett
- Übungen auf dem Posturomed
- Airex®-Matte/-Pad
- Verschiedene Untergründe

Verbesserung der Ballfertigkeit

Um die Ballfertigkeit zu trainieren, ist es hilfreich, dass genügend Möglichkeiten geschaffen werden, mit Bällen zu spielen. Hier ist auf eine große Variabilität zu achten mit verschiedenen Größen, Farben, Formen, Haptik etc. Dabei sollte der Fokus auf Spielen und sich Ausprobieren liegen, die perfekte Ausführung ist zu Beginn zweitrangig.

PRAKTISCHER TIPP

Gestaltung der Physiotherapie

- Routinen sind für betroffene mit FAS essenziell. Es wichtig dem Kind einen klaren Rahmen der Einheit vorzugeben. Hilfreich sind Rituale, um Situationen einordnen zu können (wie bspw. immer das gleiche Lied zu Beginn einer Stunde zu singen).
- Da viele Umgebungsreize ablenkend wirken, sollte der Übungsraum vor der Einheit entsprechend reizarm gestaltet werden (Keine offenen Regale, Spiele immer an gleicher Stelle etc.).
- Komplexe Aufgaben können häufig nicht bewältigt werden. Aufgaben müssen kurz gehalten und einfach gestaltet sein, um Überforderung zu vermeiden (eventuell auch mit Bildmaterial unterstützen).
- Bewegung soll Freude machen, Misserfolge sollten möglichst vermieden werden. Der Fokus sollte darauf liegen, *dass* eine Aufgabe ausgeführt wird und weniger darauf, *wie* diese ausgeführt wird.
- Geduldig sein, wenn Aufgaben nicht umgesetzt werden können. Das Problem ist häufig nicht das „Nicht-Wollen", sondern das „Nicht-Können".
- Wenn eine Aufgabe korrekt ausgeführt wurde, sollte unverzüglich verbal positiv verstärkt werden.

Beispielhafter Aufbau der Therapieeinheit

Begrüßung (Wahrnehmung)

Die Schuhe werden im Raum ausgezogen und die Begrüßung findet über ein Begrüßungslied („Schön, dass du da bist") kombiniert mit der Körperbegrüßung im Langsitz nach Bobath statt. Wenn eine taktile Überempfindlichkeit vorliegt, soll nicht direkt auf der Haut gearbeitet werden, sondern über der Kleidung, oder der Körper wird z. B. mit schweren Sandsäcken bedeckt und darüber der Druck ausgeübt. Hier sind auch klare Fazilitationen mit deutlichem Druck wichtig.

Hauptteil

Vorbereitung: Es wird ein Bewegungsparcours aufgebaut. Die benötigten Gegenstände sind als Bildkarten bereitgelegt, so kann Mara anhand der Bildkarten die benötigten Gegenstände mit der Therapeutin holen und aufbauen. Ein kleiner Parcours mit wenig Stationen ist hier am besten geeignet.

Aufbau:

- Große Bohnenschale, in der Puzzleteile versteckt wurden
- Flusssteine
- Kletterwand mit Rutsche
- Krabbeltunnel gefüllt mit Kissen
- Schwere Kiste, die über eine Linie geschoben werden muss
- Steckpuzzle auf einem Tisch

Durchführung: Mara sucht in der Bohnenschale ein Puzzleteil. Dieses wird durch den Parcours transportiert und am Ende in die richtige Form des Steckpuzzles gesteckt. Bei schwierigen Bewegungsabschnitten oder mangelnder Qualität der Bewegungen

Die Physiotherapeutin erklärt der Mutter, wie sie ein Miktionsprotokoll führen soll, und bittet sie, dieses und die mitgegebenen Anamnesefragebögen bis zum nächsten Termin auszufüllen und mit allen vorhandenen ärztlichen Befunden mitzubringen. Mögliche Assessments zur Verlaufsdokumentation sind in ➤ Tab. 24.2 zusammengefasst.

Beim zweiten Termin lernt die Physiotherapeutin Ole kennen. Sie fragt ihn, ob er wüsste, warum er zu ihr kommt und ob er ihr von sich erzählen möchte. Ole ist sehr aufgeregt, wenn er spricht, ist seine Stimme heiser. Seine Mutter erzählt, dass er gar nicht kommen wollte. Ole möchte, dass seine Mutter der Therapeutin von ihm erzählt. Also schaut sich die Therapeutin zusammen mit Ole und der Mutter erstmal die mitgebrachten Dokumente an. Das Miktionsprotokoll (➤ Abb. 24.3) gibt einen ersten Anhaltspunkt: Ole trinkt für sein Alter und sein Gewicht (22 kg) zu wenig (ca. 600 ml) und sein Miktionsvolumen ist zu gering (max. 60 ml). Außerdem geht er zu häufig auf die Toilette (10–12 ×/Tag). Die Physiotherapeutin fragt Ole, ob es ihn störe, dass er noch eine Windel tragen müsse. Ole hat sich entspannt und erzählt, dass er die Windelhose nicht schlimm findet. Er sagt, er merke nicht,

Tab. 24.2 Mögliche Assessments zur Verlaufsdokumentation

Assessment	Wert
Miktionsprotokoll (➤ Abb. 24.3)	Erfassung von Trinkmenge, Anzahl und Zeitpunkt der Miktionen, Harnmenge pro Miktion
Tonus der Haltemuskulatur und allg. Bewegungsverhalten	Auffälligkeiten in Hyper- oder Hypotonus: • Fußgewölbe • Beinachsen und Adduktoren • Aufrichtung der Wirbelsäule, Glutealmuskulatur • Bereich der Schulterblätter (Scapula alata) • Kau- und Kiefermuskulatur
Aktive Beckenbeweglichkeit	• Aufrichten und Kippen des Beckens • Lateralflexion der LWS
Atemverhalten	• Atembewegung/-koordination • Atemfluss unter Belastung
Durchblutung	• Hautbild • Einziehungen/Aufquellungen • Temperatur
Biofeedback	• Spiegelkontrolle im Beisein der Eltern • Tonuskontrolle der Beckenbodenmuskulatur z. B. mittels Klebeelektroden am Damm und Biofeedback-Gerät

Miktionsprotokoll

Name: ____________________

Datum: ____________________

☀ tagsüber ☾ nachts

Uhrzeit:	☀ Trinkmenge [ml]	☀ Toilettengang [ml]	☀ Einnässen		☾ Toilettengang [ml]	☾ Windelgewicht Differenz [g]	Bemerkungen
			minimal	erheblich			
06:00							
07:00							
08:00							
09:00							
10:00							
11:00							
12:00							
13:00							
14:00							
15:00							
16:00							
17:00							
18:00							
19:00							
20:00							
21:00							
22:00							
23:00							
24:00							
danach							

Abb. 24.3 Miktionsprotokoll [M1145/L231]

wenn er urinieren müsse. Für die Defäkation gehe er aber immer aufs Klo. Er geht nicht gerne aufs Klo. Die Mutter ist sich nicht sicher, ob Ole den Drang wirklich nicht wahrnimmt. Sie sagt, sie glaube, er sei häufig abgelenkt. Daher schickt sie ihn oft auf die Toilette.

KLINISCHER HINTERGRUND

Physiologisches Trinkverhalten

- Empfohlene Trinkmenge in ml = Körpergewicht in kg × 30 ml.
- Kinder unter 27 kg Körpergewicht sollten täglich mind. 800 ml trinken.

Die Physiotherapeutin hat ein Beckenmodell aus Stoff und ein selbstgebasteltes Beckenbodenmodell (➤ Abb. 24.4). Die weichen Materialien sollen Ole zum „Begreifen" einladen. Sie zeigt Ole auf kindgerechte Art die anatomischen Strukturen, leitet Beckenbewegung an und erklärt den Ablauf der Blasenfüllung und -entleerung. Außerdem erklärt sie ihm anhand des Modells die korrekte Aktivierung und das Lösen der Beckenbodenmuskulatur. Ole ist sehr interessiert und versucht die gezeigten Bewegungen umzusetzen.

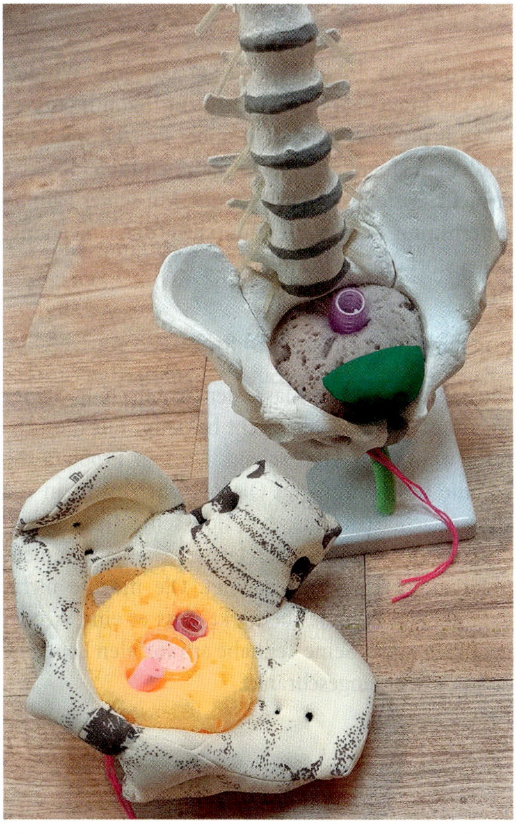

Abb. 24.4 Kindgerechtes Beckenmodell (m/w) [M1168]

Als Hausaufgabe bittet die Physiotherapeutin Ole, ein Bild von seiner Toilette zu malen. Ziel ist, dass Ole sich spielerisch mit der Toilettensituation auseinandersetzt und die Physiotherapeutin einen Eindruck von den Gegebenheiten bei Ole zuhause bekommen kann, um noch notwendige Veränderungen für eine erleichterte Miktion einzuleiten. Mit der Mutter bespricht sie, wieviel Ole trinken sollte. Sie gibt eine Trinktagesstruktur vor und bittet die Mutter, Oles Verhalten auf der Toilette – wenn möglich – zu beobachten.

⚠ VORSICHT

Yellow Flags

Zeigt das Kind ein abnormes Verhalten (distanzlos und/oder sexualisiertes oder introvertiertes Verhalten), sollte an Grenzüberschreitungen/sexuelle Gewalt oder andere emotionale Belastungen gedacht werden. Dies erfordert einen besonders sensiblen Umgang mit dem Kind.

Red Flags

Trinkt ein Kind übermäßig viel (das Doppelte der erwarteten Trinkmenge), kann ein Diabetes Typ 1/2/insipidus, ein hormonelles Defizit oder selten ein Hirntumor vorliegen. Eine ärztliche Diagnostik ist zwingend erforderlich. Auch bei Verdacht auf einen Nierenstau ist eine sofortige ärztliche Diagnostik indiziert.

24.2.3 Evaluation des Gesundheitszustands nach ICF

Personenbezogene Faktoren

Ole geht nicht selbstständig auf die Toilette. Wird er geschickt, beeilt er sich sehr und benutzt die Bauchpresse. Ole soll zunächst alle zwei Stunden auf die Toilette geschickt werden und dort bewusst seinen Beckenboden wahrnehmen, durch Atemübungen lernen, sich zu entspannen, und nachspüren, wie die Blase sich selbstständig entleert. Ziel ist es, die Wahrnehmung für seinen Beckenboden und die

oder mit Hilfe einer gerollten Gymnastikmatte. Dadurch kann die Oberflächen- und Tiefensensibilität verbessert werden.

Ole berichtet, dass er mit der Hilfe seiner Eltern die Toilette zuhause gemütlicher gemacht habe. Den Fußschemel würden seine Eltern auch nutzen, nachdem sie gemeinsam das Plakat zur korrekten Entleerungsposition, welches ihnen die Therapeutin mitgegeben hatte, gelesen und gegenüber der Toilette aufgehängt hatten. Er gibt an, dass es sich schön anfühlt, wenn die Blase sich entleert.

Im weiteren Verlauf der Therapie setzt die Physiotherapeutin einen weiteren Fokus auf Oles Beweglichkeit mit dem Ziel der Tonusregulation, einer Durchblutungssteigerung im Becken und der damit verbundenen besseren Organfunktion sowie einer verbesserten Koordination der Muskulatur.

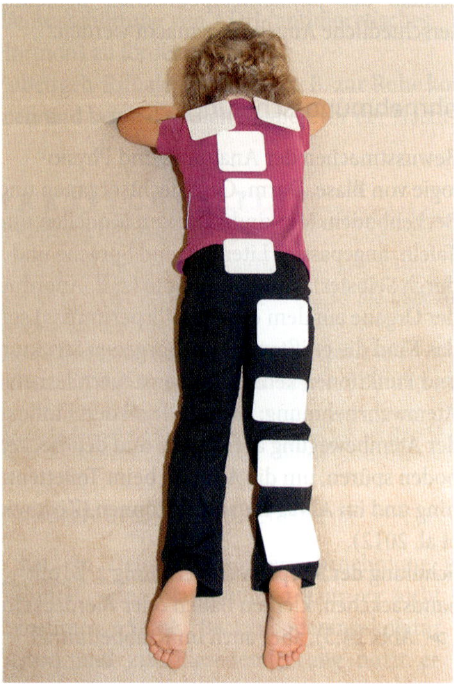

Abb. 24.5 Körperwahrnehmungsübung in Bauchlage mit Bierdeckeln (Beispiel). Das Kind soll erspüren und benennen, von welchem Körperteil ein Deckel weggenommen wird. [M1169]

Mobilisation und Tonusregulation

- Aktives Bewegungsprogramm z. B. mit unterschiedlich großen Therapiebällen, um das muskuloskelettale System zu trainieren (Ladi-Seyedian et al. 2014)
- Dehnlagerungen (➤ Abb. 24.6), um die Beweglichkeit zu verbessern und dadurch die Organmobilität zu fördern
- Sitzen/Bewegen auf einer Handtuchrolle, einem Kirschkernkissen oder einer Vibrationsrolle zur Tonusregulation der Beckenbodenmuskulatur

Auch passive Maßnahmen z. B. aus der Osteopathie oder der Reflexzonenmassage am Fuß können die Organmobilität fördern und somit zu einer besseren Organfunktion beitragen.

Ole kann inzwischen den Atem einsetzen, um sich zu entspannen. Frau M. berichtet der Physiotherapeutin jedoch, dass er zuhause auf der Toilette nach wie vor häufig die Bauchpresse zum Entleeren der Blase nutze. Auch hätten sie begonnen, Ole alle 1,5 Stunden auf die Toilette zu schicken, und festgestellt, dass er damit tagsüber trocken sei. Um ihn an das regelmäßigere Trinken zu erinnern, hat Ole eine re!me Vibrationsuhr bekommen.

In Absprache und im Beisein der Mutter testet die Physiotherapeutin den Einsatz eines Biofeedback-Elektrogeräts mit Klebeelektroden. Da Ole gut mit dem Koordinationsprogramm üben kann, empfiehlt die Therapeutin eine ärztliche Hilfsmittelverordnung für den Heimgebrauch. Ole soll mit diesem Gerät auch ein Toilettentraining absolvieren und somit sein Entleerungsverhalten verbessern.

Abb. 24.6 Rückenlage auf dem Pezziball zum Dehnen faszialer Strukturen von Blase und Darm und Mobilisation nervaler Strukturen der Wirbelsäule (Beispiel) [M1169]

Biofeedback

In der Beckenbodentherapie mit Kindern kann es verschiedene Ansätze von Biofeedback geben. Eine Spiegelkontrolle findet immer nur im Beisein der Eltern und mit Zustimmung des Kindes statt. Evtl. ist diese Methode in der Physiotherapiepraxis auch nicht umsetzbar und wird dem Kind und seiner Familie als Selbstkontrolle zu Hause erläutert. Auch der Einsatz von Klebeelektroden im Intimbereich erfordert eine besondere Sensibilität. Im Praxisalltag können daher Sensorplatten von Vorteil sein, auf denen das Kind mit Kleidung sitzen kann.

Drang-Aufschub-Strategien

Ole ist inzwischen 2,5 Monate in Physiotherapie. Die Therapie konnte nicht jede Woche stattfinden, jedoch unterstützt Familie M. Ole beim Umsetzen des Hausaufgabenprogramms und er kommt weiterhin sehr gerne zu seinen Terminen. Da er nach wie vor häufig auf die Toilette muss, inzwischen den Drang aber deutlich wahrnimmt, erarbeitet die Therapeutin mit ihm verschiedene Drang-Aufschub-Strategien. Ziel ist es, die Blasenkapazität zu erhöhen. Zusätzlich nutzt Ole eine weitere Funktion seines Elektrotherapiegerätes zuhause: Um den Drang zu minimieren, hilft ihm eine Neuroreizstromtherapie (Anlagemöglichkeit: tibial oder suprapubisch/sakral). Bei einer Frequenz von 5–10 Hz detonisiert diese sowohl die Blase als auch die Beckenbodenmuskulatur (Abd El-Moghny, El-Din & Shemy 2018, Altunkol et al. 2018).

PRAKTISCHER TIPP

In der Beckenbodentherapie mit Kindern spielt die Fuß- und Mundarbeit (> Abb. 24.7) eine bedeutende Rolle. Tonusverhältnisse in der Beckenbodenmuskulatur spiegeln sich oft in Fuß- und Mundmuskulatur wider und umgekehrt kann man über Mobilisation und Aktivierung dieser Muskelgruppen den Beckenboden beeinflussen.

So können Barfußpfade mit unterschiedlichen Untergründen den Beckenboden reaktionsfähiger machen, eine Mundraumarbeit kann die Koordination steigern und die Kraft verbessern.

Folgende Maßnahmen können helfen, den Harndrang zu kontrollieren, um die Toilette trocken zu erreichen (Beispiele):

- Auf den Zehenspitzen tippeln (Aktivierung Fußgewölbe)
- Atmen zum Beckenboden, um ihn dynamisch schwingen zu lassen und nicht in einer Dauersicherungsspannung zu halten
- Mit dem Kopf bei sich sein, nicht schon auf der Toilette
- Kurzes Innehalten, nicht zur Toilette rennen

Die Physiotherapeutin hat mit Ole eine Mundraumentspannung geübt mit dem Ziel, seine Aufmerksamkeit und Entspannungsfähigkeit im Alltag zu verbessern. Da Ole es mag, massiert Frau M. ihm jeden Abend im Bett die Füße mit dem Ziel der Entspannung und als Teil des Zubettgeh-Rituals

Durchblutungsanregende Maßnahmen

Diese Maßnahmen haben das Ziel, eine bessere vaskuläre Ver- und Entsorgung von Muskulatur und Organen sowie einen Tonusausgleich und bessere vegetative Balance zu erreichen:

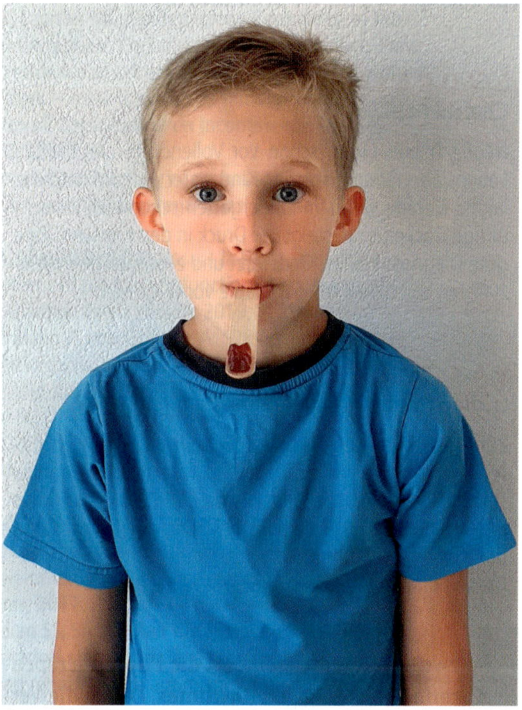

Abb. 24.7 Mundarbeit (Beispiel) [M1168]

Anhang

Rechtsgrundlagen der sozialmedizinischen Nachsorge, der Früherkennung und Frühförderung

Melanie Heep

Nach **§ 43 Abs. 2 SGB V** haben Kinder und Jugendliche die Möglichkeit, eine **sozialmedizinische Nachsorgemaßnahme** in Anspruch zu nehmen, „wenn bei schweren Beeinträchtigungen der Funktionsfähigkeit (Schädigung von Körperfunktionen, Beeinträchtigung altersentsprechender Aktivitäten/Teilhabe)

- ein komplexer Interventionsbedarf besteht und
- durch die Komplexität der verordneten Interventionen bei gleichzeitig erschwerter Organisation der erforderlichen Unterstützung (negative Kontextfaktoren) eine familiäre Überforderungssituation droht." (GKV-Spitzenverband o. J.)

Sozialmedizinische Nachsorge/Betreuungsangebot für Familien bedeutet:

- Niedrigschwelliges Angebot für Familien
- Breites Indikationsspektrum
- Unterstützung von Eltern und Kind
- Ansprechpartner in allen Bundesländern, z. B. Harl.e.kin-Nachsorge in Bayern

Nach **§ 46 SGB IX** haben behinderte und von Behinderung bedrohte Kinder in Deutschland die Möglichkeit, eine **Früherkennung und Frühförderung** in Anspruch zu nehmen. Darunter fallen folgende Leistungen:

- Medizinische Leistungen der fachübergreifend arbeitenden Dienste und Einrichtungen
- Nichtärztliche sozialpädiatrische, psychologische, heilpädagogische, psychosoziale Leistungen und die Beratung der Erziehungsberechtigten, auch in fachübergreifend arbeitenden Diensten und Einrichtungen, wenn sie unter ärztlicher Verantwortung erbracht werden und erforderlich sind, um eine drohende oder bereits eingetretene Behinderung zum frühestmöglichen Zeitpunkt zu erkennen und einen individuellen Behandlungsplan aufzustellen

Frühförderung beinhaltet:

- Komplexleistung
- Unterstützung von Kind und Familie bis zur Vollendung des 6. Lebensjahrs des Kindes
- Interdisziplinäres Arbeiten unterschiedlicher heilpädagogisch-psychologischer und medizinisch-therapeutischer Berufsgruppen (Psychologie, Pädagogik, Physio-, Ergo- und Sprachtherapie)
- Regionale Standorte in allen Bundesländern

Die Internationale Klassifikation der Funktionsfähigkeit, Behinderung und Gesundheit (ICF)

Melanie Heep

Die ICF (im englischen Original *International Classification of Functioning, Disability and Health*) basiert auf einem ganzheitlichen biopsychosozialen Modell von Gesundheit und Krankheit (➤ Abb. A1). Sie wurde 2001 von der WHO verabschiedet (Deutsche Fassung: DIMDI 2005) und erfasst Ressourcen und Defizite in allen Lebensbereichen. Die ICF ist in zwei Teile mit je zwei Komponenten untergliedert:

- Teil 1: Funktionsfähigkeit und Behinderung
  - Körperfunktionen und -strukturen
  - Aktivitäten und Partizipation (Teilhabe)
- Teil 2: Kontextfaktoren
  - Umweltfaktoren
  - Personenbezogene Faktoren

Die Ebenen „Körperfunktionen und -strukturen", „Aktivitäten und Partizipation" sowie „Umweltfaktoren" sind jeweils in weitere Kapitel untergliedert (➤ Tab. 1). Die Ebene „Personenbezogene Faktoren" ist nicht weiter klassifiziert.

Um die Besonderheiten in Entwicklung befindlicher Funktionen und die besonderen Lebenswelten von

Tab. 2 Einteilung CP anhand der feinmotorischen Fähigkeiten – Manual Ability Classification System (MACS) (adaptiert nach Eliasson et al. 2006)

	Beschreibung
Level I	• Keine wesentlichen Schwierigkeiten bei der Handhabung von Objekten. • Geschwindigkeit und Genauigkeit bei manuellen Aufgaben können reduziert sein, jedoch ohne Beeinträchtigung der Selbstständigkeit bei ADL.
Level II	• Die meisten Objekte können gehandhabt werden, jedoch mit verminderter Qualität und/oder Geschwindigkeit in der Durchführung. • Es können Kompensationsmechanismen genutzt werden. • Die Selbstständigkeit im Alltag ist in der Regel nicht durch die manuellen Fähigkeiten eingeschränkt.
Level III	• Es treten Schwierigkeiten bei der Handhabung von Objekten auf, sodass Hilfe bei der Vorbereitung und/oder Modifikation notwendig ist. • Die Durchführung von manuellen Aktivitäten ist verlangsamt und die Qualität und/oder Quantität ist herabgesetzt.
Level IV	• Es kann lediglich mit leicht zu handhabenden Objekten in angepassten Ausgangssituationen umgegangen werden. • Die Ausführung ist anstrengend und der Erfolg ist herabgesetzt. • Es wird kontinuierlich Hilfe und/oder eine Anpassung an die speziellen Bedürfnisse benötigt.
Level V	• Die Handhabung von Objekten ist nicht möglich und es bestehen deutliche Einschränkungen selbst bei der Durchführung leichter feinmotorischer Handlungen. • Bei allen manuellen Aktivitäten wird Hilfe benötigt.

Tab. 3 Einteilung CP anhand der Ess- und Trinkfähigkeit – Eating and Drinking Ability Classification System (EDACS) (adaptiert nach Sellers et al. 2014)

	Beschreibung
Level I	• Isst und trinkt sicher und effizient altersgerechte Nahrung. • Sehr bissfeste Nahrung kann herausfordernd sein. • Essgeschwindigkeit ist vergleichbar mit Gleichaltrigen.
Level II	• Isst und trinkt sicher altersgerechte Nahrung, aber mit etwas herabgesetzter Effizienz. • Bissfeste, uneinheitliche und klebrige Speisen stellen eine Herausforderung dar. • Essenszeit ist länger als bei Gleichaltrigen.
Level III	• Isst und trinkt mit etwas eingeschränkter Sicherheit, die Effizienz kann herabgesetzt sein. • Isst zerdrückte/pürierte Nahrung; Beißen und Kauen weicher Nahrung kann möglich sein.
Level IV	• Isst und trinkt mit deutlich eingeschränkter Sicherheit. • Isst gut zerdrückte/einheitlich pürierte Nahrung. • Es besteht Aspirationsgefahr. • Ergänzende Sondenernährung könnte in Betracht gezogen werden.
Level V	• Essen und Trinken ist nicht sicher möglich, Sondenernährung könnte in Betracht gezogen werden zur Sicherstellung einer ausreichenden Nahrungsaufnahme. • Sehr kleine Geschmacksproben sind ggf. möglich.

Tab. 4 Einteilung CP anhand der kommunikativen Fähigkeiten – Communication Function Classification System (CFCS) (adaptiert nach Hidecker et al. 2011)

	Beschreibung
Level I	• Wirksamer Sender und Empfänger mit vertrauten und unvertrauten Gesprächspartnern. • Die Kommunikation verläuft einfach und in einem angenehmen Tempo.
Level II	• Wirksamer Sender und/oder Empfänger mit vertrauten und/oder unvertrauten Gesprächspartnern. • Die Konversation ist langsamer und kann dadurch erschwert sein. • Missverständnisse können meist auch mit unbekannten Personen geklärt werden.
Level III	• Wirksamer Sender und Empfänger mit vertrauten Gesprächspartnern. • Mit unvertrauten Gesprächspartnern ist die Kommunikation nicht durchgehend effektiv.
Level IV	• Gelegentlich wirksamer Sender und/oder Empfänger mit vertrauten Gesprächspartnern. • Wechselt nicht durchgehend zwischen Sender und Empfänger.
Level V	• Selten wirksamer Sender und Empfänger mit vertrauten Gesprächspartnern. • Sowohl das Senden als auch das Empfangen ist eingeschränkt.

Anamnesebogen

Johanna Seeländer

Eine gründliche physiotherapeutische Anamnese ist unerlässlich, um Entwicklungsstörungen korrekt zu bewerten und passende Therapien auszuwählen. Dabei empfiehlt sich die Verwendung standardisierter Anamnesebögen, damit alle wichtigen Aspekte berücksichtigt werden. Ein Beispiel ist in ➤ Abb. A3 dargestellt.

LITERATUR

DIMDI (Deutsches Institut für Medizinische Dokumentation und Information, Hrsg.). Internationale Klassifikation der Funktionsfähigkeit, Behinderung und Gesundheit (Stand: Oktober 2015). www.bfarm.de/DE/Kodiersysteme/Klassifikationen/ICF/_node.html6 (letzter Zugriff: 29. April 2021).

GKV-Spitzenverband (o. J.). Sozialmedizinische Nachsorge. www.gkv-spitzenverband.de/krankenversicherung/rehabilitation/sozialmedizinische_nachsorge/sozialmedizinische_nachsorge.jsp (letzter Zugriff: 1. August 2021)

Sozialgesetzbuch, Fünftes Buch (SGB V), Gesetzliche Krankenversicherung. § 43 „Ergänzende Leistungen zur Rehabilitation". www.sozialgesetzbuch-sgb.de/sgbv/43.html (letzter Zugriff: 29. April 2022).

Sozialgesetzbuch, Neuntes Buch (SGB IX), Rehabilitation und Teilhabe von Menschen mit Behinderungen. § 46 „Früherkennung und Frühförderung". www.sozialgesetzbuch-sgb.de/sgbix/46.html (letzter Zugriff: 29. April 2022).

Eliasson AC et al. The Manual Ability Classification System (MACS) for children with cerebral palsy: scale development and evidence of validity and reliability. Dev Med Child Neurol. 2006; 48 [7], 549–554. Deutsche Fassung (Stand 2015) online unter www.macs.nu/download-content.php (letzter Zugriff: 23. August 2022).

Hidecker MJC et al. Developing and validating the Communication Function Classification System (CFCS) for individuals with cerebral palsy. Dev Med Child Neurol. 2011; 53(8): 704–710. Deutsche Übersetzung (Stand 2018) online unter http://cfcs.us/about/ (letzter Zugriff: 23. August 2022).

Rethlefsen SA, Ryan DD, Kay RM. Classification systems in cerebral palsy. Orthop Clin North Am. 2010; 41(4): 457–467.

Sellers D. et al. Development and reliability of a system to classify the eating and drinking ability of people with cerebral palsy. Dev Med Child Neurol 2014; 56(3): 245–251. EDACS descriptions and illustrations online unter: www.sussexcommunity.nhs.uk/get-involved/research/chailey-research/eating-drinking-classification.htm (letzter Zugriff: 23. August 2022).